DU MÊME AUTEUR

Aux Éditions Gallimard

SOURIRES DE LOUP
L'HOMME À L'AUTOGRAPHE

Du monde entier

ZADIE SMITH

DE LA BEAUTÉ

roman

Traduit de l'anglais
par Philippe Aronson

GALLIMARD

Titre original :

ON BEAUTY

Pour mon cher Laird

Remerciements

Je tiens tout d'abord à exprimer ma reconnaissance envers mes premiers lecteurs, Nick Laird, Jessica Frazier, Tamara Barnett-Herrin, Michal Shavit, David O'Rourke, Yvonne Bailey-Smith et Lee Klein. Leurs encouragements, critiques et conseils ont mis l'affaire en marche. Merci à Harvey et à Yvonne pour leur soutien, et à mes jeunes frères, Doc Brown et Luc Skyz, qui me conseillent sur tout ce que je suis trop vieille pour connaître. Merci à mon ancien élève Jacob Kramer pour ses notes sur la vie universitaire et les mœurs de la côte est des États-Unis. Merci à India Knight et à Elizabeth Merriman pour toutes les phrases en français. Merci à Cassandra King et à Alex Adamson de s'être occupés de tous les aspects extra-littéraires.

Je remercie Beatrice Monti de m'avoir permis de séjourner à Santa Maddelena et pour le bon travail que j'ai pu y accomplir. Merci à mes éditeurs anglais et américain, Simon Prosser et Anne Godoff, sans qui ce livre serait plus long et plus mauvais. Merci à Donna Poppy, la meilleure secrétaire d'édition dont une fille puisse rêver. Merci à Juliette Mitchell chez Penguin de tous les efforts qu'elle a fournis pour moi. Sans mon agente, Georgia Garrett, je serais totalement incapable de faire ce travail. Merci, George. Tu es sensationnelle.

Merci à Simon Schama d'avoir écrit son livre monumental *Les yeux de Rembrandt*, qui m'a permis pour la première fois de voir la peinture correctement. Merci à Elaine Scarry d'avoir écrit son superbe essai, « On Beauty and Being Just », auquel j'ai emprunté un titre, un titre de chapitre et où j'ai puisé une grande part de mon inspiration. Dès la première phrase, il sautera aux yeux de tout lecteur averti que mon attachement à l'œuvre de E. M. Forster, auteur auquel je suis redevable d'une façon ou d'une autre dans tout ce que je fais, a nourri mon inspiration. Cette fois-ci j'ai souhaité m'acquitter de ma dette à son égard avec un *hommage*[1].

Plus que tout, je remercie mon mari, dont je pille la poésie pour embellir ma prose. Nick est celui qui sait que l'amour se mesure en temps passé ensemble, et c'est pour cela que je lui dédie ce livre, tout comme ma vie.

1. Les mots ou phrases en italique suivis d'un astérisque sont en français dans le texte.

Kipps et Belsey

Chacun de nous refuse d'être l'autre.

H. J. Blackham

1

Autant commencer par les e-mails de Jerome à son père .

De : Jeromenvoyage@easymail.com
À : HowardBelsey@fas.Wellington.edu
Date : 5 novembre
Objet :

Salut papa — je vais continuer de continuer à t'écrire — et même si je n'attends plus de réponse, j'espère que tu répondras, si tu vois ce que je veux dire.

Ça se passe vachement bien. Je travaille dans le quartier de Green Park, dans le bureau de Monty Kipps lui-même (savais-tu que c'est *Sir* Monty ??). Je suis avec une fille de Cornouailles, Emily. Elle est sympa. Il y a trois autres Amerloques (dont un de Boston !) parmi les stagiaires, je me sens donc comme à la maison. En fait, j'ai le boulot d'un assistant : j'organise des déjeuners, je classe des documents, je réponds au téléphone, ce genre de choses. Les activités de Monty dépassent le cadre universitaire : il siège à la commission des relations interraciales, et s'occupe d'associations caritatives à la Barbade, à la Jamaïque, à Haïti, etc. — du coup, j'ai plein de boulot. On est si peu nombreux que j'ai l'occasion de travailler étroitement avec lui — et depuis que je vis avec la famille, je me suis pour ainsi dire totalement intégré. Ah, la famille Kipps. Tu n'as pas répondu à mon dernier message, j'imagine donc ta réaction (ce qui n'est pas très difficile...). En fait, c'était la solution la plus pratique — et vraiment gentil de leur part —, je venais de me faire virer du « meublé » à Marylebone. Les Kipps ne me doivent rien, mais ils ont proposé, et j'ai accepté — avec gratitude. J'habite chez eux depuis une semaine, et il n'a toujours pas été question de loyer, ce qui en dit long sur leur compte. Je sais bien que tu voudrais m'entendre dire que c'est l'enfer, mais en vérité, *j'adore*. C'est un autre monde. La maison est carrément démente — style début victorien —, modeste de l'extérieur mais très vaste à l'intérieur. Sa simplicité me plaît beaucoup — toutes les pièces ou presque sont peintes en blanc, avec plein d'objets artisanaux, des couvre-lits, des étagères en bois sombre, des corniches, un escalier desservant quatre étages — et leur seule et unique télé est à la cave : Monty ne regarde que les infos, et ses propres interventions télévisées. Parfois, j'ai l'impression de voir l'image inversée de notre maison. La résidence Kipps est située dans « Kilburn », un quartier du nord de Londres, ce qui peut paraître bucolique mais qui en fait n'a rien de bucolique, rien du tout. La rue où nous habitons est une exception : malgré la proximité de la « grand-rue », c'est parfaitement silencieux. On peut s'asseoir dans le jardin, lire à l'ombre d'un arbre gigantesque — vingt mètres de haut, avec un tronc couvert de vigne vierge —, et se croire dans un roman... L'automne est différent ici — c'est beaucoup moins intense, les arbres perdent leurs feuilles bien plus tôt — tout est plus mélancolique.

La famille, c'est encore autre chose — elle mériterait plus de place et de temps que je n'en ai (je t'écris pendant ma pause déjeuner). En bref : ils ont un fils, Michael, sympa, sportif. Un peu ennuyeux, peut-être. En tout cas, *toi*, tu le trouverais ennuyeux. Il est dans les affaires — ne me demande pas lesquelles. Il est immense ! Il fait au moins cinq centimètres de plus que toi. D'ailleurs, tous les membres de la famille sont grands et athlétiques, en vrais Antillais. Il doit mesurer 1,95 m. Ils ont aussi une fille très grande et très belle, Victoria. Je ne l'ai vue qu'en photo (elle est en train de faire le tour de l'Europe en train) — je crois qu'elle rentre vendredi prochain. Carlene, la femme de Monty, elle est carrément parfaite. Elle ne vient pas de Trinidad — elle est d'une petite île, Saint quelque chose. Je n'ai pas très bien

16

entendu quand elle me l'a dit la première fois, et je sens qu'il est trop tard maintenant pour le lui redemander. Elle me donne constamment à manger ; elle voudrait que je m'enrobe un peu. La famille parle de sport, de Dieu et de politique, mais Carlene plane au-dessus des débats comme un ange — et elle m'aide avec la prière. Elle sait vraiment *prier.* Ça fait du bien de pouvoir prier sans qu'un membre de la famille entre dans ta chambre pour (a) péter, (b) crier, (c) dénoncer la « fausse métaphysique » de la prière, (d) chanter à tue-tête, (e) rire.

Voilà donc pour Carlene Kipps. Dis à maman qu'elle fait aussi de la pâtisserie. Dis-le-lui en passant, puis éloigne-toi en rigolant...

Bon, maintenant, fais bien attention à ce qui suit : tous les matins, les membres de LA FAMILLE KIPPS AU GRAND COMPLET prennent leur petit déjeuner ensemble, discutent ensemble, avant de partir ENSEMBLE en voiture (tu prends des notes ?) — je sais, ça dépasse l'entendement. Jamais je n'ai connu de famille aussi désireuse de passer du temps *ensemble.*

J'espère qu'en me lisant tu te rendras compte que votre « polémique » est complètement futile. D'ailleurs, tout vient de toi — Monty ne donne pas dans la polémique. Au fond, vous ne vous êtes jamais vraiment rencontrés — si ce n'est par le biais de débats publics et de lettres idiotes. Quel gâchis. Toute la cruauté du monde ou presque résulte d'une énergie mal employée. Sur ce : je dois y aller — le travail m'appelle !

Bisous à maman et à Levi, demi-bisou à Zora,
Et n'oublie pas : je t'aime, papa (et je prie pour toi)
La vache ! C'est le plus long message de tous les temps !

Jerome

De : Jeromenvoyage@easymail.com
À : HowardBelsey@fas.Wellington.edu
Date : 14 novembre
Objet : Encore moi

Papa,

Merci de m'avoir fait suivre les informations concernant mon mémoire — pourrais-tu téléphoner à Brown et demander un délai ? Je comprends mieux pourquoi Zora s'est inscrite à Wellington : c'est beaucoup plus facile de rendre ton travail en retard quand le prof c'est ton père ☺. J'ai bien lu ta question lapidaire : bêtement, j'ai cherché une pièce jointe (genre, une lettre ???), mais j'imagine que tu es trop occupé/fâché, etc., pour m'écrire. Eh bien, moi, non. Et ton livre, ça avance ? Maman m'a dit que tu avais du mal à te lancer. As-tu enfin trouvé le moyen de prouver que Rembrandt était nul ? ☺

J'aime de plus en plus les Kipps. Mardi, nous sommes tous allés au théâtre (le clan au complet est à la maison en ce moment) voir une compagnie de danse sud-africaine. Au retour, dans le métro, on a commencé à chantonner une mélodie du spectacle, pour finir, sous la direction de Carlene (elle a une voix superbe), par chanter en chœur — même Monty s'y est mis, car ce n'est pas vraiment, comme tu le prétends, un « psychopathe qui se déteste ». C'était plutôt charmant, les chants, le métro aérien, et le retour sous la pluie suivi d'un poulet au curry maison. Mais je vois d'ici ton expression, donc je m'arrête.

Autre chose. Monty a relevé la principale carence du clan Belsey : le manque de logique. Il essaie de m'apprendre à jouer aux échecs, et aujourd'hui, pour la première fois depuis une semaine, il ne m'a pas battu en moins de six coups, même si, bien entendu, il a fini par me battre. Les Kipps me trouvent tous désordonné et poétique — je me demande quelle serait leur réaction s'ils savaient que je suis le Wittgenstein de la famille. Néanmoins, je crois que je les amuse. Carlene aime que je lui tienne compagnie dans la cuisine car, contrairement à certains, elle ne trouve pas névrotique et obsessionnel mon amour de la propreté... cela dit, je dois avouer que c'est assez étrange de se réveiller le matin dans un silence paisible (ici, on CHUCHOTE dans les couloirs pour ne pas réveiller les autres). J'ai une vague nostalgie des coups de serviette humide sur les fesses flanqués par notre cher Levi, et mes oreilles sont un peu désorientées sans les hurlements de Zora. Maman m'a appris dans son dernier message que Levi porte désormais QUATRE couvre-chefs (calotte, casquette de base-ball, bonnet, capuche de parka), et des écouteurs — si bien qu'on ne distingue qu'un tout petit bout de son visage, autour des yeux. Embrasse-l'y pour moi, s'il te plaît. Et embrasse maman, et souviens-toi que demain en huit, c'est son anniversaire. Embrasse Zora et dis-lui de lire Matthieu 24. Je sais qu'elle adore se plonger chaque jour dans les Saintes Écritures.

Peace & Love en abondance,

Jerome

P.-S. pour répondre à ta « petite question », oui je le suis toujours... et malgré le mépris patent que cela t'inspire, je m'en accommode parfaitement... ce n'est pas si rare chez les jeunes d'aujourd'hui de l'être encore à vingt ans, surtout chez ceux qui ont décidé de vivre en communion avec le Christ. C'est bizarre que tu m'aies posé la question : hier, en traversant Hyde Park, je pensais justement à ta première fois, avec une fille que tu ne connaissais pas et que tu n'allais jamais revoir. Non, je ne suis pas tenté de reproduire l'expérience...

De : Jeromenvoyage@easymail.com
À : HowardBelsey@fas.Wellington.edu
Date : 19 novembre
Objet :

Cher professeur Belsey !
Je me demande bien comment tu vas prendre ce que j'ai à t'annoncer : Nous sommes amoureux ! La fille Kipps et moi ! Papa, je vais la demander en mariage ! Et je crois qu'elle va accepter !!! Ça te plaît, mes points d'exclamation !!!!??? Elle s'appelle Victoria, mais tout le monde l'appelle Vee. Elle est incroyablement belle et brillante. Je vais faire ma demande « officielle » ce soir, mais je voulais te le dire d'abord. Ça nous est tombé dessus, comme dans le Cantique des Cantiques, et il n'y a rien à expliquer, sinon que c'était une sorte de révélation mutuelle. Elle est arrivée la semaine dernière — ça paraît

fou mais c'est vrai !!!! Sans rire : je suis heureux. S'il te plaît, prends deux Valium et demande à maman de m'écrire tout de suite. Je n'ai plus de forfait et ça me gêne d'utiliser leur téléphone.

2

« Quoi, Howard ? Qu'est-ce que je suis censée lire ? »

Howard Belsey attira l'attention de sa femme, l'Américaine Kiki Simmonds, sur le passage pertinent du message qu'il venait d'imprimer. Elle posa les coudes de part et d'autre de la feuille, et baissa la tête comme chaque fois qu'elle se concentrait sur de petits caractères. Howard traversa leur cuisine-salle à manger pour s'occuper de la bouilloire qui sifflait. À part ce son aigu, la cuisine était silencieuse. Zora, leur unique fille — assise sur un tabouret, de dos, des écouteurs sur les oreilles —, fixait la télévision avec béatitude. Levi, leur fils cadet, se tenait près de son père devant les placards. En parfaite harmonie, et sans une parole, père et fils chorégraphiaient les préparatifs du petit déjeuner : ils se passaient la boîte de céréales, échangeaient les couverts, remplissaient leurs bols, se partageaient le lait d'un pot en porcelaine rose bordée de jaune. La maison était orientée plein sud. La lumière filtrait par la porte-fenêtre qui menait au jardin, pénétrant sous l'arcade qui séparait en deux la cuisine, et éclairait doucement Kiki, nature morte assise en train de lire. Devant elle, dans un saladier en terre cuite portugais, s'élevait une montagne de pommes. À cette heure de la journée, la lumière se propageait encore plus loin, au-delà de la cuisine et du couloir, jusqu'au plus petit des deux salons. Là, de vieux livres de poche trônaient dans une bibliothèque près d'un pouf en daim et d'une ottomane sur laquelle Murdoch, leur teckel, se prélassait dans un rayon de soleil.

« C'est pour de vrai, cette histoire ? » demanda Kiki, mais personne ne lui répondit.

Levi coupa des fraises, les rinça et les ajouta aux céréales des bols. Howard était chargé de jeter à la poubelle les queues chiffonnées. Kiki tourna la feuille de papier face contre table, et rit doucement.

« Tu trouves ça drôle ? » demanda Howard. Il s'approcha et posa les coudes sur la table. Pour toute réponse, l'expression de Kiki se ferma, devenant sombre et impassible comme celle d'un sphinx. Cet air faisait croire à certains de leurs amis américains qu'elle descendait d'une lignée exotique — alors qu'en vérité sa famille, d'origine modeste, venait de la Floride rurale.

« Mon chéri, ce n'est peut-être pas le meilleur moment pour faire de l'ironie », dit-elle. Kiki commença à couper une pomme en quartiers inégaux avec un petit couteau à manche transparent. Lentement, elle mangea les morceaux l'un après l'autre.

Des deux mains, Howard repoussa ses cheveux en arrière.

« Désolé, je..., comme tu as ri, j'ai cru que tu trouvais ça drôle.

— Comment je suis censée réagir ? » soupira Kiki. Elle posa le couteau et tendit le bras vers Levi, qui passait avec son bol de céréales. Attrapant son robuste fils de quinze ans par le haut de son jean, elle stoppa net sa progression, et le tira sans problème vers elle, tant et si bien qu'il dut se pencher en avant. Elle rentra l'étiquette de son maillot de basket et glissa ses pouces sous l'élastique de son caleçon pour le lui ajuster, mais il se dégagea.

« *Maman*, oh...

— Levi, mon chéri, remonte-moi ça un tout petit peu... tu le portes tellement bas... on voit carrément ton cul...

— Donc, ce que tu es en train de me dire, c'est que tu ne trouves *pas* ça drôle », dit Howard. Il n'éprouvait aucun plaisir à insister ainsi ; ce n'était pas la tactique qu'il avait prévu d'adopter ; il savait que ça ne mènerait nulle part, mais il n'en décida pas moins de poursuivre.

« Mais *enfin*, Howard », dit Kiki. Elle se tourna vers lui.

« On peut voir ça dans un quart d'heure, non ? Quand les enfants seront... » Kiki se redressa en entendant un cliquetis persistant à la porte d'entrée. « Zora, chérie, tu peux lui ouvrir, s'il te plaît, j'ai mal au genou aujourd'hui. Elle n'arrive pas à entrer, allez, va l'aider. »

Zora, qui mangeait une sorte de poche grillée au fromage, pointa un doigt vers la télé.

« Zora, s'il te plaît, vas-y, c'est Monique, la nouvelle femme de ménage..., je ne sais pas pourquoi sa clé ne fonctionne pas... il me semble d'ailleurs que je t'avais *demandé* de lui en faire faire une nouvelle... je ne peux pas être toujours là... Zora, bouge ton *cul*...

— Deuxième "cul" pour ce matin, dit Howard. Sympa. Bonne éducation. »

Zora disparut dans le couloir. Kiki adressa à son mari un regard farouchement inquisiteur ; celui-ci afficha un air innocent. Reprenant le message de son fils, elle plaça sur le bout de son nez ses lunettes qui, fixées à une chaînette, reposaient jusque-là sur son imposante poitrine.

« Il n'y a pas à dire, murmura-t-elle en lisant, Jerome est loin d'être bête... quand il veut attirer ton attention, il *sait comment s'y prendre.* » Kiki scruta le visage d'Howard. Articulant chaque syllabe comme une employée de banque comptant un à un des billets, elle lui dit : « La fille de Monty Kipps. Et boum. Là, tu l'écoutes. »

Howard grimaça. « C'est tout ce que tu trouves à dire ?

— Howard, il y a un œuf qui crame. Je ne sais pas qui l'a mis à cuire, mais il n'y a plus d'eau, et ça pue. Tu peux l'éteindre, s'il te plaît ?

— C'est donc tout ce que tu trouves à dire ? »

Howard observa sa femme, qui se versait calmement un troisième verre de jus de tomates et palourdes. Elle le porta à ses lèvres, puis s'immobilisa et dit :

« Écoute, Howie. Il a *vingt ans*, il veut attirer l'attention de son papa... et il sait comment s'y prendre. D'ailleurs, tu ne trouves pas ça frappant qu'il ait choisi de faire son stage là-bas ? Il y a des milliers de stages, il avait le choix. Maintenant, il veut épouser la fille ? Pas besoin d'être freudien pour faire le lien. Moi je dis que la pire chose qu'on puisse faire, c'est de prendre cette histoire au sérieux.

— Les Kipps ? tonna Zora qui revenait du couloir. Qu'est-ce qui se passe ? Jerome habite chez eux maintenant ? C'est complètement dingue..., genre : Jerome... Monty Kipps. » Elle décrivit de la main deux hommes imaginaires à sa droite et à sa gauche, puis répéta le mouvement. « *Jerome... Monty Kipps. Sous le même toit.* » Zora frissonna.

Kiki vida son verre et le posa avec fracas. « Ça suffit, je ne veux plus entendre parler de Monty Kipps. » Elle consulta sa montre. « Tu as cours à quelle heure ? Tu peux me dire pourquoi tu es encore là, Zora ? Pourquoi... tu es... encore... *là* ? Oh, bonjour, Monique », fit Kiki d'une voix très différente, cérémonieuse, dénuée de tout accent chantant. Monique ferma la porte et pénétra dans la cuisine.

Kiki lui adressa un sourire fatigué. « On est un peu dingues ce matin... tout le monde est à la bourre. Comment allez-vous, Monique ? »

Haïtienne, trapue, Monique avait à peu près le même âge que Kiki ; sa peau était légèrement plus foncée. C'était la deuxième fois qu'elle venait chez les Belsey. Le col en fourrure de son blouson militaire était relevé, et son regard contrit exprimait la peur de mal faire avant même d'avoir commencé. Kiki fut d'autant plus troublée par la poignante apparence de cette femme que ses tresses — postiches orange et bon marché qui, trop lâches, glissaient au bout de ses mèches clairsemées — avaient besoin d'être remplacées.

« Je commence ici ? » demanda Monique timidement. Sa main immobile flottait près de la fermeture éclair de son blouson.

« En fait, Monique, j'aimerais que vous commenciez par le bureau, je veux dire *mon* bureau, fit Kiki brusquement, devançant Howard qui s'apprêtait à parler. Ça vous va ? Ne rangez pas les papiers, contentez-vous de les empiler. »

Monique resta clouée sur place, la main sur sa fermeture éclair. Figée, Kiki craignait ce que cette femme noire pouvait penser d'une autre femme noire la payant pour faire le ménage.

« Zora vous montrera... Zora, s'il te plaît, vas-y, montre-lui par où commencer. »

Zora bondit dans les escaliers, montant les marches trois à trois ; Monique suivit lentement. Howard quitta l'avant-scène familiale pour replonger au cœur de son couple.

« Si ça se fait, dit-il posément entre deux gorgées de café, Monty Kipps fera partie de la famille. Pas d'une autre famille, mais de la *nôtre*.

— Howard, dit Kiki calmement, je t'en prie, ne me fais pas ton numéro. On n'est pas au théâtre. Je viens de te dire que je ne voulais plus entendre parler de ça. Je *sais* que tu m'as entendue. »

Howard s'inclina légèrement.

« Levi a besoin d'argent pour prendre le taxi. Occupe-toi de ça plutôt que des Kipps.

— Les Kipps ? » La voix de Levi retentit quelque part dans la maison. « Les Kipps ? Où qu'y sont ? »

Il s'exprimait avec un faux accent de Brooklyn qui ne venait ni d'Howard ni de Kiki, mais qu'il avait adopté à l'âge de douze ans. Jerome et Zora avaient vu le jour en Angleterre, mais Levi était né en Amérique. Howard trouvait que l'accent américain de ses enfants, qui ne leur venait ni de sa femme ni de leur foyer, n'avait rien de naturel. Mais celui de Levi était le plus inexplicable. Brooklyn ? Les Belsey vivaient à plus de trois cents kilomètres au nord de Brooklyn. Howard s'apprêtait à faire un commentaire sur cet accent (malgré les avertissements de sa femme) lorsque Levi fit irruption dans la cuisine et désarma son père d'un sourire — il avait les dents écartées — avant de mordre dans un muffin.

« Levi, dit Kiki, mon chéri, dis-moi, tu sais qui je suis ? Est-ce que tu t'intéresses un tant soit peu à ce qui se passe dans cette maison ? Tu te souviens de Jerome ? Ton frère ? Jerome qui n'est pas ici ? Jerome qui est de l'autre côté de l'océan, dans un pays qui s'appelle l'Angleterre ? »

Levi tenait une paire de baskets à la main. Il les brandit en direction de sa mère puis, l'air maussade, s'assit pour les enfiler.

« Ouais ? Et alors ? J'suis censé connaît' les Kipps ? J'connais pas d'Kipps, moi.

— Jerome, va à l'école.

— Ça y est, moi aussi j'm'appelle Jerome ?

— Levi, *va à l'école.*

— Hé, pourquoi tu dois êt' si... j'posais juste la question, et toi, t'es carrément... » Levi eut un geste vague qui ne donnait pas la moindre idée de ce qu'il avait pensé dire.

De guerre lasse, Kiki répondit : « Monty Kipps. L'homme pour lequel ton frère travaille en Angleterre. » Howard fut impressionné par la façon dont son fils avait désamorcé la cinglante ironie de sa femme.

« Tu vois ? dit Levi, comme si le triomphe de la raison et du bon sens n'était dû qu'à ses seuls efforts. C'est pas si difficile que ça.

— On a reçu une lettre de Kipps ? » demanda Zora qui descendait les escaliers. Elle se pencha par-dessus l'épaule de sa mère. Dans cette position, songea Howard, mère et fille ressemblaient à deux porteuses d'eau grassouillettes de Picasso. « *S'il te plaît*, papa, laisse-moi t'aider à écrire la réponse. On va le pulvériser, ce coup-ci. C'est pour quel canard ? Le *Republic* ?

— Non, ça n'a rien à voir, c'est un message de Jerome. Il se marie », dit Howard en se détournant. Sa robe de chambre s'entrebâilla ; il marcha nonchalamment jusqu'à la porte-fenêtre. « Avec la fille de Kipps. Apparemment, c'est drôle. Ta mère trouve ça hilarant.

— Mais non, mon chéri, dit Kiki. Je crois qu'il est clair que je ne trouve *pas* ça hilarant. On ne sait pas encore de *quoi* il s'agit. Son message fait sept lignes, je ne vais pas me mettre dans tous mes états pour un...

— Quoi ? Tu parles sérieusement ? » Zora l'interrompit. Elle arracha la feuille des mains de sa mère, et y colla ses yeux de myope. « Putain, mais c'est pas vrai ! C'est une *blague* ou quoi ? »

Howard posa son front sur la vitre épaisse et sentit l'humidité pénétrer ses sourcils. Dehors, la neige égalitaire de la côte Est tombait toujours, recouvrant d'un même blanc les fauteuils et tables du jardin, les plantes, les boîtes aux lettres et les clôtures. Le souffle d'Howard dessina sur le carreau un champignon atomique, qu'il essuya avec la manche de sa robe de chambre.

« Zora, tu as cours, n'est-ce pas ? Et je ne vois aucune raison valable de parler comme ça ici. *Non ! Non ! Non ! et Non* ! fit Kiki, couvrant chaque mot que Zora tentait de prononcer. Tu as compris ? Accompagne Levi à la station de taxis. Je ne peux pas l'emmener aujourd'hui. Demande à Howard, mais je doute qu'il accepte. Moi, j'appellerai Jerome.

— J'ai pas besoin qu'on m'accompagne », dit Levi, et son père remarqua enfin ce qu'il y avait de nouveau chez son fils : il avait enfilé sur sa tête un collant noir et fin attaché par-derrière, qui formait au sommet de son crâne une petite pointe semblable à une tétine.

« Tu ne peux pas l'appeler », fit Howard doucement. Il disparut stratégiquement derrière leur énorme frigo. « Son forfait est épuisé.

— Comment ? demanda Kiki. Qu'est-ce que tu as dit ? Je n'ai pas entendu. »

Soudain elle était derrière lui. « Où est le numéro des Kipps ? » exigea-t-elle d'un ton tranchant, même si l'un et l'autre connaissaient la réponse.

Howard garda le silence.

« Ah ouais, j'avais oublié, dit Kiki, il est dans l'agenda que tu as laissé dans le *Michigan*, pendant ce fameux *colloque* où tu étais trop occupé pour penser à ta femme et à ta famille.

— Est-ce qu'on ne pourrait pas éviter ce sujet pour l'instant ? » demanda Howard. Quand on est coupable, une suspension de séance est tout ce qu'on peut espérer.

« C'est ça, Howard, tu as raison. De toute façon, je dois subir toute cette histoire, et les conséquences de tes actes, comme d'habitude, donc... »

Howard donna un coup de poing dans le congélateur.

« Howard, s'il te plaît, ne fais pas ça. La porte s'est ouverte... tout va fondre, referme-la comme il faut, *comme il faut*, jusqu'à ce que... O.K. : c'est *malheureux*, à supposer que ce qu'il raconte soit vrai, chose qu'on ignore encore. On va devoir procéder pas à pas pour démêler cette histoire. Donc, restons-en là, je ne sais pas, moi, on pourra en discuter quand on... eh bien, quand Jerome sera là, et qu'on saura avec précision de quoi on parle. D'accord ?

— Arrêtez d'vous chamailler », se plaignit Levi de l'autre bout de la cuisine, puis il répéta la phrase, plus fort.

« On ne se dispute pas, chéri », dit Kiki. Se penchant en avant, elle libéra ses cheveux d'un foulard couleur feu, puis rejeta sa tête en arrière. Deux épaisses nattes lui tombèrent jusqu'aux fesses, telles des cornes de bélier redressées. Elle tira sur chaque tresse, les enroula deux fois autour de son crâne et les renoua exactement à l'identique, mais plus serrées. Elle se grandissait ainsi de deux centimètres. Mue par cette autorité nouvelle, elle s'appuya sur la table et fit face à ses enfants.

« Bon, le spectacle est terminé. Zora, je crois qu'il y a de l'argent dans le pot près du cactus. Donne-le à Levi. Sinon, tu n'as qu'à lui en prêter, je te rembourserai plus tard. Je suis un peu ric-rac ce mois-ci. O.K. Allez apprendre quelque chose. N'importe quoi. »

Quelques minutes plus tard, lorsque la porte se fut refermée sur ses enfants, Kiki se tourna vers son mari avec une tête qui en disait aussi long qu'une thèse, dont Howard seul

27

connaissait chaque phrase et référence. Il sourit sans raison, n'obtint aucune réaction, cessa de sourire. S'il y avait eu combat, personne n'aurait parié sur lui. Vingt-huit ans auparavant, Howard avait porté Kiki sur son épaule comme un petit rouleau de moquette pour franchir le seuil de leur première maison ; aujourd'hui, elle pesait au moins cent dix kilos, et faisait vingt ans de moins que lui. Sa peau possédait le fameux avantage ethnique de se rider très peu et, dans son cas, le surpoids ne la tendait que davantage. À cinquante-deux ans, elle avait encore le visage d'une jeune fille : une belle jeune fille dure à cuire.

Kiki traversa la pièce et passa si près de son mari qu'il dut se réfugier dans la chaise à bascule. De retour à la table, elle remplit rageusement son sac d'objets dont elle n'avait pas besoin pour aller travailler. Elle parla sans le regarder. « Tu sais ce qui est bizarre ? C'est qu'un professeur puisse être aussi intensément *bête* pour tout ce qui n'entre pas dans sa spécialité. Si tu consultais le b.a.-ba de l'éducation des enfants, tu apprendrais qu'en continuant comme ça, tu obtiendras exactement le contraire de ce que tu souhaites obtenir. *Exactement le contraire.*

— Mais c'est *toujours* ce qui se passe, bordel », lança Howard en se balançant sur sa chaise.

Kiki posa son sac. « C'est ça. Tu n'obtiens jamais ce que tu veux. Ta vie est une litanie de privations. »

Cette allusion à leurs problèmes récents entrouvrait une porte sur une antichambre de misère dans la somptueuse demeure de leur union. Howard ne répondit pas. Kiki amorça alors l'exercice familier qui consistait à placer son petit sac au milieu de son dos colossal.

Howard se leva et arrangea pudiquement sa robe de chambre. « Est-ce qu'on a leur adresse, au moins ? demanda-t-il. Personnelle, je veux dire. »

Kiki pressa ses doigts sur ses tempes comme une voyante de foire. Elle parla lentement. Malgré son ton sarcastique, ses yeux étaient humides.

« J'aimerais savoir ce que tu reproches à ta famille. Qu'est-ce qu'on t'a fait ? Est-ce qu'on t'a privé de quelque chose ? »

Howard soupira, détourna le regard. « De toute façon, je dois donner une conférence à Cambridge mardi, je n'ai qu'à aller à Londres plus tôt que prévu, ne serait-ce que pour... »

Kiki tapa sur la table du plat de la main. « Mais enfin, Howard, on n'est plus en 1910, Jerome a le droit d'épouser qui il veut. Sinon, on n'a qu'à lui commander des cartes de visite, et lui demander de ne rencontrer que les filles des profs qui ne te sont pas personnellement...

— L'adresse, elle ne serait pas dans le carnet vert ? »

Elle cligna des yeux pour en chasser les larmes. « Je ne sais pas où *peut se trouver cette* adresse, dit-elle en imitant son accent. Tu n'as qu'à la chercher. Peut-être qu'elle est enterrée sous le bordel dans la *porcherie* qui te tient lieu de bureau.

— Eh bien, merci infiniment », fit Howard en montant les escaliers qui menaient à son bureau.

3

La résidence Belsey, haute bâtisse grenat dans le style Nouvelle-Angleterre, s'élève sur quatre étages. La date de construction de l'édifice (1856) est inscrite en faïence au-dessus de la porte d'entrée, et les fenêtres aux carreaux d'un vert marbré laissent filtrer, au moindre rayon, une lumière diffuse sur le parquet. Les fenêtres d'origine valent presque autant que la maison elle-même. Trop précieuses pour être utilisées, ces fenêtres, à travers lesquelles personne ne regarde et que personne n'ouvre, sont fortement assurées et reposent à la cave dans un grand coffre-fort. Seule la lucarne du toit, mosaïque de verre multicolore, est d'origine. Dans le prisme qu'elle projette au gré du soleil qui parcourt le ciel d'Amérique, une chemise blanche devient rose, et une cravate jaune, bleue. La tradition familiale veut qu'on ne traverse pas ce faisceau lumineux lorsque, le matin, il baigne le parquet. Il y a dix ans, on aurait trouvé là des enfants se chahutant, essayant de se pousser dans sa trajectoire. Aujourd'hui encore, les jeunes adultes qu'ils sont devenus prennent soin de l'éviter lorsqu'ils descendent les marches.

Le vaste escalier est en spirale. On peut admirer une galerie de photos de famille sur les murs tout au long de la descente. D'abord les enfants, en noir et blanc : formes potelées, fossettes, auréoles de boucles. Sur chaque cliché, ils semblent dégringoler vers l'objectif, ou l'un vers l'autre sur leurs jambes flageolantes. Un Jerome grimaçant tient Zora bébé dans les bras et semble se demander ce que ça peut bien être. Zora — avec un air fou et possessif de voleuse d'enfants — berce le petit Levi tout fripé. Puis des photos de classe, des remises de prix, des piscines, des restaurants, des jardins, des vacances, où on peut observer leur croissance et le développement de leurs jeunes personnalités. Ensuite, quatre générations de la lignée maternelle des Simmonds se suivent glorieusement : l'arrière-arrière-grand-mère de Kiki, esclave ; l'arrière-grand-mère, femme de ménage ; puis sa grand-mère, Lily, infirmière. Un bienveillant médecin blanc pour lequel elle avait travaillé vingt ans en Floride lui avait laissé la maison en héritage. Pour une famille pauvre américaine, cela change tout : soudain, elle fait partie de la bourgeoisie. Et le 83 Langham Drive est une belle maison bourgeoise, plus cossue qu'on ne l'imagine de l'extérieur, avec à l'arrière une petite piscine non chauffée, dont le dallage clairsemé ressemble à un sourire britannique. En effet, la maison est plutôt délabrée — mais c'est là toute sa beauté. Elle n'a rien d'une demeure de *nouveau riche**. De plus, les services qu'elle a pu rendre à la famille lui confèrent une certaine noblesse. La location de la maison finança l'éducation de la mère de Kiki (secrétaire juridique, décédée au printemps dernier), ainsi que celle de sa fille. Longtemps, ce fut à la fois une rente et une maison de vacances pour les Simmonds ; chaque année, en septembre, la famille au complet venait de Floride admirer l'été indien. Une fois ses enfants élevés et son mari pasteur décédé, Claudia Simmonds, la belle-mère d'Howard, s'y installa tout heureuse, et de façon permanente, louant les chambres vacantes à d'innombrables étudiants. Howard convoitait l'endroit, et Claudia, qui ne pouvait l'ignorer, était — du moins le croyait-il — déterminée à contrecarrer ses projets. Elle savait fort bien que la maison serait parfaite pour lui : elle était grande, agréable, et située à proximité d'une université plutôt bonne, où Howard trouverait facilement un poste. Il était fermement convaincu que Mme Simmonds avait pris un malin plaisir à le faire attendre toutes ces années. Le temps passait ; septuagénaire alerte, elle jouissait d'une santé florissante. Entre-temps, Howard avait traîné sa famille d'une université médiocre à une autre : six ans dans le nord de l'État de New York, onze à Londres, un en banlieue parisienne. Il y a dix ans, sa belle-mère s'était enfin décidée à partir dans une maison de retraite en Floride. La photo de la quatrième génération, celle de Kiki elle-même, administratrice d'hôpital et dernière héritière de la maison du 83 Langham Drive, date de cette époque. Souriante et échevelée, elle reçoit une récompense pour son action en faveur des quartiers défavorisés. Un bras blanc et solitaire enserre ce qui était, à l'époque, une taille très fine moulée dans un jean ; ce bras, qui s'arrête au coude, est celui d'Howard.

Après le mariage s'instaure souvent une lutte de pouvoir pour déterminer quelle famille — celle du mari ou celle de la femme — sera prédominante. Les Belsey — mesquins, minables et méchants — ne sont pas une famille pour laquelle on se battrait. Et, puisque Howard avait volontiers concédé la victoire, il était facile pour Kiki de faire preuve de civilité. Ainsi, au premier palier, en provenance d'Angleterre, un grand portrait au fusain d'Harold Belsey, père d'Howard, est accroché en hauteur, à la limite du visible.

Coiffé d'une casquette, Harold baisse les yeux, comme s'il déplorait le choix exotique de son fils pour perpétuer la lignée. Howard lui-même fut surpris de découvrir le portrait — sans doute la seule œuvre d'art qu'eût jamais possédée sa famille — dans le maigre bric-à-brac sans intérêt qui lui échut au décès de sa mère. Au cours des années qui suivirent, le portrait s'éloigna de ses humbles origines, tout comme Howard. Parmi les amis américains et cultivés des Belsey, nombreux sont ceux qui prétendent l'admirer. Il est tour à tour « chic », « mystérieux » et, plus inexplicablement, tout imprégné du « caractère anglais ». Kiki soutient que les enfants l'apprécieront en grandissant. Ce qui élude habilement le fait que les enfants sont déjà grands et ne l'aiment toujours pas. Quant à Howard, il abhorre ce portrait tout comme il déteste l'art figuratif en général — ainsi que son père.

Une ribambelle de photos d'Howard lui-même, dans les années soixante-dix, quatre-vingt et quatre-vingt-dix, succèdent au portrait d'Harold Belsey. Le style vestimentaire change, mais ses principales caractéristiques demeurent sensiblement identiques, malgré le temps. Ses dents — fait unique dans sa famille — sont droites et uniformes ; sa lèvre inférieure est pulpeuse, comme pour compenser la minceur de la lèvre supérieure ; ses oreilles sont discrètes, et c'est tout ce qu'on leur demande. Il n'a pas de menton, mais ses yeux sont très grands et très verts. Son nez fin est attendrissant et noble. Comparé aux hommes de son âge et de sa classe sociale, il possède deux solides avantages : cheveux et poids, globalement inchangés depuis sa jeunesse. Ses cheveux surtout sont extrêmement fournis. Sa tempe droite grisonne. L'automne dernier, il a décidé de laisser sa tignasse retomber sur son front. C'est la première fois depuis 1967, et c'est un franc succès. L'agrandissement d'une photo d'Howard, dominant de sa taille les autres membres de la faculté de lettres, tous alignés soigneusement autour de Nelson Mandela, en est la parfaite illustration : c'est Howard qui de loin a le plus de cheveux. Les photos se multiplient à l'approche du rez-de-chaussée : Howard en bermuda exhibant des genoux d'un blanc jaunâtre ; en costume de tweed près d'un arbre éclatant sous le soleil du Massachusetts ; dans une grande salle, nouveau titulaire de la chaire *Empson* d'Esthétique ; arborant une casquette de base-ball et désignant du doigt la maison d'Emily Dickinson ; portant un béret, sans raison valable ; en jogging fluorescent à Eatonville, Floride, avec sa femme qui se cache les yeux pour ne pas le voir, ou pour se protéger du soleil ou de l'objectif.

Howard s'arrêta sur le palier pour téléphoner. Il voulait parler avec Erskine Jegede, titulaire de la chaire *Soyinka* de littérature africaine et directeur adjoint du département des *Black Studies.* Il posa sa valise, glissa son billet d'avion sous son bras et composa le numéro. La sonnerie retentit longuement, et Howard grimaça en imaginant son grand ami en train de fouiller son cartable à la recherche de son portable, de s'excuser auprès des autres lecteurs, et de sortir de la bibliothèque dans le froid.
« Allô ?
— Allô ? Qui est à l'appareil ? Je suis à la bibliothèque.
— Ersk, c'est Howard. Désolé, désolé, j'aurais dû t'appeler plus tôt.
— Howard ? Tu n'es pas à l'étage ? »
De fait, normalement, il aurait dû se trouver dans son cher box numéro 187, au tout dernier étage de la bibliothèque Greenman de la Faculté de Wellington, comme chaque samedi depuis des années, sauf en cas de blizzard ou de maladie. Il avait l'habitude d'y passer la matinée à lire, puis, à l'heure du déjeuner, de retrouver Erskine devant l'ascenseur. Erksine aimait le prendre fraternellement par l'épaule pendant qu'ils marchaient vers la cafétéria. Ils étaient comiques à voir. Erskine faisait une bonne vingtaine de centimètres de moins qu'Howard ; sa tête complètement chauve brillait comme l'ébène, et sa poitrine de petit homme

trapu se bombait comme le plumage d'un oiseau. Erskine s'affichait toujours en costume (tandis qu'Howard portait depuis dix ans des versions successives du même jean noir), et sa barbe poivre et sel, taillée en pointe comme celle d'un Russe blanc, sa moustache assortie, ses volumineuses taches de rousseur lui couvrant les joues et le nez, parachevaient l'impression de puissance qu'il dégageait. Au cours de leurs déjeuners, il calomniait allègrement et injustement ses collègues, sans éveiller chez ces derniers le moindre soupçon : en effet, ses taches de rousseur lui conféraient l'immunité du diplomate. Howard avait souvent rêvé d'offrir un visage aussi bienveillant que celui d'Erskine. Après déjeuner, les deux hommes se quittaient, toujours à regret. Chacun retournait à son box de lecture jusqu'à l'heure du dîner. Howard puisait une grande joie dans cette routine du samedi.

« Ah, voilà qui est malheureux », dit Erskine en entendant les nouvelles d'Howard. Il regrettait non seulement ce qui arrivait à Jerome, mais aussi de devoir se priver de la compagnie de son ami. Il ajouta : « Pauvre Jerome. C'est un gentil garçon. Il veut sûrement prouver quelque chose. » Erskine marqua une pause. « Mais quoi au juste ? Cela m'échappe.

— Mais Monty *Kipps* ! » répéta Howard au désespoir. Il savait qu'Erskine lui donnerait ce dont il avait besoin. Voilà pourquoi ils étaient si proches.

Erskine siffla d'un air compatissant. « Mon Dieu, Howard, ne m'en parle pas. Je me souviens, pendant les émeutes de Brixton, c'était en 81, on m'avait invité à la BBC pour parler du contexte, des problèmes sociaux, et cetera — Howard aimait entendre la mélodie nigériane du mot *et cetera* dans la bouche de son ami —, et ce fou de Monty, assis en face de moi, avec sa cravate aux couleurs du club de cricket de Trinidad, disait : "L'homme de couleur doit se tourner vers ses terres d'origine, l'homme de couleur doit prendre ses responsabilités." L'homme de couleur ! Et il continue d'employer cette expression ! Chaque fois qu'on faisait un pas en avant, Monty nous ramenait deux pas en arrière. C'est triste d'être comme ça. Je le plains, en fait. Il a passé trop de temps en Angleterre. Ça lui a fait un effet bizarre. »

À l'autre bout du fil, Howard gardait le silence. Il vérifiait que son passeport se trouvait bien dans la sacoche de son ordinateur. Il se sentait déjà épuisé, à l'idée de son voyage et du combat qui l'attendait à l'arrivée.

« Et son travail empire d'année en année. À mon avis, son livre sur Rembrandt était vraiment vulgaire », ajouta Erskine, gentiment.

Howard eut honte de pousser Erskine à exprimer un point de vue injustifié. Monty était un connard, certes, mais il était loin d'être idiot. Howard trouvait le livre de Monty sur Rembrandt rétrograde, pervers, d'un essentialisme exaspérant, mais il n'était ni vulgaire ni bête. C'était un bon livre. Détaillé, complet. De plus, il présentait l'avantage certain d'être publié en édition reliée et vendu partout dans le monde anglophone — alors que le livre d'Howard sur le même sujet languissait inachevé, éparpillé par terre autour de son imprimante, sur des feuilles volantes A4 qui lui semblaient parfois avoir été vomies par la machine dépitée.

« Howard ?

— Oui, je suis là. Je dois y aller, en fait. J'ai appelé un taxi.

— Prends soin de toi, mon ami. Jerome est tout simplement... eh bien, je suis sûr que, le temps d'arriver là-bas, toute cette histoire ne sera plus qu'une tempête dans un verre d'eau. »

Howard descendait les six dernières marches des escaliers lorsqu'il fut surpris par Levi, coiffé à nouveau de son fameux collant. Son visage léonin, saisissant, avec son menton si masculin où quelques poils poussaient depuis deux ans sans parvenir à s'y établir pour de bon, était tourné vers lui. Il était torse et pieds nus. Sa poitrine fluette, fraîchement rasée, sentait le beurre de cacao. Howard étendit les bras pour empêcher son fils de passer.

« Quessquia ? demanda celui-ci.

— Rien. Je m'en vais.

— À qui tu causais ?

— Erskine.

— Tu pars, genre en voyage ?

— Oui.

— Maintenant ?

— C'est quoi, ce machin ? » Howard l'interrogea à son tour en posant la main sur sa tête. « C'est politique ? »

Levi se frotta les yeux, croisa les mains derrière le dos et, étirant ses bras vers le bas, bomba considérablement sa poitrine. « Rien, papa. C'est juss' un truc comme ça », répondit-il laconique. Il se mordit le pouce.

« Donc... fit Howard, tentant d'interpréter sa réponse, c'est purement visuel, un truc esthétique. »

Levi haussa les épaules. « Ouais, peut-être, dit-il. Ouais. C'est juss' un truc comme ça, un truc qu'je porte, tu vois. Ça me tient chaud à la tête, tu vois. C'est pratique.

— C'est vrai que ton crâne a l'air plutôt propre. Lisse. Comme un flageolet. »

Il serra les épaules de son fils et l'attira contre lui affectueusement. « Tu vas travailler aujourd'hui ? Ils te laissent porter ça au... comment ça s'appelle déjà, chez le disquaire ?

— Ben ouais, bien sûr... C'est pas un disquaire, j'arrête pas de te le dire, c'est un *mégastore*. C'est au moins sur sept étages... T'es trop, mec », dit-il doucement. Les lèvres de Levi vibraient sur la peau de son père à travers l'étoffe de sa chemise. Levi s'écarta doucement et fouilla Howard comme un videur. « Tu pars maintenant ? Tu vas lui dire quoi, à Jerome ? T'es sur quelle compagnie ?

— Je ne sais pas, je ne suis pas sûr. J'avais des *miles*. La fac m'a réservé le billet. Écoute... je vais juste lui *parler*, une conversation raisonnable entre gens raisonnables.

— Mec... », dit Levi. Il claqua la langue. « Kiki veut te *bot-*

ter le cul... Et *moi aussi*. J'te jure, tu devrais laisser tomber l'affaire, laisse *tomber*. Jerome va épouser personne. Il peut même pas trouver sa bite avec ses deux mains. »

Howard, dont le devoir exigeait qu'il désapprouvât les paroles de son fils, n'était pas loin de partager son diagnostic. Pour lui, le long pucelage de Jerome (désormais perdu, supposait-il) révélait une relation ambiguë au monde et aux autres, attitude qu'il ne parvenait ni à approuver ni à comprendre. Jerome n'était pas vraiment *incarné*, et cela avait toujours perturbé son père. Au moins, la crise londonienne dissiperait sans doute l'air de supériorité morale qu'il affichait depuis l'adolescence.

Voulant élever la conversation, Howard demanda : « Donc, pour toi, si quelqu'un est sur le point de commettre une erreur, une erreur terrible, on devrait juste "laisser tomber" ? »

Levi réfléchit un instant. « Eh bien... même s'il le fait, qu'il se marie, je ne vois pas pourquoi tout d'un coup c'est si terrible... Au moins, s'il est marié, il pourra *tirer un coup* de temps en temps. » Levi éclata d'un rire puissant, et ses abdominaux incroyables se plissèrent comme le tissu d'une chemise. « Tu *sais bien* que sinon, au point où il en est, il n'a aucune chance.

— Levi, c'est... », commença Howard, mais une image mentale de Jerome l'empêcha d'achever sa phrase : l'afro inégal, le visage doux et vulnérable, les hanches de femme et le jean qu'il portait toujours un peu trop haut, la minuscule croix en or autour du cou — son innocence, au fond.

« Quoi ? C'est pas vrai ce que je dis ? Tu sais bien que c'est vrai, mec, j'te vois sourire.

— Je ne parle pas du mariage *en soi*, protesta Howard. C'est plus compliqué que ça. Le père de cette fille... ne convient pas à notre famille, on va dire ça comme ça.

— Ouais, mais... », dit Levi. Il saisit la cravate de son père et la retourna. « Je ne vois pas ce que ça vient faire là-dedans, moi.

— On ne veut pas que Jerome foute en l'air...

— *On* ? dit Levi en haussant un sourcil adroit — mouvement qui, génétiquement parlant, provenait directement de sa mère.

— Écoute, t'as besoin d'argent ? » demanda Howard. Il sortit de sa poche deux billets de vingt dollars froissés comme des kleenex. Après toutes ces années, il demeurait incapable de prendre au sérieux le vert crasseux des billets américains. Il les enfouit dans la poche du jean taille basse de son fils.

« Sympa, papa, dit Levi, imitant la voix traînante de sa mère.

— Je ne sais pas combien ils te paient de l'heure dans cet endroit... », maugréa Howard.

Levi soupira avec tristesse. « Pas grand-chose, mec... Vraiment pas grand-chose.

— Si seulement tu m'autorisais à y aller, à parler avec quelqu'un...

— Non ! »

Howard avait l'impression qu'il gênait son fils. La honte semblait être l'unique héritage génétique partagé par tous les hommes de la famille Belsey. Comme lui, à l'âge de Levi, avait trouvé son père affligeant ! Il aurait voulu que son père fût autre chose que boucher, qu'il gagnât sa vie avec sa tête, pas avec couteaux et balances — en somme, un homme semblable à ce qu'était devenu Howard. Mais quand on change, les enfants changent aussi. Levi aurait-il préféré un père boucher ?

« J'veux dire, fit Levi en changeant ingénument d'attitude, j'peux m'en charger, t'inquiète pas.

— Très bien. Est-ce que maman a laissé un message, ou...

— Un message ? J'l'ai même pas *vue*. J'ai aucune idée où elle peut être. Elle est partie *tôt*.

— Bon. Et toi ? Un message pour ton frère peut-être ?

— Ouais », fit Levi en souriant ; il se retourna et, s'appuyant à la rampe d'un côté et au mur de l'autre, leva les jambes à l'équerre, comme un gymnaste sur des barres fixes. « Dis-lui, *"J'suis qu'un homme noir qui nage dans la mélasse, et qui essaye de faire un dollar avec quinze cents !"*

— Parfait. Je lui dirai. »

La sonnette retentit. Howard descendit une marche, embrassa le crâne de son fils, se faufila sous l'un de ses bras et se dirigea vers la porte. En ouvrant, il découvrit un visage familier et souriant, livide dans le froid. Howard leva un doigt pour le saluer. C'était Pierre, un des nombreux réfugiés haïtiens qui, fuyant les conditions de vie sordides dans l'île, avaient trouvé une activité en Nouvelle-Angleterre. Pierre vaquait discrètement à une tâche qu'Howard dédaignait : conduire.

« Aïe, où est Zora ? » fit Howard. Il se détourna, s'adressant à Levi.

Lequel haussa les épaules. « J'sais pas, moi, dit-il en mâchouillant ses mots comme chaque fois qu'on lui posait une question. À la piscine ?

— Avec ce temps ? C'est de la folie !

— C'est une piscine couverte. Évidemment.

— Écoute, dis-lui au revoir de ma part, d'accord ? Je reviens mercredi. Non, jeudi.

— Pas d'problème, papa. Allez, fais gaffe à toi. »

Dans la voiture, des voix masculines hurlaient à la radio dans un français qui, pour autant qu'Howard pût en juger, n'était pas vraiment du français.

« L'aéroport, s'il vous plaît, fit Howard un peu fort pour se faire entendre.

— O.K., oui. On va devoir rouler lentement. Les rues sont en mauvais état.

— D'accord, mais pas trop lentement.

— Terminal ? »

L'homme avait un accent si prononcé qu'Howard crut qu'il s'agissait du roman de Zola.

« Comment ?

— Quel terminal ?

— Oh... je ne sais pas... je vais vérifier, c'est marqué là quelque part... ne vous inquiétez pas... allez-y, je trouverai.

— Toujours sur le départ », fit Pierre rêveusement, puis il rit sans quitter Howard des yeux dans le rétroviseur. Son large nez, qui semblait assis sur son aimable visage, frappa Howard.

« Toujours en route, oui », fit Howard cordialement, mais il n'avait pas l'impression de voyager tant que ça, même si les déplacements qu'il entreprenait étaient toujours plus lointains et plus longs qu'il ne l'aurait souhaité. Il repensa à son père — comparé à lui, il était Phileas Fogg. À l'époque, le voyage, c'était la clé du paradis ; le rêve ultime, une existence itinérante. Howard observa par la vitre un réverbère à moitié enseveli sous la neige ; deux vélos gelés — dont on ne discernait que les guidons — y étaient attachés. Howard tenta de s'imaginer en train de dégager la neige de son vélo, au petit matin, pour aller travailler — un emploi de base comme ceux que les Belsey avaient connus depuis toujours —, sans succès. L'espace d'un instant, une pensée l'absorba : il ne pouvait plus jauger le luxe de sa propre vie

☆

En rentrant à la maison, avant d'aller dans son propre bureau, Kiki jeta un œil à celui d'Howard. Il y faisait sombre et les rideaux étaient tirés. Il avait laissé son ordinateur allumé. Comme elle quittait la pièce, Kiki entendit le bruit ondoyant de la machine qui se ranimait. Toutes les dix minutes, quand ils sont en veille, les ordinateurs expulsent dans les airs des ondes électroniques malsaines, comme pour nous punir de les avoir délaissés. Elle s'approcha, appuya sur une touche, et l'écran s'alluma. La boîte de réception affichait un message non lu. Devinant à juste titre qu'il s'agissait d'un message de Jerome (Howard n'envoyait de mails qu'à son assistant, Smith J. Miller, à Jerome, à Erskine Jegede et à une sélection de journaux et de revues), Kiki sélectionna le message.

De : Jeromenvoyage@easymail.com
À : HowardBelsey@fasWellington.edu
Date : 21 novembre
Sujet : À LIRE D'URGENCE

Papa — erreur. J'aurais dû me taire. Tout est fini — si tant est que ça ait jamais commencé. S'il te plaît, je t'en supplie, ne dis rien à personne, oublie tout. Je me suis complétement ridiculisé ! J'ai juste envie de me cacher sous terre et de mourir.

Jerome

Kiki gémit d'angoisse, jura, puis tourna deux fois sur elle-même, les doigts entortillés dans son écharpe, jusqu'à ce que son corps et son esprit se mettent en phase, et que son tourment cesse, puisqu'il n'y avait absolument rien à faire. Les genoux d'Howard appréhendaient sans doute déjà l'impossible proximité du siège devant lui, et son esprit se torturait à décider quels livres garder avant de placer son sac dans le compartiment au-dessus de lui : il était trop tard pour l'arrêter et il n'y avait aucun moyen de le contacter. Howard était terrorisé par les produits cancérigènes : il scrutait les étiquettes des conserves pour s'assurer de l'absence de Diéthylstilbestrol ; détestait les fours à micro-ondes ; n'avait jamais possédé de téléphone portable.

4

Les habitants de la Nouvelle-Angleterre se font des illusions sur le climat. Après dix ans passés sur la côte Est, Howard ne relevait même plus lorsque, en entendant son accent, un farfelu du Massachusetts le regardait avec compassion, avant de lui dire quelque chose du genre : *Il fait drôlement froid chez vous, non ?* Le sentiment d'Howard était le suivant : bon, mettons les choses au clair. Il est vrai qu'il fait moins chaud en Angleterre qu'en Nouvelle-Angleterre en juillet ou en août, voire en juin. En revanche, les températures y sont beaucoup plus clémentes en octobre, en novembre, en décembre, en janvier, en février, en mars, en avril et en mai — c'est-à-dire, chaque mois de l'année où la chaleur compte vraiment. En Angleterre, il ne neige jamais au point de boucher les boîtes à lettres, il est rare d'y voir frissonner un écureuil, nul n'a besoin de s'armer d'une pelle pour dégager ses poubelles. Et c'est justement parce qu'il ne fait jamais vraiment *froid* en Angleterre. Il y a de la bruine, le vent souffle ; il grêle parfois et, certains mardis de janvier, le temps avance péniblement, la lumière se fait rare, l'air est saturé d'humidité et personne n'aime son semblable ; pourtant, avec un bon pull et une veste imperméable doublée en laine, on fait face à tous les changements climatiques anglais. Howard le savait, et il portait donc la tenue parfaite pour l'Angleterre en novembre : son unique costume « chic », avec un pardessus léger. Il contempla d'un air supérieur la Bostonienne en face de lui qui crevait de chaud dans son ciré : des perles de sueur naissaient à la racine de ses cheveux et glissaient le long de sa joue. Il était dans le train qui reliait Heathrow au centre-ville.

À Paddington, les portes s'ouvrirent et il se retrouva dans le brouillard tiède de la gare. Il bouchonna son écharpe et la fourra dans sa poche. N'étant pas un touriste, il ne regarda pas autour de lui. Il ne remarqua ni la majesté pure des volumes ni la voûte ouvragée de verre et d'acier, semblable à une serre. Il marcha droit vers la sortie, où il allait pouvoir se rouler une cigarette. L'absence de neige lui semblait sensationnelle. Ah, pouvoir fumer sans gants, présenter à l'air libre un visage enfin nu ! Howard était rarement touché par le paysage urbain anglais, mais, aujourd'hui, le spectacle d'un chêne et d'un immeuble de bureaux se découpant dans un ciel bleuâtre, sans qu'aucune trace de blanc ne vienne s'interposer, lui semblait un paysage raffiné d'une rare splendeur. Il se prélassa dans un mince rayon de soleil, s'appuya contre un poteau. Une file de taxis noirs se forma. Les voyageurs disaient où ils souhaitaient se rendre et on les aidait gentiment à charger leurs sacs sur les sièges arrière. Howard fut surpris d'entendre annoncer deux fois en moins de cinq minutes Dalston comme destination. Howard y était né. Dalston à l'époque était un sordide cloaque de l'East End, grouillant de pouilleux qui avaient tout fait pour le détruire — ses propres parents y compris. Apparemment, ses habitants aujourd'hui étaient parfaitement normaux. Une blonde en pardessus bleu pastel, munie d'un téléphone portable et d'une plante en pot, un garçon pakistanais dont le costume bon marché rutilait comme du métal galvanisé : il imaginait mal ces gens peuplant l'East End de son enfance. Howard jeta sa clope et l'expédia d'un coup de pied dans le caniveau. Il tourna les talons, traversa la gare et, au rythme du flot des voyageurs, descendit les marches qui menaient au métro. Howard ne trouva pas de place assise dans le wagon bondé. Serré contre un passager déterminé à lire, il essaya d'esquiver la couverture rigide qui menaçait sans cesse son menton, tout en réfléchissant à sa mission à venir, s'il s'agissait bien d'une mission. Il ne savait toujours pas comment il allait négocier les points les plus importants : ce qu'il dirait, comment, et à qui. L'affaire était beaucoup trop brouillée et faussée par l'atroce souvenir des deux phrases suivantes :

L'indigence de son argumentation mise à part, la thèse de Belsey eût été plus saisissante s'il avait su de quel tableau je parlais. Dans sa lettre, Belsey s'attaque à l'*Autoportrait* de 1629, celui de Munich. Malheureusement pour lui, mon article est on ne peut plus explicite : le tableau dont il est question n'est autre que l'*Autoportrait à la chevelure bouclée et au col blanc*, datant certes de la même année, mais qui fait partie de la collection permanente du Mauritshuis de La Haye.

Ces phrases étaient de Monty Kipps. Publiées trois mois auparavant, elles résonnaient encore en lui, et le piquaient au vif ; elles semblaient parfois dotées d'un poids concret — rien que d'y penser, les épaules d'Howard roulèrent d'avant en arrière, comme si quelqu'un s'était approché en douce pour lui coller sur les épaules un sac à dos rempli de pierres. Howard descendit à Baker Street et traversa le quai jusqu'à la ligne Jubilee, direction le nord de la ville. Là, presque comme une consolation, une rame l'attendait. Rembrandt portait un col à dentelle dans les *deux* autoportraits, nom de Dieu ; les deux visages émergeant des ténèbres paranoïaques ont le même regard d'adolescent timoré — mais peu importe. Howard n'avait pas relevé les différentes positions de tête que Monty évoquait dans son article. À l'époque de la lettre, Howard vivait des moments difficiles, et il avait baissé sa garde. Monty, voyant l'occasion se présenter, l'avait saisie. Howard eût fait pareil. Infliger d'un simple geste (comme un garçon qui déculotte son copain devant l'équipe adverse) une humiliation publique, une honte cataclysmique — c'est l'un des plaisirs universitaires les plus purs. Il n'est pas nécessaire de le mériter ; il suffit de s'y exposer. Mais quel cruel camouflet ! Depuis quinze ans, ces deux hommes fréquentaient les mêmes cercles, les mêmes universités, publiaient dans les mêmes revues ; ils avaient aussi partagé les mêmes plateaux — quoique jamais les mêmes opinions — dans des débats. Comme tout homme de gauche digne de ce nom, Howard n'avait jamais eu de sympathie pour cet être qui avait voué sa vie à une perverse et iconoclaste politique de droite, mais la haine profonde qu'il lui vouait à présent datait d'il y a trois ans, lorsqu'il apprit que Kipps aussi écrivait un livre sur Rembrandt. Avant même sa publication, cet ouvrage présentait tous les signes du pavé extrêmement populaire (et populiste) promis à trôner pendant six mois sur la liste des meilleures ventes du *New York*

Times, écrasant tous les livres à sa suite. L'idée de cet ouvrage et de son probable succès (comparé à celui d'Howard, qui dans le meilleur des cas finirait sur les étagères de mille étudiants en histoire de l'art) l'avait poussé à écrire cette malheureuse lettre. Devant l'ensemble de la communauté universitaire, Howard avait pris une corde pour se pendre.

En sortant de la station Kilburn, Howard trouva une cabine téléphonique et appela les renseignements. Il donna l'adresse complète des Kipps, obtint un numéro de téléphone. Puis il passa quelques minutes à examiner les cartes publicitaires des prostituées. Étonnant qu'il y ait autant de filles de joie cachées derrière les bow-windows victoriennes, languissant dans les maisons mitoyennes d'après-guerre. Il remarqua le nombre de Noires — sans doute plus que dans une cabine de Soho — et leur exceptionnelle beauté, à en croire les photos (mais pouvait-on croire les photos ?). Il reprit le combiné. Marqua une pause. Depuis un an, Jerome l'intimidait un peu. Il redoutait chez l'adolescent sa ferveur religieuse, sa stricte moralité, ses silences qui lui semblaient autant de critiques implicites. Howard s'arma de courage et composa le numéro.

« Allô ?

— Oui, allô. »

La voix — jeune et très londonienne — le prit de court.

« *Salut*.

— Pardon, qui est à l'appareil ?

— Je suis... qui êtes-vous ?

— Vous êtes chez les Kipps. Et *vous*, vous êtes qui ?

— Ah, le fils, bien sûr.

— Pardon ? À *qui* ai-je l'honneur ?

— Euh... écoutez, j'aurais besoin de, c'est un peu gênant... je suis le père de Jerome, et...

— Ah, d'accord, un instant... »

45

— Non, non, non, attendez...

— Aucun souci, il est en train de dîner, mais je peux vous l'appeler.

— Non, non, s'il vous plaît... je... écoutez, je voudrais... en fait, je viens d'arriver de Boston... voyez-vous, on vient juste d'apprendre la nouvelle, et...

— D'accord, fit la voix sur un ton inquisiteur et indécis qui troubla Howard.

— Eh bien », dit-il ; sa gorge se serra, et il poursuivit : « J'aimerais bien aborder la question avec quelqu'un de la famille... avant de parler à Jerome lui-même... il ne nous a donné aucun détail... et bien évidemment... je suis sûr que votre père...

— Mon père aussi est en train de manger. Voulez-vous que je...

— Non... non, non, non, non, *non*, je veux dire, il ne voudra pas... non... non, *non*, c'est juste que... l'histoire est si confuse, naturellement, il suffit de... », bafouilla Howard, sans préciser ce qu'il suffisait de faire.

On toussa à l'autre bout du fil. « Écoutez, je ne comprends pas. Voulez-vous que j'aille chercher Jerome ou pas ?

— Je suis à côté, en fait... lâcha Howard.

— Pardon ?

— Oui... je vous appelle d'une cabine... je ne connais pas vraiment le quartier et... je n'ai pas de carte, voyez-vous. Vous ne pourriez pas... venir me chercher par exemple ? Je suis plutôt..., je suis sûr de me perdre si j'essaie de marcher jusqu'à chez vous... je n'ai pas le sens de l'orientation..., je suis à la station de métro.

— Bon. C'est facile à pied, je pourrais vous indiquer le chemin.

— Ça serait très pratique pour moi si vous pouviez venir jusqu'ici... il commence à faire nuit et je suis sûr de me tromper de direction, et... »

Silence. Howard eut envie de disparaître sous terre.

« J'aimerais juste vous poser quelques questions, voyez-vous, avant de voir Jerome.

— D'accord, fit enfin la voix d'un ton irrité. Bon... le temps de prendre mon manteau... on se retrouve devant la station de métro, c'est ça ? Queen's Park.

— Queens... ? Non, je, euh... nom de Dieu, je suis à Kilburn, ce n'est pas la bonne station ? Je croyais que vous étiez à Kilburn.

— Pas vraiment. On est entre les deux, plus près de Queen's Park. Écoutez... je viens vous chercher, aucun souci. La ligne Kilburn Jubilee, c'est ça ?

— Oui, c'est ça... c'est très aimable à vous, merci. Vous êtes Michael ?

— Oui. On m'appelle Mike. Et vous, vous êtes ?

— Belsey, Howard Belsey. Le père de...

— Ouais. Bon, alors, ne bougez pas, professeur. Je suis là dans sept minutes, maximum. »

Un jeune Blanc malcommode rôdait autour de la cabine. Sur son visage blafard naissaient trois boutons stratégiquement placés sur son nez, sa joue et son menton. Howard ouvrit la porte avec le sourire contrit d'usage ; le garçon, manifestement indifférent aux usages, gronda « *Putain*, il était *temps* », et se plaça de telle sorte qu'il bloqua le passage. Le visage d'Howard devint cramoisi. Pourquoi se sentait-il honteux ? Ce n'était pas lui le malotru, ce n'était pas lui qui venait de donner un coup d'épaule en pénétrant dans la cabine — alors pourquoi avoir honte ? Mais ce n'était pas seulement de la honte, il venait aussi de capituler physiquement — à vingt ans, Howard aurait peut-être répondu au juron du jeune homme, l'aurait peut-être provoqué ; à trente ans peut-être, à quarante ans ; mais pas à cinquante-six ans, pas maintenant. Craignant une escalade des hostilités (*Qu'est-ce que t'as à me regarder comme ça ?*), Howard sortit trois livres sterling de sa poche et se dirigea vers un photomaton. Il plia les genoux, écarta le petit rideau orange, et y pénétra comme dans un harem en miniature. Il s'assit sur le tabouret, posa le poing sur sa cuisse, baissa la tête ; levant les yeux, il vit le reflet de son visage entouré d'un grand cercle rouge dans le plexiglas encrassé. Le premier flash partit sans prévenir : Howard, penché pour ramasser ses gants, s'était redressé brusquement en entendant démarrer la machine ; une mèche de cheveux cachait son œil droit. Il avait l'air effrayé, abattu. Il présenta au deuxième flash un menton relevé et un regard provocant comme celui du garçon qu'il venait de croiser — et eut l'air plus emprunté encore. S'ensuivirent un sourire complètement factice, du genre qu'il ne ferait jamais spontanément au cours d'une journée normale ; puis les séquelles de ce sourire : un air triste, direct, timoré, presque repentant, comme celui de certains hommes en fin de vie. Howard se résigna. Il resta à attendre, guettant le départ du garçon de la cabine. Puis il récupéra ses gants et sortit de son petit isoloir.

Dehors, les branches taillées des arbres bordant la rue principale fendaient l'air. Howard s'avança et s'appuya contre un tronc, attentif à éviter les saletés. Ainsi, il pouvait observer les deux côtés de la rue et la bouche du métro. Quelques minutes plus tard, il aperçut un homme qu'il crut être celui qu'il attendait, arrivant du coin de la rue adjacente. Howard, qui se targuait d'avoir un œil exercé en la matière, le prit d'abord pour un Africain. Son visage avait un teint ocre qui ressortait surtout aux endroits où la peau était tendue — pommettes et front. Il portait des gants en cuir, un long pardessus gris, une écharpe en cachemire bleue nouée avec élégance, des lunettes à fine monture dorée. Ses chaussures ne manquaient pas d'intérêt : de vieilles tennis plates et bon marché, que Levi, Howard en était certain, n'aurait jamais portées. Comme il s'approchait de la station de métro, il ralentit et commença à scruter autour de lui les quelques personnes qui en attendaient d'autres. Howard s'était cru tout aussi identifiable que ce Michael Kipps ; c'est néanmoins lui qui dut s'approcher, en tendant la main.

« Michael, Howard, bonsoir. *Merci* d'être venu me chercher. Je n'étais pas...

— Vous n'avez pas eu trop de mal à trouver ? » Michael l'interrompit sèchement, faisant un signe de tête en direction de la bouche de métro. Howard, qui ne comprenait pas le sens de la question, lui sourit bêtement. Michael était beaucoup plus grand que lui, ce dont il n'avait pas l'habitude, et qui le dérangeait. Et il était large d'épaules ; rien à voir avec ces étudiants de première année qu'Howard voyait si souvent en cours, au cou épais et trapu qui leur donnait un air trapézoïdal — non, il était bien plus élégant que cela. C'était de naissance. Il fait partie de ces gens, pensa Howard, qui dégagent avant tout une qualité ; et dans le cas présent, cela s'appelle « noblesse ». Howard se méfiait souvent des gens imprégnés à ce point d'une certaine qualité, tout comme il se méfiait des livres aux couvertures racoleuses.

« Bien, alors par ici », dit Michael en faisant un pas en avant, mais Howard le saisit par l'épaule.

« Je dois juste récupérer ça, pour mon nouveau passeport », dit-il alors que les photos apparaissaient dans la fente, où une brise artificielle venait de s'activer.

Howard tendit la main vers les photos, mais Michael stoppa net son geste.

« Attendez, il faut les laisser sécher, sinon il risque d'y avoir des marques. »

Howard se redressa, et ils attendirent tous deux sur place, à regarder trembler les clichés. Le silence lui convenait parfaitement ; pourtant Howard s'entendit dire soudain et longuement : « Dooooonc... », sans savoir ce qu'il allait dire par la suite. Michael tourna vers lui un visage pincé et interrogateur.

« Donc, répéta Howard, vous faites quoi dans la vie, Michael ?

— Je suis analyste de risques pour la gestion de fonds d'investissement. »

Comme beaucoup d'universitaires, Howard ignorait tout du monde. Il pouvait faire la différence entre trente courants idéologiques dans les sciences sociales, mais il ne savait pas vraiment ce qu'était un informaticien.

« Ah, je vois... c'est très... c'est dans la City, ou... ?

— Dans la City, ouais. Près de St Paul's Way.

— Mais vous vivez toujours chez vos parents.

— Je reviens chez eux le week-end. Pour la messe, le déjeuner du dimanche. Les trucs de famille.

— Vous vivez dans le coin, ou... ?

— Camden, près de...

— Oh, je connais Camden. J'y ai traîné mes guêtres il y a quelques siècles. Eh bien, connaissez-vous...

— Je crois que vos photos sont prêtes », dit Michael, les retirant de la fente. Il les secoua et souffla dessus.

« Les trois premières sont bonnes à jeter ; elles ne sont pas cadrées, dit Michael avec rudesse. Ils sont devenus très stricts là-dessus. Vous pourrez peut-être utiliser la dernière. »

Il les tendit à Howard, qui les enfouit dans sa poche sans les regarder. L'idée de ce mariage lui répugne encore plus qu'à moi, pensa-t-il. Il a du mal à rester poli.

Ils empruntèrent la rue par laquelle Michael venait d'arriver. Un manque absolu d'humour se dégageait de la démarche même du jeune homme : il semblait calculer chaque pas afin de tenir son rang, à la façon d'un homme qui veut prouver à un officier de police qu'il sait marcher le long d'une ligne blanche et droite. Une minute, deux minutes s'écoulèrent en silence. Les maisons défilaient les unes après les autres, sans aucun commerce, cinéma ou laverie. Des terrasses victoriennes se succédaient en rangs serrés, vieilles filles de l'architecture britannique, musées de la culture bourgeoise victorienne... c'était une vieille obsession chez Howard. Il avait grandi dans une maison semblable. Une fois libéré de sa famille, il avait été tenté par des modes de vie alternatifs — communautés et autres squats.

Puis vinrent les enfants, une famille nouvelle, et toutes ces solutions devinrent impraticables. À présent il n'aimait pas se rappeler combien il avait convoité la maison de sa belle-mère : on oublie ce qu'on souhaite oublier. Il se voyait plutôt comme un homme qui, pour le bien de sa famille et par la force des choses, avait été poussé à vivre dans des lieux qu'il rejetait politiquement, personnellement et esthétiquement. Sa vie était faite de nombreux compromis de cet ordre.

Ils tournèrent dans une autre rue, manifestement bombardée pendant la guerre, où se dressaient des monstruosités années cinquante, avec des devantures en faux Tudor, et des allées aux dallages de pierres plates irrégulières. De l'herbe de la pampa pendait le long des façades, semblable aux queues des énormes chats des faubourgs.

« C'est agréable par ici », dit Howard, et il s'interrogea sur l'instinct qui le poussait à exprimer spontanément le contraire de ce qu'il pensait.

« Ouais. Vous habitez Boston.

— Juste à la périphérie. Près d'une faculté de lettres et sciences humaines où j'enseigne : Wellington. Vous n'en avez sans doute jamais entendu parler par ici », ajouta-t-il avec une fausse humilité, car de toutes les facultés où Howard avait posé ses valises, Wellington était non seulement la plus respectée, mais aussi celle dont le prestige égalait presque celui d'Harvard ou de Yale. Cela ne faisait aucun doute : l'ascension d'Howard s'arrêterait là.

« Jerome fait ses études là-bas, non ?

— Non, non... en fait, sa sœur Zora y est. Jerome est à Brown. Idée bien plus saine, sans doute, dit Howard, même s'il avait en vérité été blessé par le choix de son fils. La liberté, couper le cordon ombilical et tout ça.

— Pas forcément.

— Vous ne croyez pas ?

— J'ai été inscrit quelque temps dans la fac où enseignait mon père ; je trouve que c'est une bonne chose, que les familles soient réunies. »

51

Howard avait l'impression que la suffisance du jeune homme se concentrait dans sa mâchoire ; son incessant mouvement lui donnait l'air de ruminer sur les échecs d'autrui.

« Oh, absolument, dit Howard d'une voix qui lui sembla généreuse. Jerome et moi, on n'est pas... eh bien, nous ne partageons pas toujours les mêmes opinions, et... vous êtes sans doute plus proche de votre père... et plus apte à... je ne sais pas, moi.

— Nous sommes très proches.

— Eh bien, dit Howard avec retenue, tant mieux pour vous.

— L'important, c'est *d'essayer* », dit Michael avec emphase. Le sujet lui tenait manifestement à cœur. « C'est-à-dire, d'y mettre du sien. Et puis, ma mère a toujours été à la maison, il me semble que ça change pas mal la donne. Être materné. À la source, pour ainsi dire. C'est comme un idéal aux Caraïbes. Souvent on perd ça de vue.

— Tout à fait », dit Howard, et pendant qu'ils parcouraient les deux rues suivantes — passant devant un temple hindou en forme de cuillère à glace puis une succession d'affreux pavillons — il s'imagina en train de cogner contre un arbre la tête de ce jeune homme.

Désormais, les réverbères dans chaque rue étaient allumés. Howard commença à distinguer Queen's Park, auquel Michael avait fait allusion. Cela ne ressemblait en rien aux *royal parks*, ces dix parcs historiques et bien entretenus du centre-ville, mais plutôt à un pré communal au centre duquel trônerait un kiosque victorien scintillant et bariolé.

« Michael ? Je peux dire quelque chose ? »

Michael ne répondit pas.

« Écoutez, je ne veux surtout pas offenser quiconque dans votre famille, et je vois que, de toute façon, nous sommes d'accord sur le fond, il n'y a donc aucune raison de nous disputer à ce sujet. Vraiment, nous devons réfléchir ensemble, pour trouver... eh bien, une *façon*, un *moyen* de les convaincre tous deux que, vous voyez ce que je veux dire, c'est une idée complètement *dingue*, c'est l'essentiel, non ?

— Écoutez, fit Michael laconiquement et il accéléra le pas, je ne suis pas un intellectuel, vous comprenez ? Je n'ai rien à voir dans la dispute entre vous et mon père. Je suis un chrétien tolérant et, en ce qui me concerne, votre querelle ne change absolument pas notre attitude par rapport à Jerome, c'est un garçon sympathique, et c'est ça le plus important, il n'y a donc pas de problème.

— Oui, bien entendu, bien sûr, bien sûr, je ne dis pas qu'il y a un problème, tout ce que je dis, et j'espère que votre père en est conscient, c'est que Jerome est bien trop jeune, il est même plus jeune que son âge : émotionnellement, il est immature, sans aucune expérience, bien plus que vous ne le croyez...

— Désolé, je suis peut-être bête, mais qu'est-ce que vous me racontez, là ? »

Howard respira profondément, avec affectation. « Je crois qu'ils sont tous les deux beaucoup trop jeunes pour se marier, Michael, vraiment. Voilà, en gros, ma pensée. Je ne suis pas spécialement vieux jeu, mais je crois que de tout point de vue...

— Se marier ? » dit Michael en s'immobilisant. D'un geste, il remonta très légèrement ses lunettes sur son nez. « Qui se marie ? C'est quoi, cette histoire ?

— Jerome. Et Victoria. Désolé, j'étais sûr que... »

La mâchoire de Michael se crispa. « Vous parlez de ma sœur ?

— Oui, enfin, Jerome et Victoria, qui d'autre ? Attendez... quoi ? »

Michael éclata d'un rire bref et aigu, puis approcha son visage de celui d'Howard, cherchant à s'assurer qu'il plaisantait. Voyant que cela n'était pas le cas, il enleva ses lunettes et les essuya lentement avec son écharpe.

« Je ne sais pas d'où vous vient cette idée, voyez-vous, mais sérieusement, oubliez-la, parce que ce n'est même pas... oh, la la », dit-il en soufflant bruyamment ; il hocha la tête, remit ses lunettes. « Enfin, je l'aime bien moi, Jerome, y a pas de lézard, voyez ce que je veux dire ? Mais je ne crois pas que ma famille... serait *rassurée* à l'idée que Victoria puisse se lier à quelqu'un d'aussi extérieur à... » Visiblement, Michael cherchait un euphémisme adéquat. « Eh bien, aux valeurs qui sont importantes pour nous, vous comprenez ? Ce n'est tout simplement pas d'actualité. À mon avis, votre histoire ne tient pas debout, et je vous suggère de la modifier avant d'entrer dans la maison de mon père, vous comprenez ? Jerome ne fera pas l'affaire, *pas du tout.* »

Sans cesser de secouer la tête, Michael accéléra le pas, tandis qu'à sa droite Howard peinait à le suivre. Le jeune homme n'eut de cesse de regarder Howard de biais tout en secouant la tête, ce qui finit par agacer considérablement ce dernier.

« Bon, excusez-moi, je ne suis pas comme qui dirait le plus heureux des hommes, voyez-vous. Jerome est au beau milieu de ses études et, de toute façon, si un jour il décide de se lancer, j'imagine qu'il voudra une femme aux capacités, comment dire, *intellectuelles* qui s'accordent aux siennes, et non la première nana qu'il tire. Écoutez, je ne veux pas me brouiller avec vous en plus, nous sommes *d'accord*, tout va bien, nous savons tous deux que Jerome est un *bébé...* »

Howard, qui avait enfin réussi à marcher aussi vite que Michael, le stoppa net derechef en posant fermement sa main sur son épaule. Michael tourna très lentement la tête en direction de la main d'Howard, qui se sentit obligé de l'enlever.

« Pardon ? » dit Michael, et Howard remarqua une légère modification de son intonation : elle devenait un peu plus dure, plus proche de la rue que du monde professionnel. « Pour commencer, ne me touchez pas. Ma sœur est *vierge*. C'est comme ça qu'elle a été élevée, d'accord ? Je n'ose même pas imaginer ce que votre fils a pu vous raconter... »

La tournure médiévale que prenait la conversation devenait intolérable pour Howard. « Michael, je ne veux pas... nous sommes sur la *même longueur d'onde*. Ce mariage est complètement absurde, personne n'a dit le contraire, vous voyez les mots formés par ma bouche, complètement absurde, *complètement*. Et je vous assure que personne ne *met en cause l'honneur de votre sœur*, on ne va pas se retrouver à l'aube pour croiser le fer... dans un duel à la... ou un truc dans le genre... écoutez, je sais bien que votre famille a des "croyances" », murmura Howard maladroitement, comme si le mot « croyances » désignait une sorte de maladie, comme un herpès buccal. « Et je... enfin je les respecte totalement. Je ne savais pas que cette nouvelle serait une telle surprise.

— Eh bien, ça l'est, O.K. ? C'est une *putain de surprise* ! » s'écria Michael, qui détourna la tête en prononçant le gros mot, comme s'il redoutait qu'on l'entendît.

« Bon, O.K... c'est une surprise, je comprends bien... Michael, s'il vous plaît... je ne suis pas venu ici pour me disputer avec vous... calmons le jeu.

— Et si c'est un *malade* », commença Michael, et Howard, au-delà de la tournure délirante que prenait leur conversation, se mit à craindre sérieusement ce garçon. Contrairement à d'autres, Howard n'avait pas été surpris par la perte progressive de la raison qui semblait caractériser ce nouveau millénaire ; néanmoins, chaque nouvel exemple dont il était témoin — à la télé, dans la rue, et maintenant chez ce jeune homme — le minait un peu plus. Son désir de participer à la discussion, d'être dans la société, s'estompait. C'est l'énergie nécessaire pour lutter contre les béotiens qui diminue. Howard fixa le sol, comme s'il attendait une agression physique ou verbale. Il écouta une rafale soudaine agiter les branches des arbres alentour.

« Michael.

— Non, mais je *rêve*. »

Peu à peu la dureté se substituait à la noblesse qu'Howard

avait cru déceler sur le visage de Michael ; son attitude non-chalante se raidit, comme si son sang s'était mué en poison dans ses veines. Il détourna soudain la tête et Howard ne sembla plus exister pour lui. Il se mit à marcher très vite dans la rue, il courait presque. Howard l'apostropha. Michael accéléra encore le pas, tourna brusquement à droite et d'un coup de pied ouvrit un portail en fer. Il hurla, « Jerome ! » avant de disparaître sous une tonnelle dont les maigres branches nues s'enchevêtraient à la manière d'un nid. Howard franchit le portail, s'engouffra sous la tonnelle. Il s'arrêta devant une imposante double porte noire avec un heurtoir en argent. C'était entrouvert. Il s'arrêta dans le vestibule victorien où personne ne l'avait accueilli ; sous ses pieds, des carreaux noirs et blancs en forme de diamants. Une minute plus tard, il entendit des cris qui venaient de la pièce du fond. Il se dirigea dans cette direction et pénétra dans une salle à manger très haute de plafond, aux portes-fenêtres saisissantes, où une longue table était dressée pour cinq couverts. Il eut le sentiment de se trouver dans l'une de ces horribles pièces de théâtre édouardiennes, un huis clos claustrophobe contenant le monde entier. Sur la droite du tableau, le fils d'Howard maintenu contre le mur par Michael Kipps. Quant au reste, Howard eut le temps d'apercevoir une personne, sans doute Mrs Kipps, qui levait la main droite vers Jerome ; près d'elle, une forme prostrée dont on ne voyait que le cuir chevelu et les tresses élaborées. Puis les personnages s'animèrent.

« Michael », dit Mrs Kipps avec fermeté. Le mot dans sa bouche rimait avec « Y-Cal », un ersatz de sucre qu'Howard mettait dans son café. « Lâche Jerome, s'il te plaît, les fian-çailles sont déjà rompues. Tout cela n'a aucune raison d'être. »

Howard remarqua l'expression de surprise sur le visage de son fils lorsque Mrs Kipps prononça la mot « fiançailles ». Jerome tenta de soustraire sa tête au poids du corps de

Michael pour attirer le regard de la silencieuse silhouette avachie sur la table, mais celle-ci demeura immobile.

« Fiançailles ! Depuis quand était-il question de fiançailles ? » cria Michael, et il leva le poing, mais Howard se précipita et se surprit lui-même en saisissant d'instinct le poignet du jeune homme. Mrs Kipps semblait éprouver des difficultés à se lever et, lorsqu'elle prononça à nouveau le prénom de son fils, Howard fut soulagé de sentir le bras de Michael se détendre. Jerome, tremblant de tous ses membres, s'écarta de lui.

« Ça sautait aux yeux, ajouta Mrs Kipps doucement. Mais c'est fini maintenant. C'est du passé. »

Michael sembla tout d'abord déconcerté, puis une idée lui vint, et il se mit à secouer la poignée d'une des portes-fenêtres. « Papa ! » cria-t-il, mais les portes ne cédaient pas. Howard avança pour l'aider avec le verrou du haut. Michael le repoussa violemment, vit le verrou, le tira. Les portes s'ouvrirent d'un coup. Sans cesser d'appeler son père Michael pénétra dans le jardin, et le vent chahuta les rideaux. Howard aperçut alors une longue étendue de gazon et, tout au bout, l'éclat orange d'un petit feu de joie. Au-delà se dressait le tronc couvert de lierre d'un arbre monumental dont les hauteurs invisibles se perdaient dans la nuit.

« Bonsoir, professeur Belsey », dit Mrs Kipps à présent, comme si la scène qui venait de se dérouler constituait le préambule habituel d'une simple visite de courtoisie. Elle ôta la serviette posée sur ses genoux et se leva. « Je ne crois pas que nous nous soyons rencontrés, si je ne me trompe. »

Elle ne correspondait pas du tout à ses attentes. Pour une raison quelconque, Howard avait imaginé une femme plus jeune, un trophée. Mais elle était plus âgée que Kiki, aux alentours de la soixantaine, et plutôt élancée. Ses cheveux frisés étaient apprêtés, mais quelques mèches éparses encadraient son visage, et ses vêtements n'avaient rien de formel : une jupe d'un violet sombre qui touchait le sol, et une large chemise indienne en coton blanc finement brodée sur le devant. Son cou était long (Howard voyait à présent d'où Michael tenait son air de noblesse), et profondément ridé. Elle arborait un imposant collier art déco avec, en son centre, une pierre de lune facettée au lieu de la croix qu'on aurait pu s'attendre à voir. Elle prit les mains d'Howard dans les siennes. Howard eut aussitôt le sentiment que la situation n'était pas aussi désastreuse qu'elle lui avait semblé vingt secondes plus tôt.

« Oh, je vous en prie, ne m'appelez pas "professeur", je suis de repos, appelez-moi Howard, si vous voulez bien. Enchanté, et je suis vraiment désolé pour tout ce... »

Howard regarda autour de lui. Celle qu'il imaginait à présent être Victoria (même s'il était malaisé de déterminer le sexe à la seule vue du cuir chevelu) demeurait figée à table. Jerome glissa le long du mur comme une tache et s'assit par terre, fixant du regard ses chaussures.

« Les jeunes gens, Howard, fit Mrs Kipps, comme si elle commençait à raconter un conte caraïbe pour enfants qu'Howard n'avait nulle envie d'entendre, ils ont leur façon de faire. Ce n'est pas toujours la nôtre, mais c'est comme ça. » Son sourire découvrit ses gencives violettes, et elle secoua la tête plusieurs fois avec ce qui semblait être un léger tremblement. « Ces deux-là sont plutôt sensés, loué soit Dieu. Mais savez-vous que Victoria vient de fêter ses dix-huit ans ? Vous souvenez-vous de vos dix-huit ans ? Moi, pas du tout, c'est comme un autre monde. Donc..., Howard, j'imagine que vous êtes à l'hôtel ? Je vous proposerais bien de rester dormir chez nous, mais... »

Howard confirma l'existence d'un hôtel et exprima son désir pressant de le regagner.

« Voilà une bonne idée. Et je crois que vous devriez emmener Jerome avec vous... »

Jerome prit alors sa tête entre ses mains tandis que la jeune fille assise à table quittait précisément cette position, en un mouvement parfaitement inverse au sien, et Howard aperçut du coin de l'œil une jeune fille mutine aux yeux coulant de mascara, et aux bras élancés de danseuse.

« Ne t'inquiète pas, Jerome, tu viendras chercher tes affaires demain matin, quand Montague sera au travail. Tu écriras à Victoria quand tu seras rentré chez toi. Mais arrêtons les crises pour aujourd'hui, s'il vous plaît.

— Est-ce que je peux *juste*... », lança sa fille, mais elle s'interrompit quand Mrs Kipps, les yeux fermés, posa ses doigts tremblants sur ses lèvres.

« Victoria, va jeter un œil sur le potage. S'il te plaît. Vas-y. »

Victoria se leva et heurta violemment sa chaise contre la table. Comme elle quittait la pièce, Howard observa ses mobiles omoplates glisser de haut en bas comme les pistons du moteur de sa mauvaise humeur.

Mrs Kipps sourit à nouveau. « Nous avons beaucoup apprécié de l'avoir chez nous, Howard. C'est un jeune homme aimable, honnête et digne. Vous pouvez être fier de lui, vraiment. »

Jusqu'à présent elle avait tenu les mains d'Howard. Après les avoir étreintes une dernière fois, elle les relâcha.

« Je devrais peut-être rester pour parler avec votre mari ? » marmonna Howard au son des voix qui se rapprochaient en provenance du jardin, tout en priant intérieurement que cela ne fût pas nécessaire.

« Franchement, je ne crois pas que ce soit une très bonne idée », dit Mrs Kipps en se détournant. Une brise fugitive souleva légèrement sa jupe alors qu'elle descendait les marches qui menaient au jardin, et elle disparut dans l'obscurité.

5

Nous devons à présent faire un bond de neuf mois, et traverser l'océan Atlantique en sens contraire. C'est le troisième week-end de l'étouffant mois d'août, date à laquelle la ville de Wellington dans le Massachusetts propose son festival en plein air annuel et familial. Kiki avait eu l'intention d'y emmener les membres de sa famille, mais, lorsqu'elle rentra de son cours de yoga du samedi matin, ces derniers s'étaient dispersés — sans doute à la recherche d'un peu d'ombre. Dehors, l'eau de la piscine stagnait sous une couche mouvante de feuilles d'érable. Dedans, la climatisation ne fonctionnait pour personne. Seul Murdoch était là ; Kiki le trouva étendu de tout son long dans la chambre, tête posée sur ses pattes, langue sèche comme une peau de chamois. Kiki se libéra de son collant et enleva son débardeur en se tortillant. Elle lança le tout à travers la chambre, dans un panier en osier plein à ras bord. Elle resta quelques minutes nue, debout devant son placard à évaluer la répartition de son poids en fonction de la chaleur et de la distance qu'elle allait devoir parcourir pour se rendre seule aux manifestations wellingtoniennes. Sur une étagère s'entassait une pile chaotique d'écharpes en tout genre, qu'un magicien aurait pu sortir de sa poche. Elle en choisit une marron à franges avec laquelle elle enveloppa ses cheveux ; puis un carré de soie orange dont on pouvait faire un haut, qu'elle s'attacha sous les aisselles. Elle noua autour de sa taille, façon sarong, une écharpe d'une soie moins fine, d'un rouge profond. Elle s'assit sur le lit pour ajuster les boucles de ses sandales, et d'une main tourna et retourna distraitement l'une des oreilles de Murdoch, découvrant le rose dentelé derrière le marron luisant et vice versa. « Toi bébé, t'es avec moi », dit-elle en le portant à sa poitrine ; le sac chaud du ventre de l'animal reposait dans le creux de sa main. Elle allait partir lorsqu'elle entendit un bruit provenant du salon. Elle revint sur ses pas dans le vestibule et passa sa tête dans l'entrebâillement de la porte.

« Salut, Jerome, mon chéri.

— Salut. »

Morose, son fils était assis sur le pouf avec, sur ses genoux, un cahier recouvert de soie bleue effilochée. Kiki posa Murdoch par terre et l'observa tandis qu'il se dandinait en direction de Jerome, pour s'asseoir à ses pieds.

« Tu écris ? demanda-t-elle.

— Non, je danse », fut la réponse.

Kiki ferma la bouche puis la rouvrit en un rictus. Il était comme ça depuis son retour de Londres : ironique et secret, comme s'il avait seize ans à nouveau. Il était constamment en train d'écrire dans son journal, il menaçait de ne plus retourner en fac. Kiki avait l'impression que tous deux, mère et fils, empruntaient lentement mais sûrement des chemins contraires : Kiki vers le pardon, Jerome vers l'amertume. Car, même si cela avait pris presque un an, le souvenir de l'erreur d'Howard la tourmentait moins désormais. Elle avait eu les habituelles conversations avec ses amies, et avec elle-même ; avait comparé une femme sans nom et sans visage dans une chambre d'hôtel à ce qu'elle savait d'elle-même ; avait comparé une nuit sans suite à une vie d'amour et ressenti la différence en son for intérieur. Si un an auparavant on lui avait dit, *Ton mari en baisera une autre, et tu lui pardonneras, tu resteras avec lui*, elle n'y aurait pas cru. On ne peut jamais savoir à l'avance ce que l'on ressentira, et comment on réagira, avant que cela ne nous arrive. Kiki avait puisé dans des réserves de magnanimité qu'elle ignorait posséder. Mais il ne faisait aucun doute que pour Jerome, qui n'avait pas d'amis et qui ressassait sans cesse son chagrin, la semaine qu'il avait passée voici neuf mois avec Victoria Kipps avait pris une telle ampleur dans son esprit que rien d'autre n'existait dans sa vie. Tandis que Kiki naviguait à l'instinct à travers ses difficultés, Jerome affrontait son malheur avec des mots, des mots et des mots. Kiki se félicita, comme elle avait déjà eu occasion de le faire, de ne pas être une intellectuelle. D'où elle se trouvait elle pouvait distinguer l'étrange et mélancolique forme du texte de Jerome, truffé d'italiques et d'ellipses. Voiles inclinées voguant dans les creux et les vagues.

« Tu te rappelles ce truc, dit Kiki en caressant distraitement du tibia la cheville de son fils, *prétendre écrire sur la musique, c'est comme vouloir danser l'architecture.* Qui a dit ça déjà ? »

Jerome loucha comme Howard, puis détourna le regard.

Kiki se pencha au niveau de ses yeux. De deux doigts elle prit le menton de son fils et dirigea son visage vers le sien. « Ça va, mon chéri ?

— Maman, s'il te plaît. »

Kiki posa ses mains autour du visage de son fils. Elle le scruta attentivement, cherchant des traces de la fille qui lui avait causé tant de chagrin, mais Jerome, qui à l'époque n'avait donné aucun détail à sa mère, n'était pas près maintenant de lui en raconter plus. C'était une traduction impossible — sa mère voulait en savoir plus sur une fille, mais il ne s'agissait pas *d'une fille*, ou plutôt, pas *seulement* d'une fille. Jerome était tombé amoureux d'une famille. Il ne pensait pas pouvoir aborder ce sujet avec les siens ; c'était plus simple pour eux de croire que l'année passée avait été la *connerie romantique* de Jerome, ou — pour être en accord avec la mentalité des Belsey — son flirt avec la foi. Comment leur expliquer le plaisir qu'il avait ressenti en s'abandonnant aux Kipps ? Cela avait été une sorte d'éloignement total de soi ; un été loin des Belsey ; il s'était laissé entièrement happer par le monde et les manières des Kipps. Il avait même *apprécié* les discussions ô combien exotiques (du moins pour un Belsey) sur les affaires, l'argent et le réalisme politique ; entendre que l'Égalité était un mythe, et le Multiculturalisme un rêve stupide ; il frissonna à l'idée que l'Art était un don de Dieu accordé à une maigre poignée de Maîtres, et l'ensemble de la littérature un voile sous lequel se cachaient d'indigentes idéologies gauchisantes. Il avait protesté faiblement, mais seulement pour le plaisir d'être à nouveau ridiculisé par la famille — d'entendre qu'il exprimait des pensées typiquement progressistes, universitaires, fadasses. Lorsque Monty avait suggéré que les minorités exigeaient trop souvent des droits qu'elles ne méritaient pas, Jerome s'était enfoncé un peu plus dans le canapé, absorbant sans rechigner cette pensée étrange et nouvelle. Lorsque Michael avait avancé que la négritude n'était pas une identité mais un accident de pigmentation, Jerome, au lieu de réagir avec l'hystérie typique d'un Belsey — « J'aimerais bien t'entendre dire ça quand un membre du KKK se jettera sur toi avec une croix en flammes » —, se promit que dorénavant il songerait moins à son identité. L'une après l'autre les vaches sacrées des Belsey furent bousculées. *Je suis embourbé dans des tas d'âneries gauchistes*, pensa Jerome joyeusement avant de baisser la tête et de se mettre à genoux sur l'un des petits coussins rouge du banc réservé aux Kipps à l'église du quartier. Lorsque Victoria rentra à la maison, il était déjà amoureux. Son ardeur générale pour la famille avait trouvé sa cible adéquate en Victoria — qui était parfaite en terme d'âge et de sexe, et belle comme l'idée même de Dieu. Quant à la jeune fille, tout juste rentrée de son premier été seule à l'étranger, auréolée de triomphes d'ordre social et sexuel, elle trouva un jeune homme supportable, encombré par son pucelage, et à peu près incapable de fonctionner à cause du désir qu'elle provoquait chez lui. Cela semblait injuste de ne pas lui offrir sa beauté à peine éclose (elle avait été ce que les Caraïbes appellent une enfant *margar*), puisque, de toute évidence, il était particulièrement avide de cette qualité. Et de toute façon il repartirait dès le moins d'août. Pendant une semaine ils s'étaient embrassés en secret dans les coins sombres de la maison, et ils firent l'amour une fois, très mal, sous l'arbre du jardin. Victoria n'avait jamais pensé une seule seconde... Mais Jerome, si, bien entendu. S'interroger à l'excès et sans cesse caractérisait le garçon.

« C'est pas bon pour toi, mon chéri, dit sa mère en aplatissant les cheveux de son fils et en les regardant se redresser. Tu passes l'été à ressasser. D'ailleurs, l'été est presque fini.

— Où veux-tu en venir ? demanda Jerome avec un manque de politesse inhabituel.

— C'est dommage, c'est tout, répondit Kiki doucement.

Écoute, mon ange, je vais au festival ; pourquoi tu ne viens pas avec moi ?

— Pourquoi je ne viens pas, répondit Jerome platement.

— Il fait quarante-cinq degrés ici, chéri. Tout le monde est parti. »

Jerome fit une grimace de pacotille pour répondre aux intonations maternelles, et retourna à sa tâche. Alors qu'il écrivait, sa bouche aux traits féminins dessina un petit rictus pulpeux, ce qui fit ressortir les pommettes familiales. Son front proéminent — détail qui le rendait si ingrat — tombait en avant, comme attiré par la courbe de ses longs cils équins.

« Tu vas passer toute la journée enfermé, à prendre des notes ?

— Ce ne sont pas des notes. C'est mon journal intime. »

Vaincue, Kiki soupira, se leva ; fit quelques pas nonchalants derrière lui ; puis se jetant soudain en avant, enlaça son dos et entreprit de lire par-dessus son épaule. « *Il est aisé de confondre femme et philosophie...*

— Maman, ta gueule, je rigole pas.

— Ne me parle pas comme ça. *L'erreur consiste à être attaché aux choses de ce monde. Le monde ne te remerciera pas de lui être attaché. L'amour, c'est la prise de conscience terriblement ardue...* »

Jerome lui arracha le cahier des mains.

« C'est quoi ? Des aphorismes ? Plutôt profond. Dis-moi, chéri, tu ne vas pas mettre un imper et mitrailler tes petits camarades ?

— Ha, ha. »

Kiki embrassa sa tête et se leva. « Tu t'arrêtes sur trop de choses. Essaie donc de vivre, suggéra-t-elle doucement.

— L'un n'empêche pas l'autre.

— Oh ! Jerome, je t'en prie. Bouge de là et viens avec moi. C'est à croire que tu vis sur ce putain de pouf. Ne m'oblige pas à y aller toute seule. Zora est déjà partie avec ses copines.

« — Je suis *occupé*. Où est Levi ?

— C'est samedi, il bosse. Allez. Je suis toute seule... et Howard m'a laissée en plan : il est parti avec Erskine il y a une heure... »

Cette façon sournoise d'évoquer les manquements de son père eut l'effet désiré : Jerome émit un grognement et ferma le cahier de ses grandes mains douces. Kiki croisa les siennes et les tendit à son fils, qui les saisit et se hissa debout.

La promenade jusqu'à la place était agréable : gourdes gonflées sur les pas de portes, maisons à bardeaux blancs, jardins luxuriants soigneusement entretenus en vue de l'automne légendaire, moins de drapeaux américains qu'en Floride, mais plus qu'à San Francisco. Partout un soupçon de jaune se mêlait aux feuilles des arbres, comme si elles s'enflammaient. Se trouvaient également ici certains des monuments les plus anciens d'Amérique : trois églises construites au dix-septième siècle, un cimetière plein de pères pèlerins décomposés ; des plaques bleues indiquaient tout cela. Kiki prit avec précaution le bras de Jerome, qui ne protesta pas. Des gens, un peu plus à chaque carrefour, se joignaient à eux dans la rue. Une fois sur la place, ils n'eurent plus aucune liberté de mouvement ; ils se fondirent parmi des centaines de badauds. Prendre Murdoch avec eux avait été une erreur. C'était l'heure du déjeuner, et le festival battait son plein. La canicule conjuguée à la mauvaise humeur de la cohue rendaient les promeneurs peu enclins à faire l'effort d'éviter de marcher sur les pattes d'un petit chien. Le trio gagna difficilement le trottoir, où il y avait moins de monde. Kiki s'arrêta devant un stand qui vendait des accessoires en argent — boucles d'oreilles, bracelets, colliers. Le vendeur, petit homme noir exceptionnellement mince, portait un débardeur-filet vert et un jean miteux. Il était pieds nus. Ses yeux rougis s'écarquillèrent lorsque Kiki se saisit d'une paire d'anneaux. Elle eut à peine besoin de le regarder pour comprendre aussitôt que leur échange serait de ceux, habituels, au cours desquels sa poitrine énorme et enchanteresse tenait le rôle subtil (ou pas, cela dépendait des gens) et silencieux de la tierce personne. Les femmes, par politesse, s'écartaient de sa poitrine ; les hommes — et cela convenait plus à Kiki — choisissaient parfois de l'évoquer ouvertement, histoire de la mettre pour ainsi dire derrière eux. Son tour de poitrine était à la fois sexuel et plus que sexuel : le sexe ne constituait qu'une infime partie de sa portée symbolique. Si elle avait été blanche, on n'y aurait vu que du sexe, mais elle ne l'était pas. Sa poitrine émettait donc une quantité de signes qui échappaient à son contrôle : insolente, fraternelle, prédatrice, maternelle, menaçante, apaisante — sa quarantaine l'avait projetée dans un monde de miroirs, transformant la personne qu'elle croyait être en une curieuse fabulation. Elle ne pouvait plus être docile ou timide. Son corps l'obligeait à endosser une personnalité nouvelle ; les gens attendaient d'elle des choses nouvelles, positives ou pas. Elle qui avait été une petite souris pendant tant d'années ! Comment cela nous arrive-t-il ? Kiki porta les anneaux à ses oreilles. Le vendeur lui tendit un miroir ovale qu'il leva à hauteur de son visage, mais pas assez rapidement à son goût.

« Excusez-moi, mon frère, un peu plus haut, s'il vous plaît — je ne porte pas de bijoux *à ce niveau*, désolé. Juste aux oreilles. »

Jerome eut un mouvement de recul en entendant la plaisanterie. Il redoutait cette habitude maternelle de discuter avec des inconnus.

« Chéri ? » demanda-t-elle à Jerome en se tournant vers lui. Il haussa les épaules. Kiki se retourna de façon clownesque vers le vendeur et haussa elle aussi les épaules. Mais ce dernier se contenta de dire « Quinze » d'une voix sonore sans la quitter des yeux. Il ne souriait pas, il se concentrait sur sa vente. Il avait un accent brutal et étranger. Kiki se sentit idiote. Elle désigna rapidement de la main droite quelques accessoires sur la table.

« O.K... et ceux-là ?

— Boucles d'oreilles, quinze, collier, trente, les bracelets sont à dix, les autres à quinze, tout est en argent. Vous devriez essayer un collier, ça va très bien sur une peau noire. Vous aimez les boucles d'oreilles ?

— Je vais m'acheter un burrito.

— Oh, Jerome, s'il te plaît, une minute. Est-ce qu'on ne peut pas passer cinq minutes ensemble ? Qu'est-ce que tu en penses, de celles-là ?

— Chouette.

— Des petits ou des grands anneaux ? »

Jerome fit une grimace désespérée.

« O.K., O.K. Tu seras où ? »

Jerome pointa un doigt dans l'éclatante lumière du jour. « Ça porte un nom bidon, genre Chicken America ou quelque chose comme ça.

— Mon Dieu, Jerome, je connais pas ce truc, moi. C'est quoi ? Écoute, on n'a qu'à se retrouver devant la banque dans un quart d'heure, d'accord ? Et achète-m'en un avec crevettes s'ils en ont, avec de la sauce piquante et de la crème. Tu sais bien que j'adore quand c'est épicé. »

Elle le regarda s'éloigner d'un pas tranquille, tirant sur son tee-shirt Nirvana à manches longues pour cacher son postérieur anglais, ample, large et peu attrayant ; on aurait dit une des tantes d'Howard, vue de dos. Kiki se retourna vers le stand et essaya de renouer la conversation avec le vendeur, mais il était occupé à tripoter des pièces dans sa banane. Elle prit mollement ici et là un bijou qu'elle reposa, hochant la tête lorsque le vendeur lui annonçait solennellement un prix, chose qu'il faisait chaque fois que son doigt effleurait un article. Seul son argent l'intéressait ; l'existence de Kiki, l'idée même de Kiki semblait le laisser parfaitement indifférent. Il ne lui parla pas familièrement, il ne présupposa rien, ne prit aucune liberté. Obscurément déçue,

67

comme nous le sommes parfois lorsqu'une chose que l'on affirme ne pas aimer ne se produit pas, elle leva soudain les yeux, et lui sourit. « Vous venez d'Afrique ? » demanda-t-elle gentiment, et prit un bracelet à breloques — miniatures de monuments internationaux : tour Eiffel, tour de Pise, statue de la Liberté.

L'homme croisa les bras sur sa poitrine étroite et emmaillotée, dont chaque côte ressortait comme sur le ventre d'un chat. « D'où croyez-vous que je viens ? Vous aussi, vous êtes africaine, non ?

— *Oh que non*, moi je suis d'ici, même si, bien entendu... », répondit Kiki. Du dos de la main, elle essuya la sueur qui perlait sur son front, attendant que l'homme donne à sa phrase la conclusion qu'elle attendait.

« Nous venons tous d'Afrique », dit l'homme avec obligeance. Il ouvrit ses mains comme des éventails en direction des bijoux. « Tout ça vient d'Afrique. Et moi, vous savez d'où je viens ? »

Kiki essayait sans succès de fixer un bracelet à son poignet. Elle leva les yeux alors que l'homme reculait d'un pas afin qu'elle puisse le voir en pied. Elle se rendit compte qu'elle désirait à tout prix ne pas se tromper, et elle hésita entre les quelques pays colonisés par la France dont elle se souvenait, sans être sûre d'aucun d'entre eux. Elle songea à l'ennui qui l'habitait. Il fallait qu'elle fût passablement désœuvrée pour vouloir à ce point fournir la réponse correcte.

« Côte d'I... », commença-t-elle prudemment, mais il grimaça, et elle choisit de dire : « Martinique.

— Haïti, fit-il.

— Ah oui, c'est ça. Ma... », fit Kiki puis se reprit : elle ne voulait surtout pas prononcer dans ce contexte le mot « femme de ménage ». Elle finit par dire : « Il y a tant d'Haïtiens dans le coin... », et osa ajouter : « Naturellement, la situation est tellement critique là-bas en ce moment. »

L'homme posa fermement ses paumes sur la table qui les

séparait, et plongea son regard dans celui de Kiki. « Oui. C'est terrible. C'est *affreux*. Maintenant, chaque jour, c'est la *terreur*. »

Devant la gravité de cette réponse, Kiki se concentra à nouveau sur le bracelet qui glissait sans cesse de son poignet. Elle n'avait qu'une idée très vague des difficultés auxquelles elle venait de faire allusion (le stress causé par les affaires pressantes — nationales et personnelles — qui l'occupaient les avait occultées), et elle eut honte d'avoir donné l'impression d'en savoir plus long qu'en réalité.

« Ce n'est pas pour ici, c'est pour *là*, fit l'homme contournant soudain la table et pointant du doigt la cheville de Kiki.

— Ah, c'est un..., comment ça s'appelle déjà, un bracelet de cheville ?

— Posez-le, posez-le là, s'il vous plaît. »

Kiki posa Murdoch par terre et permit à cet homme de soulever et placer son pied sur un petit tabouret en bambou. Elle dut s'appuyer sur son épaule pour se maintenir en équilibre. Le sarong de Kiki s'entrouvrit légèrement, exposant sa cuisse. De la transpiration jaillit de son creux poplité potelé. L'homme ne sembla rien remarquer ; déterminé, il joignit les deux bouts de la chaîne humide de sueur. Kiki se trouvait dans cette position peu orthodoxe lorsqu'on l'assaillit par-derrière. Deux mains masculines lui étreignirent la taille — puis un visage rougi par la chaleur surgit comme le chat de Cheshire tout près du sien, l'embrassant sur la joue.

« Jerome, t'es fou !

— Kiki, *ouah*, comme tu montres tes jambes. Qu'est-ce que tu fais ? Tu veux me tuer ou quoi ?

— Oh, mon Dieu ! Warren ! *Salut*... C'est toi qui as failli me tuer. Mon Dieu, c'est quoi ces manières de renard ? J'ai cru que c'était Jerome. Il est quelque part par là... Je ne savais même pas que vous étiez rentrés. C'était comment, l'Italie ? Où est... »

Kiki repéra la personne dont elle allait prononcer le nom, Claire Malcolm, s'éloignant d'un stand qui vendait des huiles de massage. Claire eut d'abord l'air déconcerté, presque paniqué, puis elle leva la main en souriant. De loin, Kiki répondit avec un air de surprise, puis du bras désigna Claire de la tête aux pieds, pour souligner sa transformation : au lieu de sa traditionnelle tenue hivernale — veste en cuir noir, col roulé noir, jean noir — elle portait une petite robe d'été verte. Effectivement, elle n'avait pas vu Claire Malcolm depuis l'hiver dernier. À présent un hâle tout méditerranéen accentuait le bleu pâle de ses yeux. Kiki l'enjoignit du geste à les rejoindre. L'Haïtien, ayant fermé le bracelet de cheville, baissa les mains et lança à Kiki un regard anxieux.

« Warren, une seconde s'il te plaît, laisse-moi juste finir avec ça, combien vous avez dit ?

— Quinze. Pour celui-ci, quinze.

— Je croyais que c'était *dix* pour un bracelet. Warren, je suis désolé, j'en ai pour une seconde, c'était pas dix ?

— Celui-ci est à quinze, s'il vous plaît, quinze. »

Kiki fouilla son sac à main à la recherche de son portefeuille. À ses côtés, Warren Crane, dont la grosse tête jurait avec son corps parfaitement musclé de prolétaire du New Jersey, croisa d'un air amusé ses bras musclés de marin sur sa poitrine, comme un spectateur qui attend l'entrée en scène du comique. Lorsqu'on est exclue de l'univers sexuel — parce que prétendument trop vieille, ou trop grosse, ou parce qu'on ne vous considère plus sous cette œil —, une toute nouvelle gamme de réactions à votre personne entre en jeu. Parmi elles : l'humour. Ils vous trouvent drôle. Mais bon, pensa Kiki, ils étaient élevés comme ça, les Blancs d'Amérique. Moi, je suis la Tatie Jemima sur l'emballage des gâteaux de leur enfance, les épaisses chevilles entre lesquelles se pourchassaient Tom et Jerry. Pas étonnant qu'ils me trouvent drôle. Et pourtant, si j'allais de l'autre côté du fleuve, à Boston, je serais abordée en moins de cinq minutes. D'ailleurs, la semaine passée, un jeune Noir qui devait avoir vingt-cinq ans de moins qu'elle l'avait suivie pendant une heure dans Newbury Street ; pour s'en débarrasser, elle avait dû promettre de sortir avec lui, et lui avait donné un faux numéro.

« T'as besoin d'un prêt, Kiki ? demanda Warren. Pour toi, je mangerai des patates pendant un mois s'il le faut. »

Kiki rit. Elle trouva enfin son portefeuille, paya le commerçant et le salua.

« C'est joli, fit Warren en la déshabillant du regard. Comme si tu avais besoin d'être encore plus belle. »

Ça aussi, c'était un truc qu'ils faisaient. Puisqu'il n'y avait aucune chance d'être pris au sérieux, ils vous draguaient à outrance.

« Qu'est-ce qu'elle a acheté ? Quelque chose de joli ? Oh oui ! c'est tout mignon ! » dit Claire qui s'approchait les yeux rivés sur la cheville de Kiki. Elle imbriqua son corps minuscule dans celui de Warren. Les photos lui donnaient un air longiligne, mais en réalité cette poétesse américaine mesurait à peine un mètre soixante ; même aujourd'hui, âgée de cinquante-quatre ans, elle avait un corps de pré-ado. Elle avait une ligne parfaite, avec un minimum d'étoffe. Lorsqu'elle remuait un doigt, on pouvait suivre le geste à travers le réseau de veines qui remontait ses bras minces jusqu'à ses épaules et son cou, élégamment ridé comme les plis d'un soufflet d'accordéon. Sa tête de lutin avec ses cheveux bruns coupés en brosse tenait entièrement dans la main de son amant. Aux yeux de Kiki, ils semblaient très heureux — mais cela signifiait quoi au juste ? Les couples de Wellington avaient le don de paraître heureux.

« Incroyable, ce temps, n'est-ce pas ? On est rentrés il y a une semaine, et il fait plus chaud ici que là-bas. Le soleil est un citron aujourd'hui, je te jure. C'est un énorme bonbon au citron. C'est incroyable », dit Claire tandis que Warren tâtait doucement son crâne. Elle bafouillait un peu ; cela lui prenait toujours du temps pour se calmer. Claire avait fait son troisième cycle avec Howard, et Kiki la connaissait depuis trente ans, mais elle avait toujours eu l'impression que leur relation demeurait superficielle. La mayonnaise de l'amitié n'avait jamais vraiment pris entre elles. Chaque fois qu'elle voyait Claire, Kiki avait le sentiment qu'elles se rencontraient pour la première fois. « Et tu as bonne mine, dis-moi ! s'exclama Claire. Ça fait *tellement plaisir* de te voir. Quelle tenue ! C'est comme une éclosion rouge, jaune et brique. Kiki, tu es en fleurs !

— Tu sais, chérie, répondit Kiki en secouant la tête comme les Blancs aimaient qu'elle fît, je suis malheureusement déjà fanée. »

Claire éclata d'un rire clinquant. Kiki remarqua, et non pour la première fois, que l'intelligence de son regard ne se laissait pas aller même quand elle riait.

« Allez, on marche ensemble ? » suggéra Claire d'une voix plaintive, poussant Warren entre elle et Kiki comme s'il eût été leur enfant. C'était une façon curieuse de marcher — car les deux femmes, pour se parler, étaient obligées de contourner le corps de Warren.

« O.K., mais il faut garder un œil sur Jerome, il est par là. Alors, c'était bien, l'Italie ? demanda Kiki.

— Prodigieux. C'était incroyable, n'est-ce pas ? » dit Claire en jetant à Warren un regard intense qui correspondait à l'idée confuse que se faisait Kiki de l'artiste : passionné, attentif, enthousiasmé par le moindre détail.

« Vous y étiez juste en vacances ? demanda Kiki, ou pour recevoir un prix ?

— Oh, un petit..., c'est rien, le machin de Dante, c'était sans importance. En revanche, Warren a passé notre séjour dans un champ de colza à élaborer sa nouvelle théorie sur la pollution de l'air provoquée par les champs d'OGM, écoute, Kiki, c'est dingue... il a eu des idées de folie là-bas. Il est sur le point de prouver définitivement qu'il y a une pollinisation, ou, non, une insémination croisée, tu vois ce que je veux dire, et notre putain de gouvernement ne fait que mentir là-dessus, mais c'est une science qui est... » Mêlant bruit et geste, Claire mima le sommet d'un crâne qui explosait pour révéler à l'univers le cerveau qu'il recelait. « Warren, raconte à Kiki, moi je me mélange les pinceaux, mais c'est *phénoménal* comme science, n'est-ce pas ?

— Ce n'est pas si fascinant que ça, répondit Warren platement. On essaie de trouver le moyen de forcer le gouvernement à avouer la vérité sur ces cultures, on a déjà bien avancé en labo, mais maintenant on doit rassembler toutes les informations et trouver quelqu'un pour mettre en avant les preuves tangibles..., oh, Claire, il fait trop chaud pour un sujet aussi inintéressant.

— Mais non..., protesta Kiki faiblement.

— Tu parles comme c'est inintéressant, s'exclama Claire. Je n'avais *aucune idée* à quel point cette technologie s'était développée et ce qu'elle est en train de *faire subir à la biosphère.* Et pas dans dix ans ou cinquante ans, mais *maintenant...* c'est tellement abject, c'est abject. "Infernal" est le mot qui me revient sans cesse à l'esprit, tu vois ce que je veux dire ? On vient d'atteindre un nouveau cercle, pour ainsi dire. Un cercle des abîmes de l'enfer. Au point où on en est, la planète se moque bien de notre existence.

— Oui, oui, c'est ça », répéta Kiki sans discontinuer tandis que Claire discourait. Claire la fatiguait autant qu'elle l'impressionnait : avec enthousiasme elle épluchait ou enjolivait tous les sujets. Kiki se souvint du célèbre poème de Claire sur le plaisir féminin dans lequel, tel un mécanicien démontant un moteur, elle alignait sur la page chaque composante de l'orgasme. C'était l'un des rares poèmes de Claire que Kiki avait eu l'impression de comprendre sans avoir besoin de l'explication de son mari ou de sa fille.

« Chérie », dit Warren. Il pressa doucement mais fermement la main de Claire. « Alors, il est où, Howard ? demanda-t-il.

— Porté disparu, dit Kiki en lui souriant chaleureusement. Sans doute dans un bar avec Erskine.

— Mon Dieu, ça fait des lustres que je n'ai pas vu Howard, dit Claire.

— Il avance avec Rembrandt ? » insista Warren. Il était fils de pompier, et c'était ce que Kiki préférait chez lui. Elle savait pourtant que toutes les idées qu'elle associait à cette simple condition n'étaient que des notions romantiques qui n'avaient rien à voir avec la vraie vie d'un émérite biochimiste. Il posait des questions, était curieux, intéressant, et parlait rarement de lui-même. Dans les moments critiques, sa voix demeurait calme.

« Hum, hum », fit Kiki. Elle hocha la tête, sourit, mais ne sut comment poursuivre sans en dire trop long.

« À Londres on a vu *Un constructeur de navires et sa femme*, la Reine l'avait prêté à la National Gallery. Sympa, non ? C'était fabuleux... la préparation de la peinture, dit Claire avec insistance, comme si elle se parlait à elle-même, le côté purement physique de l'acte, comme s'il plongeait dans la toile pour trouver la vérité de ces visages, de ce mariage... c'est ça, le truc, je crois. C'est presque de l'*anti*-portrait : il ne veut pas qu'on regarde les visages ; il veut nous montrer leurs âmes. Les visages ne sont qu'une voie. C'est le génie à l'état pur. »

Un silence maladroit s'ensuivit que Claire ne parut pas remarquer. Sa façon de s'exprimer ne laissait aucune place à la moindre réponse. Kiki souriait toujours, les yeux baissés sur la peau rêche et épaisse de ses orteils noirs. Sans les charmes de ma grand-mère, pensa rêveusement Kiki, je n'aurais jamais héritée de la maison ; et sans la maison, je n'aurais pas eu l'argent nécessaire pour faire mes études à New York — et je ne connaîtrais sans doute ni Howard ni ces gens avec qui je suis en train de discuter.

« Mais je crois qu'Howard a un point de vue contraire, ma chérie : tu te souviens qu'on en avait parlé avec lui, il s'opposait justement à..., comment ça s'appelle déjà, le mythe culturel du génie de Rembrandt, et tout ça ? » dit Warren avec cette pointe de doute qui trahit la réticence du scientifique à employer le langage de l'artiste.

« Oui, bien sûr, tu as raison », répondit Claire crispée —

elle semblait ne pas vouloir poursuivre la discussion. « Il n'y croit pas.

— Non, renchérit Kiki, elle-même heureuse de passer à autre chose. Il n'y croit pas.

— Il croit en quoi, au juste ? ajouta Warren ironique.

— Tout le mystère est là. »

Murdoch se mit alors à aboyer furieusement et à tirer sur la laisse que tenait Warren. Tous trois tentèrent tour à tour de le cajoler et de le gronder, mais Murdoch, déterminé, avançait vers un enfant qui dodelinait en brandissant comme un étendard une grenouille en peluche. Murdoch accula le garçon entre les jambes de sa mère. L'enfant éclata en sanglots. La femme se baissa, prit son enfant dans ses bras et adressa à Murdoch et à ses maîtres un regard plein de haine.

« C'est la faute de mon mari, désolée, fit Claire, insuffisamment contrite pour satisfaire son interlocutrice. Mon mari n'est pas habitué aux chiens. En fait, ce n'est pas son chien.

— Enfin, madame, c'est un teckel, il n'est pas prêt à tuer qui que ce soit », gronda Kiki ; la mère déguerpit avec son bambin. Kiki s'accroupit pour caresser la tête plate de Murdoch. Elle releva les yeux sur Claire et Warren qui se chamaillaient du regard, chacun voulant faire parler l'autre. Claire fut perdante.

« Kiki..., commença-t-elle, le visage aussi innocent qu'on peut l'avoir à cinquante-quatre ans, ce n'était pas au sens figuré, tu sais, tout à l'heure quand j'ai prononcé le mot "mari". Plus maintenant.

— Qu'est-ce que tu dis, là ? dit Kiki qui sut la réponse au moment même où elle prononçait ces mots.

— Mari. Warren est désormais mon mari. Je l'ai dit tout à l'heure, mais tu n'as pas réagi. On s'est mariés. C'est pas *génial* ? » La joie tendit les traits élastiques de Claire.

« *Je me disais bien* qu'il y avait quelque chose, vous m'aviez l'air un peu agité. Mariés !

— Aussi mariés qu'on peut l'être, confirma Warren.

— Mais vous n'avez invité personne ? C'était quand ?

— Il y a deux mois. On a fait ça très simplement. Tu sais quoi ? Je ne voulais pas qu'on roule des yeux en voyant se marier un couple de vieux schnocks comme nous, on n'a donc invité personne et personne n'a roulé des yeux. Sauf Warren, parce que j'étais habillée en Salomé. Rouler des yeux pour ça, t'imagines ? »

Le trio se désagrégea à l'approche d'un réverbère puis, le dépassant, Claire et Warren se mêlèrent à nouveau l'un à l'autre.

« Tu sais, ma chérie, si j'avais su je n'aurais pas roulé des yeux, moi ; tu aurais dû dire quelque chose.

— On l'a fait au dernier moment, Kiki, vraiment, dit Warren. Tu crois que je l'aurais épousée si j'avais pris le temps de réfléchir ? Elle m'a appelé, elle a dit : "C'est l'anniversaire de saint Jean le Baptiste, on y va ?" Et on l'a fait.

— Je n'en reviens pas, dit Kiki, que le fameux côté excentrique du couple laissait de marbre.

— J'ai donc une robe de Salomé, rouge, avec des paillettes et tout. Dès que je l'ai vue je savais que ce serait ma robe Salomé, je l'ai achetée à Montréal. Je voulais me marier dans ma robe Salomé pour prendre la tête d'un homme. Et c'est ce que j'ai fait, bon sang. Et quelle douce tête, ajouta Claire en enlaçant le crâne de Warren.

— Et bien pleine », dit Kiki en pensant au nombre de fois où ce numéro allait être répété dans les semaines à venir devant tous ceux qui les féliciteraient. Avec Howard, elle faisait exactement pareil, surtout quand il y avait du nouveau. Chaque couple jouait la comédie à sa façon.

« Oui, dit Claire, surtout d'authentiques connaissances. C'est la première fois de ma vie que je suis avec quelqu'un qui connaît des choses *vraies*. Ici, tout ce qu'on entend, c'est, "art égale vérité". On ne peut pas faire un pas sans croiser quelqu'un qui sait ça. Ou qui croit le savoir. »

« Maman. »

Jerome, dans toute la splendeur de sa dépression, les avait

rejoints. Retentirent alors les salutations affectées qui se font entendre lorsque des êtres mûrs et compatissants se trouvent confrontés au mystère de la jeunesse ; on se retint sagement de caresser la tête du jeune homme, on posa l'éternelle question à laquelle nul ne peut répondre et reçut une réponse aussi nouvelle qu'horrifiante (« J'arrête mes études. — Il veut dire qu'il va prendre un peu de recul. »). On eût cru sur le moment qu'il n'existait plus sur la planète le moindre sujet de conversation banal, digne d'une journée de canicule dans une jolie petite ville. Puis on évoqua à nouveau la glorieuse nouvelle de l'union de Claire et de Warren, en rediscutant joyeusement, même si cela donna lieu à de tristes interrogations concernant les détails (« Euh, en fait c'est la quatrième fois pour moi, la seconde pour Warren »). Pendant ce temps-là, Jerome continuait d'ouvrir très lentement un papier d'emballage en aluminium qu'il tenait dans sa main. Enfin le sommet volcanique d'un burrito apparut et entra aussitôt en éruption, faisant jaillir son contenu sur la main et le long du poignet de Jerome. Le cercle d'adultes recula simultanément d'un pas. Du bout de la langue, Jerome happa une crevette tombée sur son poignet.

« Allez... parlons d'autre chose. À vrai diiiiire, fit Warren en sortant son portable de la poche de son short kaki, ouais, il est une heure et quart, il faut qu'on y aille.

— Kiki, ça m'a fait tellement plaisir, dînons ensemble un de ces quatre, tu veux bien ? »

Il lui tardait manifestement de partir ; Kiki eût aimé être plus intéressante, artiste, drôle, intelligente, plus à même de retenir l'attention d'une femme comme Claire.

« Claire », dit-elle, puis ne trouva rien d'intéressant à dire. « Est-ce que je dois dire quelque chose à Howard ? Il ne vérifie pas son courrier depuis un moment. Il essaie de travailler sur Rembrandt. Je crois même qu'il n'a pas encore parlé à Jack French. »

Claire semblait mystifiée par la tournure fâcheusement pragmatique que prenait la conversation.

« Oh, euh... eh bien, il y a une assemblée pluridisciplinaire mardi, on a six nouveaux conférenciers en lettres, y compris la célébrité, ce connard, vous le connaissez je crois, Monty Kipps.

— Monty Kipps », répéta Kiki, chaque mot bardé dans l'ondoiement répété d'un rire éteint. Elle ressentit l'onde de choc qui parcourait Jerome.

Claire poursuivit : « Ouais, je sais. Apparemment, il aura un bureau dans le département des Black Studies, pauvre Erskine ! Ils ne lui ont pas trouvé d'autre endroit. Je sais..., je me demande combien de crypto-fascisants la fac va nommer, c'est plutôt extraordinaire d'en être arrivé là... c'est tout bonnement... qu'est-ce qu'on peut dire ? Le pays tout entier va à la catastrophe.

— Oh, *putain de merde* », dit Jerome, paniqué, tournant en rond, cherchant à attirer la sympathie des bonnes gens de Wellington.

« Jerome, on en parlera tout à l'heure...

— *Putain de merde*, fit Jerome plus doucement, secouant la tête avec incrédulité.

— Monty Kipps et Howard... », dit Kiki de façon évasive, puis d'un geste de la main elle signifia que tout ne tournait pas rond.

Claire, soudain consciente d'un sujet sous-jacent qui ne la concernait pas, amorça une sortie de scène. « Oh, Kiki, à ta place je ne me ferais pas de souci. J'ai entendu dire qu'Howard avait polémiqué avec lui il y a un moment, mais Howard est toujours en train de polémiquer avec quelqu'un » Elle sourit maladroitement à cet euphémisme. « Donc... O.K., bon, allez : bises, on doit y aller. C'était tellement sympa de vous voir tous les deux. »

Kiki embrassa Warren et Claire, qui l'enlaça un peu trop fort ; puis cette dernière fit toutes sortes de gestes et lança des saluts censés inclure Jerome, qui se désolait à côté d'elle sur la marche bleue d'un restaurant marocain. Afin de repousser l'inévitable discussion, Kiki regarda s'éloigner le couple aussi longtemps que possible.

« *Merde* », répéta Jerome en donnant de la voix. Il s'assit sur place.

Le ciel s'était couvert légèrement, permettant au soleil d'assumer le rôle trompeur de divinité. Il se répandait en minces baguettes de lumière Renaissance à travers un nuage arborescent qui semblait prévu à cet effet. Souhaitant transformer en bonnes nouvelles les mauvaises, Kiki tentait désespérément de déceler dans tout cela un point positif. Elle soupira, enleva l'écharpe qui recouvrait sa tête. Sa lourde tresse descendit le long de son dos. La sueur coula agréablement sur son visage. Elle s'assit à côté de son fils. Elle prononça son nom, mais il se releva et s'éloigna. Une famille occupée à se fouiller mutuellement les sacs à dos à la recherche d'un objet égaré stoppa la progression du jeune homme ; Kiki le rattrapa.

« Arrête, ne m'oblige pas à te courir après.

— Euh... je suis libre, non, j'ai le droit de me déplacer comme je l'entends ? dit Jerome, un doigt pointé sur lui-même.

— Tu sais, je m'apprêtais à compatir à ta situation, mais en l'occurrence j'ai envie de te dire d'arrêter de te comporter comme un bébé.

— Très bien.

— Non, ce n'est pas très bien. Je sais que tu as été blessé...

— Je n'ai pas été blessé. J'ai été humilié. Passons. » Il pinça son sourcil, un geste grotesque tant il singeait son père. « J'ai oublié ton burrito, désolé.

— Laisse tomber le burrito. Est-ce qu'on peut parler ? »

Jerome hocha la tête, mais ils longèrent en silence le côté gauche du square de Wellington. Kiki s'immobilisa, obligeant son fils à l'imiter, devant un stand qui vendait des pelotes à épingles. Elles étaient en forme de gros messieurs asiatiques, avec deux barres diagonales figurant les yeux et coiffés de minuscules chapeaux de coolie jaunes à franges noires. Les épingles s'enfonçaient dans leurs ventres bombés en satin rouge. Kiki en saisit une et la tourna dans sa main.

« C'est mignon, non ? Ou c'est affreux ?

— Tu crois qu'il va débarquer avec sa famille au complet ?

— Chéri, je ne sais vraiment pas. Probablement pas. Mais s'ils viennent, il va falloir qu'on se comporte en adultes.

— Tu délires si tu crois que je vais rester là à les attendre.

— Pas de problème, fit Kiki avec une gaieté facétieuse. Tu n'as qu'à retourner à Brown, et le problème est réglé.

— Non, je veux dire, peut-être que j'irai en Europe, un truc comme ça. »

Là au milieu de la rue, ils débattirent chaudement de l'absurdité de ce projet — du point du vue économique, personnel et éducatif —, tandis que la Thaïlandaise qui tenait le stand devenait de plus en plus nerveuse en observant le coude de Kiki qui s'appuyait lourdement près d'une pyramide de ses petits bonshommes utiles.

« Et donc moi je suis censé rester là comme un con, à faire comme si rien ne s'était produit, c'est ça ?

— Non, je te dis qu'on va poliment faire face en tant que famille unie...

— Parce que, bien entendu, c'est la méthode à la Kiki pour faire face aux ennuis, lança Jerome en interrompant sa mère. Ignore le problème, passe l'éponge et oublie et hop ! Disparu. »

Ils se dévisagèrent. Jerome avait un air effronté qui surprit Kiki. Son tempérament habituel faisait de lui le plus doux de ses enfants, et celui dont elle s'était toujours sentie la plus proche.

« Je ne sais pas comment tu le supportes, poursuivit Jerome amèrement. Il ne pense qu'à lui. Il s'en moque s'il blesse quelqu'un.

— On ne parle pas... de ça, on parle de toi.

— Tout ce que je dis..., fit Jerome avec gêne, apparemment effarouché par ce qu'il était en train de formuler, enfin, ne viens pas me dire que j'ai du mal à faire face à mes problèmes quand toi-même tu en es incapable. »

Kiki fut surprise par la véhémence avec laquelle Jerome la défendait contre Howard. Elle ressentait également une pointe d'envie — elle aurait bien aimé trouver en elle une haine aussi tenace. Mais elle n'avait plus de colère à l'égard d'Howard. Si elle avait pu ou voulu le quitter, elle l'aurait fait l'hiver dernier. Mais elle était restée, et maintenant c'était l'été. Elle justifia sa décision en se disant qu'elle n'avait pas cessé de l'aimer, ce qui revenait à dire qu'elle n'avait pas cessé de croire en l'Amour — l'Amour étant synonyme de sa relation avec Howard. C'était quoi, une nuit passée dans le Michigan comparée à l'Amour !

« Jerome », commença-t-elle avec regret, et elle baissa les yeux. Mais, comme tout enfant indigné, il était déterminé à donner l'estocade. Kiki se souvint d'avoir été, à vingt ans, invincible et éprise de vérité ; se souvint avec précision d'avoir passionnément cru que si les membres de sa famille arrivaient à se dire la vérité, ils émergeraient ensemble, le regard clair malgré les larmes, dans la lumière.

Jerome dit : « La famille n'a plus de raison d'être si tous ses membres sont bien plus malheureux ensemble que séparés. Tu vois ce que je veux dire ? »

Les enfants de Kiki semblaient toujours terminer leurs phrases par « tu vois ce que je veux dire ? », sans jamais attendre sa réponse. Le temps qu'elle relève la tête, Jerome se fondait déjà dans la foule à vingt-cinq mètres d'elle.

6

Jerome était assis à l'avant du taxi, près du chauffeur, puisqu'il était à l'origine de cette petite sortie ; Levi, Zora et Kiki étaient sur la deuxième banquette du monospace, tandis qu'Howard occupait la troisième à lui seul, allongé sur le dos. La voiture des Belsey était chez le garagiste, qui devait changer son moteur vieux de douze ans. Les Belsey au complet allaient écouter un *Requiem* de Mozart donné en plein air sur le vénérable pré du Boston Common. Une sortie en famille traditionnelle, proposée à un moment où tous ses membres se sentaient on ne peut moins portés sur la chose familiale. Depuis deux semaines qu'Howard avait appris la nomination de Monty, l'humeur qui régnait à la maison était de plus en plus exécrable. Il vivait cette affectation comme une trahison impardonnable de la part de la Faculté de lettres. Son pire ennemi invité à enseigner sur le campus ! Qui avait soutenu ce projet ? Furieux, il avait appelé ses collègues pour démasquer le Brutus — sans succès. Zora, dont les connaissances en matière de politique universitaire étaient propres à donner la chair de poule, n'avait fait qu'envenimer la situation. Ni l'un ni l'autre ne se donnèrent la peine d'imaginer que la nomination de Monty pouvait également affecter Jerome. Kiki avait gardé son calme, attendant que l'un et l'autre pensent à autre chose qu'à eux-mêmes. Ne voyant rien venir, elle avait craqué. Ils se remettaient à peine de l'engueulade qui avait suivi. Les bouderies et autres portes claquées n'auraient sans doute pas cessé si Jerome — conciliateur dans l'âme — n'avait initié cette sortie, afin de les obliger tous à se montrer aimables les uns envers les autres.

L'idée d'aller au concert était loin de faire l'unanimité, mais il était impossible de dissuader Jerome lorsque celui-ci avait décidé d'accomplir une bonne action. Ainsi le silence qui régnait dans la voiture était une contestation : de Mozart, des sorties en général, du fait de devoir prendre un taxi, du trajet d'une heure pour aller à Boston, de l'idée même de passer ensemble des moments agréables. Seule Kiki était en faveur. Elle croyait comprendre les intentions de Jerome. La rumeur voulait que Monty vînt avec toute sa famille, ce qui signifiait que la fille aussi serait de la partie. Jerome allait devoir se comporter comme si de rien n'était. Ils feraient tous ainsi. Ils seraient unis et forts. Se penchant difficilement en avant, elle tendit la main par-dessus l'épaule de Jerome pour monter le volume de la radio. Il n'était pas assez fort pour couvrir l'assourdissant silence collectif et boudeur. Elle resta dans cette position et pressa la main de son fils pendant une minute. Le monospace quittait enfin l'enchevêtrement de béton et de circulation de la périphérie bostonienne. C'était vendredi soir, et des groupes de jeunes Bostoniens du même sexe avançaient bruyamment dans les rues, espérant entrer en collision avec d'autres groupes, du sexe opposé. Comme le taxi des Belsey passait devant une boîte de nuit, Jerome plissa les yeux pour observer les nombreuses filles légèrement vêtues qui faisaient la queue devant l'établissement, comme l'appendice d'une merveilleuse créature chimérique. Jerome détourna la tête. Cela fait mal de contempler ce que l'on ne peut posséder.

« Papa, lève-toi, on arrive, dit Zora.

— Howie, tu as des sous ? Je n'arrive pas à trouver mon portefeuille, je ne sais pas ce que j'en ai fait. »

Le taxi s'arrêta à l'angle en haut du jardin.

« Dieu merci. J'ai bien cru que j'allais êt' *malade*, dit Levi en ouvrant la porte coulissante.

— T'inquiète, tu ne perds rien pour attendre, dit Howard avec entrain.

— Mais tu pourrais passer un bon moment ? suggéra Jerome.

— Bien sûr qu'on va passer un bon moment, mon chéri. C'est pour ça qu'on est venus », murmura Kiki. Elle trouva son portefeuille et paya le chauffeur par la fenêtre ouverte. « Ça va être chouette. Je ne sais pas ce qu'il a, ton père. Je me demande pourquoi il prétend soudain détester Mozart. C'est bien la première fois que j'entends ça, tiens.

— Y a pas de problème », dit Howard. Il prit le bras de sa fille en s'engageant dans la charmante avenue. « Si j'avais le choix, on ferait ça tous les soirs. Je trouve que trop peu de gens écoutent Mozart. En ce moment même sa gloire se fane. Que lui arrivera-t-il si nous ne l'écoutons pas ?

— Laisse tomber, Howie. »

Mais Howard poursuivit : « Pauvre bougre, il a besoin de tout le soutien qu'on peut lui apporter, si tu veux mon avis. L'un des plus grands compositeurs oubliés du dernier millénaire...

— Jerome, s'il te plaît, ignore-le. Levi va aimer ça, on va *tous* aimer ça. On n'est pas des sauvages. On peut rester assis une demi-heure comme des gens respectables.

— C'est plutôt une heure, tu sais, maman, dit Jerome.

— Qui va aimer ça ? Moi ? » demanda Levi avec insistance. Pour Levi, l'utilisation de son prénom n'était jamais sujet d'ironie ou d'humour et, fervent avocat de sa propre personne, il s'intéressait de très près à chaque usage bon ou mauvais de celui-ci. « Je sais même pas qui c'est, ce mec ! Mozart. Il porte une perruque, non ? Classique, conclut-il, satisfait d'avoir fait un diagnostic correct de la maladie.

— Tout à fait, acquiesça Howard. Il portait une perruque. Classique. Ils ont fait un film sur sa vie.

— Je l'ai *vu*, ce truc. Ça *pue du cul*, ce film !

— Absolument. »

Kiki pouffa de rire. Howard lâcha le bras de sa fille et agrippa sa femme par-derrière. Ses bras ne l'entouraient pas entièrement, mais c'est ainsi qu'ils descendirent la petite colline qui menait aux portails du parc. C'était l'un de ses petits gestes quotidiens par lesquels il exprimait son regret, et qui étaient censés s'ajouter les uns aux autres.

« Ouah, t'as vu cette queue, dit Jerome d'un air abattu, car il avait souhaité que la soirée fût parfaite. On aurait dû partir plus tôt. »

Kiki rajusta sur ses épaules son châle en soie violette. « Oh, elle est pas si longue que ça, chéri, pas si longue. Et au moins il ne fait pas froid.

— J'pourrais escalader la barrière, facile, dit Levi en tirant sur les barreaux verticaux en fer devant lesquels ils passaient. T'es débile si tu fais la queue, mon frère, sérieusement. Un renoi n'en a rien à fout' d'un portail. Il saute par-dessus. C'est la loi de la rue, c'est le bitume.

— Quoi ? dit Howard.

— Bitume, bitume, tonna Zora. Être "du bitume", connaître la rue, quoi. Dans le triste petit monde qu'habite Levi, si tu es un Nègre tu as automatiquement une mysté-rieuse affinité avec les trottoirs et les coins de rue.

— Ah, casse-*toi*. Tu sais même pas à quoi elle *ressemble*, la rue. T'y as jamais été.

— C'est quoi, ça ? dit Zora en pointant le sol du doigt. De la guimauve ?

— Tu délires. C'est pas l'Amérique, ça. Tu crois que c'est l'Amérique ? C'est Disney Land. J'suis né dans ce pays, crois-moi. Tu vas à Roxbury, tu vas dans le Bronx, ça, c'est l'Amé-rique. Ça, c'est le bitume.

— Levi, tu n'habites pas à Roxbury, répondit Zora très lentement. Tu vis à Wellington. Tu vas à Arundel. Tes ini-tiales sont collées au fer sur ton caleçon.

— Je me demande si je suis du bitume, moi, dit Howard d'un ton songeur. Je suis encore en bonne santé, j'ai des che-veux, des testicules, des yeux, et cetera. Des supertesticules, je dois dire. Il est vrai que je suis d'une intelligence supé-rieure à celle d'un arriéré. Mais je suis néanmoins plein de verve et de jus.

— *Non.*

— Papa, dit Zora, s'il te plaît, ne dis pas que tu es plein de jus. Jamais.

— Tu ne crois pas que je puisse être du bitume ?

— *Non.* Pourquoi tu dois toujours plaisanter sur tout ?

— Je veux juste être du bitume.

— *Maman.* Dis-lui d'arrêter.

— Je peux être renoi, moi. Regarde donc », dit Howard, et il exécuta une série d'insoutenables gestuelles et autres poses grotesques. Kiki gloussa et se couvrit les yeux de la main.

« Maman, je rentre, j'te jure, s'il arrête pas tout de suite, j'te jure... »

Levi essayait désespérément de cacher ses yeux derrière sa capuche pour ne plus voir les pantomimes de son père. Dans les secondes à venir Howard allait à coup sûr réciter la seule phrase de rap dont il arrivait à se souvenir, un vers qu'il avait mystérieusement retenu parmi la masse de paroles que Levi marmonnait chaque jour. *« J'ai la bite la plus glissante, frétillante,* commença Howard tandis que sa famille poussait des cris de consternation, *un pénis d'une intelligence étonnante !*

— C'est bon, je me *casse.* »

Levi partit calmement au petit trot et se glissa dans la foule franchissant le portail du parc. Tous éclatèrent de rire — même Jerome, et cela mit du baume au cœur de Kiki. Howard avait toujours été très drôle. Dès le début de leur relation, Kiki avait songé avec envie qu'il serait le genre de père qui ferait rire ses enfants. Elle lui pinça affectueusement le coude.

« J'ai dit quelque chose ? demanda Howard, satisfait, puis il décroisa ses bras.

— Bien joué, mon chéri. Il a son portable sur lui ? demanda Kiki.

— Il a le mien, dit Jerome. Il me l'a piqué dans ma chambre ce matin. »

Tandis qu'ils suivaient la file indolente, le parc livra aux Belsey son lourd et doux arôme de sève, annonciateur de la fin de l'été. Par une nuit humide de septembre comme celle-ci, le Common n'était plus cet espace bien entretenu connu pour ses célèbres discours et pendaisons d'antan. Libéré de ses jardiniers, il redevenait sauvage et brut. Le côté Boston compassé qu'Howard associait à ce genre d'événements ne résistait pas à la masse de corps chauds, aux grésillements des grillons, à l'écorce molle et humide et à l'atonalité des musiciens accordant leurs instruments — et c'était tant mieux. Des lanternes jaunes, couleur graine de colza, étaient suspendues dans les branches des arbres.

« Dis donc, c'est sympa, fit Jerome. C'est comme si l'orchestre était suspendu au-dessus de l'eau, vous ne trouvez pas ? Je veux dire, avec le reflet des lumières.

— Dis donc, répéta Howard en regardant le tertre éclairé par les projecteurs de l'autre côté de l'eau. Dis donc, chouette, ouah. »

L'orchestre était placé sur une petite estrade de l'autre côté d'un étang. Howard, le seul à ne pas être myope, voyait que les musiciens portaient une cravate imprimée de notes de musique, tandis que les musiciennes avaient le même motif imprimé sur une large écharpe nouée autour de la taille. Une énorme bannière suspendue derrière l'orchestre affichait le profil misérable, bouffi et semblable à un cochon d'Inde, de Mozart.

« Où est le chœur ? demanda Kiki en regardant autour d'elle.

— Sous l'eau. Il remonte comme dans un..., dit Howard qui se mit à mimer un homme sortant triomphalement des flots. C'est du Mozart nautique. Comme il y a du Mozart sur glace. En moins dangereux. »

Kiki rit doucement, puis son expression changea et elle saisit le poignet de son mari. « Hé, euh... Howard, chéri ? dit-elle, son regard méfiant se perdant dans la foule, tu veux que je te dise une bonne ou une mauvaise nouvelle ?

— Hein ? » dit Howard. Il se retourna et vit ce dont parlait sa femme : Erskine Jegede et Jack French, doyen de la Faculté de lettres, s'approchaient de lui sur la pelouse en le saluant de la main. Jack French en pantalon criard avançait sur ses longues jambes de play-boy. Quel âge avait cet homme ? La question avait toujours titillé Howard. Il pouvait aussi bien avoir cinquante-deux ans que soixante-dix-neuf. Ce genre de choses ne se demandait pas ; ainsi on ne connaîtrait jamais la réponse. Il avait un visage de star de cinéma, des traits en cristal taillé, cubistes comme dans un portrait de Wyndham Lewis. Ses sourcils sentimentaux s'accentuaient comme les deux côtés d'un clocher, et lui donnaient un sempiternel air de douce perplexité. Sa peau ressemblait au cuir sombre et tanné de ceux que l'on déterre, au bout de neuf cents ans, d'une tourbière. Ses cheveux clairsemés, soyeux et gris recouvraient entièrement son crâne, ce qui faisait croire qu'il n'était pas aussi vieux qu'Howard le prétendait. Sa coupe était sans doute presque identique à celle qu'il avait à vingt-deux ans quand, sur le pont d'un bateau blanc, main en visière scrutant Nantucket à l'horizon, il se demandait si c'était bien Dolly qu'il apercevait fermement plantée sur le ponton, deux whiskys à la main. À ses côtés, son antithèse, Erskine, avec son crâne luisant et chauve, et ses taches de rousseur romanesques qui suscitaient chez Howard une joie irrationnelle. Ce soir, il portait un costume trois pièces jaune canari ; les courbes replètes de son corps luttaient contre l'étoffe. Ses petits pieds étaient chaussés de souliers pointus rehaussés par des talons cubains. On pensait irrésistiblement à un taureau qui avançait vers vous en dansottant. Ils étaient encore à dix mètres, et Howard en profita pour changer de position avec sa femme — rapidement et discrètement —, afin qu'Erskine se dirige naturellement vers lui et que French passe son chemin. Malheureusement French ne connaissait guère le dialogue — il s'adressait toujours au groupe. Ou plutôt aux espaces *entre* les groupes.

« Des Belsey en masse », articula French très lentement, et chaque membre de la famille tenta d'établir quel Belsey se trouvait dans sa ligne de mire. « Il en manque... un, me semble-t-il. Il manque un Belsey.

— Oui, on a perdu Levi, le plus jeune. Enfin, c'est lui qui nous a perdus. Pour être honnête, il fait tout son possible ces jours-ci pour nous semer », dit Kiki âprement, puis elle rit, et Jerome rit et Zora rit, ainsi qu'Howard et Erskine ; et, après tous les autres, avec une infinie lenteur, Jack French aussi se mit à rire.

« Mes enfants, dit Jack.

— Oui ? dit Howard.

— Passaient le plus clair de leur temps, dit Jack.

— Oui, oui, dit Howard pour l'encourager.

— À *comploter*, dit Jack.

— Ha ha ! dit Howard. C'est ça.

— Pour se séparer de moi dès qu'on se trouvait ensemble en public, conclut enfin Jack.

— Ah oui ! dit Howard, épuisé par cet échange. Je vois bien. C'est toujours comme ça.

— Nous sommes frappés d'anathème par nos propres enfants, ajouta Erskine avec jovialité, son accent allant et venant sur toute la gamme des tonalités. Seuls les enfants d'autrui nous apprécient. Vos enfants par exemple, me préfèrent de loin à vous, j'en suis sûr.

— C'est carrément vrai. Je viendrais volontiers vivre avec toi », dit Jerome, provoquant chez Erskine la réaction que toute bonne nouvelle, même une chose aussi simple que lui servir un autre gin-tonic, suscitait en lui : il plaça ses deux mains sur les joues de son interlocuteur et lui embrassa le front.

« Tu viendras donc vivre chez moi. C'est décidé.

— S'il te plaît, prends les autres aussi. Ne nous fais pas marcher à la carotte », dit Howard, qui fit un pas en avant pour donner à Erskine une tape joviale dans le dos. Puis il se tourna vers Jack French et lui tendit la main, mais ce dernier, qui s'était détourné pour regarder les musiciens, ne remarqua rien.

« C'est merveilleux, vous ne trouvez pas ? renchérit Kiki. On est tellement contents de vous avoir croisés. Est-ce que Maisie est là ce soir, Jack ? Et les enfants ?

— *Tout à fait* merveilleux », confirma Jack, mains posées sur ses hanches étroites.

Zora donnait des coups de coude dans le ventre de son père. Howard remarqua qu'elle n'avait d'yeux que pour le doyen. C'était typique de sa fille : dès qu'elle se trouvait en présence d'une figure d'autorité, fût-ce l'une de celles contre laquelle elle avait pesté pendant près d'une semaine, elle se jetait à ses pieds.

« Jack, tenta Howard, vous connaissez Zora, n'est-ce pas ? Elle est en deuxième année maintenant.

— C'est curieux qu'un tel enchantement, dit Jack en leur faisant à nouveau face.

— Oui, dit Howard.

— Soit le fait d'un événement purement prosaïque, développa Jack.

— Hum, dit Howard.

— Et *municipal*, dit Jack en présentant à Zora un visage rayonnant.

— Monsieur le Doyen, dit Zora, saisissant et serrant la main de Jack, je suis vraiment impressionnée par le programme de cette année. C'est incroyable. Je travaillais à la bibliothèque Greenman, j'y suis tous les mardis, vous savez, dans la section slave ? Et j'ai compulsé les rapports des conseils de faculté de ces cinq dernières années, et chaque année depuis que vous êtes doyen on a eu des *conférenciers* et des *chercheurs* de plus en plus merveilleux. Pour tous mes amis et moi, le semestre à venir va être carrément prodigieux. Et bien entendu, *papa* enseigne son fabuleux cours de théorie de l'art, que je compte bien suivre cette année ; je me moque tout à fait de ce qu'on pourrait penser de cette décision, je veux dire, en fin de compte il faut tout simplement suivre les cours qui vous permettent de vous développer le plus, humainement parlant, à n'importe quel prix, je le crois sincèrement. Donc je voulais simplement vous dire que je suis vraiment impressionnée par la dimension que prend Wellington en ce moment. J'ai l'impression qu'on vit une nouvelle époque progressiste. Je trouve que l'université connaît une dynamique très positive, il me semble qu'elle en avait besoin, surtout après les funestes luttes de pouvoir des années quatre-vingt, qui à mon avis avaient sacrément sapé le moral de tout le monde. »

Howard n'avait pas la moindre idée de ce que le doyen allait pouvoir tirer de cet horrible petit discours, de comment il allait y répondre, ni de combien de temps cela lui prendrait. Encore une fois, Kiki lui sauva la mise.

« Chérie, on va essayer de ne pas parler boutique ce soir, tu veux bien ? Ce n'est pas poli. On a tout le semestre pour ça, n'est-ce pas... Oh, et avant que j'oublie, mon Dieu, c'est notre anniversaire de mariage dans dix jours, on va faire une petite fête, pas grand-chose, du Marvin Gaye, de la cuisine du Sud, voyez, un truc cool quoi... »

Jack s'enquit de la date. Kiki lui répondit. Un minuscule frisson involontaire parcourut le visage de Jack, tic auquel Kiki, au fil des ans, avait fini par s'habituer.

« Mais bien sûr, c'est le jour même de votre anniversaire de mariage, donc... dit Jack, pensant à voix haute.

— C'est ça, et étant donné que d'ici au quinze tout le monde sera débordé, on a pensé qu'on pourrait aussi bien le célébrer le jour J... et ça sera l'occasion de... enfin, tout le monde pourra se voir, histoire de rencontrer les nouvelles têtes avant le début du semestre, et cetera.

— Même si bien entendu vos propres visages, dit Jack, avec une expression illuminée par la joie que suscitait en lui l'évocation du reste de sa phrase, vous seront déjà plus que familiers, n'est-ce pas ? Est-ce que par hasard vous fêtez vos vingt-cinq ans ?

— Mon cher, dit Kiki en posant une grosse main couverte de bagues sur l'épaule de Jack, entre vous et moi, ça va faire trente ans. »

Elle prononça cette dernière phrase avec émotion.

« Donc, côté symbole, s'interrogea Jack, c'est argent ? Ou or ?

— Des chaînes adamantines », plaisanta Howard en enlaçant sa femme et en lui donnant un baiser mouillé sur la joue. Kiki partit d'un rire profond qui fit trembler chaque parcelle de son corps.

« Mais vous viendrez ? demanda Kiki.

91

— Ce sera un superbe... », commença Jack, rayonnant, mais c'est à ce moment que l'intervention divine d'une voix dans les haut-parleurs appela le public à s'asseoir.

7

Au début du *Requiem* de Mozart, vous marchez vers un gouffre vertigineux à flanc de falaise. Vous ne distinguez tout d'abord rien au-delà de cette falaise, il faut se trouver au bord pour discerner ce qui vous y attend. Votre mort vous guette dans ce gouffre. Vous ne savez pas à quoi elle ressemble, ni le bruit qu'elle fait ni l'odeur qu'elle a. Vous ne savez pas si elle sera agréable ou désagréable. Vous vous y acheminez, tout simplement. Votre volonté est une clarinette et l'ensemble des violons accompagne vos pas. Plus vous vous approchez du gouffre, plus vous avez le sentiment que vous allez découvrir une chose terrifiante. Pourtant, vous vivez cette terreur comme une bénédiction, un don. Sans cet abîme vers lequel vous allez insensiblement, votre longue marche eût été dénuée de sens. Vous regardez dans le vide : une cacophonie éthérée vous submerge. Les voix d'un grand chœur — qui vous rappelle celui dans lequel vous avez chanté pendant deux ans à Wellington, et dont vous étiez la seule femme noire — s'élèvent. Le chœur est simultanément le Corps céleste et l'armée du diable. C'est également chaque personne qui vous a transformée durant votre séjour sur terre : vos nombreux amants ; votre famille ; vos ennemis ; la femme sans nom et sans visage qui a couché avec votre mari ; l'homme que vous pensiez épouser ; l'homme que vous avez fini par épouser. Le chœur est là pour juger. Les hommes chantent d'abord, leur jugement est très sévère. Et lorsque la voix des femmes se mêle à celle des hommes, il n'y a plus de répit, le débat devient plus bruyant, et les voix intraitables. Car c'est un débat — vous le comprenez désormais. Le jugement n'est pas encore rendu. Il est surprenant de voir à quel point la lutte livrée pour votre toute petite âme est dramatique. Également surprenants sont les sirènes et les singes qui dansent sans cesse ensemble et qui glissent le long de la rampe d'escalier ornementée durant le *Kyrie* — même si, selon les notes du programme, rien de tel ne se passe, même métaphoriquement parlant.

Kyrie eleison
Christe eleison
Kyrie eleison

Voilà ce qui se passe dans le *Kyrie*. Pas de singes, mais du grec. Néanmoins, pour Kiki, il s'agissait de singes et de sirènes. Écouter une œuvre musicale que vous connaissez à peine, et dont le texte est dans une langue morte que vous ne comprenez pas, est une étrange expérience qui vous transporte dans les hauteurs et les abîmes. Pendant de longues minutes vous la pénétrez profondément, vous croyez comprendre. Puis, sans savoir comment ni quand exactement, vous découvrez que, ennuyée ou fatiguée par l'effort, vous vous êtes éloignée, et qu'à présent vous êtes à mille lieues de la musique. En consultant le programme, vous apprenez que le quart d'heure de conflits autour de votre âme que vous venez d'entendre n'était en fait que la répétition d'une seule phrase sans conséquence. Kiki, qui essayait de s'y retrouver dans ce qu'elle entendait en lisant le programme, perdit définitivement le fil autour du *Confutatis*. Elle ne savait plus du tout où elle en était. Dans le *Lacrimosa*, ou bien plus loin ? Empêtrée au milieu ou proche de la fin ? Elle se tourna vers Howard pour le lui demander, mais il dormait. Elle jeta un œil à sa droite et vit Zora concentrée sur son lecteur de CD ; un enregistrement de la voix d'un certain professeur N. R. A. Gould lui servait de guide pour chaque mouvement. Pauvre Zora — sa vie était faite de notes en bas de page. À Paris, c'était pareil : elle se concentrait tellement sur le guide touristique du Sacré-Cœur qu'elle s'était ouvert le front en se cognant contre un autel.

Kiki renversa la tête sur le dossier de sa chaise longue et tenta de dissiper sa curieuse angoisse. La lune, massive dans le ciel, était tachetée comme la peau d'un vieux Blanc. Ou bien Kiki remarqua les nombreux vieux Blancs regardant la lune, leurs têtes posées contre le dossier de leurs chaises longues tandis que leurs mains remuaient sur leurs genoux, suggérant une admirable connaissance musicale. Pourtant, aucun de ces Blancs, sans nul doute, n'était plus musicien que Jerome, lequel, remarqua-t-elle à présent, était en pleurs. Sincèrement surprise, elle ouvrit la bouche puis, craignant de rompre le charme, la referma. Les larmes de son fils étaient silencieuses et abondantes. Kiki fut d'abord émue, puis un autre sentiment s'empara d'elle : la fierté. Moi, je ne comprends pas, pensa-t-elle, mais *lui*, si. Un jeune Noir intelligent et sensible, et c'est *moi* qui l'ai élevé. Après tout, combien de jeunes Noirs viendraient à un événement comme celui-ci — je parie qu'il n'y en a pas un seul parmi tous ces gens, pensa Kiki, qui vérifia alors et fut légèrement contrariée lorsqu'elle aperçut un grand jeune homme noir, au cou élégant, assis près de sa fille. Sans se décourager, Kiki poursuivit son discours imaginaire à l'association imaginaire des mères noires américaines : *Il n'y a pas de secret, pas du tout, il suffit d'y croire pour contrer la triste image de soi que chaque Noir né en Amérique reçoit en héritage — ça, c'est essentiel — et, je ne sais pas, moi... participez à des activités extrascolaires, soyez sûres qu'il y ait des livres dans la maison et, bien entendu, un peu d'argent ne fait pas de mal, et une maison avec jardin...* Kiki abandonna sa rêverie parentale et, tirant sur la manche de Zora, lui désigna la merveille qu'était Jerome, comme si les larmes ruisselant sur ses joues étaient celles d'une madone en pierre. Zora jeta un coup d'œil à son frère, haussa les épaules, et se consacra à nouveau aux paroles du professeur Gould. Kiki tourna encore son regard vers la lune — tellement plus belle que le soleil, et on peut la contempler sans s'abîmer les yeux. Quelques minutes plus tard, alors qu'elle se décidait à faire un dernier effort pour recouper ce qu'elle entendait avec le texte du programme, c'était terminé. Elle fut si surprise qu'elle se mit à applaudir en retard, mais pas autant qu'Howard, que les applaudissements venaient juste de réveiller.

« Ça y est, alors ? dit-il en se levant d'un bond. Tout le monde a été touché par le sublime chrétien ? On peut y aller ?

— Il faut qu'on trouve Levi. On ne peut pas partir sans lui... peut-être qu'on devrait appeler le portable de Jerome... je ne sais pas s'il est allumé. » Soudain curieuse, Kiki regarda son mari. « Mais alors quoi ? Tu as détesté ? Comment peux-tu détester ça ?

— Levi est par là-bas, dit Jerome en désignant de la main un arbre cent mètres plus loin.

— Hé, Levi !

— Eh bien, moi j'ai trouvé ça fabuleux, insista Kiki. C'est de toute évidence l'œuvre d'un génie. »

Ce mot provoqua chez Howard un grognement.

« Oh, Howard, allez, il faut être un génie pour composer une musique pareille.

— Comment ça, une musique pareille ? Qu'est-ce que tu entends par génie ? »

Kiki l'ignora. « Je crois que les enfants ont été très émus », dit-elle en pressant doucement le bras de Jerome. Mais elle s'en tint là. Elle ne voulait pas exposer son fils à l'ironie paternelle. « Moi-même, j'étais très émue. Je ne vois pas comment on peut être indifférent à une telle musique. Dis-moi la vérité. Tu n'as vraiment pas aimé ?

— Si, si, j'ai bien aimé... c'était très bien. C'est juste que je préfère la musique qui n'essaie pas de faire passer en douce un message métaphysique.

— Je ne sais pas de quoi tu parles. C'est comme une musique divine.

— CQFD », dit Howard. Se détournant d'elle, il répondit

au geste de la main que leur faisait Levi, coincé dans la foule. Ce dernier hocha la tête quand Howard désigna du doigt le portail comme point de rencontre.

« Howard, poursuivit Kiki, parce qu'elle n'aimait rien autant que d'entendre son mari exprimer ses idées, explique-moi donc comment ce que nous venons d'entendre n'est pas l'œuvre d'un génie... Je veux dire, malgré ce que tu dis, il y a de toute évidence une différence entre ce que nous venons d'entendre et quelque chose comme... »

La famille poursuivit le débat en marchant. Les enfants s'en mêlèrent. Le jeune Noir au cou élégant qui était assis à côté de Zora se concentra pour entendre les dernières miettes de leur conversation, qui l'intéressait, même s'il n'avait pas tout suivi. Il lui arrivait de plus en plus souvent ces jours-ci d'écouter les gens parler, et de vouloir participer à leurs discussions. Il aurait voulu ajouter quelque chose à ce moment précis, une info glanée dans le film, selon laquelle Mozart était mort avant de terminer ce morceau, n'est-ce pas ? Donc quelqu'un d'autre l'avait terminé — ce qui lui semblait pertinent par rapport à leur échange sur le génie. Mais il n'était pas dans ses habitudes de parler à des inconnus. De plus, le moment était passé. Comme toujours. Il baissa sa casquette de base-ball sur son front et vérifia son portable dans sa poche. Il glissa ensuite la main sous son siège pour récupérer son lecteur de CD — qui n'y était plus. Il jura brutalement, tâta dans l'obscurité autour du siège, et trouva quelque chose, un lecteur de CD. Mais pas le sien. Sous le sien il sentait toujours le résidu gluant d'un autocollant qu'il avait enlevé depuis longtemps de la silhouette d'une femme nue avec un imposant afro. Ce détail mis à part, les deux lecteurs étaient identiques. Il le comprit immédiatement. Il se dépêcha de récupérer son sweat sur le dossier de la chaise longue, qui resta coincé et se déchira un peu. C'était son sweat préféré. En tout cas, il l'avait récupéré, et il s'élança donc à la recherche de cette fille à lunettes un peu forte. Plus il progressait, plus il avait l'impression que la foule le séparant d'elle s'épaississait.

« Hé ! Ho ! »

Mais il ne connaissait pas son nom et un Noir athlétique d'un mètre quatre-vingt-sept criant « Hé ! Ho ! » dans la foule ne met pas forcément les gens à l'aise.

« Cette fille, cette dame a mon lecteur de CD, attendez là, désolé, excusez-moi, ouais, laissez-moi passer, merci, hé ho, mademoiselle ! »

« ZORA ! Attends ! » fit une voix puissante tout près de lui. La fille qu'il poursuivait se tourna et fit un doigt d'honneur à quelqu'un. Les Blancs alentour commençaient à se regarder nerveusement. Y allait-il avoir un incident ?

« Ouais, ben ta gueule », dit la voix avec résignation. Le jeune homme se retourna et vit un garçon un peu moins grand que lui, et plus clair de peau.

« Hé mec, c'est ta copine ?

— Quoi ?

— La fille à lunettes que tu viens d'appeler. C'est ta meuf ?

— Tu délires ! C'est ma sœur, mec.

— Écoute, elle a mon lecteur de CD, ma musique, elle a dû le prendre par erreur. Tu vois, j'ai le sien. J'essaie de l'appeler, mais je connais pas son nom.

— Ah bon ?

— C'est le sien, là. C'est pas le mien.

— Attends une seconde. »

Rares étaient ceux, parmi la famille et les profs de Levi, qui l'eussent cru capable de réagir aussi vite qu'il venait de le faire pour ce jeune homme inconnu. Fendant rapidement la foule, il empoigna le bras de sa sœur et lui parla avec animation. Le jeune homme ralentit le pas, mais arriva à temps pour entendre Zora dire : « Arrête, je vais pas donner mon lecteur à un de tes potes. Lâche-moi.

— Tu m'écoutes pas, c'est pas le *tien*, c'est le *sien, le sien* », répéta Levi en pointant un doigt vers le jeune homme qui arrivait en affichant un sourire chétif sous la visière de sa casquette. Un bref aperçu de ce sourire suffisait pour savoir que ses dents blanches étaient parfaitement alignées.

« Levi, si tu veux jouer au gangster avec ton pote, je te conseille de prendre sans demander.

— Zoor, c'est pas le tien, c'est à ce mec-là.

— Je *connais* mon lecteur, ça c'est le mien.

— T'as un disque là-dedans, frérot ? »

Le jeune homme hocha la tête.

« Vérifie, Zora.

— Enfin, regarde ! C'est un disque enregistré. Il est à moi. O.K. ? Salut.

— Le mien aussi est enregistré. C'est mon mix, dit le jeune homme fermement.

— Levi, on doit y aller.

— Écoute-le, dit Levi à Zora.

— *Non.*

— Écoute ce putain de CD ! »

« Qu'est-ce qui se passe là-bas ? s'écria Howard à vingt mètres de l'action. Est-ce qu'on peut se mettre en marche, les enfants ? »

« Zora, espèce de tarée, écoute le CD, qu'on en finisse avec cette histoire. »

Zora grimaça et appuya sur lecture. La sueur perlait sur son front.

« Ce n'est pas mon CD, ça. C'est une espèce de hip-hop », dit-elle d'une voix tranchante, comme si le disque lui-même était fautif.

Le jeune homme avança précautionneusement, une main en l'air pour signifier que ses intentions étaient pacifiques. Il retourna le lecteur de CD dans la main de Zora et lui montra l'endroit qui collait. Il releva son sweat et le tee-shirt qu'il portait en dessous, révélant une pointe de hanche saillante, et sortit un second lecteur de CD de sa ceinture. « Celui-ci est à toi.

— Ils sont identiques.

— Ben ouais, d'où la confusion. » Il souriait largement, et

sa beauté insensée devenait impossible à ne pas remarquer. Néanmoins, un mélange d'orgueil et de préjugés poussa Zora à l'ignorer.

« Eh bien, moi j'ai mis le mien sous *mon* siège », dit-elle avec acidité, puis tourna les talons et se dirigea vers sa mère qui, les mains sur les hanches, l'attendait à cent mètres.

« Ouf ! Pas commode, la frangine ! » dit le jeune homme en riant doucement.

Levi soupira.

« Bon, merci, mec. »

Ils se tapèrent dans les mains.

« T'écoutes qui, au fait ? demanda Levi.

— Juste du hip-hop.

— Hé, je peux écouter, fréro ? J'kiffe grave le hip-hop.

— Ben oui...

— Je m'appelle Levi.

— Carl. »

Quel âge a-t-il, ce garçon, se demanda Carl. Et où lui a-t-on appris qu'on pouvait demander à écouter le lecteur de CD d'un jeune Noir inconnu ? Cela faisait plus d'un an que Carl avait compris qu'en allant régulièrement à des événements comme celui-ci, il rencontrerait des gens qu'il n'aurait jamais eu l'occasion de connaître. En l'occurrence, il ne s'était pas trompé.

« Le beat est bon. Le flow aussi. C'est qui ?

— En fait, ce morceau-là, c'est moi, dit Carl, ni fier ni humble. J'ai un seize pistes de base chez moi. Je fais tout moi-même.

— T'es rappeur ?

— Eh bien..., c'est plutôt du slam, à vrai dire.

— Génial. »

Ils continuèrent à parler tout en arpentant la pelouse jusqu'au portail du parc, de hip-hop en général, et de concerts récents dans Boston et les environs — lesquels n'étaient pas légion. Levi posait question sur question, répondant parfois avant même que Carl puisse ouvrir la bouche. Ce dernier ne cessait de se demander quel était le hic, mais apparemment, il n'y en avait pas : certaines personnes aiment tout simplement parler.

Levi suggéra d'échanger leurs numéros de portable, ce qu'ils firent près d'un chêne.

« Ouais, tu sais... la prochaine fois qu'il y a un concert à Roxbury... t'as qu'à m'appeler, dit Levi un peu trop vivement.

— Tu habites Roxbury ? demanda Carl, dubitatif.

— Pas vraiment... mais j'y vais souvent, le samedi surtout.

— T'as quel âge, quatorze ans ? demanda Carl.

— Non, mec, j'en ai seize ! Et toi ?

— Vingt. »

Cette réponse inhiba Levi sur-le-champ.

« T'es en fac ?

— Non, je suis pas, comme qui dirait, *instruit*, même si... » Il s'exprimait de façon théâtrale et vieux jeu, traçant de ses beaux doigts longs des arabesques dans les airs. Il rappelait à Levi son grand-père maternel, qui avait tendance à *laïusser*, comme disait Kiki. « On peut dire que je m'instruis à ma façon.

— Cool.

— La culture, je la trouve où je peux, tu vois, par exemple dans des trucs gratos comme ce soir. Dès qu'il y a un événement gratos en ville qui peut me permettre de découvrir quelque chose, j'y vais. »

Levi vit les siens lui faire des signes de la main. Il aurait préféré que Carl parte de son côté avant d'arriver au portail, mais naturellement il n'y avait qu'une seule sortie.

« *Finalement* », dit Howard comme ils s'approchaient.

Maintenant c'était au tour de Carl de se sentir inhibé. Il baissa la visière de sa casquette, enfonça les mains dans ses poches.

« Ah ouais, salut », dit Zora, très gênée.

Carl la salua d'un signe de tête.

« Donc, je t'appelle », dit Levi, redoutant l'introduction

qu'il sentait imminente, et qu'il voulait à tout prix éviter. Mais il ne fut pas assez rapide.

« Salut ! dit Kiki. Tu es un ami de Levi ? »

Carl eut l'air affolé.

« Euh... je te présente Carl. Zora lui avait piqué son lecteur de CD.

— J'ai rien piqué, moi !

— Tu es à Wellington ? Ton visage me dit quelque chose », dit Howard, distrait. Il scrutait la rue à la recherche d'un taxi. Carl éclata d'un rire bizarrement artificiel, qui semblait plus proche de la colère que de la bonne humeur.

« Est-ce que j'ai l'air d'aller à Wellington ?

— Tout le monde n'est pas dans ta fac débile, protesta Levi rougissant. Ils ont autre chose à faire qu'aller en fac. C'est un poète urbain.

— Ah bon ? demanda Jerome, intéressé.

— C'est pas vraiment ça, mec..., je fais des trucs. Du slam, c'est tout. Je ne sais pas si je me considère vraiment comme un poète urbain.

— Slam ? » répéta Howard.

Zora, qui prenait très au sérieux son rôle de relais indispensable entre la culture populaire de Wellington et celle, universitaire, de ses parents, s'engouffra dans la brèche. « C'est de la poésie orale, si tu veux... dans la tradition afro-américaine. Claire Malcolm en raffole. Elle trouve que c'est vital, truculent, et cetera, et cetera. D'ailleurs, elle va souvent à l'Arrêt de Bus assister à des soirées avec ses petites groupies de la Secte de Claire. »

Cette dernière phrase trahissait le ressentiment de Zora ; elle s'était inscrite le semestre précédent au cours de poésie de Claire, mais n'avait pas été admise.

« Je suis passé plusieurs fois à l'Arrêt de Bus, dit Carl doucement. C'est bien, cet endroit. C'est pratiquement le seul endroit cool pour ce genre de choses à Wellington. D'ailleurs, j'y ai fait un truc mardi soir. » D'un coup de pouce, il releva un peu la visière de sa casquette, afin de voir ces gens plus distinctement. Le Blanc, c'était le père ?

« Claire Malcolm assiste à des lectures de poésie à un arrêt de bus ? demanda Howard, perplexe, sans détourner son regard de la rue.

— Tais-toi, papa, dit Zora. Tu connais Claire Malcolm ?

— Non, pas du tout », répondit Carl. Il se fendit d'un sourire irrésistible, sans doute par nervosité, mais chacun de ses sourires le rendait plus attachant.

« Elle, c'est un *vrai* poète, expliqua Zora.

— Oh, un vrai poète, dit Carl tandis que son sourire s'évanouissait.

— Tais-toi, Zoor, dit Jerome.

— Rubens, lâcha Howard soudain. Ton visage. *Têtes de nègre*. En tout cas, ravi de t'avoir rencontré. »

La famille d'Howard le fusilla du regard. Howard descendit du trottoir et héla un taxi qui continua sans s'arrêter.

Carl rabattit sa capuche sur sa casquette et commença à regarder autour de lui.

« Tu devrais la rencontrer, Claire », dit Kiki avec entrain, prête à recoller les morceaux. C'est remarquable, les efforts qu'on est prêt à consentir pour voir un visage comme celui de Carl sourire à nouveau. « Elle est très respectée, il paraît qu'elle est vraiment excellente. »

« Taxi ! cria Howard. Il s'arrête de l'autre côté. Allez, on y va. »

« Pourquoi tu parles de Claire comme si elle était un pays étranger ? demanda Zora avec insistance. Tu l'as lue quand même, tu peux exprimer une opinion, non ? Tu vas pas en mourir. »

Kiki ne releva pas. « En tout cas, je suis sûre qu'elle serait heureuse de rencontrer un jeune poète, elle les encourage souvent. D'ailleurs, tu sais, on fait une fête... »

« Allez, venez », répéta Howard d'une voix monocorde, debout sur le terre-plein central.

« Quessquit' fait croire qu'il voudrait venir à ta fête ? demanda Levi, mortifié. C'est un *anniversaire de mariage*.

— Eh bien, chéri, j'ai le droit de proposer, non ? D'ailleurs, ce n'est pas seulement un anniversaire de mariage. Et, *entre nous*, ajouta-t-elle à l'attention de Carl sur un ton faussement confidentiel, ça serait pas plus mal qu'il y ait quelques Blacks de plus à cette fête. »

Kiki flirtait et cela n'échappa à personne. Blacks ? pensa Zora amèrement. Depuis quand Kiki s'exprimait-elle ainsi ?

« Je dois y aller », dit Carl. Il passa le plat de sa main sur son front en sueur. « J'ai le numéro de Levi, on va peut-être se voir un de ces jours, donc...

— Oh ? O.K... »

Ils firent tous un geste vague de la main dans son dos, le saluant mollement, mais cela ne faisait aucun doute : il s'éloignait d'eux à grands pas.

Zora se tourna vers sa mère et écarquilla les yeux. « Qu'est-ce que c'est que ce truc ? *Rubens ?*

— Gentil, ce garçon, dit Kiki tristement.

— Allez, on monte dans la voiture, dit Levi.

— Plutôt beau gosse, d'ailleurs, tu ne trouves pas ? » dit Kiki en observant la silhouette de Carl disparaître à un croisement. De l'autre côté de la rue, Howard, une main sur la portière ouverte d'un monospace et l'autre s'agitant de bas en haut, exhortait sa famille à le rejoindre.

8

Le samedi de la fête des Belsey arriva. Chez les Belsey, les douze heures précédant une fête étaient traditionnellement consacrées à l'angoisse et à l'activité domestique ; il fallait durant cette période une excuse sans faille pour pouvoir s'absenter de la maison. Heureusement pour Levi, ses parents eux-mêmes la lui avaient fournie. Ne lui avaient-ils pas rabâché de trouver un boulot le samedi ? Il en avait donc trouvé un, et il y allait. Point final. Le cœur léger, il laissa Zora et Jerome en train de polir les poignées de porte, et se rendit au mégastore de disques de Boston où il occupait un poste de vendeur. Le travail lui-même ne le réjouissait pas : il détestait la casquette ridicule qu'on l'obligeait à porter, et la mauvaise musique pop qu'il devait vendre ; son chef de rayon, un tragique loser qui croyait régner sur la vie de Levi ; les mamans qui ne se souvenaient ni du nom, ni de l'artiste, ni du titre du disque qu'elles cherchaient, et qui se penchaient par-dessus le comptoir pour chanter — faux — quelques bribes de paroles. La seule chose que cela lui apportait, c'était une raison de s'échapper du Disney land de Wellington, et un peu d'argent de poche à dépenser une fois arrivé à Boston. Tous les samedis matin, il prenait le bus jusqu'au métro le plus proche, puis le métro vers la seule ville qu'il connaissait. Ce n'était pas New York, certes, mais c'était néanmoins une ville, et Levi chérissait la ville comme les générations précédentes avaient vénéré la campagne ; s'il avait pu composer une ode à sa gloire, il l'aurait fait. Mais il n'avait aucun talent dans ce domaine (il avait pourtant essayé : de nombreux carnets remplis d'horribles rimes contrefaites en témoignaient). Il s'était résigné à laisser cela aux mecs loquaces dans ses écouteurs, les poètes américains d'aujourd'hui, les rappeurs.

Levi termina sa journée à seize heures et quitta la ville à regret, comme chaque fois. Il reprit le métro puis le bus. Alors qu'il arrivait à Wellington, il observa avec horreur ce qui défilait sous ses yeux à travers les fenêtres sales. Pour lui, les clochers d'un blanc immaculé de l'université étaient les miradors de la prison qu'il allait réintégrer. Il rentra lentement chez lui, remonta la colline en écoutant sa musique. Le destin du jeune homme qui, écouteurs dans les oreilles, réintégrait chaque soir sa cellule ne lui semblait pas si différent de la fâcheuse situation qu'il allait devoir affronter : un anniversaire de mariage grouillant de profs.

Alors qu'il remontait Redwood Avenue sous la voûte formée par les branches tombantes des saules, Levi n'eut même plus le courage de hocher la tête, geste aussi habituel que machinal chez lui quand il entendait de la musique. Il se trouvait au milieu de l'avenue lorsqu'il remarqua avec irritation que quelqu'un le regardait. Assise sous son porche, une vieille femme noire le dévisageait comme si son passage était un événement. Il essaya de lui faire honte en la fixant lui-même du regard, mais elle ne baissa pas les yeux. Encadrée par deux arbres aux feuilles jaunies qui flanquaient sa maison, elle restait assise, vêtue d'une robe d'un rouge éclatant, à le regarder à croire qu'elle était payée pour. Aïe, aïe, aïe, ce qu'elle semblait vieille et fragile ! Ses cheveux n'étaient pas vraiment attachés convenablement, comme si on ne s'occupait pas bien d'elle. Elle les avait dans tous les sens. Voilà une chose que détestait Levi : les vieilles personnes négligées. Ses vêtements aussi étaient foldingues. Sa robe rouge ne semblait pas lui marquer la taille ; elle tombait comme une robe de reine dans un conte pour enfants, retenue seulement au col par une grosse broche dorée en forme de feuille de palmier. Des cartons pleins de vêtements, tasses et assiettes étaient éparpillés autour d'elle... comme une SDF, sauf qu'elle avait une maison. En tout cas, elle ne se gênait pas pour mater les gens... Putain. Alors madame, y a rien à voir à la télé ? Peut-être qu'il devrait acheter un tee-shirt avec YO : JE NE VAIS PAS VOUS VIOLER imprimé dessus. Ce genre de tee-shirt lui rendrait drôlement service au cours de ses pérégrinations. Il pourrait lui être utile au moins trois fois par jour. Il y avait toujours une vieille dame qu'il fallait rassurer sur ce point précis. Et alors, le clou du spectacle... voilà qu'elle se lève difficilement de sa chaise — ses jambes tels des cure-dents dans des sandales. Elle va dire quelque chose. Et *merde*.

« Excusez-moi, jeune homme, excusez-moi un instant... attendez voir. »

Levi enleva de son oreille un de ses écouteurs. « Qu'est-ce que vous dites ? »

On aurait pu croire que la dame, après tant d'efforts consentis pour se lever et lui parler, aurait quelque chose d'important à lui dire. Ma maison est en feu. Mon chat est coincé dans un arbre. Mais non.

« Alors, comment allez-vous ? dit-elle. Vous n'avez pas l'air en forme. »

Levi remit son écouteur et reprit sa marche. Mais la femme continuait d'agiter les bras dans sa direction. Il s'immobilisa à nouveau, se dégagea une oreille, soupira. « Madame, j'ai eu une grosse journée, voyez, donc... à moins que je puisse faire quelque chose pour vous... Vous aider à porter quelque chose ? »

La dame réussit enfin à avancer jusqu'à lui. Elle fit deux pas en avant et s'agrippa des deux mains à la balustrade. Ses articulations étaient grises et poussiéreuses, et ses veines ressemblaient à des cordes de contrebasse.

« Je le savais. Vous habitez près d'ici, n'est-ce pas ?

— Pardon ?

— Je suis sûre que je connais votre frère. C'est impossible que je me trompe, en tout cas j'en suis persuadée », dit-elle.

Elle dodelinait légèrement de la tête en parlant. « Non, je ne me trompe pas. Vos visages sont pareils. Vous avez exactement les mêmes pommettes. »

Son accent semblait, aux oreilles de Levi, à la fois honteux et comique. Pour lui, les Noirs venaient de la ville. Les gens des îles et de la campagne lui semblaient tous bizarres, venus d'un autre temps et déterminés à y rester. Il avait du mal à croire en leur existence. C'était comme la fois où Howard avait emmené la famille à Venise : pendant tout le séjour, Levi ne put se débarrasser de l'idée que tout le monde se moquait éperdument de lui. Une ville sans rues ? Des taxis aquatiques ? Fermiers, tisserands, son prof de latin, tous lui faisaient le même effet.

« Ouais, bon, ben... je dois y aller... j'ai des trucs à faire... donc... restez pas debout comme ça, vous allez vous faire mal, allez, j'me tire. »

— Attendez !

— Allez... »

Levi s'approcha de la femme et elle fit la chose la plus étrange qui soit : elle prit ses mains dans les siennes.

« Je serais curieuse de connaître votre mère.

— Ma mère ? Quoi ? Écoutez, madame..., dit Levi, libérant ses mains de celles de la femme, j'crois qu'vous faites erreur.

— Je lui rendrai sans doute visite, dit-elle. D'après ce que je connais de sa famille, j'imagine qu'elle doit être très aimable. Elle doit être très élégante, non ? Je ne sais pas pourquoi, mais je la vois toujours très occupée et très élégante. »

Levi sourit à cette idée de sa mère. « Vous pensez sans doute à quelqu'un d'autre. Ma mère elle est comme ça — il écarta largement les mains le long de la balustrade — et elle s'ennuie à mourir.

— Elle s'ennuie..., répéta la dame comme si cette information était la chose la plus intéressante qu'on lui ait jamais dite.

— Ouais, un peu comme vous, un peu barrée, marmonna-t-il doucement, pour ne pas être entendu.

— Eh bien, je dois avouer que moi aussi, je m'ennuie un peu. Ils sont tous en train de défaire les cartons à l'intérieur, et je n'ai même pas le droit de les aider ! Il est vrai que je ne suis pas en grande forme, confia-t-elle, et les pilules que je prends... me font un drôle d'effet. C'est gênant, j'avais l'habitude d'être active, de participer.

— C'est ça..., eh bien, ma mère fait une fête tout à l'heure, vous n'avez qu'à passer, histoire de vous bouger un peu... Bon allez, madame, ça m'a fait plaisir de vous parler, mais j'dois filer. Prenez soin de vous. Protégez-vous du soleil. »

9

Comme il arrive parfois, la chanson qu'écoutait Levi s'acheva au moment même où il posa sa main sur le portail du 83 Langham. Cet après-midi-là, sa maison lui semblait encore plus surréelle que d'habitude, et aussi éloignée que possible dans son esprit de l'idée qu'il se faisait de l'endroit où il vivait. Elle était éclatante : le soleil l'inondait, chauffait le bois et rendait les fenêtres magnifiques et opaques en y réfléchissant sa lumière ; il se répandait sur les fleurs violettes et effrontées qui poussaient le long de la façade, et qui s'ouvraient largement pour boire ses rayons. Il était dix-sept heures vingt. La nuit serait chaude : étouffante, humide, mais avec une brise suffisante pour vous éviter de transpirer. Levi pensait à toutes les femmes qui se préparaient partout en Nouvelle-Angleterre : elles se déshabillaient, se lavaient, se rhabillaient de vêtements plus propres, plus sexy ; de jeunes Noires à Boston huilaient leurs jambes et raidissaient leurs cheveux ; on balayait le sol des boîtes de nuit, les barmen allaient travailler ; à genoux dans leurs chambres, les DJ choisissaient des disques avant de les ranger dans leurs grosses mallettes en aluminium. D'habitude, Levi prenait plaisir à imaginer ces choses, mais présentement amertume et tristesse étaient son lot, car la seule fête à laquelle il irait ce soir serait pleine de Blancs qui avaient trois fois son âge. Il soupira et décrivit lentement un cercle de la tête. Réticent à l'idée de rentrer, il s'immobilisa, visage incliné en avant au milieu de l'allée du jardin, pendant que le soleil qui s'éloignait lui chauffait le dos. On avait disposé des pétunias autour du socle triangulaire de la statue de sa grand-mère, pierre pyramidale haute de soixante-quinze centimètres placée à mi-chemin entre deux érables dans le jardin côté rue. On avait également enroulé des guirlandes de lumières qui n'étaient pas encore allumées autour des troncs et parmi les branches.

Levi songeait à la chance qu'il avait eue d'échapper à ces tâches lorsqu'il sentit une vibration dans sa poche. Il sortit son portable. Un message de Carl. Il eut du mal pendant quelques instants à se rappeler qui au juste était Carl. Il lut : « Ça tient toujours, cette fête ? Je passerai peut-être. À+ C. »

Levi se sentit à la fois flatté et inquiet : Carl avait-il oublié de quelle genre de fête il s'agissait ? Il était sur le point de lui répondre lorsque le bruit de Zora descendant d'une échelle appuyée contre le devant de la maison brisa sa solitude. De toute évidence, elle venait de suspendre par les tiges quatre bouquets de roses-thé séchées, roses et blanches, au-dessus de la porte d'entrée. Levi ne parvint pas à s'expliquer comment il avait pu ne pas la remarquer. C'était bien le cas. Zora aussi ne sembla le remarquer qu'en arrivant au troisième barreau de l'échelle ; lentement sa tête se tourna vers son frère, mais son regard le dépassa, absorbé par quelque chose de l'autre côté de la rue.

« Ouah, murmura-t-elle en plaçant sa main en visière sur son front, celle-là n'en croit vraiment pas ses yeux. Regarde, elle va faire une insuffisance cognitive. Elle est sur le point de se dérégler.

— Quoi ?

— Merci ! Allez, en avant, il habite ici, oui, c'est cela, aucun délit n'a été commis, merci pour votre sollicitude ! »

Levi se retourna et vit la femme rougissante sur laquelle Zora criait disparaître de l'autre côté de la rue.

« Mais qu'est-ce qu'ils ont exactement, ces gens ? » Zora posa les pieds par terre, enleva ses gants de jardin.

« Elle me matait ? La même qu'avant ?

— Non, une nouvelle. Et ne me parle pas, il y a deux heures qu'on t'attend.

— La fête commence pas avant huit heures !

— Elle commence à six heures, tête de con, et tu t'es encore montré incapable de nous aider ne serait-ce qu'un peu. »

Levi contourna sa sœur. « Zoor, allez, soupira-t-il, tu sais ce que c'est quand t'as juste pas envie ? » Il enleva son blouson des Raiders et le bouchonna dans sa main en avançant. Son dos nu, si large d'épaules et si étroit à la taille, empêchait Zora de passer.

« Tu sais, moi j'avais pas vraiment envie de farcir de terrine de crabe cent minuscules vol-au-vent, dit-elle en suivant son frère par la porte d'entrée ouverte. Mais j'ai dû mettre de côté mon petit dilemme existentiel et le faire quand même. »

Le couloir sentait incroyablement bon. L'odeur de la cuisine noire du Sud vous satisfait avant même d'y avoir goûté. La pâte sucrée des gâteaux, le parfum alcoolisé du punch planteur. Dans la cuisine, de nombreuses assiettes, momentanément recouvertes de film plastique, étaient posées sur la table principale, et sur deux petites tables de jeu qu'on avait remontées de la cave trônait un énorme tas d'assiettes et de verres en cercles concentriques. Au milieu de tout cela se tenait Howard, un verre à cognac plein de vin rouge à la main, en train de fumer une cigarette mal roulée. Des miettes de tabac lui collaient à la lèvre inférieure. Il portait son traditionnel costume de « cuisine ». Howard avait composé cette tenue — sorte de protestation contre l'idée même de cuisiner — avec les nombreuses pièces de linge de cuisine laissées de côté par sa femme, qui les avait achetées au fil des ans sans jamais les utiliser. Aujourd'hui Howard était affublé d'une veste et d'un chapeau de chef, d'un tablier et d'un gant de cuisine ; il avait glissé plusieurs torchons dans sa ceinture et en avait noué un coquettement autour de son cou. Le tout était recouvert d'une quantité improbable de farine.

« Bienvenue ! On cuisine ! » dit Howard. Il porta sa main gantée à ses lèvres, puis se toucha deux fois le nez.

« Et on boit », dit Zora en lui ôtant son verre qu'elle déposa dans l'évier.

Howard apprécia le rythme et le comique de ce geste et poursuivit dans la même veine. « Et toi, John Boy, tu as passé une bonne journée ? demanda-t-il en parodiant *La famille des collines*.

— Eh bien, on m'a encore pris pour un *voleur*.

— Sûrement pas », dit Howard prudemment. Il détestait autant qu'il craignait de discuter avec ses enfants de sujets liés à l'ethnie, et il avait l'impression que la conversation qui se profilait fût de cet ordre.

« Et va pas me dire que j'suis parano », dit Levi d'un ton brusque. Il jeta sa veste humide sur la table. « Je veux plus vivre ici, je te jure, ils font que te mater dans ce quartier.

— Quelqu'un a vu la crème ? demanda Kiki émergeant de derrière la porte du frigo. Je ne parle pas de celle en boîte, ni de la liquide, ni du mélange mi-crème mi-lait, il me faut la crème fraîche entière. Elle était sur la table. » Elle repéra le blouson de Levi. « Ne mets pas tes vêtements là, jeune homme. Mets-les dans ta chambre, qui, soit dit en passant, est une honte absolue. Si tu veux un jour avoir une chambre ailleurs qu'à la cave, il va falloir que tu changes tes habitudes. J'aurais *honte* que ta chambre soit dans un endroit de la maison que l'on puisse voir ! »

Levi grimaça et continua de parler à son père. « Et après, une vieille folle sur Redwood a commencé à me poser des questions sur ma mère.

— Levi, dit Kiki en s'approchant de lui, tu nous aides à préparer, ou quoi ?

— Comment ça ? Des questions sur Kiki ? » demanda Howard, intéressé. Il s'assit à table.

« Une vieille dame sur Redwood. Moi, je m'occupais de mes oignons, et elle me regardait, elle me regardait marcher, comme tout le monde dans cette ville d'ailleurs. Elle m'a arrêté, elle m'a parlé, elle avait l'air de se demander si j'allais la tuer. »

Ce qui naturellement n'était pas vrai. Mais Levi était déterminé à se faire entendre, quitte à manipuler la vérité.

« Et puis elle s'est mise à parler de ma mère-ci, ma mère-là. Une Noire. »

Howard tenta une objection, qui fut rejetée.

« Mais non, mais non, ça n'a aucune importance. » Puis Levi affirma dans le jargon grammaticalement incorrect qui est l'apanage de nombreux Noirs américains issus de milieux défavorisés, que toute Noire habitant Redwood

111

serait automatiquement aussi blanche qu'une Blanche, et penserait exactement pareil.

« Pourquoi tu parles comme ça ? s'enquit Zora, irritée. Y a rien de plus prétentieux, tu sais, que de travestir ta façon de parler, et de copier les fautes de grammaire des autres. Et des gens qui ont moins de chance que toi en plus. C'est grotesque. Tu connais les déclinaisons latines, mais apparemment, tu ne sais même pas...

— Et la crème alors ? Personne ne peut me dire où elle se trouve ? Elle était *là à l'instant*.

— Je crois que tu exagères un tout petit peu, dit Howard en cherchant du bout des doigts dans la corbeille de fruits. C'était où ?

— Sur *Redwood*. Combien de fois je dois te le dire, yo ? Une vieille Noire complètement folle.

— Je ne sais pas pourquoi dès que je pose un truc quelque part, cinq minutes plus tard... Redwood ? fit Kiki brusquement. À quelle hauteur ?

— Tout en haut, à l'angle, juste avant la crèche.

— Une vieille Noire ? Il n'y a pas de vieille Noire sur Redwood. C'était qui ?

— J'en sais rien... il y avait des cartons partout, on aurait dit qu'elle venait d'emménager... de toute façon, c'est pas de ça que je parle, ce que je suis en train de dire, c'est que j'en ai marre d'être épié par des gens à chaque instant...

— Oh, Seigneur, *Seigneur*..., t'as pas été malpoli, au moins ? demanda Kiki précipitamment en posant le paquet de sucre qu'elle tenait à la main.

— Quoi ?

— Tu sais qui c'était ? demanda Kiki pour la forme. Je suis prête à parier que ce sont les Kipps qui emménagent : j'ai entendu dire qu'ils seraient dans le coin. Je te parie cent dollars que c'était Mrs Kipps.

— Ne dis pas de *bêtises*, dit Howard.

— Levi, quelle tête elle avait ? *Quelle tête elle avait* ? »

Levi, perplexe et déprimé par le profond intérêt que suscitait son histoire, se rappela péniblement des détails. « Vieille... très grande, elle portait, genre, des couleurs très vives pour une vieille dame... »

Kiki jeta sur Howard un regard d'acier.

« Ah... », fit Howard. Kiki se tourna à nouveau vers Levi.

« Qu'est-ce que tu lui as dit ? Tu as intérêt à avoir été poli, je te jure, sinon, Levi, je te mets la raclée de ta vie ce soir, tu m'entends ?

— Quoi ? C'était juste une vieille dingo..., je sais pas, moi... elle me posait plein de questions bizarres... je me souviens pas de ce que je lui ai dit, mais j'ai été poli, je te jure. Je lui ai à peine parlé, elle était folle. Elle me posait toutes sortes de questions sur toi, et moi, j'étais genre, je suis en retard, mes parents font une fête ce soir, faut que j'y aille, faut pas que je tarde, un point c'est tout.

— Tu lui as dit qu'on faisait une fête.

— Écoute, maman, c'est pas la personne que tu crois. C'est juste une vieille cinglée qui croyait que j'allais la tuer parce que je portais un bandana. »

Kiki posa sa main sur ses yeux. « C'est les Kipps — oh, mon Dieu. Je dois les inviter maintenant. De toute façon, j'aurais dû demander à Jack de le faire. Il faut les inviter.

— Tu n'es pas *obligée* de le faire, dit Howard en articulant lentement.

— Mais *bien sûr* que je suis obligée. J'y ferai un saut dès que j'ai fini avec le citron vert... Jerome est sorti acheter du vin. Je me demande bien ce qu'il fait, il devrait déjà être de retour. Ou Levi pourra y aller, leur laisser un mot...

— Pourquoi tu t'en prends à moi maintenant ? Putain, je retourne *pas* là-bas, moi. J'essayais juste de vous expliquer comment je me sens quand je suis dans ce quartier.

— Levi, je t'en prie, j'essaie de réfléchir. Descends et occupe-toi de ta chambre.

— Je *t'emmerde*, moi. »

La politique des Belsey en matière d'injures n'était pas évidente. On ne donnait pas dans la dérisoire et cucul tirelire à

113

jurons (élément très courant chez les familles de Wellington, dans lequel on était obligé pour chaque juron ou mot vulgaire prononcé de déposer une pièce), et comme nous avons déjà pu le constater, jurons et injures étaient généralement tolérés. Pourtant, cette approche libertaire était sujette à plusieurs étranges clauses particulières, règles de pratique ni gravées dans la pierre ni particulièrement transparentes. Il s'agissait plutôt d'intonation et de sentiment, et dans ce cas précis, Levi avait mal jaugé la situation. Sa mère le gifla violemment, et la force du coup l'expédia trois pas plus loin contre la table de la cuisine, où il se renversa dessus le contenu d'une saucière pleine de chocolat. Habituellement, toute atteinte à sa personne ou à son caractère, et tout particulièrement à sa tenue vestimentaire, déclenchait chez Levi un torrent de protestations, et il réclamait jusqu'à en perdre haleine que justice lui soit faite, même si — surtout si — il avait tort. Mais en l'occurrence il quitta la pièce aussitôt et sans un mot. Une minute plus tard, on entendit claquer la porte de sa chambre au sous-sol.

« Génial. Sympa comme fête, dit Zora.

— Attends voir l'arrivée des invités, murmura Howard.

— Je veux juste qu'il apprenne à... », commença Kiki. Elle se sentait épuisée. Elle s'assit et posa sa tête sur la table en pin scandinave.

« Tu veux peut-être que je sorte te tailler un martinet ? Histoire d'éduquer nos enfants comme en Floride ? » rajouta Howard, qui enleva avec ostentation chapeau et tablier. Dans le contexte familial, chaque fois qu'Howard pouvait se placer au-dessus de la mêlée, il s'y catapultait. Il n'avait guère eu l'occasion de le faire récemment. Lorsque Kiki releva la tête, il avait quitté la pièce. C'est ça, pensa-t-elle, *arrête la partie tant que tu mènes au score.* Jerome pénétra alors dans la cuisine, marmonna que le vin était dans le couloir, et gagna prestement le jardin par la baie vitrée.

« Je ne vois pas pourquoi on doit tous se comporter comme des sauvages dans cette maison », dit Kiki avec une soudaine férocité. Elle se leva, gagna l'évier, mouilla un torchon et tenta de nettoyer le chocolat renversé. La détresse ne faisait pas partie de son répertoire. La colère était tellement plus facile. Et plus rapide et plus dure et plus forte. Si je commence à pleurer, je ne pourrai plus m'arrêter — les gens le disaient ; Kiki l'entendait souvent à l'hôpital. S'accumulaient alors des arriérés de tristesse pour lesquels il n'y aurait jamais suffisamment de temps.

« Ça y est, c'est fait, dit Zora en remuant sans entrain une cuillère dans le punch aux fruits qu'elle avait aidé sa mère à préparer. Je crois que je vais aller me changer.

— Zora, dit Kiki, tu sais où je pourrais trouver un papier et un crayon ?

— J'sais pas moi. Tiroir ? »

Zora aussi quitta la pièce. Kiki entendit un grand éclaboussement qui venait du dehors, puis elle aperçut le sommet du crâne sombre et bouclé de Jerome, avant qu'il ne disparaisse à nouveau sous l'eau. Elle ouvrit le tiroir devant elle à l'extrémité de la longue table de cuisine, et parmi de nombreuses piles et faux ongles, trouva un stylo. Puis elle partit à la recherche d'une feuille de papier. Elle croyait se souvenir d'un calepin coincé entre deux livres de poche sur une étagère dans le couloir.

Kiki entendit Zora dire à Howard : « Une partie d'échecs ? » Elle les vit en regagnant la cuisine placer leurs pions dans le salon, comme si de rien n'était, comme s'ils n'allaient pas bientôt recevoir des invités, avec Murdoch joyeusement installé sur les genoux d'Howard. Une partie d'échecs ? C'était donc ça, être intellectuel ? se demanda Kiki. L'esprit bien organisé pouvait-il simplement ignorer tout le reste ? Kiki resta assise dans la cuisine, seule. Elle écrivit un court message de bienvenue aux Kipps les invitant à se joindre à eux pour une petite soirée, à partir de dix-huit heures trente.

10

En tournant au coin de Redwood, Kiki commença immédiatement à déchiffrer les signes. La taille du camion de déménagement, le style de la maison, les couleurs du jardin. La lumière s'estompait ; les réverbères n'étaient pas encore allumés. Elle aurait voulu voir plus clairement les paniers suspendus comme des encensoirs aux balcons des quatre étages. Kiki s'approchait du portail lorsqu'elle remarqua la silhouette d'une grande femme assise dans une chaise à haut dossier. Kiki remit la lettre qu'elle tenait à la main dans sa poche. La femme était endormie, et Kiki comprit sur-le-champ que celle-ci n'eût pas souhaité être vue ainsi, ses rares cheveux étalés en éventail sur sa joue, sa bouche béante, un œil voilé, à moitié ouvert, exposé au monde. Il semblait irrespectueux de passer devant elle pour sonner en l'ignorant comme si elle n'était rien de plus qu'un chat ou une décoration. Mais il semblait tout aussi impensable de la réveiller. Arrivée sous le porche, Kiki hésita, brièvement tentée de poser le message sur ses genoux et de s'enfuir. Elle fit un pas vers la porte ; la femme s'éveilla.

« Bonjour, *bonjour*, je ne voulais pas vous faire peur, je suis une voisine... et vous êtes... Mrs Kipps, ou... ? »

La femme sourit paresseusement et regarda Kiki, observant sa silhouette comme si elle cherchait à prendre les mesures de sa masse corporelle. Kiki resserra son cardigan autour d'elle.

« Je suis Kiki Belsey. »

Mrs Kipps exprima sa jubilante prise de conscience par une note aiguë et fine comme une anche, qui dévala lentement toute la gamme. Ses longues mains se rejoignirent comme des cymbales.

« Oui, je suis la mère de *Jerome*, je crois que vous avez croisé mon plus jeune aujourd'hui, Levi ? J'espère qu'il n'a pas été impoli... il lui arrive d'être impertinent...

— Je *savais* que je ne m'étais pas trompée. Je le *savais*, voyez-vous. »

Kiki éclata d'un rire névrotique, restant concentrée sur chaque détail de cet être dont il avait si souvent été question, et qu'elle voyait pour la première fois.

« C'est fou, non ? La coïncidence de Jerome, et puis vous, et Levi, qui se...

— Non, ce n'est pas une coïncidence, j'ai reconnu son visage tout de suite. Vos fils sont tellement vivants, tellement beaux, ils font plaisir à voir. »

Kiki était sensible aux compliments sur ses enfants, mais elle y était aussi habituée. Trois enfants métis et plutôt grands, ça ne passait jamais inaperçu, où qu'on soit. Kiki était habituée à cette gloire, mais aussi à la nécessité de rester humble.

« Vous trouvez ? dit-elle. Ça doit être vrai, même si, pour moi, ce sont toujours des bébés, vraiment sans aucun... », poursuivit Kiki gaiement, mais Mrs Kipps, qui ne l'écoutait pas, l'interrompit :

« Et donc maintenant, vous voici » ; elle siffla, tendit le bras et saisit le poignet de Kiki. « Approchez donc, baissez-vous.

— Oh, d'accord », dit Kiki. Elle s'accroupit au pied de la chaise de Mrs Kipps.

« Je ne vous imaginais pas du tout comme ça. Vous n'êtes pas une petite femme, n'est-ce pas ? »

Repensant plus tard à ce moment, Kiki ne parvint pas entièrement à s'expliquer sa réaction à la question de Mrs Kipps. Habituellement elle suivait en toute chose son instinct : auprès de certaines personnes elle se sentait en sécurité, auprès d'autres elle avait la nausée. Il se peut que l'immédiateté, la chaleur et la candeur apparente de la question la poussèrent à répondre de la même façon, spontanément.

« Tout à fait. Rien n'est petit chez moi. Rien. Y a du monde au balcon, et aussi au cellier.

— Je vois. Et cela ne vous gêne pas ?

— C'est comme ça que je suis. J'ai l'habitude.

— Vous le portez très bien. Vous avez très bonne mine.

— Merci ! »

Kiki eut l'impression qu'un souffle de vent soudain avait soulevé et donné de l'élan à leur curieux petit échange pour, à présent et tout aussi subitement, le laisser retomber. Mrs Kipps regardait droit devant elle, dans son jardin. Sa respiration était courte et audible.

« Je... » commença Kiki, attendant encore, en vain, une quelconque réaction. « Je voulais vous dire combien je regrettais toute l'agitation inutile de l'année dernière, ça a pris des dimensions tellement exagérées... j'espère qu'on pourra tous laisser cet épisode... » Kiki ne finit pas sa phrase, car le pouce de Mrs Kipps pressait avec insistance le creux de sa paume.

Mrs Kipps secoua la tête. « J'espère que vous ne me ferez pas l'offense de vous excuser pour des événements dont vous n'êtes en rien responsable.

— Non », dit Kiki. Elle voulut poursuivre, mais encore une fois tout s'évanouit. Elle savait seulement qu'elle ne pouvait plus rester accroupie. Elle étendit ses jambes et s'assit sur le parquet du porche.

« Oui, asseyez-vous, qu'on puisse parler convenablement. Ce n'est pas parce que nos maris sont en conflit que nous devons faire pareil. »

Rien ne s'ensuivit. Kiki prit conscience de l'invraisemblable position dans laquelle elle se trouvait, assise par terre aux pieds d'une femme qu'elle ne connaissait pas. Elle balaya le jardin du regard et soupira bêtement, comme si le charme de cette scène ne venait qu'à l'instant de la frapper.

« Bon alors, dit Mrs Kipps lentement, que pensez-vous de ma maison ? »

C'était une autre question — implicite dans tout échange féminin à Wellington — qu'on ne lui avait jamais posée ouvertement jusqu'alors.

« Eh bien, je la trouve absolument ravissante. »

Cette réponse sembla surprendre son interlocutrice, qui avança la tête en relevant son menton posé sur sa poitrine.

« *Vraiment*. Je dois dire que je n'aime pas beaucoup. Elle est tellement neuve. Il n'y a rien dans cette maison sauf de l'argent, et du clinquant. Ma maison à Londres, Mrs Belsey...

— Je vous en prie, appelez-moi Kiki.

— *Carlene*, répondit-elle, posant une longue main sur son décolleté. Ma maison à Londres était chargée d'humanité. J'avais l'impression d'y entendre des bruissements de jupons dans les couloirs. Ça me manque déjà. Les maisons américaines..., dit-elle en fixant la rue par-dessus son épaule droite, semblent toujours bâties avec la certitude qu'on ne perd jamais rien, que personne n'a jamais rien perdu. Je trouve cela très triste. Vous voyez ce que je veux dire ? »

Instinctivement, Kiki s'hérissa. Après une vie passée à dire du mal de son pays, elle cultivait depuis quelques années une sensibilité nouvelle. Elle se sentait désormais obligée de s'éclipser lorsque, après dîner, les amis anglais d'Howard s'installaient dans leurs fauteuils pour donner l'assaut.

« Les maisons américaines ? Comment ça ? Vous voulez dire que vous préféreriez vivre dans une maison avec... une histoire ?

— Oh... eh bien, on pourrait dire ça comme ça, oui. »

Kiki fut d'autant plus blessée qu'elle eut le sentiment d'avoir dit quelque chose qui n'était pas à la hauteur ou, pire, une platitude indigne d'une réponse.

« Mais vous savez, en fait, cette maison a une sorte d'histoire, Mrs... euh, Carlene, mais elle n'est pas très belle.

— Hum. »

Voilà qui était franchement impoli. Mrs Kipps avait fermé ses yeux. Cette femme était grossière, non ? Peut-être s'agissait-il d'une différence culturelle. Kiki poursuivit :

« Il y avait un monsieur âgé ici, Mr Weingarten, il était en dialyse à l'hôpital où je travaille, on venait le chercher en ambulance, vous savez, trois ou quatre fois par semaine. Un jour les ambulanciers l'ont trouvé dans le jardin, c'est affreux en fait, il s'était immolé, apparemment il avait un briquet dans la poche de sa robe de chambre, il devait être en train de s'allumer une cigarette, chose qu'il n'aurait *pas dû être* en train de faire, en tout cas, il s'est enflammé, et j'imagine qu'il n'a pas pu éteindre le feu. C'est affreux, je ne sais pas pourquoi je viens de vous raconter ça. Je suis désolée. »

Sa dernière phrase était fausse — elle n'était pas désolée d'avoir raconté cette histoire. Elle avait voulu faire repartir leur conversation.

« Oh non, ma chère, aucun souci », fit Mrs Kipps avec une pointe d'impatience, comme si elle ne daignait pas répondre à une tentative de déstabilisation aussi transparente. Kiki remarqua pour la première fois que le tremblement de sa tête gagnait aussi sa main gauche. « Je le savais déjà, la femme d'à côté l'a raconté à mon mari.

— Ah bon. D'accord. C'est juste tellement *triste*. Vivre seul et tout ça. »

Le visage de Mrs Kipps réagit aussitôt — il se chiffonna et s'altéra comme celui d'un enfant auquel on présente du caviar ou du vin. Ses dents de devant apparurent tandis que les muscles de sa mâchoire s'étirèrent en arrière. Elle avait l'air épouvantable. L'espace d'un instant Kiki crut qu'elle allait faire un malaise, mais son visage s'apaisa. « L'idée m'est tellement *pénible* », dit Mrs Kipps avec passion.

Elle saisit à nouveau la main de Kiki, cette fois avec ses deux mains à elle. Ses paumes aux lignes profondément tracées rappelaient à Kiki celles de sa mère. Sa prise était fragile — on aurait pu croire qu'il suffirait d'ouvrir les doigts d'une main pour que les siennes se brisent en mille morceaux. Elle eut honte de s'être vexée de prime abord.

« Oh, mon *Dieu*, je détesterais vivre seule, dit-elle avant de se demander si c'était toujours vrai. Mais vous serez heureuse ici à Wellington ; généralement, nous nous occupons plutôt bien les uns des autres. C'est un endroit à forte identité communautaire. Ça me rappelle beaucoup certains endroits de Floride par ce côté-là.

— Pourtant en traversant la ville en voiture j'ai vu tant de pauvres âmes vivant dans la rue ! »

Kiki habitait Wellington depuis suffisamment longtemps pour ne pas croire tout à fait ceux qui parlaient de l'injustice sur un ton faussement naïf, comme s'ils venaient de découvrir son existence.

« Eh bien, dit-elle d'une voix égale, il est vrai que la situation est difficile là-bas, l'immigration a beaucoup augmenté ces derniers temps, on a énormément d'Haïtiens, de Mexicains ; et beaucoup d'entre eux n'ont nulle part où aller. C'est moins pénible en hiver, quand les refuges sont ouverts. Mais, non... absolument, et, vous savez, je tiens vraiment à vous remercier d'avoir hébergé Jerome à Londres, c'était très généreux de votre part. Et il avait vraiment besoin d'un coup de pouce. J'ai été triste que tout soit gâché par...

— Il y a un passage dans un poème que j'adore : *On trouve refuge l'un dans l'autre.* Je trouve ce vers très beau. Vous ne trouvez pas ça merveilleux ? »

Kiki était restée bouche bée d'avoir été interrompue de la sorte.

« C'est... qui est le poète ?

— Oh, je n'en sais rien... c'est Monty, l'intellectuel de la famille. Moi, je ne suis pas douée pour les idées, et je n'ai pas la mémoire des noms. Je l'ai lu dans un journal, c'est tout. Vous êtes une intellectuelle aussi ? »

C'était là sans doute la question la plus importante que personne à Wellington n'avait jamais honnêtement posée à Kiki.

« Non, en fait... non, pas du tout.

— Moi non plus. Mais j'adore la poésie. Tout ce que je ne sais pas dire et que personne ne dit jamais. La partie intangible de l'existence ? »

Kiki ne comprit pas si elle devait ou non répondre à ce qui

ressemblait à une question, mais un instant plus tard, elle eut la réponse.

« Je la trouve dans la poésie, dit Mrs Kipps. Je n'ai pas lu de poèmes pendant de longues années, je préférais les biographies. Puis j'en ai lu un l'année dernière. Maintenant je ne peux plus m'arrêter !

— Oh, c'est super. Je n'ai plus le temps de lire, moi. Avant, je lisais beaucoup Maya Angelou. Vous la connaissez ? C'est de l'autobiographie, non ? Je l'ai toujours trouvée très... »

Kiki cessa de parler. Elle venait d'être distraite par la même chose que Mrs Kipps. Cinq blanches adolescentes à peine vêtues passaient près du portail. Elles portaient sous le bras des serviettes enroulées, et leurs cheveux mouillés s'agglutinaient en longues cordes dégoulinantes, comme des filaments de méduses. Elles parlaient toutes ensemble.

« *On trouve refuge l'un dans l'autre*, répéta Mrs Kipps, alors que le brouhaha des filles s'éloignait. Montague dit que la poésie est le premier signe de l'être civilisé. Il dit tout le temps des choses merveilleuses de ce genre. »

Kiki, qui ne trouvait pas cette phrase particulièrement merveilleuse, garda le silence.

« Et quand je lui ai dit ce vers, de ce poème...

— Oui, le vers du poème.

— Oui. Quand je le lui ai récité, il a répondu que tout cela était très bien, mais que je devrais le mettre sur une échelle — une échelle de valeur — et que, de l'autre côté, je devrais placer *L'enfer, c'est les autres**. Puis je verrais laquelle des deux phrases pesait le plus par rapport au monde ! » Elle rit longtemps d'un rire pétillant, beaucoup plus juvénile que sa voix parlée. Kiki sourit désespérément. Elle ne comprenait pas le français.

« Je suis tellement heureuse que nous nous soyons enfin rencontrées », dit Mrs Kipps avec une véritable tendresse.

Touchée, Kiki répondit, « Oh, comme c'est gentil.

— Vraiment heureuse. On vient juste de faire connaissance, et voyez comme on est à l'aise ensemble.

— Nous sommes tous tellement contents que vous soyez à Wellington, vraiment, dit Kiki, confuse. À vrai dire, je suis passée pour vous inviter à une fête qu'on fait ce soir. Je crois que mon fils vous en a parlé.

— Une fête ! Comme c'est charmant. C'est très gentil d'y inviter une vieille dame que vous ne connaissez ni d'Ève ni d'Adam.

— Ma chère, si vous, vous êtes vieille, *moi* je suis vieille. Jerome n'a que deux ans de plus que votre fille, n'est-ce pas ? Victoria, c'est ça ?

— Mais vous n'êtes pas vieille, la gronda-t-elle. La vieillesse ne vous a pas encore touchée. Ça arrivera, mais ça n'est pas encore fait.

— J'ai cinquante-trois ans. Je peux vous dire que je me sens vieille.

— J'avais quarante-cinq ans quand j'ai eu mon dernier enfant. Que le Seigneur soit loué pour ses miracles. Non, ça se voit, vous avez un visage d'enfant. »

Kiki avait baissé la tête pour éviter d'avoir à réagir à l'expression de la foi. Elle la releva à présent.

« Eh bien, venez à notre petite boum.

— Je viendrai avec plaisir, merci. Avec ma famille.

— Ce serait formidable, Mrs Kipps.

— Oh je vous en prie... Carlene, s'il vous plaît, appelez-moi Carlene. Chaque fois qu'on m'appelle Mrs Kipps, j'entends l'appel du travail et des trombones. Il y a bien des années, j'aidais Montague dans son bureau, et là j'étais Mrs Kipps. En Angleterre, ça semble incroyable, dit-elle avec une expression mutine, mais on m'appelle Lady Kipps, à cause des succès de Montague... et même si je suis fière de lui, je dois dire que s'entendre appeler Lady Kipps donne l'impression d'être déjà morte. Je ne vous le conseille pas.

— Carlene, soit dit entre nous, dit Kiki en riant, je ne crois pas qu'Howard sera anobli de sitôt. Mais en tout cas, merci pour l'avertissement.

— Vous ne devriez pas vous moquer de votre mari, ma

chère, répondit Carlene avec insistance. Ce faisant, vous ne faites que vous moquer de vous-même.

— Oh, on se taquine l'un l'autre », dit Kiki qui riait toujours mais avec la même tristesse qu'elle avait ressentie lorsqu'un chauffeur de taxi, jusqu'alors parfaitement aimable, lui avait annoncé que tous les Juifs du World Trade Center avaient été avertis à l'avance, ou quand on lui disait que les Mexicains volent comme ils respirent, ou que le réseau routier ne s'était jamais autant développé que sous Staline...

Kiki fit un geste pour se lever.

« Tenez-vous bien à la chaise, ma chère... Les hommes bougent avec leur esprit, les femmes avec leur corps, qu'on le veuille on non. C'est comme ça que Dieu l'a voulu... c'est une chose en laquelle j'ai toujours cru fermement. Mais, quand on est une femme plus imposante, j'imagine que cela devient un peu plus compliqué.

— Non, ça va, ça va, voilà », dit Kiki joyeusement ; debout, elle exécuta un petit shimmy des hanches. « En fait, je suis assez souple. C'est le yoga. Et pour être franche, je pense que les hommes et les femmes utilisent leur esprit plus ou moins de la même façon. » Elle essuya la poussière qu'elle avait sur les mains.

« Eh bien, moi non. Absolument pas. Tout ce que je fais, je le fais avec mon corps. Même mon âme est faite de viande crue, de chair. On décèle la vérité sur un visage autant qu'ailleurs. Nous autres femmes, nous savons que les visages parlent. J'en suis persuadée. Les hommes ont le don de prétendre que ce n'est pas vrai. C'est là, la source de leur pouvoir. Monty sait à peine qu'il a un corps ! » Elle rit, posa une main sur le visage de Kiki. « Vous, par exemple, vous avez un visage merveilleux. Et j'ai su que je vous aimerais à l'instant où je vous ai vue. »

La bêtise de cette phrase fit aussi rire Kiki. Elle reçut le compliment en secouant la tête.

« On dirait qu'on s'aime bien, toutes les deux, dit-elle. Mais que diront les voisins ? »

Carlene Kipps se leva de sa chaise. Kiki eut beau protester, sa voisine l'accompagna jusqu'au portail. Si Kiki avait eu le moindre doute auparavant, elle savait à présent que cette femme n'était pas bien portante. Après quelques pas seulement, elle demanda à Kiki de prendre son bras. Cette dernière sentit Carlene s'accrocher à elle presque de tout son poids, et ce poids était négligeable. Son cœur chavira pour cette femme, qui semblait incapable de parler sans sincérité.

« Voici mes bougainvillées, j'ai demandé à Victoria de les planter aujourd'hui, je ne sais pas s'ils vont survivre. Mais pour le moment, ils ont *l'air* de survivre, ce qui revient presque au même. Et ils s'y prennent avec tant de style. Je les cultive en Jamaïque, on a une petite maison là-bas. Oui, avec cette maison, je crois que je m'en sortirai grâce au jardin. Vous ne croyez pas ?

— Je ne sais pas comment vous répondre. L'un et l'autre sont tellement beaux. »

Carlene hocha rapidement la tête, pour écarter ce charmant charabia.

Elle caressa la main de Kiki comme pour la rassurer. « Vous devriez rentrer pour votre fête.

— Et vous viendrez ? »

Carlene acquiesça d'un regard à la fois incrédule et apaisant, comme si Kiki lui avait demandé la lune ; puis tournant les talons elle se dirigea vers sa maison.

11

Le temps que Kiki rentre au 83 Langham, son premier invité était déjà là. La règle étrange de ce genre de fêtes veut que la personne qu'on était le moins enthousiaste à inviter arrive toujours la première. Howard avait ajouté Christian von Klepper sur la liste des invités, Kiki l'avait enlevé ; Howard l'avait réintégré, Kiki l'avait à nouveau enlevé ; apparemment Christian devait à Howard d'avoir été invité en douce et au dernier moment, car il était bel et bien là, adossé dans une alcôve du salon, à écouter Howard en hochant la tête avec dévotion. De sa position dans la cuisine, Kiki ne voyait qu'une parcelle des deux hommes, mais cela lui suffisait pour se faire une idée. Elle les observa incognito en enlevant son cardigan, qu'elle suspendit sur le dossier d'une chaise. Howard pétait le feu. Tête entre les mains, penché en avant, il écoutait, il écoutait *vraiment*. C'est incroyable, pensa Kiki, à quel point il peut être attentif quand il veut. Durant les mois d'efforts consentis pour faire la paix avec elle, Howard avait multiplié les attentions à son égard ; elle savait à quel point il pouvait être chaleureux et délicieusement flatteur. Christian, sous l'emprise des louanges d'Howard, avait l'air jeune pour une fois. On pouvait le voir s'autorisant à détendre quelque peu le personnage raide qu'un maître assistant âgé de vingt-huit ans se doit d'incarner s'il ambitionne de devenir un jour maître de conférences. Eh bien, tant mieux pour lui. Kiki prit un briquet dans un tiroir de la cuisine et commença à allumer toutes les bougies chauffe-plat qu'elle trouvait. Cela aurait dû être fait. Les quiches n'avaient pas été réchauffées. Et où étaient les enfants ? Un grognement satisfait — le rire d'Howard — lui parvint. Puis les deux hommes intervertirent leur rôle — à présent c'était Howard qui parlait et Christian qui buvait chaque syllabe avec ferveur. Ce dernier baissa modestement le regard, réagissant sans doute, devina Kiki, à un compliment que son mari venait de lui faire. Howard était plus que généreux en la matière : si on le flattait, il vous rendait la pareille à la puissance dix. Lorsque Kiki aperçut de nouveau le visage de Christian, celui-ci s'empourprait de plaisir ; puis une seconde plus tard, son expression se rembrunit, plus calculée : peut-être venait-il de s'avouer qu'il méritait le compliment. Kiki se dirigea vers le frigidaire et en sortit une très bonne bouteille de champagne. Elle prit une assiette de canapés au poulet bang-bang. Elle espérait que ces victuailles remplaceraient tout trait d'esprit ou autre

126

bon mot que l'on pourrait attendre d'elle pour engager la conversation. À la suite de son échange avec Mrs Kipps, elle se sentait curieusement incapable du moindre échange banal. Elle ne se rappelait pas avoir jamais eu moins envie de faire la fête qu'à ce moment précis.

Il arrive qu'on ait une vision fugace de ce que l'on donne à voir aux autres. Et ce qu'elle venait d'entrevoir était déplaisant : une Noire enturbannée, une bouteille dans une main, un plat de nourriture dans l'autre, s'approchant telle la domestique dans un vieux film. Le vrai personnel — Monique et une de ses amies anonymes, qui devaient servir à boire — était introuvable. La seule autre personne présente dans le salon était Meredith, une grosse et jolie fille mi-américaine, mi-japonaise qui accompagnait Christian partout — relation que l'on imaginait platonique. Sa tenue était extraordinaire et elle tournait le dos à l'assistance, absorbée dans la lecture des tranches de livres d'art d'Howard sur le mur d'en face. Kiki pensa que les fans d'Howard au sein de l'université, si restreint fût leur nombre, en étaient d'autant plus fervents. À cause de la rigueur de ses théories et de l'antipathie qu'il témoignait à l'égard de ses collègues, Howard était loin de jouir du succès, de la renommée ou du salaire de ses pairs de Wellington. Il avait à la place une mini-secte sur le campus : Christian en était le prédicateur ; Meredith l'adepte. Si d'autres membres existaient, Kiki ne les avait jamais rencontrés. Il y avait bien entendu Smith J. Miller, l'assistant d'Howard, un gentil Blanc du Sud profond — mais Smith était rémunéré par Wellington. D'un coup de talon, Kiki ouvrit grand la porte du salon et se demanda encore où Monique, qui d'ailleurs aurait dû caler cette porte, pouvait bien se trouver ; Christian ne s'était pas encore retourné pour la saluer, il faisait semblant d'apprécier le fait que Murdoch jouât autour de ses chevilles. Il se pencha maladroitement en avant avec l'air inquiet de celui qui déteste les animaux domestiques et craint les enfants, espérant manifestement qu'une intervention quelconque lui éviterait d'entrer en contact avec le chien. Kiki fut frappée par l'idée que son corps mince et allongé était une version comique et humaine de celui de Murdoch.

« Il ne vous embête pas ?

— Oh non, Mrs Belsey, bonjour. Non, pas du tout, vraiment. En fait, j'avais peur qu'il ne s'étouffe avec mes lacets.

— Vraiment ? dit Kiki dubitative en baissant les yeux.

— Non, je veux dire, ça va... ça va. » Les traits de Christian se modifièrent abruptement alors que, crispé, il tentait de reproduire une expression festive. « Et puis, joyeux anniversaire à tous les deux ! C'est carrément incroyable.

— Merci *beaucoup* d'être venu.

— Mon Dieu », fit Christian avec cette intonation sèche et bizarrement européenne qui lui était propre. Il avait passé son enfance dans l'Iowa. « C'est un privilège d'être ici. Ça doit vraiment être quelque chose pour vous. Quel événement. »

Kiki eut l'impression qu'il n'avait pas tenu le même discours à Howard ; en effet ce dernier haussa insensiblement les sourcils, comme s'il entendait ces paroles pour la première fois. De toute évidence, on réservait les banalités pour Kiki.

« Ouais, j'imagine... et c'est sympa, au début du semestre et tout... voulez-vous que j'éloigne le chien ? »

Loin de décourager Murdoch, les va-et-vient à droite et à gauche que faisait Christian pour s'en débarrasser lui offraient le genre de défi dont il raffolait.

« Oh, eh bien... je ne veux pas vous...

— Aucun souci, Christian, ne vous en faites pas. »

Kiki poussa Murdoch du bout de l'orteil, puis le poussa derechef pour l'entraîner hors de la pièce. Il était inconcevable que les belles chaussures italiennes de Christian soient couvertes de poils. Non, c'était injuste. Christian aplatit ses cheveux en passant sa paume sur la raie sévère qu'il portait à gauche, et dont la précision faisait penser qu'il l'avait dessinée avec une règle. Ça aussi, c'était injuste.

128

« Je tiens d'une main le *champagne* et de l'autre le poulet, dit Kiki excessivement joviale pour expier ses pensées. Qu'est-ce que je peux vous servir ?

— Oh mon Dieu », dit Christian. Il semblait conscient du fait qu'une plaisanterie était de mise, mais sa nature même s'y opposait. « Que de choix, dit-il.

— Donne-moi ça, chérie, dit Howard en prenant le champagne à sa femme. Faisons d'abord les présentations. Tu connais Meredith, non ? »

S'il fallait se souvenir de deux choses sur chaque invité afin de les présenter aux autres, on pouvait retenir que Meredith aimait Foucault et les tenues originales. Lors de précédentes soirées, Kiki avait écouté Meredith — habillée en punk anglaise, en dame fin de siècle à col haut édouardien, en star de cinéma française et, le plus inoubliable, en marraine de guerre années quarante, les cheveux coiffés et frisés comme Bacall, avec un corset, des bas, et cette ligne noire et aguichante sinuant le long de ses mollets massifs — attentivement, sans comprendre un mot de ce qu'elle disait. Ce soir elle portait une création de mousseline rose, avec une jupe ballon qui vous obligeait à vous tenir à une distance respectueuse et, attaché sur les épaules, un petit cardigan noir en mohair, mis en valeur par une gigantesque broche diamantée. Elle traversa la pièce sur des escarpins rouges à bout ouvert qui révélaient ses orteils tout en la grandissant d'au moins huit centimètres. Meredith tendit à l'hôtesse de la soirée une main gantée de chevreau blanc. Elle avait vingt-sept ans.

« Mais bien sûr ! Meredith ! Ouah ! dit Kiki en clignant théâtralement les yeux. Chérie, je ne sais même pas quoi dire. J'aurais dû organiser un concours pour la plus belle tenue de soirée, je ne sais pas à quoi je pensais. Tu es resplendissante, ma fille ! »

Kiki siffla et Meredith exécuta une pirouette, décrivant un petit cercle sous la main de Kiki, qu'elle maintenait en l'air.

« Tu aimes ? Je serais ravie d'affirmer que ça m'a pris trois secondes pour me préparer, dit Meredith bruyamment et rapidement dans le cri nerveux et californien qui la caractérisait, mais ça prend très, *trèèèèèèèèèèès* longtemps pour avoir un style pareil. La construction d'un pont est plus rapide. On élabore des systèmes herméneutiques plus vite que ça. Rien que de là à là », elle désigna l'espace entre ses sourcils et sa lèvre supérieure, « ça m'a pris, genre, trois heures. »

La sonnette retentit. Howard maugréa, comme si le nombre de personnes présentes était largement suffisant, mais il s'éloigna presque en sautillant pour aller ouvrir. Délaissé ainsi par leur seul lien commun, le petit trio, soudain silencieux, eut recours aux sourires. Kiki se demanda à quel point elle était loin de l'idée que Christian et Meredith se faisaient de l'épouse parfaite d'un maître.

« On vous a fabriqué un truc, dit Meredith soudain. Il vous l'a dit ? On vous a fabriqué ça. C'est peut-être *merdique*, j'en sais rien.

— Non... non, je n'ai pas eu... dit Christian en rougissant.

— Genre un cadeau, quoi. C'est ringard ? Trente ans de mariage et tout ? On est peut-être tout simplement ringards ?

— Je vais juste... », dit Christian, et il s'accroupit maladroitement pour atteindre son cartable démodé posé contre l'ottomane.

« Et donc on a plus ou moins fait des recherches, et on a appris que trente ans, ce sont les noces de perle, mais comme tu le sais, le salaire moyen d'un étudiant de troisième cycle n'est pas mirobolant, donc on ne pouvait pas vraiment faire dans les perles... » Meredith rit comme une folle. « Puis Chris a pensé à ce poème et, genre, moi j'ai bricolé ; en tout cas, voilà, c'est ça : une sorte de poème en tissu encadré. Je sais pas, moi. »

Kiki sentit la chaleur du cadre en teck entre ses mains, et admira les pétales de rose pressés et les coquilles brisées sous le verre. Le texte était brodé, comme une tapisserie.

C'était le cadeau le plus inattendu qu'elle eût pu imaginer venant de ces deux-là. C'était ravissant.

« *Par cinq brasses sous les eaux ton père étendu sommeille. De ses os naît le corail, de ses yeux naissent les perles* », lit Kiki avec circonspection. Elle savait qu'elle devrait connaître ce texte.

« Donc, voilà pour la perle, dit Meredith. Tu dois trouver ça idiot.

— Oh non, c'est magnifique », dit Kiki en prononçant à voix basse le texte qu'elle parcourait en diagonale. « C'est Plath ? Je me trompe, je le savais.

— C'est Shakespeare, répondit Christian en se fendant d'une légère grimace. *La Tempête. Rien chez lui de périssable que le flot marin ne change en tel ou tel faste étrange.* Plath l'a cannibalisé.

— *Merde*, fit Kiki en riant. Dans le doute, essaie Shakespeare. Et pour le sport, Michael Jordan.

— C'est *tout à fait* ma politique, acquiesça Meredith.

— C'est vraiment magnifique. Howard va adorer. Je ne crois pas que cela tombe sous le coup de son interdiction de l'art figuratif.

— Non, c'est textuel, répondit Christian irrité. Justement, c'est un objet *textuel*. »

Kiki lui jeta un regard inquisiteur. Elle se demandait parfois si Christian n'était pas amoureux de son mari.

« Mais où est Howard ? dit Kiki en tournant de façon absurde la tête à droite et à gauche dans la pièce vide. Je suis sûre qu'il va adorer. Lui qui aime qu'on dise qu'il est impérissable. »

Meredith rit derechef. Howard pénétra à ce moment dans la pièce en frappant dans ses mains, mais la sonnette retentit à nouveau.

« Putain de merde. Vous nous excuserez ? On se croirait à Piccadilly Circus ici. Jerome ! Zora ! »

Howard mit sa main en cornet à son oreille comme un

homme qui attend la réponse au cri d'oiseau qu'il vient d'imiter.

« Howard, tenta Kiki en levant le cadre, Howard viens voir.

— Levi ? Non ? Il faut donc qu'on s'occupe de tout. Excusez-nous une minute. »

Kiki suivit Howard dans le couloir, et ils accueillirent ensemble les Wilcox, l'un des rares couples wellingtoniens de leur connaissance à être authentiquement riche. Propriétaires d'une chaîne de magasins de vêtements bon chic bon genre, les Wilcox donnaient généreusement à l'université et ressemblaient à deux grosses crevettes en costume de soirée. Derrière eux, Smith J. Miller — l'assistant d'Howard — avançait, une tarte aux pommes faite maison à la main, habillé comme le gentleman du Kentucky qu'il était. Ils les firent entrer dans la cuisine, où ils formèrent tant bien que mal un rassemblement socialement on ne peut moins compatible avec Joe Rainier, marxiste de la vieille école, et sa jeune compagne du moment. Sur le frigidaire était collé un dessin humoristique du *New Yorker* que Kiki regretta immédiatement de ne pas avoir enlevé. Un couple aisé à l'arrière d'une limousine. La femme dit : *Bien sûr qu'ils sont intelligents. Ils sont bien obligés. Ils n'ont pas un sou.*

« Allez, avancez, avancez, brama Howard en agitant les bras comme pour faire traverser la route à des moutons. Il y a des gens dans le salon, sinon le jardin est ravissant... »

Quelques minutes plus tard, ils étaient à nouveau seuls dans le couloir.

« Mais enfin, où est Zora, elle parle de cette fête depuis des semaines et, maintenant, elle est portée disparue...

— Elle a dû sortir s'acheter des cigarettes ou un truc comme ça.

— Je trouve qu'au moins un de nos enfants devrait être présent. Je ne voudrais pas que les gens puissent penser qu'on les tient enfermés dans le grenier comme esclaves sexuels.

— Je m'en charge, Howard, O.K .? Occupe-toi du service. Mais bon sang, où est Monique ? Elle n'était pas censée amener quelqu'un ?

— Elle saute sur *des sacs de glace* dans le jardin, répondit Howard impatient, comme s'il reprochait à Kiki de ne pas l'avoir compris toute seule. Cette putain de machine à glace a rendu l'âme il y a une demi-heure.

— Merde.

— Eh oui, *merde*. »

Howard attira sa femme contre lui et plaça son nez entre ses seins. « On pourrait pas se faire une petite fête privée ? Toi et moi et les fillettes ? » dit-il en palpant timidement lesdites fillettes. Kiki se dégagea de lui. La paix avait beau être de retour dans la maison des Belsey, le sexe n'avait pas encore fait sa réapparition. Depuis un mois, la campagne de drague d'Howard s'intensifiait. Il avait touché, tenu, et maintenant palpé. Howard semblait considérer l'étape suivante comme acquise, mais Kiki n'avait pas encore décidé si son mariage connaîtrait ce soir un nouvel élan.

« No-on..., dit-elle doucement. Désolée. En fait, elles viennent pas.

— Pourquoi donc ? »

Il l'attira à lui derechef, et posa sa tête sur son épaule. Kiki le laissa faire. Les anniversaires de mariage ont parfois cet effet. De sa main libre, elle empoigna les cheveux épais et soyeux de son mari. De l'autre elle tenait le cadeau de Christian et de Meredith, qu'elle n'avait toujours pas réussi à lui montrer. Et enlacés ainsi — Kiki les yeux fermés et les cheveux de son mari glissant entre ses doigts —, ils auraient pu être en train de vivre n'importe quel jour bienheureux de ces trente dernières années. Kiki n'était pas sotte, et elle comprit ce qu'elle ressentait : un désir idiot de revenir en arrière. Les choses ne pouvaient plus être exactement comme elles avaient été.

« Les filles détestent Christian von Trou du Cul, dit-elle enfin, taquine, mais elle l'autorisa à poser sa tête sur son sein. Elles n'iraient jamais dans une soirée avec lui. Tu sais bien comme elles sont. Je n'y peux rien. »

La sonnette retentit. Howard soupira avec fougue.

« Sauvée par le gong, murmura Kiki. Écoute, je monte. Je vais tenter de convaincre les enfants de descendre. Va ouvrir s'il te plaît, et ralentis un peu avec l'alcool, d'accord ? Je compte sur toi pour tenir la barre.

— Hum. »

Howard se précipita vers la porte, mais se retourna juste avant de l'ouvrir. « Oh, Kiki... » Son expression était enfantine, penaude, fragile. Kiki fut soudain désespérée de le voir ainsi. Cela les mettait dans le même bain que tous les couples de leur âge du quartier — femme furieuse, mari pitoyable. Elle pensa : *Comment a-t-on pu faire exactement comme tout le monde ?*

« Kiki... Désolée, chérie, c'est juste... je voulais savoir si tu les avais invités.

— Qui ?

— Qui à ton avis ? Les Kipps.

— Ah oui... Bien sûr. Je lui ai parlé, à elle. Elle était... » Cependant elle ne parvint à dresser le portrait de Mrs Kipps ni sur le ton de la plaisanterie ni en deux coups de crayon, comme Howard appréciait. « Je ne sais pas s'ils vont venir, mais je les ai invités. »

Et à nouveau la sonnette. Kiki se dirigea vers les escaliers, posant le cadeau sur la console. Howard ouvrit la porte.

12

« Salut. »

Grand, content de lui, joli, trop joli, façon arnaqueur, avec un tee-shirt sans manches, tatoué, langoureux, musclé, un ballon de basket sous le bras, il était noir. Howard maintint la porte entrouverte.

« Je peux vous aider ? »

S'effaça alors le sourire que Carl avait jusque-là affiché. Il venait de jouer sur le grand terrain de basket de la faculté (il suffisait d'y aller et de faire comme si vous étiez à votre place) ; en pleine partie, Levi lui avait téléphoné pour dire que la fête avait lieu ce soir. Drôle de date pour une fête, mais chacun son truc. La voix du garçon lui avait semblé bizarre, comme s'il était en colère, mais il avait vraiment insisté pour que Carl vienne. Puis il avait envoyé un texto avec l'adresse, genre trois fois. Carl aurait pu rentrer chez lui se changer, mais cela aurait pris trop de temps. Personne n'allait se formaliser par une chaude nuit comme celle-ci, avait-il pensé.

« Eh bien, je viens pour la fête. »

Howard l'observa tenant le ballon des deux mains ; les contours minces et puissants de ses bras se découpaient dans l'éclairage de sécurité.

« Eh bien... c'est une fête privée.

— Votre fils, Levi ? J'suis un pote à lui.

— Je vois... euh... eh bien, il est... dit Howard qui se tourna et fit mine de chercher son fils dans le couloir. Il n'a pas l'air d'être dans les parages... Mais laisse-moi ton nom, et je lui dirai que tu es passé... »

Le jeune homme fit durement rebondir le ballon une fois sur le pas de la porte. Howard eut un geste de recul.

« Écoute, fit Howard impoliment, je ne veux pas être impoli, mais Levi n'aurait vraiment pas dû inviter ses... potes, c'est une soirée en toute intimité...

— C'est ça. Pour les *vrais* poètes.

— Pardon ?

— Putain, j'sais même pas pourquoi j'suis venu, laissez tomber », dit Carl. Il s'engagea immédiatement dans l'allée et sortit par le portail d'un pas fier, rapide et souple.

« Attends », dit Howard. Il était parti.

Extraordinaire, pensa Howard, et il referma la porte. Il partit dans la cuisine chercher du vin. La sonnette retentit de nouveau, Monique ouvrit, des gens arrivèrent, avec d'autres à leur suite. Il se versa à boire — encore la sonnette : c'était Erskine et sa femme Caroline. Howard reboucha la bouteille et entendit un autre groupe de personnes se défaire de leur veste. La maison s'emplissait d'êtres auxquels ne l'unissait aucun lien de sang. Howard commença à se détendre, à se sentir d'humeur festive. Il ne tarda pas à devenir l'âme de la soirée : il proposa à manger à ses invités, leur versa à boire, évoqua le manque d'enthousiasme de ses enfants invisibles, corrigea une citation, ajouta son grain de sel à une vive discussion, présenta deux voire trois fois les gens les uns aux autres. Au cours d'innombrables conversations d'une durée de trois minutes, il réussit à être à la fois attentif, curieux, encourageant, cérémonieux, riant avant la fin de votre phrase amusante, remplissant votre verre encore presque plein. S'il vous surprenait en train de mettre ou de chercher votre veste, il vous gratifiait d'une complainte amoureuse ; vous pressiez sa main, il pressait la vôtre. Vous tanguiez ensemble comme des marins. Vous vous sentiez suffisamment en confiance pour le taquiner gentiment sur son « Rembrandt », et lui de son côté lâchait une phrase irrévérencieuse sur votre passé marxiste ou votre cours de création littéraire, ou l'étude de Montaigne qui vous occupe depuis onze ans, et la bonne volonté était telle que vous ne vous en offusquiez pas. Vous reposiez votre veste sur le lit. Lorsque finalement — après être revenu à la charge en évoquant à nouveau délais et démarrage matinal — vous réussissiez à franchir la porte et à sortir, vous la refermiez avec une impression aussi nouvelle qu'agréable : non seulement Howard Belsey ne vous détestait pas — comme vous l'aviez toujours cru — mais, en vérité, cet homme vous admirait depuis des lustres, même si sa fameuse réserve britannique l'avait toujours empêché de l'exprimer avant ce soir.

À vingt et une heures trente, Howard décida qu'il était

temps de faire un petit discours devant l'assemblée dans le jardin. Celui-ci fut bien reçu. À vingt-deux heures, les petites oreilles d'Howard, parfaitement rouges de bonheur, montraient tous les signes de l'enivrement du *bon vivant**. Howard eut le sentiment que sa petite fête était particulièrement réussie. En vérité, c'était une soirée typiquement wellingtonnienne : menaçant sans cesse d'afficher complet, sans jamais y parvenir tout à fait. La bande des troisième cycle du département des Black Studies était présente en masse, en grande partie parce que Erskine était universellement aimé par tous ses étudiants, et que ceux-ci étaient de toute façon et de loin les personnes les plus sortables de Wellington. Ils soignaient leur réputation d'être, parmi tous les spécimens de la fac, ceux qui ressemblaient le plus à des êtres humains normaux. Ils traitaient tous les thèmes, les grands comme les petits ; leur département contenait une bibliothèque de musique noire ; et non seulement ils connaissaient les programmes télé les plus *trash*, mais ils en parlaient avec éloquence. On les invitait à toutes les fêtes, et ils y allaient. En revanche, le département d'anglais était moins bien représenté ce soir : il n'y avait que Claire, Joe le Marxiste, Smith et quelques filles groupies de la Secte de Claire qui, Howard fut amusé de le constater, se jetaient l'une après l'autre aux pieds de Warren, comme des lemmings. Warren figurait manifestement désormais sur la liste approuvée par Claire, voilà pourquoi elles le désiraient toutes. Un groupe d'anthropologues jeunes et étranges qu'Howard croyait ne pas connaître passèrent la nuit dans la cuisine à planer autour des plats, comme s'ils craignaient en s'éloignant de se trouver privés des nombreux accessoires — verres, bouteilles, canapés — qu'ils tripotaient sans cesse. Howard les laissa là et se dirigea vers le jardin. Il longea la piscine, tenant joyeusement son verre vide à la main, tandis que la lune estivale passait derrière les nuages rougissants et que de toutes parts s'élevait l'agréable murmure animal de la conversation.

« Bizarre comme date, quand même », entendit-il. Puis la réponse habituelle : « Oh, je trouve que c'est une date magnifique pour une fête. Tu sais que c'est vraiment la date anniversaire de leur mariage, donc... Et si on ne reconquiert pas ce jour, tu sais... c'est comme s'ils avaient gagné. C'est une véritable reconquête. » Cela semblait être la conversation la plus en vogue de la soirée. Pour sa part Howard l'avait tenue au moins quatre fois depuis que les effets du vin s'étaient fait massivement sentir aux alentours de vingt-deux heures. Avant, personne n'avait osé y faire allusion.

Toutes les vingt secondes environ, Howard admirait deux pieds qui fendaient la surface de l'eau, le dos courbé qui suivait, puis observait la mince forme marron parcourant une autre longueur rapide et presque silencieuse. De toute évidence, Levi avait décidé que, si on l'obligeait à rester pour la fête, il allait en profiter pour s'entraîner. Howard ne parvenait pas à savoir avec précision depuis combien de temps Levi était dans la piscine, mais à la fin de son discours, les applaudissements s'étant éteints, chacun avait remarqué la présence d'un nageur solitaire ; puis chacun ou presque avait demandé à son voisin s'il se souvenait de la nouvelle de Cheever. Les universitaires ont des références très limitées.

Howard avait entendu Claire Malcolm lancer à quelqu'un : « J'aurais dû apporter mon maillot de bain. »

La réponse sensée avait fusé : « Mais aurais-tu nagé, en l'occurrence ? »

Sans vraiment se presser, Howard cherchait Erskine, dont il souhaitait connaître l'opinion sur son discours. Il s'assit sur le joli banc que Kiki avait installé sous leur pommier et contempla le déroulement de sa fête. Il était entouré de dos larges et de mollets solides de femmes inconnues. Des amies de Kiki à l'hôpital qui parlaient entre elles. Décidément les infirmières, pensa Howard, vraiment *pas sexy*. Et comment avaient-elles perçu son discours, ces solides et catégoriques alliées de sa femme, extérieures au monde universitaire ? D'ailleurs, comment son discours avait-il été perçu de façon générale ? Il n'avait pas été facile à faire. En fait, il s'agissait de trois discours. Un pour ceux qui savaient, un pour ceux qui ne savaient pas, et un pour Kiki, à qui s'adressaient ses paroles, et qui savait sans vraiment savoir. Ceux qui ne savaient pas avaient souri et poussé des cris et applaudi lorsque Howard avait évoqué les bienfaits de l'amour ; soupiré tendrement lorsqu'il avait développé les joies comme les difficultés qu'il y a à épouser sa meilleure amie. Encouragé par l'attention qu'on lui avait accordée à la lueur du clair de lune, Howard s'était éloigné de son texte. Il avait glissé un commentaire sur Aristote et l'amitié vertueuse, puis quelques *aperçus** personnels. Il avait évoqué le fait que l'amitié nourrit la tolérance, abordé la lâcheté de Rembrandt et le pardon de sa femme, Saskia. Il s'était aventuré là en territoire dangereux, mais la majorité de son public n'avait pas semblé s'en émouvoir. Malgré ses craintes, tout le monde n'avait pas l'air d'être au courant. Après tout, Kiki n'avait pas raconté à la terre entière ce qu'il avait fait, et ce soir il lui en était reconnaissant plus que jamais. Une fois son discours terminé, les applaudissements l'avaient enveloppé douillettement comme un mol édredon. Il avait enlacé les deux enfants américains qui se trouvaient près de lui, et ces derniers s'étaient laissé faire. Et voilà : finalement, son adultère n'avait pas tout détruit. Il avait fallu une sacrée dose d'auto-apitoiement et d'autoglorification pour le croire. La vie continuait. Il avait compris, en voyant Jerome vivre son propre cataclysme romantique peu après le sien, que le monde ne s'arrête pas pour vous. Ce n'est pas ce qu'il avait cru initialement, et cela l'avait désespéré. Une chose pareille ne lui était jamais arrivée — il ne savait pas comment faire, quelle stratégie adopter. Plus tard, lorsqu'il avait abordé à nouveau cette histoire avec Erskine — vétéran de l'adultère —, son ami lui avait donné un conseil aussi évident que tardif : *nie en bloc*. C'était la politique à long terme d'Erskine, et il affirmait qu'elle ne lui avait jamais fait défaut. Mais Howard s'était fait bêtement démasquer — un préservatif dans la poche de son costume — et Kiki debout devant lui l'avait confronté tenant l'objet entre ses doigts, avec un mépris pur qui lui sembla presque impossible à supporter. Il avait eu ce jour-là plusieurs possibilités, mais dire la vérité n'en avait pas fait partie. Il avait surtout désiré préserver ne serait-ce qu'un semblant de la vie qu'il aimait. Maintenant, il se sentait légitimé : en ne disant pas la vérité, il avait pris la bonne décision. Il avait dit ce qu'il pensait devoir dire afin de permettre à toutes ces relations de continuer : ces amis, ces collègues, cette famille, cette femme. Dieu sait si la version de l'histoire qu'il avait fini par présenter — passade avec inconnue — avait causé de terribles dégâts. La sublime bulle d'amour de Kiki à l'intérieur de laquelle il avait si longtemps vécu, et (c'était tout à son honneur d'en être conscient) avait permis tout le reste, avait éclaté. À quel point la situation se serait-elle aggravée s'il avait dit la vérité ? Cela n'aurait fait que remuer le couteau dans la plaie. Dans l'état actuel des choses, il avait déjà manqué perdre plusieurs de ses proches amis : il avait déçu ceux auxquels Kiki s'était confiée et ils le lui avaient fait savoir. Un an plus tard, cette soirée constituait une sorte d'examen de passage ; et maintenant, comprenant que leur respect à son égard était intact, Howard dut se retenir de pleurer de soulagement devant chaque personne venue lui témoigner de la sympathie. Il avait fait une erreur stupide — tel était le consensus —, et l'on devait lui permettre (car quel professeur d'un certain âge oserait lancer la première pierre ?) de continuer à jouir de cette chose inhabituelle, un mariage heureux et passionné. Comme ils s'étaient aimés ! Bien sûr, nous croyons tous être amoureux à vingt ans ; mais Howard Belsey avait sincèrement continué d'être amoureux à quarante — c'était peut-être embarrassant mais c'était vrai. Après toutes ces années, il ressentait encore un plaisir intense à regarder le visage de sa femme. Erskine disait souvent en plaisantant que seul un homme jouissant d'un tel bonheur conjugal pouvait être le genre de théoricien qu'était Howard, dont le travail s'opposait résolument au plaisir. Erskine lui-même en était à son second mariage. Pratiquement tous les hommes de sa connaissance étaient déjà divorcés, et avaient recommencé leur vie avec de nouvelles femmes ; ils lui disaient des choses du genre, « on vient au bout d'une femme », comme si leurs femmes eussent été des longueurs de corde. S'agissait-il de cela ? Était-il enfin arrivé au bout de Kiki ?

Howard la repéra accroupie avec Erskine près de la piscine en train de parler avec Levi, qui se maintenait hors de l'eau en appuyant sur le béton ses bras croisés et musclés. Tous trois riaient. La tristesse s'empara d'Howard. Il trouvait étrange que Kiki n'insistât pas pour connaître chaque détail de sa trahison. S'il admirait la puissance soutenue de la volonté de sa femme, il ne la comprenait pas. À sa place, il aurait remué ciel et terre pour connaître le nom, le visage, l'histoire entière de leurs caresses. Sexuellement, il avait toujours été intensément jaloux. Lorsqu'il avait rencontré Kiki, elle ne comptait parmi ses amis que des hommes, des centaines (telle fut son impression), dont la plupart étaient des ex. Même maintenant, *trente ans plus tard*, entendre leurs noms plongeait Howard dans une déprime profonde. Aujourd'hui, pour ne pas le froisser, Howard et Kiki évitaient autant que possible les soirées où ces hommes seraient présents. Howard avait réussi, avec force intimidation et menaces, à exclure chacun d'eux. Et pourtant, Kiki avait toujours soutenu (et il l'avait toujours crue) qu'elle n'avait jamais connu avant lui le véritable amour.

Il posa sa main sur son verre vide, refusant le vin que Monique s'apprêtait à lui servir. « Sympa cette fête, Monique, non ? Vous avez vu Zora ?

— Zora ?

— Oui, Zora.

— Je l'ai pas vue. Avant, oui. Maintenant, non.

— Tout va bien ? On a assez de vin et tout ça ?

— Assez de tout. Trop même. »

Quelques minutes plus tard, près des portes de la cuisine,

141

Howard aperçut sa fille en train de rôder sans la moindre discrétion autour d'un trio d'étudiants en philosophie de troisième cycle. Il s'empressa de l'introduire dans le cercle. Ça, au moins, il savait le faire. Debout, père et fille s'appuyaient l'un contre l'autre. Sous les effets de l'alcool, Howard ressentait le besoin de dire quelque chose de sentimental à sa fille, tandis que cette dernière, sur une tout autre longueur d'onde, demeurait entièrement concentrée sur la conversation des étudiants en philosophie.

« Puis, naturellement, on attendait tout de lui.

— C'est ça. On en attendait monts et merveilles.

— C'était le chouchou du département. À vingt-deux ans ou un truc comme ça.

— C'était peut-être ça, le problème.

— C'est ça. *C'est ça.*

— On lui a proposé une bourse pour étudier à Oxford, qu'il a refusée.

— Mais il ne fait plus rien à présent, n'est-ce pas ?

— Non. Je ne crois même pas qu'il ait un poste aujourd'hui. Il paraît qu'il a eu un bébé, donc qui sait. Je crois qu'il est à Detroit.

— Il venait de là-bas, non ?... Encore un gosse brillant, totalement dépassé.

— Sans personne pour le guider.

— C'est ça. »

Howard remarqua que Zora buvait comme du petit-lait les paroles très convenues de ces étudiants qui cachaient mal leur joie à l'évocation de l'échec d'un des leurs. Elle avait des idées très bizarres sur les universitaires — il lui paraissait extraordinaire qu'ils pussent s'intéresser aux potins, ou avoir des pensées vénales. Elle était désespérément naïve à ce sujet. Par exemple, elle n'avait pas remarqué que l'étudiant numéro deux lorgnait avec assiduité ses seins, exhibés un peu n'importe comment ce soir dans un haut à volants qui ne tenait pas en place. Ainsi, Howard envoya sa fille ouvrir la porte lorsque la sonnette retentit ; et ce fut

Zora qui accueillit la famille Kipps. Elle ne comprit pas immédiatement à qui elle avait affaire. Devant elle se trouvait un grand Noir autoritaire, la cinquantaine bien tassée, avec des yeux distendus de carlin. À sa droite se tenait son fils, plus grand que lui mais d'une égale dignité ; et à sa gauche, sa fille d'une exaspérante beauté. Avant même de pouvoir parler, Zora dut prendre le temps d'intégrer les informations visuelles suivantes : l'étrange tenue victorienne du plus âgé des deux hommes — gilet, pochette —, et la supériorité physique de la fille qu'un coup d'œil dévastateur avait instantanément (et réciproquement) confirmée. Le trio avança en formation triangulaire derrière Zora, qui les mena dans le couloir tout en parlant sans cesse de vestes, de boissons et de ses propres parents, lesquels dans l'immédiat demeuraient l'un et l'autre introuvables. Howard avait disparu.

« Bon Dieu, il était là à l'instant. À mon avis, il est dans les parages... Nom de *Dieu*, où peut-il bien se trouver ? »

Zora avait reçu en héritage de son père la manie de blasphémer frénétiquement dès qu'elle se trouvait en présence de personnes croyantes. Patiemment, les trois invités se tenaient autour d'elle à observer les manifestations pyrotechniques de son angoisse. Zora se jeta sur Monique qui passait par là, mais son plateau était vide et elle prit beaucoup trop de temps à expliquer que la dernière fois qu'elle avait vu Howard, il était justement en train de la chercher, elle.

« Levi est dans la piscine, Jerome là-haut, grommela Monique pour calmer le jeu. Il dit qu'il descend pas. »

Voilà qui était une référence malencontreuse.

« Je vous présente Victoria, dit Mr Kipps avec la dignité mesurée d'un homme prenant le contrôle d'une situation ridicule. Et Michael. Naturellement, ils connaissent déjà votre frère, votre frère *aîné*. »

Sa profonde voix de basse aux accents de Trinidad vogua

sans peine à travers cette mer de honte, et avança dans des eaux nouvelles.

« Ouais, ils se sont carrément déjà rencontrés », lança Zora, qui, ne parvenant pas à être légère ou sérieuse, se retrouva dans une position plus qu'inconfortable.

« Ils étaient tous copains à Londres, et maintenant vous serez tous copains ici », annonça Monty Kipps en regardant impatiemment au-dessus de la tête de Zora, à la façon d'un homme à l'affût de la caméra qui sans nul doute est en train de le filmer. « J'aimerais quand même saluer vos parents. Sinon, j'aurai l'impression de m'être introduit ici dans un cheval de bois. Et je viens en tant qu'invité, voyez-vous, je n'ai pas de cadeaux douteux. Du moins, pas ce soir. » Son rire de politicien n'égaya nullement ses yeux.

« Oui, bien sûr... », dit Zora, qui rit platement et commença elle aussi à jeter des regards futiles alentour. « Je ne sais pas où... Donc, vous êtes tous... je veux dire, vous avez tous emménagé, ou...

— Pas moi, dit Michael. Ce sont des vacances pour moi. Je rentre à Londres mardi. Malheureusement le travail m'appelle.

— Ah. Quel dommage », dit Zora poliment, mais elle n'était pas déçue. Il était beau, certes, mais vraiment pas séduisant. Elle pensa, bizarrement, au garçon du parc. Pourquoi les garçons respectables comme Michael ne ressemblaient-ils pas plus à celui-là ?

« Et tu étudies à Wellington, c'est ça ? » demanda Michael, sans faire véritablement preuve de curiosité. Zora regarda les yeux du jeune homme, qui, comme les siens, étaient petits et ternes derrière les verres correcteurs de ses lunettes.

« Ouais... je suis dans la fac de mon père... ce n'est pas très original, je l'avoue. Et en plus, je crois que je vais me spécialiser en histoire de l'art.

— Ce qui est, bien entendu, annonça Monty, le domaine dans lequel j'ai débuté. J'ai organisé la première exposition américaine d'art dit primitif des Caraïbes, à New York en 1965. Je possède la plus importante collection privée d'art haïtien hors de cette malheureuse île.

— Ouah ! Rien que pour vous ! Ça doit être génial. »

Mais Monty Kipps était manifestement un homme conscient de son propre potentiel comique ; il se défendait contre toute ironie, attentif à la moindre de ses manifestations. Il avait fait son commentaire de bonne foi, et il ne permettrait pas qu'on se moque rétrospectivement. Il marqua une longue pause avant de répondre. « Il est satisfaisant de protéger les œuvres majeures de l'art noir, oui. »

Sa fille roula des yeux.

« C'est génial si tu aimes être épiée des quatre coins de la maison par Baron Samedi, comme dans un cimetière vaudou. »

C'étaient les premières paroles que prononçait Victoria. Zora fut surprise par sa voix, grave et puissante et franche comme celle de son père ; une voix qui ne semblait pas s'accorder avec son apparence coquette.

« Victoria étudie actuellement les philosophes français... », dit sèchement son père, avant d'énumérer avec mépris plusieurs des maîtres de Zora.

« Ah oui, ah oui, je vois... », murmura sporadiquement Zora. Elle avait bu un verre de vin de trop. Dans ces cas-là, elle se comportait toujours comme elle était en train de le faire, hochant la tête, acquiesçant avant même que son interlocuteur finisse sa phrase, et cherchant toujours à reproduire cette intonation, celle d'une bourgeoise blasée et presque européenne qui à dix-neuf ans avait déjà tout vu.

« ... Et je crains que leur influence ne l'ait poussée à mépriser l'art. C'est assez ennuyeux, mais avec un peu de chance, Cambridge la remettra sur de bons rails.

— *Papa*.

— Pour le moment, elle va suivre des cours ici, vous vous croiserez sans doute de temps à autre. »

Les filles se regardèrent sans grand enthousiasme à cette idée.

« De toute façon je ne méprise pas "l'art", seulement le *tien* », répliqua Victoria. Son père lui caressa l'épaule pour l'amadouer, mais elle s'en défendit comme une petite fille.

« Eh bien, nous, on n'accroche pas grand-chose dans la maison », dit Zora en regardant les murs vides autour d'elle. Elle se demanda comment elle s'était retrouvée à parler justement du sujet qu'elle aurait voulu éviter. « Papa préfère l'art conceptuel, bien entendu. Nos goûts artistiques sont complètement extrêmes, comme la plupart des tableaux qu'on possède, on ne peut pas vraiment les montrer. Il s'intéresse à la théorie de l'éviscération, genre l'art devrait vous arracher vos putains de tripes. »

Les conséquences de ces paroles n'eurent pas le temps de se manifester. Zora sentit deux mains sur ses épaules. Jamais elle n'avait été plus heureuse de voir sa mère.

« Maman !

— Tu t'occupes de nos invités ? » Kiki tendit une main grassouillette et engageante ; ses bracelets scintillaient. « Vous êtes Monty, n'est-ce pas ? D'ailleurs, votre femme me disait tout à l'heure qu'on vous appelle désormais Sir Monty... »

Zora fut impressionnée par la facilité enjôleuse affichée par sa mère. Il s'avérait que les compétences dont on faisait traditionnellement preuve en matière de relations interpersonnelles à Wellington — feinte, déni, parole lénifiante, fausse courtoisie —, et que Zora méprisait, étaient utiles en fin de compte. En moins de cinq minutes, tout le monde avait un verre à la main, chacun avait accroché son manteau, et papotait avec entrain.

« Mrs Kipps... Carlene n'est pas venue ? demanda Kiki.

— Maman, je dois juste..., excusez-moi, ravie d'avoir fait votre connaissance », dit Zora, qui suivit le doigt qu'elle pointait vaguement en direction de l'autre extrémité de la pièce.

« Elle n'a pas pu venir ? » répéta Kiki. Pourquoi se sentait-elle si déçue ?

« Oh, ma femme ne vient que très rarement à ce genre de choses, dit Monty. Elle ne profite guère des feux d'artifice mondains. Il n'est pas exagéré de dire qu'elle se sent plus au chaud au coin de son propre feu. »

Kiki connaissait ce type d'homme : de droite, suffisant, ayant pour habitude de torturer la métaphore, mais l'accent de cet homme lui semblait incroyable. Il parcourait la gamme, un peu comme l'accent d'Erskine, mais ses voyelles avaient un corps et une profondeur qu'elle n'avait jamais entendus. « Pas » devenait « Pâaahh ».

« Oh... c'est dommage... elle semblait si sûre de venir.

— Puis un peu plus tard elle était tout aussi sûre qu'elle ne viendrait pas, » sourit-il, et son sourire était celui d'un homme puissant et sûr que Kiki ne serait pas sotte au point de poursuivre avec ce sujet. « Carlene est une femme aux humeurs changeantes. »

Pauvre Carlene ! Kiki fut rebutée à l'idée d'une nuit avec cet homme auprès duquel Carlene allait passer sa vie. Heureusement, nombreux étaient ceux auxquels Monty Kipps souhaitait être présenté. Il énuméra rapidement une liste de Wellingtoniens qui comptaient, et Kiki eut l'obligeance de lui désigner du doigt Jack French, Erskine, les différents chefs de département ; elle lui apprit que le président de l'université avait été invité, mais omit d'ajouter qu'il n'y avait strictement aucune chance qu'il vînt. Les enfants Kipps avaient déjà disparu dans le jardin. Jerome était encore en train de bouder à l'étage, ce qui contrariait sa mère. Kiki accompagna Monty d'une pièce à l'autre. La rencontre avec Howard fut brève et malicieuse, chacun décrivant un cercle stylisé autour des positions extrêmes de l'autre — Howard le théoricien radical de l'art, Monty le traditionaliste culturel — et Howard perdit des points car, soûl, il prit tout trop sérieusement. Kiki sépara les deux hommes et manœuvra Howard vers le conservateur d'une petite gale-

147

rie d'art de Boston qui essayait en vain de l'aborder depuis le début de la soirée. Howard n'écouta qu'à moitié ce petit homme inquiet qui tenta d'obtenir de lui des détails sur la série de conférences sur Rembrandt qu'Howard avait promis d'organiser, et qu'il n'avait toujours pas préparée. Le moment fort devait être une conférence d'Howard lui-même, suivie d'un apéritif fromage-vin rouge en partie financé par Wellington. Howard n'avait ni écrit la conférence ni songé avec plus de précision au vin et au fromage. Par-dessus l'épaule de l'homme, il regardait Monty dominer les restes de sa fête. Un débat bruyant et enjoué entre Christian et Meredith se déroulait près de la cheminée ; Jack French, qui rôdait tout près, n'était jamais suffisamment rapide pour placer les bons mots qui lui venaient, hélas trop lentement, à l'esprit. Howard s'inquiéta de savoir si ses soi-disant défenseurs le défendaient. Peut-être qu'on le ridiculisait.

« En fait, je me demande quelle sera la teneur de votre intervention... »

Se concentrant à nouveau sur la conversation en cours, Howard s'aperçut qu'il discutait avec deux hommes et non avec un seul. Goutte au nez, le conservateur était désormais flanqué d'un jeune homme chauve. Ce dernier avait la peau si transparente et le front si proéminent qu'Howard fut tout simplement oppressé par la condition d'être mortel de cet homme. Jamais aucun être humain ne lui avait montré autant son crâne.

« La teneur ?

— "Contre Rembrandt", dit le deuxième homme. Sa voix aiguë et son accent du Sud donnèrent à la conversation une dimension comique à laquelle Howard n'était absolument pas préparé. « C'était le titre que votre assistant nous a envoyé. J'essaie juste de comprendre ce que vous entendez par l'idée d'être "contre Rembrandt". Naturellement, mon organisation cosponsorise l'événement, donc...

— Votre organisation...

— La Société des Amis de Rembrandt, et, bon, je ne suis pas un intellectuel, en tout cas, pas selon vos critères...

— Sans doute », murmura Howard. Il savait que son accent provoquait chez certains Américains une réaction a posteriori. Parfois, ils ne comprenaient que le lendemain à quel point il avait été impoli.

« Je veux dire, il se peut que la "fallacieuse idée de l'humain" soit un concept pour intellectuels, mais je peux vous dire que pour nos membres... »

De l'autre côté de la pièce, Howard vit que le cercle autour de Monty s'était élargi pour accueillir un petit groupe avide de spécialistes des Black Studies, avec à sa tête Erskine et Caroline, sa glaçante épouse d'Atlanta. C'était une Noire extrêmement élancée, un muscle unique de la tête aux pieds, et toujours impeccable — la finesse cossue de la côte Est version noire ; ses cheveux étaient raides et lisses, son tailleur Chanel légèrement plus voyant et plus ajusté que ceux de ses consœurs blanches. C'était l'une des seules femmes de sa connaissance qu'Howard n'ait jamais pu imaginer dans un contexte sexuel — et cela n'avait rien à voir avec ses attributs physiques (Howard fantasmait souvent sur les femmes les plus laides). Il s'agissait plutôt d'impénétrabilité : l'imagination ne parvenait pas à se libérer de l'armure de la puissante personnalité de Caroline. Pour s'imaginer en train de la baiser, il fallait se projeter dans un univers parallèle ; et de toute façon cela ne se passerait jamais comme ça — c'est *elle* qui *vous* baiserait. Extraordinairement orgueilleuse (la plupart des femmes ne l'aimaient pas), elle faisait preuve, comme toute femme dont le mari n'est que superficiellement attentif, d'une maîtrise de soi admirable ; apparemment, son standing social lui suffisait. Mais Erskine étant irrémédiablement coureur, sa femme faisait preuve d'une fierté particulièrement racée et impressionnante qui avait toujours laissé Howard pantois. Elle s'exprimait avec excentricité — impérieuse, elle traitait de *mulâtresses* les maîtresses de son mari —, et sans jamais trahir ses propres sentiments. Avocate célèbre, on la disait sur le point d'être nommée juge à la Cour suprême ; elle connaissait personnellement Powell, et Rice ; elle aimait expliquer patiemment à Howard combien de tels êtres ennoblissaient leur race. Monty était tout à fait son genre. Sa main délicatement manucurée faisait en ce moment des gestes précis et tranchants devant son visage, illustrant peut-être là où commençait la responsabilité, ou bien la distance qu'il leur restait encore à parcourir.

Cependant, la conversation d'Howard perdurait. Il n'en voyait pas la fin.

« Eh bien, dit-il d'une voix tonitruante, espérant conclure sur une étincelante et intimidante démonstration de connaissances universitaires, ce que je voulais dire, c'est que le mouvement européen du dix-septième siècle dont Rembrandt faisait partie a, disons pour faire vite, essentiellement inventé l'idée de l'humain », Howard s'entendit paraphraser le chapitre assommant qu'il avait laissé languir sur l'écran de son ordinateur à l'étage. « Naturellement, le corollaire à cette idée fallacieuse, c'est que nous autres êtres humains sommes d'une importance capitale, *du fait même* de notre esthétisme — pensez à la position dans laquelle il se peint, au centre de ces deux sphères vides sur le mur... »

Howard poursuivit presque par automatisme. Une brise venant du jardin le pénétra en profondeur, empruntant des chemins qu'un corps plus jeune n'aurait jamais permis. Il se sentit infiniment triste alors qu'il énumérait les thèses qui avaient fait de lui une personnalité dans le cercle minuscule qui était le sien. Le désaveu de l'amour dans une partie de sa vie avait refroidi le reste de son existence.

« Présente-moi », dit soudain et avec insistance une femme agrippée au muscle relâché de son biceps. C'était Claire Malcolm.

« Oh, mon Dieu, excusez-moi, je peux vous l'emprunter un instant ? » dit-elle au conservateur et à son ami sans prêter attention à leurs expressions inquiètes. Tirant Howard par la manche, elle se dirigea avec lui vers un coin de la pièce. Dans la diagonale opposée, l'énorme rire de Monty Kipps éclata, dominant le chœur de cris d'hilarité qu'il avait déclenché.

« Présente-moi à Kipps. »

Debout côte à côte, Claire et Howard balayèrent la pièce du regard, comme des parents au bord d'un terrain de foot en train d'encourager leur fils. Ils se tenaient tout près l'un de l'autre. Des rougeurs de pêche provoquées par l'alcool se mêlaient au bronzage intense de Claire ; sur son visage et autour de son décolleté, grains de beauté et taches de rousseur rosissaient, la rajeunissant comme nul produit ou traitement n'aurait jamais su faire. Howard ne l'avait pas vue depuis près d'un an. Avec subtilité et discrétion, et sans avoir besoin de s'en parler, ils avaient pris soin de ne jamais se croiser dans la fac ; ni l'un ni l'autre n'avaient plus mis les pieds dans la cafétéria, et ils s'étaient assurés de ne pas participer aux mêmes réunions. Mesure supplémentaire, Howard avait cessé de fréquenter le café marocain où l'on trouvait chaque après-midi la majeure partie du département d'anglais, chacun dans son coin en train de corriger des tas de copies. Ensuite, au grand soulagement d'Howard, Claire avait passé l'été en Italie. La voir maintenant était une épreuve. Elle portait une petite robe en coton fin. Selon sa position, le tissu épousait — ou non — les formes de son corps menu féru de yoga. À la voir comme ça — sans maquillage, habillée simplement —, nul n'imaginerait les soins minutieux et insolites qu'elle portait à d'autres parties plus intimes de son corps. Howard lui-même avait été ahuri de les découvrir. Il ne se souvenait plus maintenant de la position dans laquelle ils s'étaient trouvés lorsque, curieusement, elle avait évoqué sa mère parisienne pour expliquer cette habitude.

« Bon sang, pourquoi tu veux le rencontrer, *lui* ?

— Warren s'intéresse à lui. Moi aussi d'ailleurs. Je trouve les intellectuels célèbres incroyablement bizarres et intéressants... Ce doit être une sorte de tension pathologique, et lui, il a l'élément racial en plus... Mais j'adore son élégance. Il est carrément *fringant*.

— Un fringant fasciste, oui. »

Claire grimaça. « Mais il est tellement fascinant. C'est comme avec Clinton : une overdose de charisme. Ça doit être une histoire de phéromones, tu vois, c'est genre nasal. Warren pourrait sans doute nous l'expliquer...

— Nasal, anal, en tout cas, ça sort par un orifice ou un autre. » Howard porta son verre à ses lèvres afin de rendre moins audible la phrase suivante : « Félicitations, au fait, il paraît que c'est d'actualité.

— On est très heureux, répondit-elle placidement. Mon Dieu, il me *fascine tellement*... » L'espace d'un instant, Howard pensa qu'elle parlait de Warren. « Regarde comme il s'approprie l'espace. Il est partout, on dirait.

— Ouais, comme la peste. »

Claire tourna vers Howard un visage espiègle. Il comprit qu'elle avait trouvé le moment propice pour le dévisager en toute impunité, puisque la teneur ironique de la conversation était désormais établie. Leur liaison, après tout, était déjà de l'histoire ancienne ; jusqu'à présent, personne ne l'avait découverte. Et entre-temps, Claire s'était mariée ! Cette nuit imaginaire après une conférence dans le Michigan était désormais une réalité acceptée ; c'était comme si la liaison de trois semaines entre Howard et Claire Malcolm à Wellington n'avait jamais eu lieu. Pourquoi ne se parleraient-ils pas, ne se regarderaient-ils pas de nouveau ? Mais en vérité, un seul regard était mortel, et ils le surent tous deux instantanément. Claire tenta vaillamment de continuer la conversation, mais la peur déformait ses propos de façon grotesque.

« Moi, je crois, commença-t-elle d'une voix ridicule et moqueuse, que tu l'envies.

— Tu as bu combien de verres ? »

À ce moment, il souhaita cruellement que Claire Malcolm

disparaisse de la planète. Sans qu'il n'ait rien à faire —
qu'elle disparaisse tout simplement.

« Toutes vos joutes intellectuelles idiotes... », dit-elle ; elle
sourit bêtement, révélant ses gencives roses et ses coûteuses
dents américaines. « Vous savez tous deux qu'elles sont sans
intérêt. Le pays a des problèmes autrement importants sur
le feu. De grandes idées, murmura-t-elle, sont en train de
germer. Tu ne trouves pas ? Parfois je ne sais même plus
pourquoi je suis restée ici.

— De quoi on parle ? De l'état du pays, ou du tien ?

— Fais pas le con, dit-elle avec amertume. Je parle de
nous tous, pas seulement de moi. Sinon, il n'y a aucun intérêt.

— On dirait que tu as quinze ans. J'ai l'impression d'entendre mes enfants.

— Des idées plus importantes que *celles-ci*. Il est question
de fondamentaux. Ceux du vaste monde. Les *fondamentaux*.
Nous avons déçu tes enfants, et les enfants *du monde entier*.
Quand tu vois l'état dans lequel notre pays se trouve aujour-
d'hui, je suis *heureuse* de ne pas avoir fait d'enfants. »
Howard, qui doutait de la sincérité de ce que Claire venait
de dire, cacha son scepticisme en étudiant le parquet en
chêne jaunissant sous leurs pieds. « Mon Dieu, quand je
pense au semestre à venir, ça me rend *malade*. Tout le
monde s'en branle, de *Rembrandt*, Howard... » Elle stoppa
net, rit tristement. « Et de Wallace Stevens. Des idées importantes », répéta-t-elle. Elle vida son verre de vin en hochant
la tête.

« Tout est interconnecté, fit Howard morose, dessinant du
bout de sa chaussure les contours d'une fente vermoulue
dans le parquet. Nous établissons de nouvelles formes de
pensée, puis les autres les pratiquent.

— Tu ne crois pas ce que tu dis.

— Qu'entends-tu par *croire* ? » dit Howard, qui se sentit
anéanti en prononçant ces mots. Il n'avait presque pas assez

de souffle pour finir sa phrase. Pourquoi ne le laissait-elle pas tranquille ?

« Enfin, nom de *Dieu* », protesta Claire ; tapant son petit pied sur le sol et posant sa main à plat sur la poitrine d'Howard, elle se préparait pour l'un de leurs combats traditionnels. Essence contre théorie. Croyance contre pouvoir. Art contre systèmes culturels. Claire contre Howard. Soûle, Claire glissa machinalement un doigt sous la chemise d'Howard, lui touchant la peau. C'est alors qu'ils furent interrompus.

« Alors, c'est quoi les potins ? »

Trop rapidement, Claire retira sa main. Mais Kiki ne regardait pas Claire ; elle regardait Howard. Quand vous êtes mariée à quelqu'un depuis trente ans, son visage vous est aussi familier que votre propre nom. Cela fut rapide et sans équivoque — la supercherie était découverte. Howard le comprit sur-le-champ, mais comment Claire aurait-elle pu remarquer que le coin gauche de la bouche de Kiki s'était imperceptiblement crispé, ou savoir ce que cela signifiait ? Mue par son innocence, et croyant rattraper la situation, Claire prit les mains de Kiki dans les siennes.

« Je veux rencontrer Sir Montague Kipps. Howard fait le malin pour m'en empêcher.

— Howard fait toujours le malin, dit Kiki en lui adressant un second coup d'œil glacé qui confirmait qu'il n'y avait plus de doute possible. Il croit que ça lui donne l'air intelligent.

— Mon Dieu, comme tu as bonne mine, Kiki. Tu devrais être dans une fontaine à Rome. »

Howard supposa que Claire avait un penchant compulsif à flatter Kiki sur son apparence. Tout ce qu'il voulait, c'était la faire taire. Il fut assailli de fantasmes violents et cruels.

« Oh, toi aussi, chérie », répondit Kiki calmement, mettant en sourdine tout cet enthousiasme de pacotille. Il n'y aurait donc pas de scène. Howard avait toujours aimé cela chez sa femme, sa capacité à rester calme — mais à ce moment il aurait préféré l'entendre hurler. Elle se tenait devant lui comme un zombie, le regard inaccessible, le sourire figé. Et ils étaient toujours empêtrés dans cette conversation ridicule.

« Écoute, j'ai besoin qu'on me lance, ajouta Claire. Je ne veux pas qu'il ait la satisfaction de savoir que j'ai envie de lui parler. Avec quoi pourrais-je attirer son attention ?

— Il touche à tout », dit Howard, son désespoir intime se muant en colère. « T'as le choix. L'état de l'Angleterre, l'état des Caraïbes, l'état de la négritude, de l'art, des femmes, des États-Unis, tu n'as qu'à donner le *la* et il te chantera le reste. Et puis il pense que la discrimination positive est l'œuvre du diable, c'est un vrai charmeur, c'est un... »

Howard se tut. Tout l'alcool dans son sang l'avait trahi ; ses phrases bondissaient comme des lapins dans leurs terriers ; bientôt il ne distinguerait ni la lueur d'une pensée ni les ténèbres qui l'engloutissaient.

« Howie, tu es en train de te ridiculiser », dit Kiki avec précision. Elle se mordilla la lèvre. Howard discernait le combat intérieur qu'elle livrait. Il discerna sa détermination. Elle ne crierait pas, elle ne pleurerait pas.

« Il est contre la discrimination positive ? C'est inhabituel, non ? demanda Claire, les yeux rivés sur Monty qui hochait la tête.

— Pas vraiment, répondit Kiki. C'est juste un conservateur noir qui considère comme humiliant pour des enfants noirs de s'entendre dire qu'ils ont besoin de traitements spéciaux pour réussir, et cetera. Son arrivée à Wellington tombe vraiment au mauvais moment : le Sénat ne va pas tarder à voter un projet de loi s'opposant à la discrimination positive, ça va faire des dégâts. On doit être fermes sur ce sujet maintenant. Mais tu le sais bien. Vous avez fait tout le travail, Howard et toi. » Kiki écarquilla les yeux en prononçant ces derniers mots, intériorisant la portée de ce qu'elle venait de dire.

« Ah... », fit Claire en tournant entre ses doigts le pied de son verre vide. La politique locale l'ennuyait. Un an et demi plus tôt, elle avait passé six mois comme représentante en titre de la commission de Wellington sur la discrimination positive qu'animait Howard — c'est ainsi qu'avait commencé leur liaison —, mais cela ne l'avait guère intéressée, et elle n'avait pas été assidue aux réunions. Elle avait accepté d'en faire partie parce que Howard (qui redoutait qu'un collègue détesté y fût nommé) l'en avait suppliée. Claire ne s'intéressait vraiment qu'à l'apocalypse à l'échelle mondiale : armes de destruction massive, présidents autocratiques, génocide. Elle avait en horreur commissions et réunions. Elle aimait manifester et signer des pétitions.

« Tu devrais lui parler d'art, il paraît qu'il est collectionneur. L'art des Caraïbes, poursuivit Kiki courageusement.

— Je suis *fascinée* par les enfants aussi. Ils sont éblouissants. »

Howard grogna, révulsé. À présent, il était désespérément soûl.

« Jerome est tombé brièvement amoureux de la fille, ajouta Kiki sèchement. L'année dernière. Sa famille a flippé un tout petit peu, et Howard a rendu la situation bien pire qu'elle n'avait lieu d'être. L'histoire tout entière était d'une bêtise sans nom.

— Vous êtes continuellement dans le drame, je vois, fit Claire joyeusement. Je le comprends, Jerome, je l'ai vue, cette fille, elle est incroyable, elle ressemble à Néfertiti. N'est-ce pas, Howard ? Comme une de ces statues du fin fond du Fitzwilliam, à Cambridge. Tu les connais, non ? Elle a un visage merveilleusement ancien. Tu ne trouves pas ? »

Howard ferma les yeux et but une grande lampée.

« Howard, la musique », articula Kiki en se tournant enfin vers son mari. Ses yeux étaient étonnamment déconnectés de ce qu'elle disait, comme ceux d'une mauvaise actrice. « Je n'en peux plus, du hip-hop. Je me demande qui a bien pu mettre ça. Les gens ne supportent pas, ça vient même de faire fuir Albert Konig, je crois. Mets Al Green, quelque chose que tout le monde puisse apprécier. »

Claire avait déjà avancé de quelques pas vers Monty. Kiki la rejoignit, puis rebroussa chemin vers Howard pour lui glisser quelque chose à l'oreille. Sa voix, contrairement à l'emprise qu'elle avait sur son poignet, était faible. Elle prononça un nom suivi d'un point d'interrogation incrédule. Howard sentit son estomac se liquéfier.

« Tu peux rester dans la maison, continua Kiki, et sa voix se brisa, mais c'est tout. Tu ne m'approches pas. Surtout ne m'approche pas. Sinon je te tue. »

Puis elle se dégagea calmement et emboîta derechef le pas à Claire Malcolm. Howard regarda s'éloigner ensemble sa femme et sa grande erreur.

D'emblée il fut convaincu qu'il allait vomir. Il avança d'un pas déterminé dans le couloir qui menait à la salle de bains. Puis, se souvenant de ce que Kiki venait de lui demander, devint bizarrement déterminé à s'en charger. Il s'attarda dans l'embrasure de la porte qui menait au second salon, où une seule personne se trouvait, accroupie devant la chaîne stéréo parmi un tas de CD. Il avait déjà vu ce dos étroit et vigoureux dénudé dans la nuit : un haut sophistiqué, noué autour du cou. On s'attendrait presque à la voir se déployer et danser le chant du cygne.

« Bon, d'accord », dit-elle en tournant la tête. Howard eut l'étrange sentiment qu'elle répondait à sa demande silencieuse. « Ça se passe bien ?

— Pas vraiment.

— Dommage.

— Tu t'appelles Victoria, c'est ça ?

— *Vee*.

— Oui. »

Elle se tint en équilibre sur ses talons et tourna le haut du corps vers lui. Ils se sourirent. Howard ressentit spontanément un élan d'empathie pour son fils aîné. Les mystères de l'année passée s'élucidaient d'eux-mêmes.

« C'est donc toi, la DJ ? » fit Howard. Y avait-il un nouveau mot pour désigner ça ?

« On dirait... ça vous embête pas, j'espère.

— Non, non... même si certains de nos invités d'un certain âge trouvent le choix un peu... disons agité.

— Je vois. On vous a envoyé pour me rappeler à l'ordre. »

Il était étrange d'entendre cette phrase typiquement anglaise prononcée avec un accent anglais.

« Pour dialoguer, je crois. Il est à qui, ce disque, d'ailleurs ?

— "Le mix de Levi" », fit-elle en lisant l'autocollant sur le boîtier du CD. Elle secoua la tête en fixant tristement Howard du regard. « On dirait que le mal est fait », dit-elle.

Naturellement, elle était intelligente. Jerome n'aurait jamais supporté une idiote, si renversante fût-elle. Problème qu'Howard n'avait jamais eu dans sa jeunesse. L'intelligence n'avait commencé à compter pour lui que bien des années plus tard.

« Qu'est-ce qu'elle avait, la musique qui passait avant ? »

Elle le dévisagea. « Vous n'écoutiez pas, ou quoi ?

— Kraftwerk... c'est pas nul, Kraftwerk.

— *Deux heures* de Kraftwerk ?

— Il doit bien y avoir autre chose quand même.

— Vous l'avez vue, cette collection ?

— Ben oui, c'est la mienne. »

Elle rit et secoua ses cheveux. C'étaient de nouveaux cheveux, attachés en une queue-de-cheval qui tombait dans son dos en une cascade de boucles synthétiques. Elle changea de position, lui fit face, puis s'assit à nouveau sur ses talons. Un tissu violet et scintillant comprimait sa poitrine. Elle semblait avoir de gros mamelons, du diamètre des anciennes pièces de dix pence. Howard baissa les yeux, feignant la honte.

« Genre, comment vous-êtes vous retrouvé avec celui-ci, par exemple ? » Elle brandit un disque de musique électronique.

« Je l'ai acheté.

— Oui, mais pas de votre plein gré. Vous l'avez acheté sous la contrainte d'un homme armé. Il vous a accompagné jusqu'à la caisse. » Elle mima la scène. Elle gloussa lascivement, dans le même registre grave que sa voix parlée. Howard haussa les épaules, énervé par son manque de déférence.

« Donc on reste dans le registre agité ?

— J'en ai bien peur, professeur. »

Elle lui fit un clin d'œil. Sa paupière descendit au ralenti. Ses cils étaient extravagants. Howard se demanda si elle était soûle.

« Je repasserai sous peu », dit-il, et il se retourna pour partir. Il se prit le pied dans un pli du tapis, mais réussit à se redresser.

« Holà, attention.

— Ho... là, répéta Howard.

— Dites-leur de se calmer. Ça n'est que du hip-hop. Ça va pas les tuer.

— D'accord », fit Howard.

« ... Pas encore », l'entendit-il dire alors qu'il quittait le salon.

La leçon d'anatomie

L'une des erreurs possibles est de mésestimer, voire de minimiser la relation qu'entretient l'université avec la beauté. L'université fait partie des choses précieuses qui peuvent être détruites.

Elaine Scarry

1

L'été quitta abruptement Wellington en claquant la porte. Le frémissement qui s'ensuivit fit tomber toutes les feuilles d'un coup, et Zora Belsey eut le sentiment étrange, typique de la fin septembre, que, dans une petite salle de classe pleine de petites chaises, une institutrice l'attendait. Cela lui semblait incongru d'aller en ville à pied sans cravate rutilante, sans jupe plissée, sans une panoplie de gommes parfumées. Le temps ne se définit pas par ce qu'il est, mais par notre manière de le ressentir, et Zora se sentait exactement comme avant. Elle vivait toujours avec ses parents, elle était toujours pucelle. Pourtant, elle se rendait à son premier jour de cours en deuxième année de fac. L'an passé, quand Zora était en première année, les deuxième année lui semblaient être des humains d'un autre genre : tellement sûrs de leurs goûts, de leurs opinions, de leurs passions et de leurs idées. Zora s'était réveillée ce matin dans l'espoir d'avoir été métamorphosée de façon similaire pendant la nuit. Cependant, voyant que ce n'était pas le cas, elle fit ce que font habituellement les filles lorsqu'elles ne se sentent pas à la hauteur du rôle qu'elles sont censées tenir : elle s'habilla pour compenser. Elle n'était pas tout à fait sûre d'avoir réussi son coup. Elle s'immobilisa à l'angle d'Houghton et Maine et se scruta dans la vitrine de Lorelie's, un salon de coiffure kitsch des années cinquante. Tentant de se mettre à la place de ses pairs, elle se posa la question extrêmement difficile, *Que penserais-je de moi ?* Elle avait cherché à paraître « bobo intello » : intrépide ; avenante ; valeureuse ; téméraire. Elle portait une longue jupe bohémienne vert bouteille, une blouse en coton blanc avec collerette excentrique, une épaisse ceinture de velours marron qui appartenait à Kiki — datant de l'époque où sa mère pouvait porter des ceintures —, des chaussures lourdes et une espèce de chapeau. Quelle sorte de chapeau ? Un *chapeau d'homme*, un feutre vert qui ressemblait un peu à un chapeau mou, sans l'être. L'ensemble ne traduisait pas l'effet voulu en partant de chez elle. Pas du tout.

Un quart d'heure plus tard Zora se débarrassa de cet accoutrement dans le vestiaire des filles de la piscine de l'université. Cela faisait partie du nouveau programme d'amélioration de soi qu'elle s'était établi pour l'automne : se lever de bonne heure, nager, cours, déjeuner léger, cours, bibliothèque, maison. Elle écrasa son chapeau dans son casier et tira son bonnet de bain sur ses oreilles. Une Chinoise nue qui, de dos, semblait avoir dix-huit ans se tourna et son visage affaissé, aux petits yeux d'obsidienne comprimés sous les replis de ses paupières, surprit Zora. Ses poils pubiens, très longs, raides et gris, ressemblaient à de l'herbe sèche. *T'imagines, être comme ça ?* pensa Zora vaguement, et l'idée trottina dans son esprit quelques secondes, s'effondra, se volatilisa. Elle attacha la clé de son casier à l'étoffe noire de son maillot de bain. Elle longea la longueur du bassin, ses pieds plats claquant sur le carrelage humide. Au-delà des gradins, le soleil d'automne traversait un mur de verre, inondant ce vaste espace comme les projecteurs de la cour d'une prison. Là, de cette position avantageuse derrière le verre, une longue file d'athlètes sur des tapis de course dominaient Zora et tous les autres qui n'étaient pas assez en forme pour faire de la gym. Là-haut, les êtres idéaux faisaient de l'exercice ; ici-bas les êtres difformes flottaient, pleins d'espoir. Deux fois par semaine, la dynamique changeait lorsque les membres de l'équipe de natation investissaient les lieux de leur splendeur, reléguant Zora et les autres dans le petit bassin où ils partageaient les couloirs de nage avec bébés et vieillards. Les membres de l'équipe de natation plongeaient du bord de la piscine, remodelant leurs corps en flèches, et fendant la surface d'une eau qui semblait les accueillir avec gratitude. Les gens comme Zora s'asseyaient précautionneusement sur le carrelage antidérapant et se contentaient de tremper leurs pieds dans l'eau tout en entamant des pourparlers avec leurs propres corps afin de passer à l'étape suivante. Il n'était pas inhabituel que Zora se déshabille, marche le long de la piscine, regarde les athlètes, s'assoie, trempe ses orteils, se relève, marche le long de la piscine, regarde les athlètes, se rhabille et quitte les lieux. Mais pas aujourd'hui. Aujourd'hui elle recommençait de zéro. Zora avança de quelques centimètres et sauta ; l'eau la recouvrit soudain jusqu'au cou comme un vêtement. Elle marcha pendant une minute dans le bassin puis se laissa aller sous l'eau. Soufflant par les narines, elle nagea lentement et sans grâce — sans vraiment pouvoir coordonner ses bras et ses jambes —, mais en se sentant davantage dans son élément que sur la terre ferme. Malgré les apparences, Zora faisait la course avec plusieurs femmes dans le bassin (elle s'assurait toujours de choisir des femmes qui étaient plus ou moins de sa taille, et qui avaient plus ou moins son âge ; elle avait un sens profond de l'équité), et elle conservait sa volonté de nager en fonction de sa capacité à rester à hauteur de ses concurrentes involontaires. Ses lunettes de natation commencèrent à prendre l'eau par le côté. Elle les enleva d'un coup sec, les posa au bord du bassin et nagea quatre longueurs sans, mais il est bien plus difficile de nager en surface que sous l'eau. L'effort est plus conséquent pour soutenir son propre poids. Zora retourna

165

au bord et passa la main à l'aveuglette à la recherche de ses lunettes, sans succès ; elle sortit alors de l'eau pour vérifier — elles avaient disparu. Elle se mit immédiatement en colère, obligea un malheureux maître nageur, étudiant de première année, à s'agenouiller au bord du bassin. Elle ne lui aurait pas parlé plus durement s'il avait lui-même été le voleur. Au bout d'un moment, Zora abandonna son interrogatoire et repartit à la nage, scrutant la surface de l'eau. Un garçon la dépassa rapidement sur sa droite et d'un battement de pieds lui expédia de l'eau dans les yeux. Elle gagna tant bien que mal le bord en buvant la tasse. Elle fixa des yeux la nuque du garçon, et reconnut l'élastique rouge de ses lunettes. Elle s'accrocha à l'échelle la plus proche, et l'attendit. Elle le vit à l'autre bout du bassin virer en faisant la culbute avec aisance, comme Zora avait souvent rêvé de le faire. C'était un garçon noir qui portait un remarquable short de bain abeille à rayures jaunes et noires qui le moulait avec autant de souplesse et de précision que sa propre peau. La ligne bombée de son derrière affleura à la surface comme un ballon de plage tout neuf. Quand il s'élança de nouveau, il parcourut la longueur du bassin sans sortir la tête de l'eau pour respirer. Il était plus rapide que tout le monde. C'était sûrement un de ces connards de l'équipe de natation. Entre la cambrure de ses reins — creusés comme un pot de glace dans lequel on vient de prélever une boule — et la courbe de ses fesses hautes et sphériques, était dessiné un tatouage. Ça devait être le symbole d'une confrérie d'étudiants. Mais les contours étaient brouillés et distordus par le soleil et l'eau et, avant que Zora ne puisse le déchiffrer, le garçon se trouvait à côté d'elle, bras posé sur la ligne de nage, cherchant à reprendre son souffle.

« Euh, excuse-moi...

— Hein ?

— J'ai dit, excuse-moi, je crois que ce sont mes lunettes que tu portes.

— Je t'entends pas, attends une seconde. »

Il se hissa hors de l'eau en appuyant ses coudes sur le bord, de sorte que son bassin se trouva au niveau des yeux de Zora. Pendant plus de dix secondes, elle put admirer la forme prononcée de sa virilité qui tirait à gauche sur sa cuisse, transformant les rayures abeille en grosses vagues, comme si rien ne la recouvrait. Sous cette image saisissante, étirant son maillot, ses couilles pendaient basses et lourdes, baignant encore dans l'eau tiède. Son tatouage représentait le soleil — le soleil doté d'un visage. Elle avait l'impression de l'avoir déjà vu. Ses rayons épais se déployaient en éventail comme la crinière d'un lion. Le garçon ôta deux bouchons de ses oreilles, enleva les lunettes, les posa sur le bord et revint au niveau de Zora, qui se maintenait difficilement dans l'eau.

« J'entends rien avec les bouchons.

— Je disais que tu as mes lunettes. Je les ai posées pendant une seconde, et elles sont plus là, peut-être que tu les as ramassées par erreur... mes lunettes ? »

Le garçon grimaçait. Il chassa l'eau qui ruisselait sur son visage en secouant la tête. « On se connaît, non ?

— Quoi ? Non, écoute, passe-moi les lunettes, s'il te plaît. »

Sans cesser de grimacer, le garçon passa rapidement son bras long sur le bord et lui tendit les lunettes.

« Ouais, donc ce sont bien les miennes. C'est mon élastique rouge. L'autre s'est cassé, et j'ai mis celui-là moi-même, tu vois... »

Le garçon sourit. « Eh bien, si elles sont à toi, tu devrais les reprendre. »

Il lui tendit une longue paume de main — d'un intense marron comme celles de Kiki, avec des lignes plus sombres. Les lunettes étaient suspendues au bout de son index. Zora avança pour les prendre mais ne fit que heurter le doigt du garçon. Elle plongea ses mains dans l'eau ; les lunettes tournoyaient vers le fond, l'élastique rouge virevoltant en volutes inertes. Zora prit une courte inspiration d'asthmatique et

167

s'essaya à un plongeon. À mi-chemin, la nature flottante de sa chair la fit remonter à la surface, fesses en l'air.

« Tu veux que je... », proposa le garçon, puis sans attendre la réponse, il se replia sur lui-même et disparut sous l'eau sans le moindre éclaboussement. Il refit surface presque aussitôt, lunettes suspendues au poignet. Il les déposa dans les mains de Zora, ce qui donna lieu à un autre moment délicat, car Zora dut mobiliser toute son énergie pour faire du surplace dans l'eau et s'en saisir en même temps. Sans un mot elle s'éloigna vers le bord, puis fit de son mieux pour grimper à l'échelle avec dignité et quitter le bassin. Sauf qu'elle ne partit pas tout à fait. Le temps d'une longueur de bassin, elle se tint près de la chaise du maître nageur et observa le soleil souriant qui progressait dans l'eau, la cabriole de bébé phoque qui découvrit le torse du garçon, les eaux labourées par deux bras sombres dans un mouvement de turbine, le jeu des muscles de ses épaules, ses jambes parfaitement dessinées qui faisaient ce que ferait toute jambe humaine avec un peu plus d'effort. Pendant vingt-trois secondes entières, Zora pensa à autre chose qu'à elle-même.

« Je *savais* que j'te connaissais. Mozart. »

Il était habillé à présent, les encolures de plusieurs tee-shirts dépassant de son sweat à capuche des Red Sox. Son jean noir s'affalait sur les bouts blancs cannelés de ses baskets. Si quelques instants auparavant Zora ne l'avait vu comme Dieu l'avait fait, elle n'aurait pas eu la moindre idée des formes cachées sous toutes ces épaisseurs. Seule l'élégance de son cou, au sommet duquel sa tête dodelinait à droite et à gauche comme celle d'un jeune animal qui découvre le monde, en donnait une indication. Il était assis dehors sur les marches du gymnase, jambes largement écartées, casque sur les oreilles, hochant la tête en écoutant la musique — Zora faillit lui marcher dessus.

« Désolée, j'aimerais juste... », murmura-t-elle en le contournant.

Il glissa son casque sur son cou, se redressa d'un bond et descendit les marches à sa suite.

« Hé ho, la fille au chapeau, j'te cause — hé —, attendsmoi une seconde. »

Zora s'immobilisa sur la dernière marche, remonta le bord de son chapeau stupide, leva les yeux et le reconnut enfin.

« Mozart, répéta-t-il, un doigt pointé sur elle. Pas vrai ? C'est toi qu'as pris mon lecteur de CD, t'es la sœur de mon pote, Levi.

— Zora, c'est ça.

— Carl. Carl Thomas. Je *savais* que c'était toi. La sœur de Levi. »

Il se tint là et hocha la tête en souriant comme s'ils venaient de mettre au point un vaccin contre le cancer.

« Donc... euh... tu vois Levi, ou... ? » tenta Zora maladroitement. La perfection de son corps lui rappela à quel point elle-même était mal faite. Elle croisa les bras sur sa poitrine, puis les recroisa dans l'autre sens. Soudain, elle ne parvenait pas à se tenir de façon même relativement normale. Le regard de Carl dépassa l'épaule de Zora pour se perdre dans la rangée d'ifs dégarnis menant au fleuve.

« Tu sais, j'l'ai même pas vu depuis le concert. Il me semble qu'on devait se voir à un moment donné, mais... » Il se concentra à nouveau sur elle. « Tu vas où, tu descends par là ?

— En fait, je vais dans l'autre sens, jusqu'au square.

— Cool, je peux aller par là, moi aussi.

— Euh... O.K. »

Ils firent quelques pas ensemble, puis le trottoir prit fin. Ils attendirent en silence que le feu passe au rouge. Carl avait remis son casque sur une oreille, et hochait la tête en rythme. Zora regarda sa montre, puis jeta un œil autour d'elle de façon empruntée, comme pour convaincre les passants qu'elle n'avait pas la moindre idée de ce que ce type pouvait bien lui vouloir.

« Tu fais partie de l'équipe de natation ? dit Zora alors que le feu refusait obstinément de rougir.

— Hein ? »

Zora secoua la tête, serra les lèvres.

« Non, répète. » Il enleva son casque à nouveau. « Qu'est-ce que tu disais ?

— Rien, je me... je me demandais juste si tu faisais partie de l'équipe de natation.

— Est-ce que j'ai *l'air* de faire partie de l'équipe de natation ? »

Le souvenir de Carl qu'avait Zora se précisa dans son esprit. « Euh... ce n'est pas une insulte, je veux juste dire que t'es rapide. »

Carl baissa ses épaules, qui étaient restées comme attachées à ses oreilles, mais son visage resta tendu. « J'aurais plus de chances de faire partie de l'Agence tous risques que de l'équipe de natation, crois-moi. Faut être en fac pour faire partie de l'équipe de natation, à ce qu'il me semble. »

Deux taxis se croisèrent. Les chauffeurs ralentirent et s'arrêtèrent côte à côte, s'apostrophant gaiement par les fenêtres ouvertes de leurs véhicules alors qu'un concert de klaxons s'élevait autour d'eux.

« Qu'est-ce qu'ils sont bavards, ces Haïtiens, je te jure. On dirait qu'ils s'engueulent tout le temps. Même quand ils sont contents, ils ont l'air furax », rumina Carl. Zora planta son doigt sur le bouton piétons.

« Tu vas à beaucoup de concerts classiques... ? » demanda Carl au moment même où Zora disait : « Donc, tu vas à la piscine pour piquer les lunettes des autres...

— Oh, merde. » Carl éclata de rire, faussement, pensa Zora. Elle enfonça son portefeuille au fond de son fourre-tout, ferma discrètement la fermeture éclair.

« J'suis désolé pour tes lunettes. T'es encore fâchée à cause de ça ? Je pensais que personne les utilisait. Mon pote

Anthony travaille dans le vestiaire, c'est lui qui me fait entrer sans carte, donc tu vois. »

Zora ne voyait pas. Le chant d'oiseau de la signalisation retentit, informant les piétons aveugles qu'ils pouvaient désormais traverser.

« Je disais juste, tu vas souvent à ce genre de trucs ? demanda Carl en traversant la rue avec elle. Genre, comme le Mozart ?

— Euh... pas vraiment... sans doute pas aussi souvent que je devrais. Je passe pas mal de temps à étudier, tu vois.

— T'es en première année ?

— Deuxième. C'est mon premier jour.

— Wellington ? »

Zora fit oui de la tête. Ils s'approchaient du bâtiment principal du campus. Il semblait vouloir lui faire ralentir le pas, pour retarder le moment où elle passerait le portail, hors de son monde.

« *Génial.* Éduquée, la renoi. C'est cool, vraiment, c'est carrément incroyable, c'est... bien, tu t'y prends bien avec ton truc et tout. C'est ce qu'il y a de mieux, l'éducation. Pour s'élever, faut rien lâcher. Wellington. Hum. C'est bien. »

Zora sourit faiblement.

« Non, j'te jure, tu as travaillé pour, tu le mérites », dit Carl, et il regarda autour de lui, l'air distrait. Il rappelait à Zora les jeunes garçons des quartiers sensibles dont elle s'était occupée à Boston — elle les emmenait au parc, au cinéma — à l'époque où elle avait encore le temps de faire ce genre de choses. La capacité de concentration de Carl était comme la leur. Et il avait les mêmes tremblements de pied et hochements de tête constants, comme si l'immobilité représentait un danger.

« Parce que tu vois, le truc avec Mozart, dit-il soudain. C'est ça le truc, pour moi, par rapport au *Requiem*... j'connais pas très bien ses autres trucs, tu vois, mais le *Requiem*, ce qu'on écoutait, bon, ben tu vois le *Lacrimosa* ? »

Il fendit l'air des doigts comme un chef d'orchestre guidant son interlocutrice vers la réaction souhaitée.

« Le *Lacrimosa*, tu connais.

— Euh... non », répondit Zora, remarquant avec inquiétude les flots d'étudiants qui pénétraient par vagues dans le bâtiment pour s'inscrire. Elle était déjà en retard.

« C'est genre, le huitième beat, dit Carl avec impatience. Je l'ai échantillonné pour une chanson que j'ai faite, après le concert, et c'est ouf, avec les anges qui chantent de plus en plus dans les aigus, et les violons, j'te jure ; unh da-DA, unh da-DA, unh da-DA, c'est carrément *incroyable* d'écouter ça, et c'est du *délire* quand tu mets des mots par-dessus et un gros groove en dessous, tu connais le passage, ça fait... », et il se remit à chantonner la mélodie.

« Je t'assure, je connais pas. C'est pas mon truc, la musique classique, tu vois, et...

— Non, j'te jure, tu dois te souvenir, puisque moi je me souviens de vous avoir entendus, toi, ta mère et les autres, discuter si c'était un génie, tu dois te rappeler, et...

— C'était genre, il y a un mois, répondit Zora, perplexe.

— Oh, moi, je suis très mémoriseur, tu sais, je me souviens de tout. Tu me dis quelque chose : je m'en souviens. J'oublie jamais un visage, tu vois bien que j'oublie pas, t'en es la preuve. Et c'tait juste, tu vois, c'tait intéressant pour moi, par rapport à Mozart, passque moi aussi je fais d'la zik... »

Cette comparaison improbable fit sourire Zora malgré elle.

« Et puis j'en ai appris un peu plus là-dessus, j'ai lu des livres sur la musique classique, passque tu peux pas faire ce que je fais, moi, sans connaître aut' chose qu'ton truc, genre tes influences, et tout... »

Zora hocha poliment la tête.

« *Bien*, tu me *comprends* », dit Carl vigoureusement, comme si, en hochant ainsi la tête, Zora avait signé une mystérieuse déclaration de principe dont Carl serait l'auteur.

« Donc, tu vois, il paraît que ce passage, il l'a même pas composé ; j'veux dire, c'est lui, en partie tu vois ? Apparemment, il est mort au milieu de ce truc, et c'est d'autres gens qu'ont été engagés pour le terminer. Donc, la partie principale de ce *Lacrimosa* est d'un mec qui s'appelle Süssmayr, et c'est carrément dingue, parce que c'est le meilleur truc dans le *Requiem*. Du coup je me suis dit, putain, tu peux carrément t'améliorer à la proximité du génie. Süssmayr, c'est un jeune mec à la batte qui fait son entrée dans l'élite et qui renvoie carrément la balle hors du stade. Tout le monde essaie de prouver que c'est du Mozart, parce que ça colle à leur idée de qui peut faire de la musique comme ça et qui ne peut pas en faire, alors qu'en vérité ce son incroyable a été balancé par un petit mec, Süssmayr, monsieur tout le monde. J'ai carrément halluciné quand j'ai lu ça. »

Pendant tout ce temps, tandis qu'il parlait et qu'elle essayait, ahurie, de l'écouter, Zora était hypnotisée par le visage de Carl, tout comme chaque personne qui passait près de lui sous ce passage voûté semblait l'être : elle remarqua qu'on le regardait furtivement en détournant la tête à contrecœur, comme si on regrettait de devoir remplacer l'image de Carl par une chose aussi banale qu'un arbre ou la bibliothèque, ou deux gosses jouant aux cartes sur les pelouses de la cour. Comme il était beau à voir !

« En tout cas, dit-il, déçu par son silence, j'avais envie d'te le dire et maintenant j'te l'ai dit, donc... » Tout enthousiasme avait disparu de sa voix.

Zora reprit ses esprits. « Tu voulais me le dire, à *moi* ?

— Non, non, non, c'est pas ça. » Il éclata d'un rire rauque. « *Putain*, frangine, j'suis pas un violeur, j'te jure... » Il lui tapota doucement le bras gauche. Une charge électrique traversa le corps de Zora, la frappa au bas-ventre et finit par se loger dans la région de ses oreilles. « Je dis juste que c'est resté dans ma tête, tu vois, parce que dans les trucs en ville où je vais, je suis d'habitude le seul *nègre*, tu vois, on ne voit pas beaucoup de Blackos dans ce genre de trucs, et je me suis dit : Bon, si jamais je revois cette Noire grincheuse, je vais lui faire part de mes pensées mozartiennes, on verra comment elle réagit. C'est tout. C'est ça, la fac, non ? Tu paies tout cet argent pour ça : pouvoir parler aux autres de trucs de ce genre. Tu paies pour ça. » Il hocha la tête avec autorité. « Pas aut' chose.

— J'imagine.

— C'est rien de plus que ça », insista Carl.

La sonnerie de l'université retentit, pompeuse et monotone, suivie par la mélodie plus joyeuse, composée de quatre notes, de l'église épiscopale de l'autre côté de la rue. Zora prit un risque : « Tu sais, tu devrais rencontrer mon autre frère, Jerome. Il est complètement accro à la musique et la poésie... il est un peu coincé du cul, mais je veux dire, tu devrais passer un de ces jours, si t'as envie de parler... Il est à Brown en ce moment, mais il rentre toutes les deux ou trois semaines... ma famille est assez incroyable côté conversation, même s'ils me rendent un peu folle parfois... mon père est professeur, donc... » Carl rejeta la tête en arrière, surpris. « Non, mais, il est cool... et c'est plutôt incroyable de discuter avec lui... mais sérieusement, n'hésite pas à passer si tu veux parler, et... »

Carl regarda froidement Zora. Lorsqu'un garçon le frôla en passant, Zora vit Carl redresser son épaule et donner un petit coup au jeune première année ; celui-ci, voyant qu'il venait de se faire bousculer par un grand Noir, continua son chemin sans piper.

« À vrai dire, répondit Carl en suivant du regard le garçon qu'il avait poussé, je *suis* passé chez vous, mais apparemment j'étais pas le bienvenu, donc...

— T'es venu... ? » fit Zora sans comprendre.

Carl décela sur le visage de la jeune fille sa bonne foi. D'un geste du bras, il écarta le sujet. « En fait, j'suis pas un grand parleur. J'ai du mal à m'exprimer quand je parle. J'écris mieux. Lorsque je rime c'est genre CHLACK. Je suis dessus, je tape avec mon marteau et le clou transperce le bois, tu

174

vois. Mais une conversation ? Je me cogne le doigt à chaque fois. »

Zora rit. « Tu devrais entendre les première année de mon père. *J'étais genre*, dit-elle d'une voix aiguë suffisamment stridente pour être entendue sur l'autre côte des États-Unis, *et elle était genre, et il était genre, et j'étais genre, oh mon Dieu.* Et cetera *ad aeternam.* »

Carl eut un air étonné. « Ton père, le prof..., dit-il lentement. C'est un Blanc, non ?

— Howard. Il est anglais.

— Anglais ! » dit Carl, écarquillant ses yeux aux blancs crayeux ; puis, une fois ce concept entièrement assimilé, il renchérit : « J'ai jamais été en Angleterre, moi. J'ai jamais quitté les États-Unis. Donc... » Il battait avec la paume de sa main un étrange petit motif rythmique. « Il est genre prof de maths, ou quoi ?

— Mon père ? Non. Histoire de l'art.

— Tu t'entends bien avec lui, avec ton vieux ? »

Le regard de Carl se remit à vagabonder. Un nouvel accès de paranoïa s'empara de Zora. Pendant un instant, elle crut que toutes ces questions constituaient une sorte de préambule verbal qui mènerait — en passant par des chemins qu'elle ne prit point le temps de considérer — jusqu'à la maison familiale, aux bijoux de sa mère, au coffre-fort dans la cave. Elle se mit à parler à tort et à travers, comme elle avait l'habitude de faire lorsqu'elle essayait de dissimuler le fait qu'elle pensait à autre chose.

« Howard, il est génial. Je veux dire, c'est mon *père*, donc parfois, tu vois..., mais il est cool, je veux dire, il vient d'avoir une *aventure*... ouais, je sais, tout s'est su, c'était avec une autre prof, donc c'est plutôt la merde en ce moment chez moi. Ma mère est carrément *à l'ouest*. Mais je me dis, genre, allez, quel type un peu sophistiqué d'une cinquantaine d'années n'a pas d'aventure ? En vérité, c'est même un passage obligé. Les hommes intellectuels sont attirés par les femmes intellectuelles. C'est pas une putain de surprise. Et en plus, ma mère ne se facilite pas la tâche, elle pèse au moins cent trente kilos ou un truc comme ça... »

Carl baissa les yeux, apparemment gêné pour Zora. Elle rougit et enfonça profondément dans ses paumes ses ongles rongés.

« Les grosses aussi ont besoin d'amour », fit Carl avec philosophie, et passant sa main sous sa capuche, sortit une cigarette cachée derrière son oreille. « Tu devrais y aller », dit-il en l'allumant. Maintenant, il semblait en avoir assez d'elle. Zora fut envahie par le triste sentiment qu'une chose précieuse venait de lui échapper. D'une manière ou d'une autre, son verbiage avait fait s'envoler Mozart et son pote Suss-machin-truc aussi.

« Des gens à voir, des choses à faire, j'suis sûr, dit-il.

— Oh, non... je veux dire, j'ai juste rendez-vous. C'est pas vraiment...

— Rendez-vous important, dit Carl d'un ton méditatif, ayant l'air l'espace d'un instant de visualiser la chose.

— Pas vraiment... en fait, c'est plutôt un rendez-vous sur l'avenir, j'imagine. »

Zora s'acheminait vers le bureau du professeur French, le doyen de la faculté, pour se pencher avec lui sur son hypothétique futur. Elle était particulièrement soucieuse de n'avoir pas été admise, le semestre dernier, au cours de poésie de Claire Malcolm. Elle n'avait pas encore vu le tableau des résultats de ce semestre, mais si cela devait se reproduire, son avenir pourrait vraiment en pâtir. Il fallait donc en parler, ainsi que d'autres aspects aussi nombreux que troublants concernant son futur et le futur de son futur. C'était le premier des sept rendez-vous qu'elle avait pris l'initiative d'organiser pour la première semaine du semestre. Zora adorait organiser des rendez-vous concernant son avenir avec des gens importants pour lesquels celui-ci n'était pas un problème de tout premier ordre. Plus nombreux étaient ceux au courant de ses projets, plus ces derniers se concrétisaient dans son esprit.

« L'avenir, c'est un autre pays », affirma Carl tristement, puis la chute lui vint naturellement ; son visage se laissa aller à un sourire. « Et j'ai *toujours* pas de passeport.

— Ça... C'est une de tes paroles ?

— Ça se pourrait, ça se pourrait. » Il haussa les épaules et se frotta les mains, même s'il ne faisait pas froid, pas encore. D'une voix profondément fausse, il dit : « C'était sympa de parler avec toi, Zora. J'ai appris plein de choses. »

Il paraissait à nouveau en colère. Zora détourna le regard et tripota la fermeture éclair de son fourre-tout. Elle eut soudain une envie aussi irrésistible que peu coutumière de l'aider. « Ça m'étonnerait. J'ai à peine dit un mot.

— Ouais, mais tu écoutes bien. Ce qui revient au même. »

Zora leva les yeux sur lui à nouveau, étonnée. Elle ne se souvenait pas d'avoir jamais entendu quelqu'un vanter ses qualités d'écoute.

« Tu es très doué, n'est-ce pas », murmura Zora sans réfléchir à ce qu'elle pouvait bien vouloir dire. Elle eut de la chance — car le bruit du moteur d'un camion de livraison qui passait à cet instant couvrit ses mots.

« Eh bien, Zora... » Il applaudit ; la trouvait-il ridicule ? « Continue à étudier.

— Carl. J'ai été heureuse de te revoir.

— Dis à ton frère de m'appeler. Je vais faire un autre truc à l'Arrêt de Bus, tu sais, en bas de Kennedy, mardi.

— Mais tu ne vis pas à Boston ?

— Ouais, et alors ? C'est pas loin... on a quand même le droit d'entrer dans Wellington, tu sais. On n'a pas besoin de laissez-passer. C'est sympa, Wellington, cette partie là en tout cas, le Square Kennedy. Y a pas que des étudiants, y a des renois aussi. En tout cas... t'as qu'à dire à ton refré que s'il a envie d'entendre quelques couplets il a qu'à venir. Ce n'est peut-être pas de la *vraie* poésie, dit Carl en s'éloignant avant que Zora puisse lui répondre, mais c'est ce que je fais. »

2

Au sixième étage du Stegner Memorial, dans une salle mal chauffée, Howard venait de déballer un rétroprojecteur. Il avait glissé ses mains de chaque côté de la machine et, en maintenant la structure avec son menton, il avait délicatement sorti l'engin hideux de sa boîte. Il demandait toujours ce rétroprojecteur pour sa première présentation de l'année, lorsque les étudiants faisaient leur marché ; c'était pour lui un rite comparable à celui de sortir les guirlandes de lumières à Noël. Aussi ordinaire, aussi décourageant. Que trouverait-il cette année pour ne pas fonctionner ? Howard ouvrit soigneusement le couvercle du panneau lumineux, et plaça face contre verre la page de titre bien trop familière (voilà six ans qu'il faisait ce cours), LA CONSTRUCTION DE L'HUMAIN : 1600-1700. Il retira la feuille, essuya la poussière accumulée sur la plaque de verre et la remit en place. Le projecteur gris et orange — les couleurs du futur, trente ans plus tôt —, comme toute technologie obsolète, inspirait à Howard une sympathie involontaire. Il n'était pas moderne, lui non plus.

« Power Point », dit Smith J. Miller, dont le fort accent du Sud transformait « Power » en « Peur ». Debout dans l'embrasure de la porte, se chauffant les mains sur sa tasse de café, il guettait avec impatience l'arrivée des étudiants. Howard savait que le nombre d'étudiants ce matin dépasserait les capacités de la salle — mais contrairement à Smith, il savait que cela ne signifiait pas grand-chose. Il y aurait des étudiants assis sur la longue table de réunion, et par terre, des étudiants sur le rebord de la fenêtre — leurs talons d'étudiants coincés sous leurs fesses estudiantines —, des étudiants alignés contre le mur comme des prisonniers attendant d'être fusillés. Ils prendraient tous des notes comme des sténographes détraqués, et seraient tellement concentrés sur les mouvements de sa bouche qu'Howard serait persuadé d'avoir en face de lui une classe de sourds lisant sur ses lèvres ; chacun, sans exception — et en toute sincérité — noterait son nom et son e-mail, bien que le professeur Belsey eût martelé : « S'il vous plaît, marquez votre nom *seulement* dans le cas où vous avez sérieusement décidé de suivre ce cours. » Et le mardi suivant, il y aurait vingt gosses. Et le mardi d'après, neuf.

« C'est *bien* plus facile avec Peur Point. Je pourrais t'montrer. »

Howard leva les yeux de sa pauvre machine. Smith — élégant nœud papillon écossais, visage de bébé parsemé de taches de rousseur, ondoiement léger de cheveux d'un blond cendré — le réjouissait obscurément. On ne pouvait rêver d'un meilleur assistant que Smith J. Miller. Mais il était éternellement optimiste. Il ne comprenait pas le fonctionnement du système. Contrairement à Howard, il ne savait pas que d'ici à mardi prochain ces gamins auraient déjà passé au crible les denrées universitaires présentées sous forme de cours par la Faculté de lettres classiques, qu'ils auraient effectué mentalement des évaluations comparatives, selon des critères aussi variés que la relative célébrité du professeur ; ses publications ; son prestige en tant qu'intellectuel ; l'utilité de son cours ; l'influence dudit cours s'il y en avait une, sur leur moyenne annuelle, sur leur avenir ou sur leurs chances d'entrer en troisième cycle ; l'éventualité que le professeur en question ait suffisamment d'influence dans le monde réel pour écrire la lettre qui les enverrait — d'ici à trois ans — en stage au *New Yorker*, ou au Pentagone, ou dans les bureaux de Clinton à Harlem, ou au magazine *Vogue*, en France, et qu'à la fin de toutes ces recherches personnelles réalisées avec Google ils arriveraient à la conclusion suivante : suivre un cours sur la « Construction de l'Humain », qui non seulement n'était pas un cours obligatoire ce semestre mais qui était enseigné par un être humain vieillot, mal habillé, avec une coiffure sortie tout droit des années quatre-vingt, ayant peu publié, politiquement marginalisé et de surcroît au dernier étage d'un immeuble sans chauffage adéquat ni ascenseur, n'était pas strictement dans leur intérêt. C'est pour cela que l'on disait que les étudiants faisaient leur marché.

« Tu vois, avec Peur Point, insista Smith, la classe tout entière peut voir ce qui se passe. C'est plutôt précis, l'image qu'on obtient. »

Howard sourit, reconnaissant, mais secoua la tête. Il avait dépassé l'âge d'apprendre de nouvelles techniques. Il s'agenouilla et brancha le projecteur ; une lueur bleue fusa de la prise. Il appuya sur le bouton à l'arrière de la machine. Il tripota le câble, appuya lourdement sur le panneau lumineux, espérant faire disparaître le faux contact.

« Je vais le faire », dit Smith. Il extirpa le projecteur des mains d'Howard, et le fit glisser vers lui le long de la table. Howard resta pendant une minute dans la même position, comme si l'engin se trouvait toujours devant lui.

« Peut-être que tu devrais fermer les stores », suggéra Smith doucement. Comme la plupart des membres de la société wellingtonienne, Smith était parfaitement au courant de la situation d'Howard. Personnellement, ses ennuis l'attristaient, et il le lui avait dit deux jours plus tôt lorsqu'ils s'étaient retrouvés pour préparer les polycopiés. *Je suis triste pour toi.* Comme si Howard venait de perdre un être cher.

« Tu veux du café, Howard ? Du thé ? Un beignet ? »

Tenant distraitement d'une main les ficelles des stores, Howard plongea son regard par la fenêtre sur les vastes pelouses de la cour de Wellington. L'église blanche et la bibliothèque grise se faisaient face et semblaient se défier. Un patchwork de feuilles orange, rouges, jaunes et violettes recouvrait le sol comme une moquette. Il faisait encore suffisamment doux, mais à peine, pour que les gosses traînent assis sur les marches de la bibliothèque Greenman, appuyés contre leurs sacs à dos. Howard explora l'étendue à la recherche de Warren ou de Claire. Aux dernières nouvelles, ils étaient toujours ensemble. Erskine, qui le lui avait appris, le tenait de sa femme Caroline, qui siégeait au conseil de gestion à l'Institut de Wellington pour la recherche moléculaire, où Warren passait ses journées. Kiki avait informé Warren ; l'explosion avait eu lieu, mais personne n'était mort — seulement des blessés à perte de vue. Aucune valise n'avait été faite, aucune porte définitivement claquée, aucun départ vers une autre fac dans une autre ville annoncé. Ils resteraient tous sur place à souffrir. L'histoire se déroulerait lentement, sur plusieurs années. Cette pensée en elle-même était débilitante. *Tout le monde* savait. Howard supposait que la version courte qui circulait actuellement, racontée autour des points d'eau, était, « Warren lui a pardonné », exprimé avec un mélange de pitié et de mépris — comme si ce sentiment pouvait se résumer aussi simplement. Les gens disaient, « elle lui a pardonné », au sujet de Kiki, mais Howard faisait le dur apprentissage des niveaux de purgatoire inclus dans le pardon. Les gens ne savent pas de quoi ils parlent. Aux points d'eau, Howard n'était rien d'autre qu'un professeur de plus d'un certain âge traversant comme il se devait la crise de la cinquantaine. Puis, il y avait une autre réalité, celle de chaque jour. Hier soir, très tard, il s'était arraché du divan désespérément trop court et inconfortable de son bureau, et avait pénétré dans la chambre à coucher. Il s'était allongé tout habillé sur la couette, près de Kiki, la femme qu'il avait aimée et avec laquelle il avait vécu pendant toute sa vie d'adulte. Sur la table de chevet il n'avait pu s'empêcher de remarquer, parmi les pièces de monnaie, les boules auditives et une cuillère à café pêle-mêle dans une petite boîte en bois indienne avec des éléphants gravés sur les côtés, les antidépresseurs. Il avait attendu presque vingt minutes, sans jamais savoir si Kiki était éveillée ou non. Puis, par-dessus la couette, et très doucement, il avait posé sa main quelque part sur sa cuisse. Elle s'était mise à pleurer.

« Je trouve que le semestre s'annonce bien », dit Smith ; il sifflota ; il eut un petit rire guilleret. « On affiche complet. »

Smith fixait au tableau noir une reproduction de *La leçon*

d'anatomie du docteur Tulp, tableau de 1632, annonciateur du siècle des Lumières, où sont rassemblés autour d'un mort les apôtres du rationnel, visages étrangement éclairés par la lumière sacrée de la science. La main gauche du docteur se lève, mimant de façon explicite (c'est en tout cas l'argumentation qu'Howard allait présenter aux étudiants) les bienfaits du Christ ; le personnage du fond nous interpelle du regard, comme pour forcer notre admiration devant l'intrépide humanité de l'opération, la poursuite rigoureusement scientifique de la maxime, *Nosce te ipsium*, « Connais-toi toi-même » — Howard avait un long numéro bien huilé sur ce tableau qui chaque année captivait l'armée d'étudiants faisant leur marché ; des dizaines de paires d'yeux nouveaux fixaient intensément la vieille reproduction. Howard avait regardé ce tableau tant de fois qu'il ne le voyait plus. Il lui tournait le dos en parlant, désignant avec un crayon qu'il tenait dans sa main gauche ce à quoi il faisait référence. Mais aujourd'hui Howard se sentit prisonnier de la puissance du tableau. Il se voyait allongé là, sur la table, sa peau blanche sans vie, le bras incisé pour que les étudiants l'examinent. Il se tourna à nouveau vers la fenêtre. Soudain, il aperçut la petite silhouette reconnaissable entre mille de sa fille qui marchait en diagonal d'un pas lourd mais alerte vers le département d'anglais.

« Ma fille, dit Howard malgré lui.

— Zora ? Elle vient aujourd'hui ?

— Oh, oui, oui, je crois.

— C'est une étudiante tellement satisfaisante, vraiment.

— Elle travaille très dur », acquiesça Howard. Il vit Zora s'arrêter à un angle de la bibliothèque Greenman pour parler avec une autre fille. Même à cette distance, Howard pouvait voir qu'elle se tenait bien trop près de son interlocutrice, envahissant son espace personnel comme les Américains n'appréciaient pas que l'on fît. Pourquoi portait-elle son vieux chapeau ?

« Oh, je sais bien. J'ai encadré son séminaire sur Joyce et

celui sur Eliot le semestre dernier. Comparée aux autres première année, elle était comme une machine à dévorer le texte, je veux dire, sa lecture d'un texte est dépouillée de tout sentiment, elle y va à fond. D'habitude, les gosses te disent, *Moi, j'ai bien aimé le passage quand*, et *Moi, j'adore comment truc*, tu sais, ils ont un niveau d'analyse de lycéens. Mais Zora... » Smith siffla derechef. « Elle ne rigole pas, elle. Quel que soit le texte qu'elle a sous la main, elle te le démonte pièce par pièce pour voir comment ça fonctionne. Elle ira loin. »

Howard donna un coup léger dans la fenêtre, puis cogna franchement. Il ressentait une curieuse montée d'émotion paternelle, un afflux de sang, la voix de son sang qui présentement fouillait les ramifications de son intelligence à la recherche des mots pour exprimer le plus clairement possible quelque chose comme : *ne marche pas au milieu de la rue prends soin de toi et sois sage et ne fais pas de mal aux autres et fais attention à ne pas te faire mal et ne mène pas une vie qui te donne l'impression d'être morte et ne trahis personne ne te trahis pas toi-même et prends soin des choses importantes et s'il te plaît évite de et s'il te plaît souviens-toi de et sois sûre...*

« Hé, Howard ? Les fenêtres s'ouvrent tout en haut. Par précaution pour les étudiants, j'imagine. Les empêcher de se jeter dans le vide. »

☆

« En fait, ce qui me pose problème, c'est qu'on m'empêche illégalement de suivre ce cours, pour des raisons qui échappent à mon contrôle », dit Zora fermement ; le doyen French eut à peine le temps d'articuler le préambule d'un simple murmure, lorsqu'il fut interrompu par la jeune fille. « À savoir, la relation de mon père avec le professeur Malcolm. »

Saisissant les accoudoirs de son fauteuil, Jack French bascula en arrière. Habituellement, les choses ne se passaient pas comme cela dans son bureau. Les portraits de grands hommes étaient accrochés en demi-cercle sur le mur derrière lui, des hommes qui s'étaient souciés de l'usage des mots qu'ils prononçaient, qui les avaient pesés avec attention en pensant aux conséquences que ces paroles pouvaient avoir, des hommes qu'admirait Jack French, et desquels il avait beaucoup appris : Joseph Addison, Bertrand Russell, Oliver Wendell Holmes, Thomas Carlyle et Henry Watson Fowler — auteur du *Dictionnaire d'anglais* —, dont French avait signé une colossale biographie détaillée à l'envi. Mais French ne trouvait rien dans son arsenal de phrases baroques qui lui permît de tenir tête à une fille qui se servait de la langue comme d'une arme automatique.

« Zora, si je te comprends bien..., commença Jack en avançant le buste de façon professorale, mais il ne fut pas assez rapide.

— Monsieur le Doyen, je ne vois pas pourquoi je devrais accepter qu'on me mette des bâtons dans les roues pour m'empêcher d'avancer dans le domaine de la création — French haussa les sourcils en entendant l'expression « bâtons dans les roues » — parce qu'un professeur a une dent contre moi pour des faits qui n'ont rien à voir avec mes capacités de travail. » Elle marqua une pause. Elle se tenait très droite sur sa chaise. « Je trouve que c'est déplacé », dit-elle.

Cela faisait dix minutes qu'ils tournaient autour du pot. À présent, elle avait prononcé le mot.

« Déplacé », répéta French. Tout ce qu'il pouvait faire désormais, c'était limiter la casse. Le mot avait été prononcé. En désespoir de cause, il dit : « Tu fais référence... à la relation que tu évoquais, qui certes était déplacée. Mais je ne vois pas comment la relation à laquelle tu faisais référence...

— Non, vous me comprenez mal. Ce qui s'est passé entre le professeur Malcolm et mon père ne m'intéresse pas, l'interrompit Zora. Ce qui *m'intéresse*, c'est mon parcours universitaire au sein de cet établissement.

— Eh bien, naturellement, c'est une chose de la plus haute...

— Et quant à la situation qui existe entre le professeur Malcolm et mon père... »

Jack eût tant souhaité qu'elle cessât de prononcer cette phrase violente. Cela lui faisait l'effet d'un marteau piqueur dans son cerveau : *Le professeur Malcolm et mon père, le professeur Malcolm et mon père.* Là dans son bureau, elle lançait, comme une balle en peau de cochon remplie de sang, le sujet qu'il ne fallait surtout pas évoquer ce semestre afin de protéger les deux acteurs et leurs familles... « ... puisque la situation n'est plus à proprement parler, d'actualité, et ce depuis quelque temps déjà, je ne vois pas pourquoi le professeur Malcolm continue de faire de la discrimination à mon égard, de façon aussi ouvertement personnelle. »

Jack adressa par-dessus la tête de la jeune fille un regard tragique à la pendule accrochée au mur du fond. Un muffin aux noix de pecan l'attendait à la cafétéria, mais il n'aurait plus le temps d'y aller une fois cet entretien terminé.

« Et tu es certaine, vraiment certaine, qu'il s'agit, comme tu le dis, d'une discrimination *à ton égard* ?

— Je ne vois pas ce que ça pourrait être sinon, monsieur le Doyen. Je ne vois pas comment on peut appeler ça. Je fais quand même partie de la tranche des trois pour cent des meilleurs élèves de cet établissement, mon dossier scolaire est presque parfait, je suis sûre qu'on sera d'accord là-dessus.

— Ah ! dit French, profitant d'une infime éclaircie dans les ténèbres de cette discussion. Mais, Zora, il faut aussi prendre en compte le fait qu'il s'agit là d'un cours de création littéraire. Il n'est donc pas question, techniquement parlant, de résultats, et en matière de création, nous devons, d'une certaine manière, nous adapter...

— J'ai déjà publié, dit Zora en fouillant dans son sac,

185

dans *rendsmoimonballon.com, Salon, coupdœil, organisation-evenementsdesagreables.com*, et en ce qui concerne des publications papier, j'attends une réponse d'*Open City*. » Elle fit glisser sur le bureau devant elle une liasse de feuilles froissées qui ressemblaient à des pages imprimées du web — Jack, qui n'avait pas ses lunettes, ne chercha pas à en savoir plus.

« Je vois. Et tu as soumis ces... *travaux*, naturellement, au professeur Malcolm comme exemple de ta plume. Oui, bien entendu.

— Et au point où j'en suis, dit Zora, je suis bien obligée d'envisager les conséquences que le stress et la contrariété pourraient avoir sur moi si j'en arrivais à porter ce qui me préoccupe devant le comité consultatif. Je suis vraiment inquiète de ce qui pourrait advenir. Je trouve simplement qu'il est déplacé pour un étudiant de se sentir victimisé de la sorte, et je ne voudrais pas que ça arrive à d'autres. »

Donc, maintenant toutes les cartes étaient sur la table. Jack prit le temps de les examiner. Vingt ans passés à jouer à ce jeu ne lui laissèrent aucun doute : Zora avait un *full*. Histoire de voir, il joua sa propre carte.

« As-tu fait part à ton père de ton sentiment à ce sujet ?

— Pas encore. Mais je sais qu'il me soutiendra quel que soit mon choix. »

Ainsi, le moment était venu de se lever, de contourner lentement la table et de s'asseoir au bord, puis de croiser ses longues jambes l'une sur l'autre. Chose que fit Jack.

« Je tiens à te remercier d'être venue me voir ce matin, Zora, et d'avoir évoqué ton point de vue aussi franchement et avec tant d'éloquence.

— Merci ! dit Zora, son visage rougissant de fierté.

— Et je veux que tu saches que je prends tes paroles avec le plus grand sérieux, tu es un atout majeur pour cet établissement, comme tu le sais, j'imagine.

— Je voudrais l'être... j'essaie de l'être.

— Zora, j'aimerais que cette affaire reste entre nous. Je ne crois pas qu'on ait besoin pour le moment d'aller jusqu'au comité consultatif. Je crois qu'on peut résoudre ce problème à une échelle humaine que nous pouvons tous comprendre et apprécier.

— Vous allez donc...

— Laisse-moi évoquer tes inquiétudes avec le professeur Malcolm, dit Jack, remportant enfin cette petite joute. Et dès que je sentirai qu'on avance sur la question, je te convoquerai pour qu'on puisse arranger les choses à la satisfaction de tous. Est-ce que cela te convient ? »

Zora se leva et serra son sac contre sa poitrine. « Merci beaucoup.

— J'ai vu que tu as été admise dans le cours du professeur Pilman, quelle merveilleuse nouvelle. Et sinon, quels cours... ?

— Je suis un cours sur Platon et un cours sur Adorno en alternance avec Jamie Penfrick, et je ne vais surtout pas rater les conférences de Monty Kipps. J'ai lu son article dimanche dans l'*Herald* sur la façon de réhumaniser les sciences humaines... vous savez, on dirait qu'ils essaient tous de nous faire croire que les conservateurs sont une espèce en voie de disparition, comme s'il fallait les protéger sur les campus. » Zora prit le temps de rouler les yeux et de secouer la tête et de soupirer simultanément. « Apparemment, tout le monde a le droit à un traitement de faveur, les Noirs, les homos, les gauchistes, les femmes, tout le monde sauf les pauvres Blancs. C'est dingue, cette histoire. Mais je veux *absolument* entendre ce qu'il a à dire sur ce sujet. Apprends à connaître ton ennemi. Voilà ma philosophie. »

Jack French sourit faiblement à cette dernière remarque, lui ouvrit la porte et la referma sur elle. Il retourna rapidement s'asseoir et saisit le premier volume du dictionnaire Oxford sur son étagère. Il se demandait si l'expression « mettre des bâtons dans les roues » avait un sens héraldique et si « bâtons rompus » avait la même étymologie. En fait, non. Jack referma le grand livre et le rangea respectueusement sur l'étagère près de son partenaire. Il arrivait certes que ces deux chers volumes ne vous révèlent pas ce que vous souhaitiez savoir, mais tout compte fait ils ne vous laissaient jamais tomber. Il prit le téléphone et appela Lydia, la secrétaire du département.

« Liddy ?

— Oui, Jack.

— Comment vous portez-vous, ma chère ?

— Pleine forme, Jack. Occupée, vous savez bien. C'est toujours dingue, le premier jour du semestre.

— Eh bien, vous réussissez remarquablement à n'en rien laisser paraître. Et alors, est-ce que tout un chacun semble maîtriser la situation ?

— Pas tout un chacun, non. On voit des gosses qui seraient incapables de savoir si leur cul est dans leur froc, si vous me passez l'expression, Jack. »

Jack la lui passa volontiers. Il y a des moments pour le parler policé et des moments pour dire les choses comme elles sont et, tout en étant incapable d'adopter la deuxième solution, il appréciait le parler cru bostonien de Lydia, qui imposait le respect au sein du département : étudiants turbulents, coursiers ronchons, abouliques techniciens en informatique, Haïtiens du service d'entretien pris en flagrant délit de fumette dans les toilettes — Lydia s'occupait de tout ce monde. Si Jack French arrivait à se maintenir au-dessus de la mêlée, c'était parce que Lydia, au beau milieu de la mêlée, tenait bon.

« Oui donc, dites-moi, Liddy, sauriez-vous où et comment joindre Claire Malcolm ce matin ?

— Comment saisir un rayon de lune ? fredonna Lydia qui aimait citer les paroles de comédies musicales que Jack ne connaissait pas. Je *sais* qu'elle a cours dans cinq minutes... même si ça ne veut pas dire qu'elle soit en train de s'y *diriger*. Vous connaissez Claire. »

Lydia éclata d'un rire sardonique. Jack n'aimait pas spécialement que le personnel administratif fît des commentaires désobligeants sur les enseignants, mais il était hors de question d'en faire le reproche à Lydia. Cette femme avait sa propre autorité. Sans elle, le département entier, que présidait Jack, sombrerait dans le chaos et la misère.

Lydia poursuivit sa pensée : « Je ne crois pas avoir jamais vu Claire Malcolm mettre les pieds ici avant midi... mais je me trompe peut-être. J'ai tellement de choses à faire le matin que j'en oublie le café au lait posé sur mon bureau. Le temps de m'en souvenir, il est complètement froid, vous voyez ce que je veux dire ? »

Les femmes comme Lydia ne comprenaient rien aux femmes comme Claire. Tout ce que Lydia avait accompli dans sa vie, elle l'avait fait grâce à ses prodigieuses capacités d'organisation et de professionnalisme. Il n'y avait pas un seul établissement dans le pays que Lydia ne saurait réorganiser et rendre plus efficace, et, dans quelques années, lorsqu'elle aurait fini avec Wellington, elle savait en son for intérieur qu'elle irait à Harvard et de là elle irait là où bon lui semblerait, peut-être même jusqu'au Pentagone. Elle avait des aptitudes, et dans l'Amérique de Lydia, les aptitudes vous menaient quelque part. Vous commenciez par une tâche aussi humble que créer un système de classement pour un pressing de Back Bay, et vous finissiez par organiser et gérer l'une des bases de données les plus complexes du pays, pour le Président lui-même. Lydia savait comment elle était arrivée là où elle était aujourd'hui ; et elle savait où elle allait. Ce qu'elle ne comprenait pas, c'était comment Claire Malcolm était arrivée là où *elle* se trouvait aujourd'hui. Comment était-il possible qu'une femme à qui il arrivait parfois de perdre ses clés de bureau trois fois en une seule semaine et qui ne savait toujours pas, au bout de *cinq ans* passés à l'université, où se trouvait le placard à fournitures puisse répondre à un titre aussi grandiose que titulaire de la chaire Downing de Littérature comparée et toucher le salaire dont Lydia connaissait le montant exact, puisque c'était elle qui expédiait les fiches de paie ? Et pour couron-

189

ner le tout, avoir une liaison déplacée avec un collègue. Lydia savait que cela avait quelque chose à voir avec l'art, mais, personnellement, elle n'en pensait pas moins. Les diplômes universitaires, ça elle comprenait — dans l'esprit de Lydia, les deux doctorats de Jack compensaient le nombre de fois où il avait renversé son café dans son classeur. Mais la poésie ?

« Dites-moi, Liddy, pourriez-vous me dire dans quelle salle elle a cours ?

— Jack, donnez-moi deux secondes. Je l'ai dans l'ordinateur... Vous vous rappelez la fois où elle a fait cours sur un banc au bord du fleuve ? Elle a parfois des idées de cinglée. C'est urgent ?

— Non... murmura Jack, pas urgent... en tant que tel.

— C'est dans la section Chapman, Jack, salle 34C. Vous voulez que je lui transmette un message ? Je pourrais envoyer un des gamins.

— Non, non... j'irai, et..., dit Jack, absorbé à enfoncer la pointe de son stylo bille dans le centre noir et friable de son bureau.

— Jack, j'ai un gamin qui vient d'arriver et on dirait que quelqu'un a tué son chien : Ça va, mon garçon ? Jack, rappelez-moi tout à l'heure si vous avez besoin de quelque chose.

— D'accord, Liddy. »

Jack dégagea doucement son blazer du dossier de son fauteuil et l'enfila. Sa main était sur la poignée de la porte lorsque la sonnerie du téléphone retentit.

« Jack ? Liddy. Claire Malcolm vient de passer devant mon bureau en courant plus vite que Carl Lewis. Elle sera devant le vôtre dans trois secondes. Je vais envoyer quelqu'un dans sa classe pour leur dire qu'elle sera en retard. »

Jack ouvrit la porte en admirant, et non pour la première fois, la précision de Lydia.

« Ah, *Claire*.

— Salut Jack. Je me dépêche pour aller en cours.

— Comment allez-vous ?

190

— Bien ! » dit Claire en relevant ses lunettes de soleil sur sa tête. Elle n'était jamais trop en retard pour parler un peu de l'état dans lequel elle se trouvait. « La guerre continue, le Président est un imbécile, nos poètes ne se reconnaissent plus en tant que législateurs secrets du monde, le monde se fout en l'air, et moi, je veux aller vivre en Nouvelle-Zélande, vous voyez ? Et j'ai cours dans cinq minutes. Comme d'hab !

— Nous vivons une période sombre », dit Jack solennellement ; il entrelaça ses doigts comme un pasteur. « Et pourtant, que peut faire l'université, Claire, sinon continuer son œuvre ? Ne faut-il pas croire qu'en une période comme celle-ci l'université joint ses forces au quatrième pouvoir, sa capacité à plaidoyer... aider à formuler les problèmes politiques... car nous aussi nous nous trouvons "dans la galerie des journalistes"... »

Même si Jack était un habitué des formulations alambiquées, le détour qu'il avait pris pour exprimer ce qu'il venait de dire avait été exceptionnellement tortueux. Il semblait lui-même un peu surpris par cette tournure, et il se tenait face à Claire avec une expression qui suggérait un développement de cette pensée, qui ne se matérialisa jamais.

« Jack, j'aimerais pouvoir être aussi confiante que vous. On a fait une manif contre la guerre mardi dernier à Frost Hall, vous savez ? Une petite centaine de gamins. Ellie Reinhold m'a raconté qu'à la manif contre la guerre du Viêt-nam en 1967 *trois mille personnes* s'étaient réunies dans la cour, *dont* Allen Ginsberg. Je suis plutôt désespérée en ce moment. Par ici les gens se comportent plus comme le premier État que comme le quatrième pouvoir, si vous voulez mon avis. Mon Dieu, Jack, je suis en retard, je dois foncer. Mais peut-être qu'on peut déjeuner ? »

Elle se tourna pour partir mais Jack ne pouvait pas la laisser faire. « Qu'avez-vous au programme ce matin, en matière de création ? dit-il en désignant du menton le livre qu'elle tenait contre sa poitrine.

« — Oh ! Vous voulez dire ce qu'on lit ? Eh bien, en fait, il se trouve que c'est moi ! »

Elle retourna le mince volume pour lui montrer la couverture sur laquelle figurait une grande photo de Claire vers 1972. Jack, en fin connaisseur de femmes, admira à nouveau la Claire Malcolm telle qu'il l'avait rencontrée jadis. Tellement jolie, avec ses mèches de lycéenne provocatrice qui se muaient en vagues châtain clair de cheveux somptueux cachant son œil droit, à la Veronica Lake, et qui descendaient en cascade jusqu'à ses hanches miniatures. Jack ne comprenait absolument pas pourquoi toutes les femmes d'un certain âge se faisaient couper les cheveux.

« Mon Dieu, comme j'ai l'air ridicule ! Mais j'allais photocopier un poème pour ma classe, juste un exemple de quelque chose. Un pantoum. »

Jack se caressa le menton. « Vous allez devoir me rafraîchir la mémoire en ce qui concerne la nature exacte d'un pantoum... je ne suis plus très au point avec mes formes de versification françaises...

— C'est malais d'origine.

— Malais !

— C'est une forme poétique qui a voyagé. Victor Hugo l'a utilisée, mais c'est malais d'origine. En fait, ce sont des quatrains à rimes croisées, ABAB, dans lesquels le deuxième et le quatrième vers sont repris par le premier et le troisième vers de la strophe suivante... est-ce que c'est ça ? Ça fait si longtemps que j'ai... non, c'est ça, le premier et le troisième vers de la strophe *suivante*, de toute façon, le mien est un pantoum faussé. C'est plutôt difficile à expliquer... vous devriez en regarder un tout simplement », dit-elle en ouvrant le livre à la page en question et le tendant à Jack.

De la beauté

Non, nous n'avons pu faire la liste détaillée
des péchés qu'ils ne peuvent nous pardonner.

Les êtres beaux ne sont pas sans blessure.
Il finit toujours par neiger.

Des péchés qu'ils ne peuvent nous pardonner
L'inutile parole est beauté.
Il finit toujours par neiger.
Les êtres beaux le savent.

L'inutile parole est beauté.
Ils sont damnés.
Les êtres beaux le savent.
Ils se tiennent là, figés comme des statues.

Ils sont damnés
ainsi leur tristesse est parfaite,
délicate comme un œuf dans la paume de la main.
Dure, elle s'orne de leur visage

ainsi leur tristesse est parfaite.
Les êtres beaux ne sont pas sans blessure.
Dure, elle s'orne de leur visage.
Non, nous n'avons pu faire la liste détaillée.

Cape Cod, mai 1974

Jack se retrouvait face à une tâche qu'il redoutait : dire quelque chose après avoir lu un poème. Dire quelque chose au *poète*. Étrangement, pour un doyen de la Faculté des lettres classiques, Jack n'appréciait particulièrement ni la poésie ni la fiction ; il affectionnait par-dessus tout l'essai, et s'il était tout à fait honnête avec lui-même, au-delà de l'essai, les outils de l'essayiste : les dictionnaires. C'est à l'ombre des dictionnaires que Jack tomba amoureux, baissant la tête d'admiration, transporté par une histoire improbable, comme l'étrange étymologie du verbe intransitif vaguer.

« C'est beau, dit Jack enfin.

193

— Oh, c'est un vieux truc, mais c'est un bon exemple. En tout cas, Jack, je dois *vraiment* y aller.

— J'ai envoyé quelqu'un à votre salle de classe, Claire, ils savent que vous serez en retard.

— Ah bon ? Est-ce qu'il y a un problème, Jack ?

— En fait, j'aurais besoin de vous parler en vitesse, dit Jack, exprimant une contradiction patentée. Dans mon bureau, si vous le voulez bien. »

3

Et la voici, la classe imaginaire d'Howard. Il se permit de faire un inventaire rapide des particularités visuelles les plus intéressantes des étudiants, sachant qu'il ne les reverrait sans doute jamais. Le garçon punk avec les ongles vernis noirs, l'Indienne aux yeux démesurément grands de personnage de dessin animé, une autre fille avec un chemin de fer sur les dents qui n'avait pas l'air d'avoir plus de quatorze ans. Puis, balayant la salle du regard : grand nez, petites oreilles, obèse, béquilles, cheveux poil-de-carotte, chaise roulante, un mètre quatre-vingt-quinze, minijupe, seins qui pointent, iPod encore allumé, anorexique aux joues duveteuses, nœud papillon, autre nœud papillon, star de football américain, rasta blanc, longs ongles comme ceux d'une mère de famille du New Jersey, cheveux clairsemés, collants à rayures — il y en avait tant que Smith dut renoncer à fermer la porte. Ils étaient donc venus, et avaient écouté. Howard avait vendu sa camelote. Il leur avait proposé un Rembrandt qui était ni un contestataire ni un original mais plutôt un conformiste ; il leur avait demandé de s'interroger sur le sens du mot « génie. » Puis, dans le silence perplexe qui s'ensuivit, il substitua à l'habituel maître rebelle de la légende sa propre vision, celle d'un artisan compétent peignant ce que ses riches mécènes lui demandaient de peindre. Howard demanda à ses étudiants d'imaginer que la beauté n'était que le masque du pouvoir. De se figurer l'esthétisme comme langage raffiné de l'exclusion. Il leur promit un cours défiant leurs propres croyances en l'humanité rédemptrice de ce que l'on s'accorde à appeler « Art ». « L'art est le mythe occidental, annonça Howard pour la sixième année consécutive, qui nous permet à la fois de nous *consoler* et de nous *construire*. » Tout le monde nota cette phrase.

« Des questions ? » demanda Howard.

La réponse ne variait jamais. Silence. Mais c'était un silence intéressant, inhérent aux facs de sciences humaines trop cossues. Les étudiants n'étaient pas silencieux faute d'avoir quelque chose à dire — c'était plutôt le contraire. Ça se sentait, *Howard* le sentait, la salle charriait des millions de choses à dire si intenses parfois qu'elles semblaient jaillir des étudiants et, par télépathie, rebondir sur les meubles. Les gamins baissèrent les yeux sur leur table, ou fixèrent la fenêtre, ou Howard avec une profonde envie ; certains des plus faibles rougirent et firent semblant de prendre des notes. Mais pas un seul n'ouvrirait la bouche. Ils avaient une peur bleue de leurs semblables. Et, plus encore, d'Howard lui-même. Au début de sa carrière d'enseignant, il avait essayé, bêtement, de les amadouer pour les libérer de cette peur — maintenant il s'en délectait. La peur, c'était le respect, le respect, la peur. Sans peur on n'avait rien.

« Rien ? Mon exposé a-t-il été à ce point complet ? Pas une seule question ? »

Son accent anglais méticuleusement conservé ne faisait qu'accroître leur peur. Howard fit durer encore un peu le silence. Il se tourna vers le tableau et détacha lentement la reproduction ; des questions muettes lui bombardèrent le dos. Ses propres interrogations l'occupèrent mentalement tandis qu'il faisait de Rembrandt une baguette blanche bien ajustée. Combien de temps encore à dormir sur le divan ? Pourquoi faut-il que le sexe ait autant d'importance ? Il en a, certes, mais pourquoi doit-il tout signifier ? Pourquoi jeter trente ans aux orties parce que j'avais envie de toucher quelqu'un d'autre ? Il y a quelque chose que je ne comprends pas. C'est donc à ça que tout se résume ? Pourquoi le sexe doit-il avoir tant d'importance ?

« J'ai une question. »

La voix, avec un accent anglais, comme le sien, venait de sa gauche. Il se tourna — un garçon plus grand assis juste devant la jeune fille l'avait cachée jusque-là. La première chose qui sautait aux yeux, c'étaient les deux reflets brillants sur son visage (utilisait-elle en hiver le même beurre de cacao que Kiki ?). Une auréole de clair de lune sur son front lisse, une autre sur le bout de son nez ; le genre de reflets, pensa Howard, qu'on ne pourrait peindre sans les déformer, sans perdre le noir naturel de son véritable teint. Et ses cheveux avaient encore changé : maintenant elle portait de fins dreadlocks d'à peine cinq centimètres qui partaient dans tous les sens. L'extrémité de chaque tresse était d'un orange éclatant, comme si elle avait trempé sa tête dans un seau de rayons de soleil. N'étant pas soûl cette fois-ci, il eut l'absolue certitude que ses seins étaient effectivement un phénomène de la nature et non de son imagination, car il remarqua à nouveau les mamelons fougueux qui se frayaient un chemin à travers son pull en laine vert à grosses côtes. Son cou et sa tête émergeaient de son col boule empesé comme une plante de son pot.

« Victoria, oui. Enfin, c'est Vee, non ? Victoria ? Vas-y.

— C'est Vee. »

Howard sentit la classe vibrer en apprenant cette nouvelle information — une première année qui connaissait déjà le professeur ! Naturellement, les adeptes les plus assidus de Google connaissaient sans doute déjà la situation entre Howard et le célèbre Kipps, et peut-être étaient-ils même allés plus loin, et qu'ils savaient donc que cette fille était la fille de Kipps, et cette autre là-bas, celle d'Howard. Peut-être savaient-ils même une chose ou deux sur la guerre culturelle qui n'allait pas tarder à se déclarer dans le campus. Deux jours plus tôt, dans le *Wellington Herald*, Kipps s'était opposé avec véhémence à la commission pour l'égalité des chances présidée par Howard. Il avait non seulement critiqué les buts de cette commission, mais était allé jusqu'à contester son existence. Il accusait Howard et « ses alliés » de privilégier les idées libérales au détriment des conservatrices ; et de censurer sur le campus discussions et débats de droite. L'article avait fait sensation, comme cela arrive dans les villes universitaires. Ce matin la boîte e-mail d'Howard était pleine de messages outrés de collègues et d'étudiants lui témoignant leur soutien. Une armée assoiffée de bataille se rangeait derrière un général qui arrivait à peine à chevaucher sa monture.

« C'est juste une toute petite question, dit Victoria, qui sous le poids des regards braqués sur elle eut un mouvement de recul. Je me demandais juste...

— Non, vas-y, vas-y, dit Howard en l'empêchant de parler.

— Juste... il est à quelle heure, le cours ? »

Howard sentit le soulagement de la salle. Encore heureux qu'elle n'ait pas posé une question intelligente. Il voyait bien que la classe n'aurait jamais supporté qu'elle fût jolie *et* intelligente. Mais elle n'avait pas essayé d'être intelligente. Tous approuvèrent son sens pratique. Chaque stylo se tenait prêt. C'était après tout les seules choses qu'ils voulaient savoir. Faits, horaires, et lieu. Tête baissée, Vee aussi maintenait son stylo au-dessus de sa feuille ; puis elle leva les yeux et les plongea droit dans ceux d'Howard, un regard à mi-chemin entre le flirt et l'attente. Heureusement pour Jerome, pensa Howard, il s'est finalement décidé à retourner à Brown. Cette fille est un danger public. Howard s'aperçut enfin qu'il la regardait si fixement qu'il avait omis de répondre à sa question.

« Trois heures le mardi, ici même, dit Smith, derrière Howard. Vous pourrez vous procurer une liste des œuvres au programme sur notre site web, ou dans le casier devant la porte du bureau du professeur Belsey. Si quelqu'un a besoin de faire signer sa carte d'étudiant, qu'on me l'apporte, je la signerai. Merci à tous d'être venus.

— Et s'il vous plaît, dit Howard en élevant la voix au-dessus du bruit des chaises qu'on traînait sur le sol et des sacs qu'on remplissait, s'il vous plaît, marquez votre nom seulement, et je dis bien seulement, si vous avez sérieusement l'intention de suivre ce cours. »

☆

« Mais enfin, mon cher Jack, dit Claire en secouant la tête, vous pouvez envoyer vos *listes de cours* à ces sites et ils les publieront. Ils prennent *n'importe quoi*. »

Jack reprit les feuilles imprimées que Claire lui tendait et les glissa dans son tiroir. Il avait raisonné, imploré, péroré, et maintenant il allait devoir introduire une dose de réalité dans la conversation. Il était temps, une fois de plus, de contourner la table et de s'asseoir au bord, puis de croiser les jambes l'une sur l'autre.

« Claire...

— Mon Dieu, quelle énergumène, cette fille !

— Claire, je ne peux pas vous laisser dire ce genre de...

— *Enfin*, c'est *vrai*.

— Quoi qu'il en soit...

— Jack, vous êtes en train de me dire que je dois l'admettre dans mon cours ?

— Claire, Zora Belsey est une très bonne étudiante. C'est une étudiante *exceptionnelle*, en fait. Certes, ce n'est peut-être pas Emily Dickinson... »

Claire rit. « Jack, Zora Belsey serait incapable d'écrire un poème même si Emily Dickinson en personne sortait de sa tombe, braquait un pistolet sur sa tempe, et lui en donnait l'ordre. Elle n'a tout simplement aucun talent dans ce domaine. Elle refuse de *lire* de la poésie, elle me recopie ce qu'elle écrit dans son journal, en le ramassant sur le côté gauche de la page. J'ai *cent vingt* étudiants doués qui cherchent à suivre mon cours, pour *dix-huit* places.

— Elle fait partie des trois pour cent des meilleurs élèves de cette université.

— Mais je m'en *contrefous*, moi. Mon cours s'adresse à ceux qui ont du talent. Je ne suis pas prof de biologie moléculaire, Jack. J'essaie de peaufiner, de parachever une... une *sensibilité*. Croyez-moi, elle n'en a pas. Elle a des arguments. Ce n'est pas la même chose.

— Elle croit, dit Jack, utilisant sa voix présidentielle la plus profonde et solennelle, qu'on lui interdit l'accès à ce cours pour... des raisons personnelles qui dépassent le véritable cadre d'évaluation de ses capacités universitaires ou créatrices.

— *Quoi ?* Mais de quoi parlez-vous, Jack ? J'ai l'impression d'entendre un manuel de management. C'est de la folie.

— Malheureusement, elle est allée jusqu'à suggérer qu'elle pensait que vous aviez une dent contre elle. Chose qu'elle a trouvée *déplacée.* »

Claire garda le silence pendant une minute. Elle aussi avait passé beaucoup de temps dans les universités. Elle connaissait la puissance du mot « déplacé. »

« Elle a dit *ça* ? Vous êtes sérieux ? Oh non, Jack, c'est n'importe quoi. Est-ce que j'avais une dent contre les cent autres gosses qui n'ont pas été admis dans mon cours ce semestre ? Elle parle *sérieusement* ?

— Elle semble prête à aller jusqu'au comité consultatif. Et d'en faire un cas de discrimination personnelle, si je l'ai bien comprise. Elle ferait donc référence naturellement, à vos relations..., commença Jack, laissant son ellipse exprimer la suite.

— Quelle barjo !

— Je crois que c'est sérieux, Claire. Sinon, je ne vous en aurais pas parlé.

— Mais, Jack..., la liste des élèves admis a déjà été affichée. À quoi ça ressemblera quand j'aurai rajouté le nom de Zora Belsey à la dernière minute ?

— Il me semble qu'un petit désagrément maintenant vaut mieux qu'un désagrément plus conséquent voire même coûteux dans quelque temps, face au comité consultatif ou au tribunal. »

Jack French savait parfois être admirablement succinct. Claire se leva. Elle était tellement petite que, même debout, elle n'était pas plus grande que Jack assis. Mais, comme Jack le savait fort bien, ses petites proportions n'avaient aucun rapport avec la force de la personnalité de Claire Malcolm. Il recula légèrement la tête pour faire face à l'assaut.

« Depuis quand vous lâchez les membres de la faculté, Jack ? Depuis quand les exigences d'une étudiante susceptible prévalent contre la décision d'un professeur respecté ? C'est ça, notre politique, à présent ? Chaque fois qu'un étudiant crie au loup, on s'enfuit en courant ?

— Claire, je vous en prie... il faut que vous compreniez que je me retrouve dans une situation odieuse dans laquelle...

— *Vous* vous trouvez dans une situation odieuse ? Et que faites-vous de la situation dans laquelle vous *me* mettez ?

— Claire, Claire, asseyez-vous un instant, vous voulez bien ? Je vois que je ne me suis pas bien exprimé. Asseyez-vous. »

Claire s'assit lentement sur sa chaise en glissant avec souplesse un pied sous ses fesses, comme une adolescente. Elle cligna des yeux en le dévisageant avec méfiance.

« J'ai regardé les tableaux d'affichage aujourd'hui. Il y a trois noms que je ne connais pas dans votre classe. »

Claire regarda Jack French par deux fois. Puis elle leva ses mains et les baissa violemment sur les accoudoirs de sa chaise. « Et alors ? Qu'est-ce que vous me dites, là ?

— Qui, par exemple, dit Jack en regardant une feuille de papier sur son bureau, est Chantelle Williams ?

— Elle est réceptionniste, Jack. Chez un opticien, il me semble. Je ne sais pas lequel. Pourquoi ?

— Une réceptionniste...

— Il s'avère qu'elle est aussi l'une des poétesses les plus douées que j'aie eu l'occasion de rencontrer ces dernières années, déclara Claire.

— Claire, il n'en demeure pas moins vrai qu'elle n'est pas officiellement inscrite dans cet établissement, dit Jack d'une voix douce, opposant adroitement à l'emphase la sobriété. Et elle n'est donc pas à proprement parler admissible dans...

— Jack, je n'arrive pas à croire que vous êtes en train de..., cela fait *trois ans* que vous m'avez autorisée à prendre dans ma classe, si je le souhaitais, des étudiants supplémentaires qui n'entraient pas dans le cadre habituellement requis. Il y a *énormément* de gosses doués dans cette ville qui n'ont pas les avantages de Zora Belsey, qui ne peuvent pas se permettre l'université, qui ne peuvent pas se payer nos sessions d'été, qui commencent à voir en l'armée leur meilleure possibilité de survie, Jack, une armée qui est actuellement en guerre... des gamins qui ne...

— Je suis tout à fait conscient, dit Jack qui commençait à se lasser des sermons que deux femmes agitées en l'espace d'une matinée lui avaient déjà faits, des difficultés scolaires des jeunes issus de milieux défavorisés en Nouvelle-Angleterre, et vous savez que j'ai toujours soutenu vos efforts admirables...

— Jack...

— ... pour partager vos qualités impressionnantes...

— Jack, que dites-vous ?

— ... avec des jeunes gens qui sinon n'en auraient pas eu l'occasion... mais, en fin de compte, il faut savoir que certains se demandent s'il est vraiment équitable d'ouvrir les portes de l'université à des personnes qui n'en font pas partie.

— *Qui* se demande ? Des gens du département d'anglais ? » Jack soupira. « Pas mal de gens, Claire. Et je les esquive, ces questions. Depuis un bon moment, je dois dire. Mais si Zora Belsey réussit à attirer suffisamment d'attention défavorable sur vos critères d'admission, disons sélectifs, eh bien, je ne sais pas si je pourrai continuer à les esquiver longtemps.

— Ça ne serait pas Monty Kipps, des fois ? Il paraît qu'il a "protesté", dit Claire avec amertume — soulignant le mot en mimant des guillemets avec ses doigts, geste superflu, pensa Jack —, contre la présence sur le campus du Comité anti-discriminatoire de Belsey. Mon Dieu, ça ne fait pas un mois qu'il est là ! C'est lui qui fait autorité ici maintenant, c'est ça ? »

Jack rougit. Très doué pour le chantage, il était incapable de prendre position dans les conflits personnels. Il éprouvait également un profond respect envers le pouvoir et la notoriété — qualités que Monty avait à revendre. Si seulement, jeune homme, Jack avait su s'exprimer avec un peu plus d'entrain, s'il avait été plus affable (si on avait pu imaginer, même dans l'abstrait, la possibilité de boire une bière avec lui), il aurait pu lui aussi devenir un personnage public dans le style de Monty Kipps, ou comme feu le père de Jack, un sénateur du Massachusetts, ou comme son frère, qui était juge. Mais Jack était un universitaire-né. Et face à des êtres comme Kipps, un homme à l'aise dans les deux mondes, il était toujours soumis.

« Il est hors de question que vous parliez de la sorte d'un collègue, Claire, ça ne se fait pas. Et vous savez bien que je ne peux mentionner personne. J'essaie de vous éviter beaucoup de peine inutile.

— Je vois. »

Claire baissa la tête et fixa du regard ses petites mains brunes. Elles tremblaient. Jack vit le sommet poivre et sel de sa tête, qui lui sembla aussi duveteux que des plumes dans un nid d'oiseaux.

« Dans une université..., commença Jack qui s'apprêtait à faire sa meilleure imitation de pasteur, mais Claire se leva.

— Je sais ce qui se passe dans les universités, Jack, dit-elle, acerbe. Vous pouvez féliciter Zora. Elle est admise dans mon cours. »

4

« Je voudrais une bonne tarte aux fruits, chaude, un peu comme on fait à la maison, du genre qui réchauffe en hiver, expliqua Kiki en se penchant par-dessus le comptoir. Vous voyez ce que je veux dire, une tarte qui donne envie. »

Le badge en plastique au nom de Kiki cogna doucement contre la vitrine en plexiglas qui protégeait la marchandise. C'était sa pause-déjeuner.

« C'est pour mon amie », avança-t-elle faussement, d'un air embarrassé. Elle n'avait pas vu Carlene Kipps depuis ce drôle d'après-midi trois semaines auparavant. « Elle ne va pas très bien. Il me faut un vrai gâteau des familles, vous voyez ce que je veux dire ? Pas un truc français ou... chichiteux. »

Kiki éclata de son bon gros rire dans le petit magasin. Les gens levèrent le nez de leurs produits et autres spécialités et sourirent distraitement, prêts à soutenir l'idée du plaisir même s'ils n'en connaissaient pas la source.

« Vous voyez, là ? » dit Kiki avec emphase. Elle appuya son index contre le plexiglas, juste au-dessus d'une tarte. La pâte sur les bords était dorée et au centre trônait une compote gluante rouge et jaune de fruits cuits. « *Voilà* de quoi je parle. »

Quelques minutes plus tard, Kiki remontait la colline à grands pas, portant la tarte dans sa boîte en carton recyclé, attachée avec un ruban en velours vert. Elle allait prendre les choses en main. Car il y avait eu un malentendu entre Kiki Belsey et Carlene Kipps. Deux jours après leur rencontre, quelqu'un était venu déposer au 83 Langham une carte de visite extrêmement vieux jeu, dénuée d'ironie et on ne peut moins américaine :

Chère Kiki,
Merci beaucoup pour votre aimable visite. Je serais ravie de vous rendre la pareille, et vous saurais gré de me faire connaître l'heure qui vous convient.

Bien à vous,
Mrs C. Kipps

En temps normal, cette carte aurait bien entendu déclenché une avalanche de commentaires ironiques autour de la table de petit déjeuner des Belsey. Mais il s'avéra qu'elle arriva deux jours après l'effondrement du monde des Belsey. Le plaisir n'était plus à l'ordre du jour. Sans compter les petits déjeuners partagés. Kiki avait commencé à manger dans le bus en allant travailler — un *bagel* avec un café du magasin irlandais au coin de la rue — et à supporter les regards désapprobateurs que les femmes jettent aux femmes fortes lorsqu'elles mangent en public. Deux semaines plus tard, lorsqu'elle retrouva la carte dans le porte-magazines de la cuisine, Kiki se sentit quelque peu coupable ; la carte était bête, certes, mais elle avait eu l'intention d'y répondre. Cependant, elle n'avait pas trouvé le bon moment pour aborder le sujet avec Jerome. La priorité à l'époque avait été de soutenir le moral de son fils aîné, s'assurer que les eaux étaient aussi calmes que possible, afin qu'il puisse monter dans le bateau que sa mère avait passé tant de temps à lui construire, et qu'il mette le cap sur sa fac. Deux jours avant les inscriptions, Kiki passa devant la chambre de Jerome et le vit en train de rassembler comme pour un rituel un monticule de vêtements au milieu de la pièce — acte qui précédait traditionnellement le moment où il faisait ses valises. Ainsi chacun avait repris le chemin de l'école, profitant de l'élan neuf et des nouvelles perspectives que les cycles scolaires proposent à ceux qui y participent. Ils recommençaient. Elle le leur enviait.

Quatre jours plus tôt, Kiki avait à nouveau retrouvé la carte de visite au fond de son fourre-tout de Barnes and Noble à l'effigie d'Alice Walker. Assise dans le bus avec la carte posée sur les genoux, elle l'avait examinée de près, analysant chacun de ses éléments, d'abord la graphie, le phrasé d'outre-Atlantique, et avait songé à la bonne ou la blanchisseuse — en tout cas celle qu'on avait envoyée déposer la missive, puis l'épais papier à lettres anglais où était imprimée dans l'angle quelque chose faisant référence à Bond Street, les lettres italiques d'une encre bleu roi. C'était trop ridicule, vraiment. Et pourtant, lorsqu'elle avait fouillé dans sa mémoire, regardant par le pare-brise arrière du bus à la recherche de souvenirs heureux de ce pénible et interminable été, d'instants où l'ampleur de la catastrophe qui s'était abattue sur son mariage ne l'accablait pas au point de la rendre incapable de respirer, de marcher dans la rue et de prendre le petit déjeuner en famille, l'après-midi passé sous le porche de Carlene Kipps lui revenait pour une raison ou une autre sans cesse à l'esprit.

Elle avait essayé de l'appeler. Trois fois. Elle avait envoyé Levi chez elle avec un mot. Le mot resta sans réponse. Et au téléphone, c'était toujours lui, le mari, qui s'excusait. Carlene ne se sentait pas bien, ou elle dormait, puis hier : « Ma femme n'est pas en état de recevoir des visites en ce moment.

— Puis-je peut-être lui parler ?

— Je crois qu'il serait préférable que vous laissiez un message. »

L'imagination de Kiki s'était mise en branle. Sa conscience envisageait plus facilement une Mrs Kipps tenue à l'écart du monde par de sombres forces maritales, qu'une Mrs Kipps vexée par son manque de politesse. Ainsi, elle s'était réservée deux heures de pause-déjeuner aujourd'hui afin de se rendre dans Redwood voir si elle ne pouvait pas libérer Carlene des griffes de Montague Kipps. Elle apporterait une tarte. Tout le monde aime les tartes. Maintenant, elle sortit son téléphone portable et d'un pouce habile déroula jusqu'à JAY_DORTOIR, et appuya sur appel.

« Hé, salut, maman..., attends une seconde... je mets mes lunettes. »

Kiki entendit un bruit sourd, puis de l'eau renversée.

« Aïe..., maman, attends. »

La mâchoire de Kiki se raidit. Elle pouvait *entendre* le tabac dans sa voix. Mais cela ne servait à rien de l'attaquer sur ce front, puisqu'elle aussi s'était remise à fumer. Au lieu de quoi, elle frappa de biais. « Chaque fois que je t'appelle, Jerome, *chaque fois*, tu viens à peine de te lever. C'est vraiment incroyable. Peu importe l'heure à laquelle j'appelle, tu es toujours au lit.

— Maman..., s'il te plaît..., ne me sors pas les sermons de Mama Simmonds... j'ai mal.

— On a *tous* mal, chéri..., bon, écoute-moi, Jay », dit Kiki avec sérieux, abandonnant les inflexions du Sud maternelles qui lui semblaient trop encombrantes pour la tâche délicate à laquelle elle s'attelait, « deux secondes, quand tu étais à Londres... Mrs Kipps, sa relation avec son mari, avec Monty... ils étaient, enfin, ils étaient cool ensemble ?

— Comment ça ? » demanda Jerome. Kiki sentit les ondes de l'angoisse de l'année passée se transmettre par voie de téléphonie. « Maman, qu'est-ce qui se passe ?

— Rien, rien... rien à voir avec ça... C'est juste que chaque fois que j'essaie de l'appeler, Mrs Kipps..., tu vois, j'aimerais juste savoir comment elle va... c'est ma voisine après tout...

— C'est quoi, les potins, je suis ton voisin !

— Pardon ?

— Rien, c'est une chanson, dit Jerome qui rit doucement sous cape. Désolé... vas-y, maman. Sollicitude de voisinage, et cetera...

— C'est ça. Je veux *juste* lui dire bonjour, et chaque fois que j'appelle, c'est comme s'il m'empêchait de lui parler...

comme s'il l'avait enfermée quelque part... je ne sais pas, c'est étrange. J'ai d'abord pensé qu'elle était vexée... tu sais comment les gens comme ça peuvent se vexer, là-dessus ils sont encore pires que les *Blancs*, mais maintenant... je ne sais pas. Je crois que c'est plus que ça. Et je me demandais juste si tu savais quelque chose. »

Kiki entendit son fils soupirer à l'autre bout du fil. « Maman, je ne pense pas que ce soit le moment pour intervenir. Ce n'est pas parce qu'elle ne peut pas te parler au téléphone que le diabolique Républicain la tabasse. Maman, je ne veux vraiment pas rentrer à Noël et trouver Victoria en train de boire un lait de poule dans la cuisine... Tu voudrais pas, genre..., calmer le jeu sur les relations de bon voisinage ? Ce sont des gens plutôt discrets.

— Mais je les embête pas, moi ! s'exclama Kiki.

— Bon, ben d'accord, alors ! fit Jerome en imitant la véhémence de sa mère.

— Personne n'embête qui que ce soit », rétorqua Kiki, irritée. Elle s'écarta pour laisser passer une femme avec une poussette à deux places. « Je l'aime *bien*, c'est tout. Elle vit près d'ici, et de toute évidence elle n'est pas bien portante, et j'aimerais la voir pour savoir comment elle va vraiment. C'est permis ? »

C'était la première fois qu'elle exprimait ces raisons, même pour elle. En s'entendant parler, elle sut combien ses paroles étaient approximatives et indignes comparées au fort désir irrationnel qu'elle avait de se retrouver à nouveau en présence de cette femme.

« O.K... C'est juste que... je ne vois pas pourquoi on doit être amis avec eux.

— *Toi*, tu as des amis, Jerome. Et Zora a des amis, et Levi *habite* pratiquement chez ses amis... et... », Kiki poursuivit sa pensée jusqu'au bord du précipice et au-delà, « enfin, on sait tous à quel point ton *père* est proche de certaines de *ses* amies... et alors ? Je ne peux pas me faire des amis, moi ? Vous, vous avez votre vie et moi je n'en ai *pas* ?

207

— *Non*, maman..., allez, c'est pas juste... je voulais... je veux dire, je n'aurais jamais deviné que tu pourrais t'entendre avec elle... C'est juste que ça me met dans une position un peu inconfortable, tu vois. En tout cas, bon. Tu sais... fais comme tu veux. »

Les ailes noires d'une commune mauvaise humeur se déployèrent sur leur échange.

« Maman... marmonna Jerome, contrit, écoute, merci de m'avoir appelé. Et comment tu vas, toi ?

— Moi ? Je vais bien. *Très* bien.

— O.K...

— Vraiment, ajouta Kiki.

— On le dirait pas, à t'entendre.

— Je vais très bien.

— Donc... qu'est-ce qui va se passer ? Avec toi... tu sais... et papa. » Sa voix trahissait la présence larvée de larmes, comme s'il était terrorisé à l'idée de s'entendre dire la vérité. Kiki savait qu'il était injuste de se sentir vexée par la réaction de son fils, mais elle l'était. Ces enfants passent le plus clair de leur temps à exiger qu'on leur attribue le statut d'adultes — quand on n'est pas en mesure de le faire —, et quand on est *vraiment* dans la merde, quand on a besoin qu'ils se *comportent* en adultes, tout d'un coup ils redeviennent des enfants.

« Mon Dieu, je ne sais pas, Jay. C'est vrai. Je vis au jour le jour. C'est tout.

— Je t'aime, maman, dit Jerome avec ardeur. Tu vas t'en sortir. Tu es une vraie femme noire, une forte femme. »

On lui avait dit ça toute sa vie. Elle avait de la chance au fond, pensait-elle — on pouvait s'entendre dire des choses bien pires. Mais il n'en était pas moins vrai que la phrase en question commençait à la fatiguer sérieusement.

« Oh, je *sais bien*. Tu me connais, chéri, rien ne peut me briser. Il faudrait un géant pour me casser en deux, moi.

— Ouais, dit Jerome tristement.

— Et je t'aime moi aussi, chéri. Je vais bien, ne t'en fais pas.

— Tu as le droit de te sentir mal, dit Jerome, qui toussa pour dissiper le brouillard dans sa gorge. Je veux dire, ce n'est pas interdit. »

Un camion de pompiers passa, toutes sirènes hurlantes. C'était l'un de ces vieux camions rutilants, rouges et cuivrés, comme ceux de l'enfance de Jerome. Il voyait dans sa tête les six camions garés dans la cour au bout de leur rue, prêts à toute éventualité. Enfant, il avait souvent imaginé le moment où des hommes blancs passant par les fenêtres sauveraient sa famille des flammes.

« C'est juste que je préférerais être là.

— Oh, tu es occupé. Et Levi est ici. Enfin ce n'est pas », dit Kiki joyeusement, et elle essuya quelques larmes dans ses yeux, « pour autant qu'on le voie. Nous, on est là pour lui donner un lit, le nourrir et laver son linge.

— En attendant, je croule sous le linge sale, moi. »

Kiki garda le silence en essayant d'imaginer Jerome à ce moment : où il était assis, la taille de sa chambre, l'emplacement de la fenêtre et la vue qu'il avait. Il lui manquait. Si naïf soit-il, il était son allié. On n'a pas d'enfants favoris, mais on a des alliés.

« Et il y a Zora aussi, ça va.

— Zora... *s'il te plaît*. Elle pisserait pas sur quelqu'un même s'il était en feu.

— Oh, Jerome, ce n'est pas vrai. Elle est juste fâchée avec moi, c'est normal.

— Ce n'est pas contre *toi* qu'elle devrait être en colère.

— Jerome, va en cours et ne te fais pas de souci pour moi. Il faudrait un *géant*.

— Amen », dit Jerome avec l'intonation comique qu'employaient les Belsey lorsqu'ils s'exprimaient avec des voix teintées du Sud profond des États-Unis, et Kiki lui fit écho, en riant. *Amen !*

Puis, pour gâcher tout ce qui venait d'être dit, Jerome

ajouta avec le plus grand sérieux : « Que Dieu te bénisse, maman.

— Oh, chéri, je t'en prie...

— Maman, *accepte* qu'on te bénisse, d'accord ? C'est pas un virus. Écoute, j'ai cours et je suis en retard, je dois y aller. »

Kiki ferma son téléphone portable et le glissa dans la minipoche à la ceinture de son jean. Elle était déjà sur Redwood. Durant la conversation avec son fils elle avait suspendu à son poignet le sac en papier contenant la boîte à gâteau ; elle sentait à présent la tarte tanguer dangereusement. Elle jeta le sac et maintint la boîte des deux mains par en dessous. Arrivée à la porte d'entrée elle appuya sur la sonnette avec son poignet. Une jeune fille noire ouvrit, torchon à la main, et informa Kiki dans un anglais hésitant que Mrs Kipps était dans la « livriothèque ». Kiki n'eut pas le temps de demander si elle dérangeait, ni d'offrir la tarte et de se retirer — la fille la mena immédiatement dans le couloir jusqu'à une porte ouverte, puis la fit pénétrer dans une pièce peinte en blanc, avec des étagères de livres en acajou du sol au plafond. Un piano noir et brillant était placé contre le seul mur vide. Par terre, des centaines de livres étaient disposés en rangées tranches en l'air, comme des dominos, sur une peau de vache élimée. Au beau milieu, Mrs Kipps était assise sur le bord d'un fauteuil victorien tapissé de calicot blanc. Penchée en avant, elle regardait par terre, tête entre les mains.

« Bonjour, Carlene ? »

Carlene leva les yeux sur Kiki et sourit à peine.

« Je suis désolée, est-ce que je vous dérange ?

— Pas du tout, ma chère. C'est un moment de calme. Je crois bien que j'ai eu les yeux plus gros que le ventre. Asseyez-vous, Mrs Belsey. »

Puisqu'il n'y avait pas d'autre chaise dans la pièce, Kiki s'assit sur le tabouret du piano. Elle se demanda pourquoi elles ne se s'appelaient plus par leur prénom.

« Je classe par ordre alphabétique, murmura Mrs Kipps. J'ai cru que cela me prendrait quelques heures tout au plus. Je fais la surprise à Monty. Il aime que ses livres soient classés. Mais j'ai commencé à huit heures ce matin, et je n'ai toujours pas dépassé la lettre C !

— Oh, ouah. » Kiki saisit un livre et, sans raison le tourna dans ses mains. « Je dois dire, nous n'avons jamais classé par ordre alphabétique. Ça m'a l'air ardu comme travail.

— Oui, tout à fait.

— Carlene, je voulais vous donner ceci, pour que...

— Dites-moi, vous en voyez, des B ou des C là-bas ? » Kiki posa sa tarte près d'elle sur le tabouret, et se pencha. « Oh, oh. Anderson, il y a un Anderson ici.

— Oh, Seigneur. Peut-être qu'on devrait faire une petite pause. Prenons un thé, dit-elle, comme si Kiki avait passé la matinée à ses côtés.

— Eh bien, c'est parfait, puisque j'ai apporté un petit quelque chose. C'est peut-être "tarte", mais je voulais faire amende honorable, et ça a l'air bon. »

Mais Carlene Kipps ne sourit pas. Il ne faisait aucun doute qu'elle avait été vexée, et qu'elle ne pouvait pas prétendre aujourd'hui le contraire.

« Vous n'auriez pas dû. J'ai eu tort de m'attendre...

— Non, justement, vous aviez raison... insista Kiki en se levant à moitié du tabouret. C'était terriblement impoli de ma part de ne pas avoir répondu à votre si joli mot... les choses ont été compliquées pendant un certain temps, et...

— Je comprends que votre fils puisse se sentir...

— Non, mais c'est ça qui est bête, Jerome est retourné à la fac de toute façon. Il a décidé de repartir. Il n'y a aucune raison que nous ne soyons pas amies maintenant. Moi, j'aimerais bien. Si vous êtes toujours d'accord », dit Kiki et elle se sentit ridicule, comme une lycéenne. C'était nouveau pour elle, ce genre d'échange. Pendant très longtemps elle était restée indifférente à l'amitié des femmes. Elle n'avait

211

jamais eu besoin d'y penser, puisqu'elle avait épousé son meilleur ami.

Son hôtesse lui adressa un sourire impassible. « Je suis sûre que cela peut se faire.

— Bien ! La vie est tout simplement trop courte pour... », commença Kiki. Carlene hochait déjà la tête.

« Je suis d'accord avec vous. Bien trop courte. Clotilde !

— Pardon ?

— Pas vous, ma chère. Clotilde ! »

La fille qui avait ouvert à Kiki entra dans la pièce.

« Clotilde, pourrions-nous avoir du thé s'il vous plaît, et coupez une part de tarte que Mrs Belsey a apportée. Je n'en prendrai pas, merci... » Kiki protesta, mais Carlene secoua la tête. « Non, je ne peux rien digérer avant trois heures de l'après-midi en ce moment. J'en mangerai tout à l'heure, mais allez-y. Donc. Quel plaisir de vous revoir. Comment allez-vous ?

— Moi ? Bien. Ça va. Et vous ?

— En vérité, j'ai dû passer plusieurs jours au lit. J'ai regardé la télévision. Un long documentaire sur Lincoln qui faisait partie d'une série de programmes. Des théories de complots concernant sa mort, et ainsi de suite.

— Oh, je suis vraiment désolée que vous ne vous sentiez pas bien », dit Kiki ; elle détourna le regard, honteuse de ses propres théories de complots.

« Ne vous en faites pas. C'était un très bon documentaire. Je trouve que ce n'est pas vrai, tout ce qu'on dit sur la télévision américaine, en tout cas, pas entièrement.

— Pourquoi, que dit-on ? » demanda Kiki avec un sourire figé. Elle savait ce qui allait suivre et cela l'embêtait, mais elle était aussi embêtée d'être embêtée.

Carlene haussa les épaules avec fragilité, comme si elle n'avait pas tout à fait la maîtrise de ses gestes. « Eh bien, en Angleterre, il me semble qu'on a tendance à croire que c'est un ramassis de bêtises.

— Oui, c'est ce que tout le monde dit. J'imagine que notre télé n'est pas si bonne.

— En fait, je crois que c'est partout pareil. Je ne regarde plus grand-chose maintenant, tout va trop vite... coupe, coupe, coupe, tout est tellement hystérique et bruyant... mais Monty dit que même notre Channel Four ne peut rivaliser en termes de programmation libérale avec ce que l'on voit sur votre chaîne culturelle, là, PBS. Il ne *supporte pas*. Il ne se laisse pas berner par leur façon de promouvoir les idées libérales traditionnelles en prétendant faire progresser les minorités. Il déteste tout ça. Vous saviez que la plupart des donateurs de PBS vivent à Boston ? Monty dit qu'avec ça on a tout compris, on n'a pas besoin d'en savoir plus. Et pourtant ce documentaire sur Lincoln était vraiment très bon.

— Et... c'était sur... PBS ? » demanda Kiki découragée. Elle avait perdu son sourire apprêté.

Carlene frotta ses sourcils avec ses doigts. « Oui. Je ne l'avais pas dit ? Oui. C'était très bien. »

Elles ne progressaient guère, et l'élan heureux qui les avait poussées l'une vers l'autre trois semaines auparavant semblait avoir disparu. Kiki se demanda comment présenter ses excuses dès que possible sans paraître mal élevée. Comme réponse à cette silencieuse interrogation, Carlene s'enfonça dans son fauteuil et fit glisser de son front sa main sur ses yeux. Elle exhala un murmure de douleur plus grave que sa voix parlée.

« Carlene ? Est-ce que ça va ? »

Kiki s'apprêta à se lever, mais de l'autre main Carlene lui fit signe de rester où elle était.

« Ce n'est rien. Ça va passer. »

Kiki resta sur le bord du tabouret de piano, prête à bouger, son regard allant et venant de Carlene à la porte.

« Vous êtes sûre que je ne peux rien vous...

— Cela me semble intéressant, dit Carlene lentement en

213

dégageant ses yeux. Vous étiez inquiète vous aussi, à l'idée qu'ils se rencontrent à nouveau. Jerome et Vee.

— Inquiète ? Non, dit Kiki en riant nonchalamment. Non, pas vraiment.

— Mais vous l'étiez. Et moi aussi. J'ai été très heureuse d'apprendre que Jerome l'avait évitée à votre fête. C'est bête, mais je savais que je ne voulais pas qu'ils se voient à nouveau. Et pourquoi donc ?

— Eh bien », fit Kiki en baissant les yeux, car elle se préparait à donner une réponse évasive. Mais jetant un coup d'œil au regard sérieux de son interlocutrice, elle se surprit une nouvelle fois à dire la vérité. « Moi je crois que je m'inquiète de voir Jerome prendre les choses trop à cœur, vous voyez ? Il n'a pratiquement pas d'expérience, pas du tout. Et Vee, elle est *tellement* jolie. Je ne le lui dirai jamais, mais elle était un peu hors de sa catégorie. Un peu beaucoup. C'est le genre de fille dont mon petit dernier dirait qu'elle est *trop kiffante*. » Kiki rit, mais remarquant que Carlene était suspendue à chacun de ses mots comme s'ils étaient vitaux, elle s'arrêta. « Jerome a souvent tendance à placer la barre trop haut... Vous savez ce que je crois au fond ? C'était couru d'avance qu'il aurait le cœur brisé. Je veux dire, le genre de cœur brisé qui continue de se *briser*. Et c'est une importante année de fac pour Jerome. Enfin... il suffit de la regarder une fois, Vee, pour savoir qu'elle est un signe de feu, dit Kiki, ayant recours à un système de valeurs qui jusqu'à ce jour ne lui avait jamais fait défaut. Et Jerome, Jerome est un signe d'eau. Il est scorpion, comme moi. Et c'est plutôt ça, son caractère. »

Kiki demanda à Carlene le signe de sa fille et eut la satisfaction d'apprendre qu'elle avait deviné juste. Carlene Kipps semblait perplexe devant la tournure astrologique de la conversation.

« Elle risquerait de le brûler, dit-elle songeuse, essayant de décoder ce que Kiki venait de lui dire. Et il étoufferait son feu... Il la limiterait... oui, oui, je crois que c'est ça. »

Mais Kiki s'offusqua. « Je n'en sais rien... en fait, je sais que toutes les mères disent la même chose, mais mon fiston est très brillant, il s'agit plutôt de le suivre, intellectuellement parlant. C'est une pile électrique. Je sais qu'Howie dirait que Jerome est sans doute le plus intelligent des trois. Dieu sait si Zora travaille assidûment, mais Jerome...

— Vous vous méprenez sur ce que je viens de dire. Je m'en suis rendu compte quand il était chez nous. Il était tellement concentré sur ma fille qu'il l'empêchait presque de vivre. Je suppose qu'on appelle ça une obsession. Lorsqu'il a une idée en tête, votre fils, il y tient dur comme fer. Mon mari est comme ça, je le reconnais. Jerome est un jeune homme très *entier*. »

Kiki sourit. Voilà ce qu'elle avait apprécié chez cette femme. Elle s'exprimait bien : de façon perspicace et honnête.

« Ouais, je vois ce que vous voulez dire. C'est tout ou rien. Tous mes enfants sont un peu comme ça, à dire la vérité. Quand ils décident de faire quelque chose, mon Dieu, ils n'en démordent pas. C'est l'influence de leur père. Entêtés comme des mules.

— Et les hommes sont très entiers quand il s'agit de jolies filles, n'est-ce pas ? enchaîna Carlene, suivant lentement le fil de sa propre pensée dont Kiki ignorait tout. Et s'ils ne peuvent pas les posséder, ils deviennent coléreux et amers. Ça les préoccupe trop. Je n'ai jamais été comme ces femmes. J'en suis *heureuse*. Ça me gênait, avant, mais je peux voir maintenant comme cela a permis à Monty de se consacrer à d'autres choses. »

Que pouvait-on répondre à une telle affirmation ? Kiki tâta dans son sac à la recherche de son baume pour les lèvres.

« C'est plutôt étrange comme façon de voir, dit Kiki.

— Ah bon ? J'ai toujours ressenti ça comme ça. Je me trompe sans doute. Je n'ai jamais été féministe. Je suis sûre que vous l'exprimeriez plus finement.

— Non, non... je... cela dépend sans doute des désirs de chacun, dit Kiki en s'appliquant sur la bouche une substance incolore. Et comment chacun peut..., mettons, permettre à l'autre de s'épanouir, non ?

— Permettre à l'autre ? Je ne comprends pas.

— Je veux dire, prenons votre mari, Monty par exemple, dit Kiki avec témérité. Il écrit beaucoup sur... enfin, j'ai lu ses articles..., sur le fait que vous êtes une mère parfaite, et alors, il... vous savez, il vous utilise souvent comme l'exemple idéal, l'incarnation de la mère chrétienne au foyer, ce qui est remarquable en soi, mais il doit quand même y avoir des choses que vous..., peut-être des choses que *vous* vouliez faire, et que... vous souhaitez peut-être... »

Carlene sourit. Ses dents étaient bien la seule chose qui ne fût pas exemplaire chez elle. En mauvais état, plantées de façon irrégulière, elles étaient largement espacées comme celles des enfants. « Je voulais aimer et être aimée.

— Oui », dit Kiki, parce qu'elle ne trouvait rien d'autre à dire. Elle tendit l'oreille, espérant entendre les pas de Clotilde, un signe annonciateur d'une interruption imminente, mais rien.

« Et vous, Kiki, quand vous étiez jeune ? J'imagine que vous avez fait des tas de choses.

— Oh, mon Dieu..., c'était ce que je voulais. Je ne sais pas si je les ai vraiment faites. Pendant très longtemps, j'ai voulu être la secrétaire personnelle de Malcolm X. Ça n'a pas marché. J'ai voulu être écrivain. J'ai voulu chanter, à un moment donné. Ma maman voulait que je sois médecin. *Femme noire médecin.* C'étaient ses trois mots préférés.

— Et vous étiez très belle ?

— Ouah... quelle question ! D'où vous la sortez ? »

Carlene haussa à nouveau ses épaules osseuses. « Je me demande toujours de quoi les gens avaient l'air avant que je les connaisse.

— Est-ce que j'étais belle... En fait, oui ! » C'était une chose étrange à dire à voix haute. « Carlene, soit dit entre

216

vous et moi, j'étais carrément renversante. Pas pendant très longtemps. Peut-être pendant six ans. Mais je l'ai été, oui.

— Ça se voit toujours. Vous êtes encore très belle, je trouve », dit Carlene.

Kiki rit sans retenue. « Vous n'avez pas *honte* de me flatter comme ça ? Vous savez... je vois Zora qui s'inquiète constamment de son physique, et j'ai envie de lui dire, chérie, n'importe quelle femme qui compte sur son apparence pour réussir est une *imbécile*. Elle ne peut pas entendre ça venant de moi. Pourtant, c'est vrai. Nous finissons *toutes* au même endroit au bout du compte. C'est la *vérité*. »

Kiki rit à nouveau, plus tristement cette fois. Puis ce fut au tour de Carlene de sourire poliment.

« Est-ce que je vous l'ai dit ? » fit Carlene, interrompant le bref silence. « Mon fils Michael s'est fiancé. Nous l'avons appris la semaine dernière. »

« Oh, c'est formidable, dit Kiki, que les changements de conversation inattendus de Carlene prenaient moins à contre-pied. Qui est-ce alors ? Une Américaine ?

— Anglaise. Ses parents sont jamaïcains. Une fille très simple, douce et calme, une fille qui fréquente notre église, Amelia. Elle est incapable de déséquilibrer quiconque, elle sera une compagne. Et c'est une bonne chose, je crois. Michael n'est tout simplement pas assez fort pour connaître autre chose... » Elle s'interrompit et regarda, par la fenêtre, le jardin à l'arrière de la maison. « Ils vont se marier ici, à Wellington. Ils viendront à Noël pour trouver l'église qui leur convient. Excusez-moi un instant. Je dois aller voir où en est votre magnifique tarte. »

Kiki observa Carlene quitter la pièce d'un pas chancelant, s'appuyant ici et là. Kiki, seule, posa ses mains entre ses genoux, puis resserra ses jambes. Apprendre qu'une jeune fille allait se lancer sur la route qu'elle-même avait empruntée trente ans plus tôt lui donna le vertige. Une clairière apparut dans son esprit, et elle tenta d'y projeter l'un de ses plus anciens souvenirs d'Howard — le soir où ils s'étaient rencontrés et avaient couché ensemble pour la première fois. Mais ce souvenir ne revenait pas si facilement ; depuis plus de dix ans elle se le rappelait comme d'un jouet en ferblanc tout grippé d'être resté sous la pluie — complètement rouillé, une pièce de musée n'ayant plus rien à voir avec *son* jouet. Même ses enfants le connaissaient par cœur. Sur le tapis indien de l'appartement sans ascenseur de Kiki à Brooklyn, avec toutes les fenêtres ouvertes, et les grands pieds gris d'Howard qui dépassaient par la porte ouverte sur l'escalier de secours. Quarante degrés dans le smog newyorkais. *Hallelujah* de Leonard Cohen sur son tourne-disque bon marché, cette chanson qu'Howard disait être « un hymne qui déconstruit un hymne ». Kiki avait depuis longtemps accepté de faire sien ce détail musical. Ce n'était sûrement pas vrai — *Hallelujah* correspondait à un autre moment, des années plus tard. Mais il était difficile de résister à la poésie de cette possibilité, et elle avait donc accepté qu'*Hallelujah* fît partie du mythe familial. À bien y réfléchir, cela avait été une erreur. Une petite erreur, certes, mais symptomatique de failles profondes. Pourquoi permettaitelle toujours à Howard de reconstruire les vestiges du passé ? Par exemple, elle devrait sans doute dire quelque chose lorsque, dans les dîners, Howard affirmait exécrer toute fiction littéraire. Elle devrait l'interrompre lorsqu'il soutenait que le cinéma américain n'était qu'ordure idéalisée. *Mais*, devrait-elle dire, *mais ! À Noël en 1976 il m'a offert une première édition de* Gatsby. *On a vu* Taxi Driver *ensemble dans un cinéma pourri à Times Square, et il a adoré*. Elle ne disait pas ces choses. Elle permettait à Howard de réinventer, de retoucher. Quand, à l'occasion d'un précédent anniversaire de mariage, Jerome avait fait écouter à ses parents une version bien plus belle et éthérée d'*Hallelujah* par un gamin du nom de Buckley, Kiki s'était dit oui, c'est ça, en s'embellissant nos souvenirs deviennent chaque jour de moins en moins réels. Le gamin en question s'était par la suite noyé dans le Mississippi, se souvint Kiki, levant alors les yeux de ses genoux vers le tableau coloré accroché derrière la place vide de Carlene. Jerome avait pleuré : les larmes que vous versez pour quelqu'un que vous n'avez jamais connu et qui est l'auteur d'une belle chose que vous chérissez. Dix-sept ans auparavant, à la mort de Lennon, Kiki avait traîné Howard avec elle à Central Park et pleuré tandis que la foule chantait *All You Need Is Love* et qu'Howard déblatérait amèrement sur la soumission à l'autorité et la psychose collective.

« Vous aimez ? »

Carlene tendit en tremblotant une tasse de thé à Kiki, tandis que Clotilde plaçait une assiette en porcelaine tarabiscotée avec une part de tarte près d'elle sur le tabouret. Avant que Kiki puisse la remercier, Clotilde sortait déjà à reculons de la pièce, en fermant la porte derrière elle.

« Est-ce que j'aime... ?

— Maîtresse Erzulie, dit Carlene en pointant un doigt vers le tableau. Je croyais que vous étiez en train de l'admirer.

— Elle est fabuleuse », répondit Kiki, en prenant pour la première fois le temps de regarder la toile de près. En son centre figurait une grande femme noire et nue, coiffée d'un bandana rouge, debout dans un fantastique espace blanc, entourée de toutes parts de branches tropicales, dans un kaléidoscope de fruits et de fleurs. Quatre oiseaux roses, un perroquet vert. Trois colibris. Moult papillons marron. Le style du tableau était primitif et enfantin, tout était à plat sur la toile. Sans perspective ni profondeur.

« C'est un Hyppolite. Il vaut très cher, je crois, mais ce n'est pas pour ça que je l'aime. Je l'ai acheté là-bas, à Haïti dès ma première visite, avant de connaître mon mari.

— C'est très beau. J'adore les portraits. Nous n'avons pas de tableaux chez nous. En tout cas, aucun qui représente un être humain.

— Oh, quel dommage, dit Carlene d'un air affligé. Mais venez ici quand vous voulez pour regarder les miens. J'en ai beaucoup. Ils me tiennent compagnie..., ils sont ma plus grande *joie*. Je m'en suis rendu compte très récemment. Mais Erzulie, c'est ma favorite, c'est une grande déesse vaudoue. On l'appelle la Vierge Noire, et aussi la Vénus Violente. La pauvre Clotilde n'ose même pas la regarder, elle a même du mal à se trouver dans la même pièce... vous avez remarqué ? Une superstition.

— Ah bon ? Donc, c'est un symbole ?

— Oh, oui. Elle représente l'amour, la beauté, la pureté, l'idéal féminin et la lune... et elle incarne le *mystère** de la jalousie, de la vengeance et de la discorde d'une part, et d'autre part celui de l'amour, de l'aide perpétuelle, de la bienveillance, de la santé, de la beauté et de la fortune.

— Eh bien, dites donc. Ça en fait, des symboles.

— Oui, n'est-ce pas ? C'est un peu comme tous les saints catholiques réunis en un seul être.

— C'est intéressant... », commença Kiki timidement, en prenant le temps de se remémorer une opinion d'Howard, qu'elle aurait souhaitée à présent pouvoir faire sienne. « Parce que nous sommes tellement binaires, naturellement, dans notre façon de penser. On a tendance à voir les choses de façon manichéenne dans le monde chrétien. On est structurés comme ça. Selon Howard, c'est ça, le problème.

— C'est une façon intelligente de voir les choses. Moi, j'aime ses perroquets. »

Kiki sourit, soulagée de ne plus avoir à emprunter ce chemin incertain.

« *Chouettes*, les perroquets. Alors, est-ce qu'elle se venge des hommes ?

— Oui, je crois bien.

— J'aurais bien besoin de faire pareil, dit Kiki dans un souffle, sans vouloir vraiment être entendue.

— Je crois... murmura Carlene en souriant tendrement à son invitée, je crois que ce serait bien dommage. »

Kiki ferma les yeux. « Ouah. Parfois je déteste cette ville. Tout le monde connaît les affaires personnelles de tout le monde. Elle est vraiment *trop* petite, cette ville.

— Mais je suis tellement heureuse de voir que votre moral est resté intact.

— Oh ! dit Kiki, émue par l'expression spontanée de la compassion de Mrs Kipps. On va s'en sortir. Je suis mariée depuis très, très longtemps, Carlene. Il faudrait un géant pour me blesser. »

Carlene se laissa aller dans son fauteuil. Les coins de ses yeux étaient rosis et humides.

« Mais pourquoi ne devriez-vous pas être blessée, ma chère ? C'est très blessant.

— Oui... bien entendu, mais... je crois que ce que j'essaie de dire, c'est que ma vie ne se résume pas à cette histoire. En ce moment, j'essaie de comprendre pourquoi j'ai vécu jusqu'à maintenant..., je crois bien que j'en suis là..., et pourquoi je vais continuer de vivre. Et... c'est beaucoup plus essentiel pour moi maintenant. Howard devrait lui aussi s'interroger là-dessus. Je ne sais pas... on se sépare, on ne se sépare pas : c'est du pareil au même.

— Je ne me demande pas *pourquoi* j'ai vécu, affirma Carlene. C'est une question d'homme. Mais je me demande pour *qui*.

— Oh, je doute que vous le croyiez vraiment. » Mais l'expression grave des yeux de son interlocutrice lui signifia que c'était très exactement ce qu'elle croyait, et Kiki se sentit soudain vexée par le gâchis et la stupidité d'une telle attitude. « Je dois dire, Carlene..., j'ai bien peur de ne pas du tout y croire. Je sais que je n'ai pas vécu pour quelqu'un, et il me semble que parler comme ça nous ramène, nous les femmes, et surtout toutes les femmes noires, trois cents ans en arrière, si vraiment vous...

— Oh flûte ! nous voici en train de nous disputer ! dit Carlene, que cette idée angoissait manifestement. Vous vous méprenez encore sur mon compte. Je ne suis pas en train de plaider une cause. C'est juste un sentiment que j'ai, surtout maintenant. J'ai compris très clairement ces derniers temps qu'en vérité je n'ai pas vécu pour une idée ou même pour

Dieu, j'ai vécu parce que j'ai aimé *cette* personne. Je suis très égoïste, en vérité. J'ai vécu pour l'amour. Je ne me suis jamais vraiment intéressée au monde — à ma famille, oui, mais pas au monde. Je ne cherche pas à justifier ma vie, mais c'est vrai. »

Kiki regretta d'avoir élevé la voix. Cette dame était vieille, elle était malade. Peu importe ce qu'elle croyait.

« Vous devez avoir un mariage merveilleux, dit-elle, conciliante. C'est remarquable. Mais quant à nous... vous savez... on en est arrivé à une espèce d'entente... »

Carlene lui fit signe de se taire et s'approcha d'elle en s'avançant dans son fauteuil. « Oui, oui. Mais vous avez misé votre *vie*. Vous avez donné votre *vie* à quelqu'un. Vous avez été déçue.

— Oh, je ne sais pas si je suis déçue... ce n'est pas vraiment une surprise. Ça arrive. Et j'ai quand même épousé un homme. »

Carlene lui adressa un regard interrogateur. « Y avait-il une autre possibilité ? »

Kiki regarda son hôtesse droit dans les yeux et décida d'être effrontée. « Pour moi, oui, il y a eu un moment... oui. »

Carlene regarda son invitée d'un air interloqué. Kiki s'interrogea sur son propre comportement. Depuis quelque temps, elle avait eu des ratés, et voilà que cela lui arrivait dans la bibliothèque de Carlene Kipps. Mais elle ne s'arrêta pas là ; elle ressentit un vieux besoin familier — souvent assouvi à une époque — de choquer et, en même temps, de dire la vérité. Ce sentiment était identique à celui qu'elle éprouvait (allant rarement jusqu'à agir en conséquence) dans les églises et les magasins très chic et très chers et dans les salles d'audience. Des lieux où, pensait-elle, on ne disait que très rarement la vérité.

« Je veux dire, à l'époque c'était la révolution, tout le monde explorait d'autres modes de vie, des modes de vie alternatifs... par exemple les femmes vivant avec d'autres femmes.

— Avec d'autres femmes, répéta Carlene.

— Au lieu de vivre avec des hommes, confirma Kiki. Bien sûr... j'ai pensé un moment que ce serait peut-être le chemin que j'emprunterais. Je veux dire, c'est ce que j'ai fait pendant un moment.

— Ah », dit Carlene, et de sa main gauche elle maîtrisa la droite qui tremblait. « Oui, je vois, dit-elle pensive, ne rougissant que très légèrement. Peut-être que ce serait plus facile, c'est ce que vous croyez ? Je me suis souvent posé la question... ça doit être plus facile de connaître l'autre : c'est sûrement vrai. Car l'autre est semblable à vous. Ma tante était comme ça. Ce n'est pas rare aux Caraïbes. Naturellement, Monty a toujours été très sévère à ce sujet, du moins jusqu'à James.

— James ? » répéta Kiki d'un ton tranchant. Elle était marrie que sa propre révélation fût si rapidement balayée.

« Le révérend James Delafield. C'est un très vieil ami de Monty, un monsieur de Princeton. Un baptiste, je crois bien que c'est lui qui a célébré la bénédiction à l'investiture du président Reagan.

— Mais justement, ce n'est pas lui qui était, en fait... ? » dit Kiki, se souvenant vaguement d'un portrait paru dans le *New Yorker*.

Carlene frappa dans ses mains et — chose inattendue — gloussa. « Oui ! Monty a été obligé de revoir sa position, oh oui, tout à fait. Et Monty déteste ça. Mais il avait le choix entre son ami et..., eh bien, je ne sais pas. Les baptistes évangéliques, j'imagine. Mais je savais que Monty appréciait trop la conversation de James — sans parler de ses cigares — pour le laisser tomber. Je lui ai dit : mon cher, la vie doit passer avant les Écritures. Sinon, à quoi servent-elles ? Monty était outré ! Scandalisé ! C'est à nous de nous conformer aux Écritures a-t-il dit. Il m'a affirmé que je n'avais rien compris, et il a sans doute raison. Mais je vois qu'ils aiment toujours passer une soirée ensemble, et fumer un cigare. Vous savez, entre vous et moi », chuchota-t-elle, et Kiki se demanda où était passé son principe de ne jamais se moquer de son mari, « ce sont de très bons amis. »

Kiki haussa le sourcil gauche d'un mouvement sec et dévastateur. « Le meilleur ami de Monty Kipps est homo. »

Carlene cria d'un rire espiègle. « Oh, il ne dirait jamais ça. Jamais ! En fait, il ne voit pas la chose ainsi.

— Il n'y a pas mille et une façons de la voir, non ? »

Carlene essuya ses larmes d'hilarité.

Kiki siffla. « Alors là, ce n'est pas le genre de choses dont il parle quand il passe sur Fox News.

— Oh, ma chère, vous êtes terrible. Terrible ! »

Elle riait avec jubilation, et Kiki fut émerveillée de voir à quel point cela éclairait ses yeux et détendait sa peau. Elle semblait plus jeune, et mieux portante. Elles rirent ensemble pendant un moment, de choses tout à fait différentes, pensa Kiki. Finalement, l'allégresse retomba des deux côtés, et elles en vinrent à une conversation plus conventionnelle. Ces petites révélations mutuelles leur rappelaient tout ce qu'elles avaient en commun, et cela leur permit de discuter en toute liberté, évitant tout ce qui pouvait constituer un obstacle à leur liberté d'expression. Elles étaient mères toutes deux, elles connaissaient l'Angleterre, elles aimaient chiens et jardins, et les aptitudes de leurs enfants les intimidaient quelque peu. Carlene parla longuement de Michael, dont le côté pragmatique et le sens de l'argent faisaient sa fierté. À son tour, Kiki fit part d'anecdotes familiales légèrement falsifiées, aplanissant consciemment les aspérités de Levi, esquissant un portrait court et mensonger de la dévotion de Zora à la vie familiale. Kiki parla plusieurs fois de l'hôpital, espérant pouvoir en venir à des questions plus précises sur la maladie de Carlene, mais chaque fois qu'elle était sur le point de le faire, elle hésitait. Le temps passa. Elles finirent leur thé. Kiki se rendit compte qu'elle avait mangé trois parts de tarte. À la porte, lorsque

Carlene l'embrassa sur les deux joues, Kiki sentit distinctement — et intensément — sur elle l'odeur de son lieu de travail. Elle relâcha les frêles coudes de Carlene, emprunta la charmante allée du jardin, et regagna la rue.

5

Un mégastore nécessite un mégabâtiment. Lorsque les employeurs de Levi débarquèrent à Boston sept ans auparavant, ils avaient hésité entre plusieurs grandes bâtisses du dix-neuvième siècle. Ils optèrent pour l'ancienne bibliothèque municipale, construite dans les années 1880, en briques d'un rouge vif avec des fenêtres d'un noir brillant et une haute voûte néo-gothique surplombant l'entrée principale. L'immeuble occupait la quasi-totalité du pâté de maisons où il avait été érigé. Dans ce bâtiment, Oscar Wilde avait donné une conférence sur la suprématie florale du lilas. On ouvrait les portes en tournant des deux mains un anneau en fer et en attendant le lourd déclic discret du métal libérant le métal. À présent, ces portes en chêne hautes de quatre mètres ont cédé la place à trois panneaux de verre qui s'ouvrent en coulissant silencieusement à l'approche du public. Levi entra par ces portes et salua Marlon et Big James, qui travaillaient à la sécurité, d'un coup de poing amical dans le poing. Il prit l'ascenseur jusqu'à la réserve en sous-sol pour se changer, mettre son tee-shirt au logo de la société, sa casquette de base-ball et le pantalon fuseau en polyester noir bon marché qu'on l'obligeait à porter, qui lui serrait les jambes et attirait les peluches. Il prit à nouveau l'ascenseur pour le troisième étage et se dirigea vers son rayon, les yeux rivés au sol et observant le logo de la marque se répéter sur la moquette synthétique. Il était en colère. Il avait le sentiment d'avoir été floué. Le long du couloir, il retraça la genèse de ce sentiment. Il avait décidé de travailler dans ce magasin le samedi en toute innocence, puisqu'il avait toujours admiré cette marque mondialement connue, sa visibilité et son ambition. Il avait été particulièrement impressionné par ce passage dans le formulaire de candidature :

Plutôt que d'une hiérarchie, nos sociétés font partie d'une famille. Elles peuvent librement gérer leurs propres affaires, ou choisir de s'entraider ; ainsi la multiplicité des moyens permet-elle de solutionner tout problème. Nous sommes en un sens une communauté qui partage idées, valeurs, intérêts et buts. La preuve de notre succès est réelle et tangible. Rejoignez-nous.

Il avait décidé de les rejoindre. Levi aimait à se dire que le mythique Anglais propriétaire de la marque était comme un taggueur taggant les quatre coins du monde. Avions, trains, finance, sodas, musique, téléphones portables, voyages, voitures, vins, édition, prêt-à-porter nuptial — toute surface sur laquelle pouvait s'inscrire son logo simple et audacieux. C'était ce genre de chose que Levi espérait faire un jour. Il s'était dit que ce n'était pas une si mauvaise idée de prendre un petit emploi de vendeur dans cette société énorme, ne serait-ce que pour étudier son fonctionnement de l'intérieur. Observer, apprendre, évincer — à l'instar de Machiavel. Il était resté même quand le travail se révéla être rude et mal rémunéré. Parce qu'il croyait faire partie d'une famille dont le succès était réel et tangible, malgré les six dollars quatre-vingt-neuf *cents* qu'il gagnait de l'heure.

Puis, de façon complètement inattendue, il avait reçu ce matin sur son portable un message de Tom, un garçon sympa qui travaillait au rayon Folk. Selon Tom, la rumeur se propageait que Bailey, le responsable d'étage, allait obliger vendeurs et caissiers à travailler la veille et le jour de Noël. C'est alors que Levi prit conscience du fait qu'il n'avait jamais sérieusement songé à ce que son employeur, l'impressionnante marque mondiale, entendait précisément par ces *idées*, *valeurs*, *intérêts* et *buts partagés* qui étaient censés profiter à Levi et à Tom et à Candy et à Gina et à LaShonda et à Gloria et à Jamal, et tous les autres. *Musique pour le peuple* ? *Le choix est primordial* ? *Toute la musique tout le temps* ?

« *Prends le fric*, suggéra Howard au petit déjeuner. *Avant tout*. Voilà leur slogan.

— J'ne vais *pas* travailler le jour de Noël, dit Levi.

— Surtout pas, acquiesça Howard.

— C'est juste pas possible. C'est n'importe quoi.

— Eh bien, si c'est vraiment ton sentiment, vous devriez, toi et tes collègues, vous organiser et lancer une sorte d'action directe.

— J'sais même pas de quoi tu parles. »

Autour de leur pain grillé et de leur café, Howard expliqua à son fils les principes de l'action directe telle qu'il l'avait pratiquée entre 1970 et 1980 avec ses amis. Il évoqua longuement quelqu'un nommé Gramsci et un groupe qui s'appelait les situationnistes. Levi hocha la tête vite et régulièrement, comme il avait appris à le faire lorsque son père lui faisait ce genre de discours. Il sentit ses paupières se fermer et sa cuillère s'alourdir dans sa main.

« J'crois pas qu'les choses s'passent comme ça aujourd'hui », dit enfin Levi gentiment, attentif à la fois à ne pas décevoir son père et à ne pas rater le bus. L'histoire n'était pas inintéressante, mais elle risquait de le mettre en retard au travail.

Levi arriva dans l'aile ouest du troisième étage, son secteur. Il avait eu récemment une promotion, même si celle-ci demeurait conceptuelle plutôt que financière. Certes, il n'avait plus à se rendre au pied levé là où on avait besoin de lui, il travaillait à présent au rayon Hip-Hop, R&B, et Urban ; on lui avait fait croire que ce poste lui permettrait de partager ses connaissances de ces genres de musique avec les clients en quête de savoir, tout comme les bibliothécaires arpentant jadis ces mêmes parquets avaient aidé les lecteurs qui leur demandaient conseil. Mais les choses ne s'étaient pas exactement déroulées ainsi. *Où sont les toi-*

lettes ? Où est le Jazz ? Où est la World Music ? Où est le café ? Où est la séance de dédicace ? La plupart du temps ce qu'il faisait n'était guère différent de l'activité des hommes-sandwichs au coin de la rue qui indiquent aux passants le chemin du magasin de surplus militaire. Et, même si la lumière poussiéreuse filtrait délicatement par les hautes fenêtres, même si l'esprit de studieuse contemplation semblait encore émaner des murs en faux Tudor lambrissés et des roses et des tulipes sculptées décorant les nombreux balcons, personne en ce lieu ne cherchait véritablement à être éclairé. Ce qui était très dommage, car Levi aimait passionnément le rap ; sa beauté, son inventivité, son humanité n'avaient aucun secret pour lui, et il était prêt à plaider l'égale importance du genre par rapport à l'ensemble des productions artistiques de l'espèce humaine. Passer une demi-heure à écouter l'enthousiasme de Levi serait comme d'entendre Harold Bloom déployer son lyrisme au sujet de Falstaff — mais l'occasion ne se présentait jamais. Il passait plutôt ses samedis à diriger les gens vers les bandes originales « rap » de films à succès. C'est pourquoi Levi, qui n'était ni bien payé ni très satisfait de son emploi, ne pouvait même pas envisager de travailler le week-end de Noël. Ça n'allait tout simplement pas se passer de la sorte.

« Candy ! Yo, Candy ! »

À dix mètres de lui, ne sachant pas d'emblée qui l'interpellait, Candy se détourna du client dont elle s'occupait et d'un geste enjoignit Levi de la laisser tranquille. Levi attendit le départ du client de sa collègue. Puis il courut nonchalamment jusqu'au rayon Rock Alternatif/Heavy Metal pour retrouver Candy, et lui tapota l'épaule. Elle se tourna vers lui, soupirant déjà. Elle avait un nouveau piercing, un labret sous sa lèvre inférieure. C'était ça, travailler ici : on y rencontrait des gens qu'on n'aurait jamais connus sinon.

« Candy, j'ai besoin de te parler.

— Écoute, je travaille au stock depuis sept heures ce

matin et je prends ma pause-déjeuner maintenant, donc pas la peine de me demander quoi que ce soit.

— Non, c'est pas ça, je viens juste d'arriver, je prends ma pause à midi. T'es au courant pour Noël ? »

Candy grogna en se frottant vigoureusement les yeux. Levi remarqua la saleté de ses doigts, les cuticules rongées autour de ses ongles, la minuscule verrue translucide sur son pouce. Lorsqu'elle regarda à nouveau Levi son visage était violet et couvert de taches. Sa peau jurait avec le rose et le noir de ses mèches de cheveux.

« Ouais, j'en ai entendu parler.

— Ils délirent s'ils croient que j'viendrai bosser c'week-end-là. J'travaille *pas* l'jour de Noël, sûrement pas.

— Ah ouais, tu vas démissionner ou quoi ?

— Pourquoi ? Ça serait trop bête.

— Eh bien, tu peux protester, mais... » Candy fit craquer ses jointures. « Bailey s'en bat les couilles.

— C'est pour ça que j'vais pas me plaindre à Bailey, j'vais agir, ma grande, j'vais, genre... mener une action *directe*. »

Candy cligna lentement des yeux en le regardant. « Ah ouais. Bonne chance.

— Écoute : retrouve-moi derrière le magasin dans deux minutes, d'acc ? Dis aux autres de venir, Tom et Gina et Gloria, tous ceux de notre étage. J'irai chercher LaShonda, elle est à la caisse.

— *D'accord*, articula Candy comme si ce mot était on ne peut plus galvaudé. Putain..., arrête de faire le stalinien.

— Deux minutes.

— *D'accord.* »

Levi trouva LaShonda à l'extrémité d'une longue rangée de caisses enregistreuses, dominant par sa taille et sa carrure les six collègues masculins qui travaillaient à ses côtés. Une véritable amazone de la vente au détail.

« Hé, LaShonda, salut. »

Dans un cliquetis d'ongles rapide et économe, LaShonda

salua Levi en déployant ses serres comme un éventail. Elle lui sourit. « Salut Levi, mon garçon. Comment tu vas ?

— Oh, ça va, cool... tu sais, j'me démerde, j'fais mon truc, quoi.

— Tu le fais très bien, mon chou, crois-moi. »

Levi fit de son mieux pour soutenir le regard de cette femme incroyable, mais, comme chaque fois, n'y parvint pas. LaShonda ne saisissait toujours pas que Levi n'avait que seize ans, qu'il habitait chez ses parents dans une banlieue cossue de Wellington, et qu'il n'était donc pas un candidat fiable au poste de père de substitution pour ses trois enfants en bas âge.

« Hé, LaShonda, j'peux t'parler une seconde ?

— Bien sûr, mon ange, j'ai toujours du temps pour toi, tu le sais bien. »

LaShonda quitta sa caisse, et Levi la suivit alors qu'elle se dirigeait vers un coin tranquille près de la gondole des meilleures ventes de musique classique. Pour une mère de trois enfants, son corps était miraculeux. Les muscles trapus de ses avant-bras tendaient l'étoffe de sa chemise noire à manches longues ; devant, les boutons s'efforçaient de maîtriser sa poitrine. Et le bon vieux cul rebondi de LaShonda — qui luttait vaillamment contre le nylon de son pantalon réglementaire — était aux yeux Levi le grand bonus implicite de cet emploi.

« LaShonda, tu peux nous retrouver derrière le magasin dans cinq minutes ? On fait une réunion, dit Levi en laissant son accent dégringoler de quelques notes pour se rapprocher de celui de LaShonda. Ramène Tom et tous ceux qui peuvent s'absenter quelques minutes. C'est au sujet du truc de Noël.

— De quoi ? Quel truc de Noël ?

— On t'a pas dit ? Ils veulent nous faire travailler le jour de Noël.

— C'est vrai ? Avec majoration de cinquante pour cent ?

— Eh bien... j'sais pas...

« — Ça m'ferait pas de mal d'empocher quelques dollars de plus, si tu vois ce que je veux dire. » Levi acquiesça. Ça, c'était un autre truc. LaShonda avait supposé qu'il vivait dans les mêmes conditions sociales et économiques qu'elle. Chacun a besoin d'argent à sa façon. Levi n'en avait pas besoin comme LaShonda. « Moi, je travaillerai, sûr. Le matin au moins. Je peux pas venir à la réunion, mais t'as qu'à mettre mon nom, d'acc ?

— O.K... pas de souci... Je l'ferai.

— Je m'ferai bien un petit bonus, sans blague, et cette année je dois *or-ga-ni-ser* mon Noël ! Chaque fois j'dis la même chose, je m'en occuperai tôt cette année, et puis j'le fais jamais, j'attends toujours le dernier moment, comme chaque fois. Mais tout est si cher, oh, la la.

— Ouais, fit Levi pensivement. Tout le monde doit se serrer la ceinture à cette époque de l'année...

— Tu m'étonnes ! dit LaShonda, et elle siffla. Et j'ai personne qui peut m'aider à faire tout ça. Je dois tout faire moi-même, tu vois ce que je veux dire ? Tu prends ta pause, mon ange ? Tu veux déjeuner avec moi ? Je pars me chercher un sandwich dans deux minutes. »

De temps à autre Levi pénétrait dans un monde imaginaire dans lequel il acceptait les invitations de LaShonda, pour ensuite lui faire l'amour debout dans le sous-sol du magasin. Très vite, il emménageait chez elle à Roxbury et s'occupait de ses enfants comme s'ils étaient les siens. Et ils vivaient heureux — deux roses en train d'éclore dans le béton, pour citer Tupac Shakur. Mais en vérité, il n'aurait pas su quoi faire avec une femme comme LaShonda. Il aurait tant voulu savoir s'y prendre, mais cela lui échappait. Les gloussantes adolescentes hispaniques auxquelles Levi était habitué, qui fréquentaient l'école catholique à côté de son bahut privé, avaient des goûts très simples : elles se contentaient d'un film suivi d'une séance de pelotage dans l'un des parcs de Wellington. Lorsqu'il se sentait courageux et confiant, il lui arrivait de brancher l'une des exquises

LaShonda de quinze ans qu'il rencontrait dans les boîtes de Boston, où elles entraient avec de fausses pièces d'identité, et qui le prenaient plus ou moins au sérieux pendant une semaine ou deux, pour s'éloigner peu après, désarçonnées par son étrange détermination à ne rien leur révéler de sa vie et à ne pas leur montrer où il habitait.

« Non... merci, LaShonda... j'ai ma pause plus tard.

— D'accord, mon chou. Tu vas me manquer pourtant. T'es trop beau aujourd'hui, musclé et tout. »

Levi contracta complaisamment son biceps sous les doigts manucurés de LaShonda.

« Miam ! Et le reste. Sois pas timide. »

Il releva un peu son tee-shirt.

« Oh, mon loup, c'est plus des barres de chocolat, c'est carrément des *plaquettes* ! Oh, les filles, gare à mon refré, Levi... aïe aïe *aïe* ! C'est plus un bébé !

— Tu me connais, LaShonda, je prends soin de moi.

— Ouais, mais tu devrais laisser *quelqu'un* prendre soin de toi », dit LaShonda et elle rit longuement. Elle posa une main sur sa joue. « O.K., ma poule, j'file. À la semaine prochaine, si j'te revois pas. À plus.

— Salut, LaShonda. »

Levi s'appuya contre un présentoir d'enregistrements de *Madame Butterfly* et regarda s'éloigner LaShonda. Quelqu'un le tapa doucement sur l'épaule.

« Euh..., Levi, désolé..., dit Tom du rayon Folk. Je viens d'apprendre que tu... est-ce qu'il y a.... genre une réunion ? Je viens d'entendre que tu essayais d'organiser une sorte de... »

Tom était sympa. Levi était en désaccord avec lui sur toute la ligne en matière de musique, comme seuls deux jeunes gens peuvent l'être, mais il reconnaissait aussi qu'on pouvait s'entendre avec Tom par ailleurs : sur cette guerre de dingue, et sur la nécessité de ne pas se laisser stresser par les clients. De plus il était facile à vivre.

« Yo, mon pote, comment ça va, dit Levi qui tenta de

saluer Tom d'un coup de poing amical dans le poing, ce qui ne marchait jamais. Sans déconner, on a une réunion. J'y vais maintenant. C'est des conneries, c't'histoire de Noël.

— Ouais, c'est de la connerie *absolue*, dit Tom en dégageant de son visage ses longues mèches blondes. C'est cool que tu... tu sais... que tu prennes position et tout. »

Mais parfois, comme maintenant, la déférence un peu excessive dont Tom faisait preuve — toujours avide d'attribuer à Levi, qui ne savait même pas qu'il concourait, le premier prix — l'irritait.

Cela sautait aux yeux : seuls les gamins blancs s'étaient rendus à la réunion. Gloria et Gina, les deux filles hispaniques, étaient absentes, ainsi que Jamal, le Noir qui s'occupait de la Musique du Monde, et Khaled, un Jordanien qui travaillait au rayon des DVD musicaux. Il n'y avait que Tom, Candy, et un petit mec avec des taches de rousseur que Levi ne connaissait pas très bien, qui s'appelait Mike Cloughessy, et qui travaillait au rayon Pop, au deuxième étage.

« Où ils sont, les autres ? demanda Levi.

— Gina a dit qu'elle venait, mais..., expliqua Candy. Elle a un chef de rayon aux fesses qui la lâche pas, alors...

— Mais elle a dit qu'elle viendrait ? »

Candy haussa les épaules. Puis, comme les autres, leva vers Levi un regard plein d'espoir. Il eut le même sentiment étrange que dans son bahut privé : s'il ne prenait pas la parole, personne d'autre ne le ferait. Le fait qu'on lui conférât cette autorité était une chose complexe et pleine de non-dits, car c'était un garçon noir ; idée qu'il ne parvenait pas à approfondir.

« C'que j'dis, genre, c'est qu'il *doit* y avoir une limite à ne pas dépasser, au-delà de laquelle on peut pas aller. Et travailler le jour de Noël, c'est la limite. C'est tout, fit-il, parlant avec ses mains un peu plus qu'il n'en avait l'habitude parce que son auditoire semblait s'y attendre. Moi, je crois qu'on doit protester en menant une action. Parce que maintenant, au point où on en est, tous ceux qui sont à mi-temps qui refusent de travailler le jour de Noël courent le risque de perdre leur boulot. Et ça, c'est des conneries, à mon avis.

— Mais, qu'est-ce que ça veut dire... protester en menant une action ? » demanda Mike. Nerveux, il remuait constamment en parlant. Levi se demanda quel effet cela devait faire d'être petit, rose, agité, et avec une tête bizarre comme ce gars. Alors qu'il s'interrogeait, Levi grimaça sans doute en regardant Mike, car le petit gars gigota de plus en plus, rentrant et sortant continuellement ses mains de ses poches.

« C'est comme un... tu sais, comme un *sit-in* », suggéra Tom. Tenant d'une main un paquet de Drum et de l'autre une feuille à rouler, il essayait de se confectionner une cigarette. Il appuyait son buste balèze contre l'embrasure de la porte, essayant à l'abri du vent de mener à bien son projet naissant. Levi — bien qu'il désapprouvât passionnément le tabac — l'aida en se tenant devant lui comme un bouclier humain.

« Sit-in ? »

Tom commença à lui expliquer ce qu'était un sit-in, mais Levi, voyant où cela les mènerait, l'interrompit.

« Yo, j'vais pas m'asseoir par terre, moi. Par terre, c'est pas mon truc.

— T'as pas besoin te t'asseoir, tu sais. C'est pas une obligation. On pourrait quitter les lieux.

— Euh... si on se tire, ils vont nous dire de continuer à marcher jusqu'à l'ANPE, dit Candy en sortant de sa poche une demi-Marlboro qu'elle alluma avec l'allumette de Tom. Bailey s'en chargera.

— *Tu bougeras pas ton cul d'un centimètre*, fit Levi qui imitant Bailey avec une cruelle précision agita par saccades maladroites sa tête en se tenant voûté comme un quadrupède découvrant la station debout. *Y a qu'un coup d'pied au cul qui vous f'ra sortir d'ici, en attendant vous bougez pas vos fesses de ce magasin, ni main'nant ni jamais.* »

Le public de Levi rit à contrecœur — l'imitation était trop

fidèle. Bailey, qui allait sur ses cinquante ans, ne pouvait être qu'une figure tragique pour les adolescents travaillant sous ses ordres. Pour eux, avoir plus de vingt-six ans et un emploi comme celui de Bailey était le symbole humiliant des limites humaines. Ils savaient aussi que Bailey avait travaillé dix ans à Tower Records avant d'atterrir ici — ce qui rendait plus tragique encore sa situation. Et Bailey était douloureusement surchargé de bizarreries, dont une seule eût suffi pour le rendre risible. Sa thyroïde hyperactive rendait ses yeux excessivement globuleux. Ses bajoues s'accordéonaient comme une caroncule de dindon. Sa coupe afro inégale était souvent agrémentée d'éléments étrangers — moutons non identifiés et même, une fois, une allumette. Vues par-derrière, ses mouvantes fesses en forme de sacoche présentaient un aspect résolument féminin. Il avait une tendance à faire des impropriétés de langage tellement marquée que même la bande d'adolescents pratiquement analphabètes qu'il avait sous ses ordres le remarquait, et la peau de ses mains pelait et saignait là où son psoriasis — qui faisait aussi irruption, mais moins intensément, sur son cou et son front — était le plus développé. Levi trouvait ahurissant que l'on pût être à ce point mal loti par la nature. Malgré ces difficultés physiques (ou peut-être à cause d'elles), Bailey était un véritable chien de meute. Il suivait LaShonda partout dans le magasin et la touchait quand il n'y avait pas lieu de le faire. Une fois, il était allé trop loin : il avait passé un bras autour de sa taille et avait dû endurer l'humiliation du savon que LaShonda lui passa (« Me dis pas de parler moins fort, je te jure, je crierai jusqu'à ce que tout s'effondre, jusqu'à ce que les tuiles s'envolent ! ») devant tout le monde. Mais Bailey n'apprenait jamais ; deux jours plus tard, il la pistait à nouveau. Les imitations de Bailey étaient monnaie courante chez les vendeurs. LaShonda, Levi, Jamal, chacun avait sa version — tandis que les Blancs étaient plus hésitants, craignant que leur imitation ne fût perçue comme raciste. En revanche, Levi et LaShonda étaient absolument sans retenue, soulignant chaque aspect grotesque du personnage, comme si sa laideur fût un affront personnel à leur propre beauté.

« J'emmerde Bailey, insista Levi. Allez, on se tire. Allez, Mikey, t'es avec moi, non ? »

Mike mâchouilla sa joue comme l'actuel Président. « Je ne suis pas vraiment sûr du résultat. Je crois que Candy a raison : on se fera virer.

— Quoi... ils vont tous nous virer ?

— Probablement, dit Mike.

— Tu sais, mec, dit Tom en tirant furieusement sur sa cigarette roulée, moi non plus, je ne veux pas travailler le jour de Noël, mais peut-être qu'on devrait réfléchir un peu plus avant d'agir. Ça me semble pas vraiment une bonne idée de partir comme ça... genre, à la rigueur si on écrivait tous une lettre à la direction en la signant...

— *Chers Connards*, dit Levi, stylo imaginaire à la main, visage contorsionné à la Bailey dans une parodie de concentration extrême. *Merci pour vot' lettre datée du 12. J'en ai rien vraiment à foutre. Ramenez vos culs au boulot. Bien à vous, Mr Bailey.* »

Ils rirent tous ensemble, mais c'était un rire contraint et forcé, comme si Levi le leur avait arraché du fond de la gorge. Parfois Levi se demandait si ses collègues avaient peur de lui. « Quand tu penses au blé qu'ils ramassent dans ce magasin, dit Tom dans un élan unificateur, suscitant chez les autres des bruits d'approbation, et ils sont pas foutus de fermer un seul jour ? Qui va acheter des CD le matin de Noël ? C'est vraiment tordu.

— C'est ce qu'je dis », s'exclama Levi, et pendant une minute ils gardèrent tous le silence, regards braqués sur le parking désert à l'arrière du bâtiment, un non-endroit où il n'y avait rien d'autre que des poubelles alignées débordant d'emballages en polyéthylène, et un panier de basket solitaire que personne n'avait le droit d'utiliser. Le ciel d'hiver balayé de rose et la clarté froide du soleil accentuaient la tristesse de la perspective de devoir retourner travailler dans les trente secondes à venir. Le silence fut brisé par la porte de secours qu'on ouvrait. Tom se précipita pour la tirer, pensant qu'il s'agissait de la minuscule Gina, mais c'était Bailey qui poussa la porte d'un coup, le faisant reculer de trois pas.

« Désolé, je ne savais pas... », dit Tom, qui ôta sa main de l'endroit où s'appuyaient les doigts psoriasiques de Bailey. Bailey avança dans la lumière du jour en clignant les yeux comme un animal sortant d'une grotte. Il portait sa casquette à l'effigie du mégastore à l'envers. Il y avait chez Bailey une propension marquée à la perversité, qui avait pour origine son isolement, et qui le poussait à s'entêter à afficher de menues excentricités. C'était pour lui le moyen de connaître les raisons du mépris qu'il inspirait, afin de le contrôler en quelque sorte.

« C'est donc ici que se trouve toute mon équipe, dit-il de façon vaguement autiste, comme toujours les yeux dans le vide juste au-dessus de leurs têtes. Je me demandais justement. Tout le monde est sorti fumer en même temps ?

— Ouais... ouais, dit Tom qui jeta sa cigarette par terre et l'écrasa du pied.

— Ça va te tuer, ça, dit Bailey d'une voix sombre comme s'il s'agissait d'une prédiction plutôt que d'une mise en garde. Et toi aussi, ma'm'selle, ça te tuera aussi sec.

— C'est un risque calculé, dit Candy doucement.

— Pardon ? »

Candy secoua la tête et écrasa sa Marlboro contre le mur en ciment.

« Donc, dit Bailey avec un sourire crispé, il paraît que vous organisez un punch contre moi. C'est la rumeur, mon petit doigt me l'a dit. Un punch. Et vous êtes tous là. »

Perplexe, Tom regarda Mike et vice versa.

« Euh, désolé, Mr Bailey, dit Tom. Désolé, vous disez ?

— Un punch, que vous organisez. Vous êtes en train de comploter contre moi ici. Je viens juste voir où vous en êtes.

— Un *putsch*... dit Tom, corrigeant très doucement Bailey,

237

pour sa propre compréhension. Comme une révolution, quoi. »

En entendant Tom, Levi, qui n'avait pas compris l'erreur initiale, car il n'avait jamais entendu le mot « putsch » jusqu'à cet instant, rit bruyamment.

« Punch ? Bailey, mais c'est un cocktail. Vous croyez qu'on organise un cocktail ? On va quand même pas boire en travaillant. »

Candy et Mike ricanèrent. Tom se détourna pour avaler son rire comme une aspirine. Le visage plein d'espoir de Bailey, sûr de son triomphe un instant auparavant, se décomposa sous l'effet mêlé de l'embarras et de la colère.

« Vous avez compris ce que je veux dire. En tout cas, rien ne changera la politique du magasin, et si ça pose un problème à quelqu'un, vous êtes libres de trouver un autre emploi. Ça sert à rien de comploter quoi que ce soit. Donc allez, tout le monde au boulot. »

Mais Levi riait toujours. « C'est même pas permis. Vous pouvez pas nous obliger à boire du punch. Surtout en travaillant. Par contre on aimerait bien une petite coupure dans le travail, rester tranquille à la maison le jour de Noël, quoi. Vous aussi sans doute, Bailey. Donc, on aimerait bien trouver le moyen de... genre se mettre d'accord par rapport à ça. Allez, Bailey, vous pouvez pas nous obliger à venir au magasin le jour de Noël. Allez, mon frère. »

Bailey regarda Levi de près. Tous les autres gamins avaient reculé légèrement dans l'alcôve située près de la porte, signalant par là leur intention de partir. Levi resta fermement là où il était.

« Mais y a rien à discuter, dit Bailey d'un ton calme et résolu. C'est le règlement, tu comprends ?

— Euh, puis-je ? dit Tom en faisant un pas en avant. Mr Bailey, on ne veut pas vous fâcher, mais on se demandait juste si... »

Bailey coupa net ses propos d'un geste de la main. Il n'y avait personne d'autre dans le parking. Juste Levi.

« Vous comprenez ? C'est décidé au-dessus de moi. Et c'est comme ça. Peux pas le changer. Tu comprends, Levi ? »

Levi haussa les épaules et se détourna légèrement de Bailey, pour lui signifier le peu d'importance qu'il accordait à leur confrontation.

« J'comprends... mais je trouve que c'est des conneries, c'est tout. »

Candy siffla. Mike ouvrit la porte de secours et la tint, attendant les autres.

« Tom, tout le monde, retournez travailler, *maintenant* », dit Bailey en se grattant la main. Ses irruptions étaient roses et à vif. « Levi, reste là où tu es.

— Y a pas que Levi, nous pensons tous... », tenta Tom courageusement, mais Bailey leva à nouveau un doigt pour l'arrêter.

« *Maintenant*, sans vouloir vous incommodationner trop. Faut bien qu'il y ait des gens pour bosser dans le coin. »

Tom regarda Levi avec pitié puis retourna travailler avec Mike et Candy. La porte de secours se referma, très lentement, expulsant dans cet espace vide et bétonné un peu de l'air chaud du magasin. Puis elle claqua en tremblant violemment, et l'écho retentit à travers tout le parking. Bailey fit quelques pas en direction de Levi, qui demeura les bras croisés sur sa poitrine, mais le visage de Bailey si proche du sien le choqua, et il ne put s'arrêter de cligner des yeux.

« *Fais — pas — le — négro — avec — moi, Levi*, murmura Bailey, et chacun de ses mots fusait comme une fléchette lancée sur une cible. Je te vois, en train de faire ton cinéma, tu essaies de te payer ma tête, tu veux me faire passer pour un con, et tu t'y crois, parce que t'es le seul renoi que ces gamins ont rencontré de leurs vies. Laisse-moi te dire une chose. Je sais d'où tu viens, frangin.

— Quoi ? » dit Levi, qui avait toujours l'estomac dans les talons à la suite du choc que l'usage insolite du mot *négro* avait suscité — comme un dos-d'âne au milieu d'une phrase —, mot dont on ne s'était jamais servi sur le ton de l'insulte à son égard. Bailey tourna le dos à Levi et, tristement voûté, tendit le bras vers la porte de secours.

« Tu sais bien de quoi je parle.

— Ben non, justement. Bailey, pourquoi vous me parlez comme ça ?

— C'est Mr Bailey, dit Bailey en faisant volte-face. Je suis ton aîné. Au cas où tu aurais pas remarqué. Pourquoi je te parle, à toi ? Et comment je te parle ? Comment tu viens de me parler devant les gamins, là ?

— Je disais juste que...

— Je sais d'où tu viens. Ces gosses, ils savent que dalle, mais moi, je sais. C'est des gosses de bourgeois bien sages. Pour eux, n'importe quel type qui porte un jean *baggy* est un *gangsta*. Mais tu ne me la fais pas, à moi. Je sais d'où tu fais semblant de venir, dit-il avec une violence renouvelée, la main toujours sur la porte, mais penché vers Levi. Parce que c'est de là que je viens, mais tu ne me vois pas en train de me comporter comme un négro, moi. Fais gaffe à toi, mon garçon.

— Pardon ? » Une triste terreur soutenait de part et d'autre la fureur de Levi. C'était un gamin et voici qu'un homme lui parlait, Levi en était sûr, comme il ne se permettrait jamais de le faire aux autres gamins sous ses ordres. Il n'était plus dans le monde du mégastore, où chacun faisait partie de la même famille, et où le « respect » était l'un des cinq thèmes quotidiens en matière de « conduite personnelle » que l'on rappelait aux employés en l'affichant dans la salle de repos. Ils se retrouvaient hors des limites de la loi, de la bienséance, de la sécurité.

« J'ai dit ce que je voulais dire, j'ai plus rien à ajouter. Bouge donc ton cul noir d'ici et va bosser. Et que j't'entende jamais plus me parler comme ça devant les gosses. Compris ? »

Levi fit tout un numéro en passant devant Bailey,

secouant la tête furieusement, comme s'il jurait intérieurement, puis traversa le troisième étage sans s'arrêter devant Candy et Tom, ignorant leurs questions, continuant de boiter exagérément, comme s'il portait un pistolet à la ceinture. Puis il accéléra et changea de direction : soudain il enleva sa casquette de base-ball et l'expédia d'un coup de pied pardessus le balcon. La casquette partit comme une flèche, puis décrivit une belle courbe avant de dégringoler doucement les quatre étages. Lorsque Bailey cria après lui, lui demandant où il pensait aller, Levi comprit soudain ce qu'il était en train de faire, et fit un doigt d'honneur à Bailey. Deux minutes plus tard, il était dans le sous-sol, et cinq minutes après, il était à nouveau dans la rue, portant ses propres vêtements. Une décision impulsive l'avait éjecté du mégastore ; maintenant, les conséquences de ce geste le rattrapaient, et c'était comme si de lourdes mains s'appuyaient sur ses épaules, ralentissant son pas déterminé. Il s'immobilisa au milieu de Newbury Street. Il s'appuya contre les grilles d'une petite église. Deux grosses larmes jaillirent dans ses yeux ; il les arrêta de la paume de la main. Merde. Il inspira profondément l'air froid et propre en rentrant son menton. Pratiquement parlant, c'était un sale coup. Même quand tout allait pour le mieux, obtenir un dollar de ses parents était un cauchemar, mais maintenant ? Zora lui disait qu'il était fou de croire que le divorce était imminent, mais de quoi s'agissait-il quand deux personnes ne pouvaient même pas partager un repas ? Allez donc quémander à l'un d'entre eux cinq dollars et il vous enverra voir l'autre... C'était à se demander : *On est riches, ou pas ? On vit dans cette putain de baraque — pourquoi est-ce que je dois mendier pour avoir dix dollars ?*

Une longue feuille qui n'avait pas encore jauni pendait au niveau de l'œil de Levi. Il l'arracha et commença discrètement à en faire un squelette, tirant des lambeaux de tissu vert de sa charpente. Et s'il ne touchait pas ces malheureux trente-cinq dollars par semaine, il n'aurait pas un rond pour s'échapper de Wellington le samedi soir, et aucune chance de danser avec tous ces mômes, et toutes ces filles qui s'en foutaient éperdument de savoir qui Gram-ski était ou pourquoi machin — Rem-bran — ne valait rien. Parfois, il avait l'impression que seul ce salaire lui permettait de se sentir à moitié normal, à moitié sain d'esprit, à moitié *noir*. Levi souleva sa feuille dans la lumière un instant pour admirer son ouvrage. Puis il la chiffonna dans sa main et jeta par terre la boulette verte.

« *Pardon, pardon, pardon, pardon.* »

Un grand type maigre lui parlait avec une intonation bourrue et un accent français. Il poussa Levi doucement de son coin près des grilles où il rêvassait, et une demi-douzaine d'autres types commencèrent à s'affairer, posant par terre de grands draps noués comme des plumpuddings bourrés d'objets ; défaisant les nœuds, ils étalèrent des CD, des DVD, des affiches et, curieusement, des sacs à main sur les draps. Levi quitta le trottoir et les observa, d'abord distraitement, puis avec intérêt. L'un d'entre eux appuya sur le bouton lecture d'une grosse radiocassette et un morceau de hip-hop estival, aussi inattendu que bienvenu en cette fraîche journée d'automne, éclata parmi la foule de badauds faisant leurs courses. Nombre d'entre eux jetèrent sur le groupe un regard désapprobateur ; Levi sourit. C'était une chanson qu'il connaissait, et qu'il adorait. Levi marqua le rythme en hochant la tête, se glissant sans effort entre le charleston et la caisse claire — ou la machine dont on se sert maintenant pour en imiter le son —, et observa l'activité des hommes, illustration visuelle de la ligne de basse frénétique. Comme un édredon en patchwork fait de mille milliards de couleurs informatisées, des boîtiers de DVD aux couvertures plus scandaleusement récentes les unes que les autres — et donc très probablement illicites — s'alignaient. L'un des types suspendit rapidement les sacs aux grilles, et Levi fut ravi de voir jaillir ces nouvelles couleurs, tant elles étaient surprenantes et inattendues. Les hommes chantaient et plaisantaient entre eux, comme si avoir des clients était le dernier de leurs soucis. Leur étalage était si magnifique qu'ils n'avaient nul besoin d'alpaguer les passants. Levi fut frappé par la splendeur de ces êtres agiles, athlétiques, nonchalamment bruyants, noir ébène, riants, complètement indifférents aux grimaces des Bostoniennes qui passaient avec leurs petits chiens stupides, comme s'ils venaient d'une tout autre planète que celle sur laquelle il s'était trouvé cinq minutes auparavant. Des renois. Une phrase à la dérive de la conférence matinale d'Howard, flottant à présent hors de son ennuyeux contexte originel, serpenta jusqu'à la surface des pensées de Levi. *Les situationnistes transforment le paysage urbain.*

« Hé, tu veux du hip-hop ? Hip-hop ? On a du hip-hop, là », dit l'un des mecs, tel un acteur brisant l'illusion du quatrième mur. Il tendit ses longs doigts vers Levi, et celui-ci vint à lui sur-le-champ.

6

« Maman, qu'est-ce que tu fais ? »

Était-ce donc si étrange d'être ainsi assise sur une marche, moitié dans la cuisine et moitié sur la terrasse, vos pieds engourdis contre les dalles glacées, à attendre l'hiver ? Kiki avait passé près d'une heure, parfaitement satisfaite, dans cette position, à observer le vent intense malmener les feuilles en les faisant tomber — et maintenant sa fille était là, incrédule. Plus on vieillit, plus nos enfants semblent vouloir que l'on marche bien droit, bras collés au corps, sans expression comme des mannequins, sans regarder à gauche ni à droite, et sans — surtout pas — attendre l'arrivée de l'hiver. Cela doit les rassurer.

« Maman, bonjour ? C'est la tempête dehors.

— Oh, bonjour ma chérie. Non, je n'ai pas froid.

— Moi, j'ai froid. Tu peux fermer la porte ? Qu'est-ce que tu fais ?

— Je ne sais pas, en fait. Je regarde.

— Quoi ?

— Rien, je regarde. »

Zora resta bouche bée devant sa mère ; puis, tout aussi abruptement, elle cessa de s'intéresser à elle, et commença à ouvrir les placards.

« O.K... Tu as déjeuné ?

— Non, chérie, j'ai déjà mangé... » Kiki plaça ses mains sur ses genoux, signalant ainsi qu'elle avait pris une décision ; elle ne voulait pas que Zora la trouve bizarre. Elle voulait que sa fille ait l'impression qu'elle s'était assise pour une raison précise et qu'à présent, pour une autre raison, elle allait se lever. Elle dit : « Il faudrait qu'on s'occupe un peu de ce jardin. La pelouse est pleine de feuilles mortes. Personne n'a ramassé les pommes, elles sont en train de pourrir au sol. »

Mais Zora ne trouva là rien d'intéressant.

« Eh bien, répondit-elle en soupirant, je vais me faire du pain grillé et des œufs brouillés. J'ai le droit d'avoir des œufs brouillés un dimanche de temps en temps. Je me dis que je l'ai mérité, j'ai nagé comme une dingue cette semaine. On a des œufs ?

— Placard à l'extrême droite. »

Kiki remit ses pieds sous elle. Finalement, elle avait froid. S'agrippant aux minces joints des portes coulissantes, elle se hissa avec effort. Un écureuil dont elle avait suivi les allées et venues avait enfin réussi à atteindre la boule de noix et de lard qu'elle avait suspendue pour les oiseaux, et se tenait maintenant là où une demi-heure plus tôt elle avait espéré le voir, sur les dalles à ses pieds, sa queue en point d'interrogation tremblant dans le vent du nord-est.

« Zora, regarde-moi ce petit bonhomme.

— Je ne comprendrai jamais ça. Comment peut-on ne pas mettre les œufs dans le frigo ? Tu es bien la seule personne que je connaisse à penser qu'on peut faire ça. Les œufs vont dans le frigo. C'est l'évidence même. »

Kiki ferma les portes coulissantes et se dirigea vers le panneau en liège où étaient punaisés factures, cartes d'anniversaire, photos et articles de journaux. Elle commença à soulever les couches de papier, cherchant sous les reçus et derrière le calendrier. On n'enlevait jamais rien de ce panneau. Il y avait encore une photographie de Bush père avec une cible de jeu de fléchettes superposée sur son visage. Et encore, en haut à gauche, un gros badge acheté à New York, dans Union Square au milieu des années 1980 : *Je n'ai jamais su exactement ce que signifiait le mot féminisme. Tout ce que je sais, c'est qu'on me dit féministe chaque fois que j'exprime des sentiments qui me différencient d'un paillasson.* Il y a bien longtemps, quelqu'un avait renversé quelque chose dessus, et la citation, jaunie et parcheminée, avait rétréci sous son film plastique.

« Zora, est-ce qu'on a toujours le numéro du gars pour la piscine ? Je devrais l'appeler. Ça se dégrade sérieusement dehors. »

Zora secoua la tête rapidement, dans un frémissement d'indifférence perplexe.

« J'sais pas moi. Demande à papa.

— Chérie, allume la hotte. Sinon le détecteur de fumée risque de se mettre en marche. »

Kiki, redoutant la maladresse bien connue de sa fille, posa ses mains sur ses deux joues quand elle la vit prendre une des casseroles suspendues au-dessus du four. Rien ne tomba. Puis la hotte se mit en marche, bruit de fond puissant et immuable, idéal pour combler les silences dans la conversation.

« Où sont les autres ? Il est tard.

— Je ne crois pas que Levi soit même rentré cette nuit. Ton père dort, je crois.

— Tu *crois* ? Tu ne sais pas ? »

Elles se regardaient avec insistance, la femme plus âgée

étudiant le jeune visage. Elle eut du mal à se frayer un chemin à travers cette ironie froide et monotone que Zora et ses amis semblaient tant apprécier.

« Quoi ? dit Zora avec une innocence feinte, comme pour se prévenir contre tout questionnement sincère. J'en sais rien, moi. Je sais pas qui dort où. » Elle se détourna à nouveau, ouvrit la double porte du frigo, et s'avança dans la cavité froide. « Je préfère vous laisser tous les deux dans votre film. Si vous devez continuez votre cinéma, allez-y.

— C'est pas du cinéma. »

Des deux mains Zora brandit en hauteur une énorme brique de jus de fruits, tel un trophée fraîchement gagné.

« Si tu le dis, maman.

— Rends-moi service, Zora, calme-toi un peu ce matin. J'aimerais passer la journée sans vous entendre tous crier.

— Comme je disais, si tu le dis. »

Kiki s'assit à la table de la cuisine. Elle passa son doigt sur une rainure vermoulue à une extrémité de la table tout en écoutant les œufs de Zora grésiller et pétiller — car la jeune fille, impatiente, cherchait à accélérer leur cuisson. Depuis que le gaz était allumé, une forte odeur de brûlé se répandait dans la pièce.

« Donc, il est allé où, Levi ? demanda Zora jovialement.

— Aucune idée. Je ne l'ai pas vu depuis hier matin. Il n'est pas rentré du travail.

— J'espère qu'il se protège.

— Mon *Dieu*, Zora.

— Quoi ? T'as qu'à me faire une liste des sujets qu'on n'a plus le droit d'aborder. Que je sois au courant au moins.

— Je crois qu'il est allé dans un club. Je ne suis pas sûre. Je ne peux pas le forcer à rester à la maison.

— Non, maman, dit Zora gazouillant trois notes censées calmer la paranoïa provoquée par les assommants troubles ménopausiques de sa mère. Personne n'a dit le contraire.

— Du moment qu'il reste ici tous les soirs de la semaine.

Je ne sais pas ce que je peux faire d'autre. Je suis sa mère, pas sa geôlière.

— Écoute, je m'en *fiche*. Sel ?

— À côté, juste là.

— Donc, tu fais quelque chose aujourd'hui ? Tu vas au yoga ? »

Kiki bascula sur sa chaise et agrippa ses mollets des deux mains. Le poids de son corps l'entraînait plus en avant que la plupart des êtres, et si elle l'avait voulu elle aurait pu poser ses mains à plat sur le sol.

« Je ne crois pas. Je me suis déchiré quelque chose la dernière fois.

— Eh bien, je ne déjeunerai pas là. Au point où j'en suis, je ne peux pas me permettre de manger plus d'une fois par jour. Je vais faire les magasins, tu devrais venir, proposa Zora sans enthousiasme. Ça fait des lustres qu'on n'y a pas été ensemble. J'ai besoin de nouvelles fringues. Je *déteste* tout ce que je porte.

— Tu es très bien comme ça.

— C'est ça. Je suis très bien. Sauf que c'est pas vrai », dit Zora en tirant tristement sur sa chemise de nuit d'homme. Voilà pourquoi Kiki avait tant redouté d'avoir une fille : elle avait su qu'elle serait incapable de lui épargner le dégoût de soi. Dans cette optique, elle avait tenté au début d'interdire la télévision, et jamais le moindre bâton de rouge à lèvres ni le moindre magazine féminin n'avait, à sa connaissance, franchi le seuil de la maison des Belsey ; mais toutes ces mesures de précaution — et d'autres — avaient été vaines. Cette haine qu'éprouvent les femmes à l'égard de leur corps flottait dans l'atmosphère, ou du moins c'est ce que pensait Kiki. Elle s'infiltrait dans la maison avec les courants d'air, ou sur les semelles des chaussures ; elle émanait des journaux. Il était impossible de la maîtriser.

« Je me sens pas d'affronter le centre commercial aujourd'hui. En fait, j'irai peut-être rendre visite à Carlene. »

247

Zora pivota, se détournant brusquement de ses œufs. « Carlene Kipps ?

— Je l'ai vue mardi ; elle n'a pas l'air en forme. Je vais peut-être lui apporter les lasagnes qui sont dans le congélateur.

— Tu vas apporter des lasagnes congelés à Mrs Kipps, dit Zora en pointant sur Kiki la cuillère en bois qu'elle tenait à la main.

— Peut-être.

— Alors, vous êtes amies maintenant ?

— Je crois.

— O.K. », fit Zora dubitative ; puis elle se concentra de nouveau sur la gazinière.

« Ça pose un problème ?

— Je crois pas. »

Kiki ferma ses yeux un long moment en attendant la suite.

« Je veux dire..., j'imagine que tu sais que Monty s'attaque méchamment à papa en ce moment. Il a encore écrit un article ignoble dans l'*Herald*. Il veut à tout prix faire ses conférences fielleuses ; et il accuse Howard de — tiens-toi bien — *restreindre son droit à la libre expression*. C'est carrément flippant de penser à quel point cet homme-là est consumé par la *haine de soi*. S'il va jusqu'au bout de son programme, ça sera la fin de notre politique de discrimination positive. Et Howard se retrouvera sans doute au chômage.

— Oh, je ne crois pas que ce soit aussi sérieux que ça.

— Peut-être qu'on parle pas du même article. » Kiki entendit la voix de sa fille se durcir comme l'acier. Année après année, mère et fille découvraient la puissance croissante de la détermination de Zora, son intensité juvénile. Kiki avait le sentiment d'être la pierre contre laquelle Zora s'affûtait.

« Je ne l'ai pas lu, dit Kiki, faisant preuve à son tour de détermination. J'ai décidé d'essayer de vivre comme s'il existait un monde en dehors de Wellington.

— Je ne vois pas pourquoi tu dois apporter des lasagnes à quelqu'un qui pense que tu vas cramer dans les fourneaux de l'enfer, c'est tout.

— Eh bien, non, tu ne le vois pas.

— Explique-moi. »

Kiki lui céda du terrain en soupirant : « Laisse tomber, d'accord ?

— Chose faite. Tombé au fond du grand trou où on laisse tout tomber.

— Ils sont bons, tes œufs ?

— Épatants », prononça Zora comme si elle parlait à Jeeves ; elle s'assit au bar américain, tournant sciemment le dos à sa mère.

Elles restèrent assises quelques minutes en silence, tandis qu'œuvrait la hotte. Puis, télécommandé, l'écran de la télévision s'anima. Kiki regarda sans pouvoir les entendre une bande déchaînée de garçons déguenillés, en vêtements de sport donnés par des pays plus riches que le leur, se précipiter dans une ruelle tropicale. À mi-chemin entre la danse tribale et l'émeute. Ils brandissaient leurs poings et avaient l'air de chanter. Dans l'image suivante un autre garçon lançait de toutes ses forces une bombe artisanale. La caméra suivait la trajectoire de l'engin et montrait l'explosion d'une jeep militaire vide qui venait d'entrer en collision avec un palmier. Zora changea de chaîne une fois, deux fois, pour finir par choisir la météo. Les prévisions sur cinq jours annonçaient une baisse progressive et sévère des températures. Ainsi Kiki apprit avec précision combien il lui restait à attendre. Le dimanche suivant, l'hiver serait là.

« Comment ça va, la fac ? tenta Kiki.

— Bien. Je vais avoir besoin de la voiture mardi soir : on fait une espèce de *sortie de groupe*. On va à l'Arrêt de Bus.

— Le restaurant ? Ça devrait être sympa, non ?

— J'imagine. C'est pour le cours de Claire. »

L'ayant déjà deviné, Kiki garda le silence.

« Donc, ça va ?

— Qu'est-ce que tu me demandes au juste ? Pour la voiture, aucun souci.

— Mais enfin, tu n'as rien dit, fit Zora en prononçant ces mots la tête tournée vers la télévision. Je l'aurais même pas choisi, ce cours, mais c'est vraiment..., des conneries comme ça comptent par rapport au troisième cycle..., elle est connue, et même si c'est bête, ça fait une différence.

— J'ai pas de problème avec ça, Zoor. C'est toi qui en fais un problème. Ça me semble formidable. Tant mieux pour toi. »

Elles se parlaient sur un ton teinté de politesse de pacotille, comme deux administratrices remplissant ensemble un formulaire.

« C'est juste que j'ai pas envie de me sentir mal par rapport au cours.

— Tu n'as pas à te sentir mal. Ton premier cours a déjà eu lieu ? »

Zora piqua avec sa fourchette un morceau de pain grillé qu'elle était en train de porter à sa bouche lorsqu'elle parla. « On s'est vus pour fixer les objectifs. Certains ont lu des trucs. Il y avait vraiment de tout. Pas mal d'épigones de Sylvia Plath. Je m'inquiète pas trop.

— Je vois. »

Kiki regarda le jardin par-dessus son épaule. Pensant à nouveau aux feuilles qui macéraient dans l'eau, elle se remémora brusquement un souvenir de l'été. « Et le... tu te rappelles le beau garçon au concert de Mozart, il faisait pas des trucs à l'Arrêt de Bus ? »

Mâchoire serrée, Zora mangeait son pain grillé en parlant du coin de la bouche. « Peut-être, je ne me souviens pas.

— Il avait un visage *superbe*. »

Zora saisit la télécommande, mit la chaîne publique locale. Noam Chomsky était assis à un bureau. Il parlait directement à la caméra, faisant de larges mouvements circulaires avec ses grandes mains expressives.

« Tu ne remarques jamais ce genre de choses.

250

— Maman.

— Eh bien, c'est intéressant. Tu ne remarques pas. Tu as vraiment l'esprit au-dessus de ça. C'est une qualité admirable. »

Zora monta le son et se pencha vers Noam en tendant l'oreille.

« J'imagine que je m'intéresse à des choses un peu plus... cérébrales.

— Quand j'avais ton âge il suffisait qu'un garçon soit beau de dos pour que le suive dans la rue. J'aimais les voir se déhancher et rouler des mécaniques. »

Zora leva sur sa mère un regard incrédule. « J'essaie de manger, d'accord ? »

Une porte s'ouvrit. Kiki se leva. Son cœur, ayant inexplicablement élu domicile dans sa cuisse droite, battait violemment, et menaçait de lui faire perdre pied. Elle fit un pas vers le couloir.

« C'était la porte de Levi, ça ?

— En fait, bizarrement, je l'ai vu le type... la semaine dernière dans la rue. Il s'appelle Carl quelque chose.

— Ah bon ? Il allait comment ? Levi ! C'est toi ?

— Je ne sais pas comment il allait, il ne m'a pas raconté sa vie, il avait l'air d'aller bien. Il me met mal à l'aise en fait, ce mec. Content de lui, un peu. "Poète urbain" à mon avis, c'est... », dit Zora qui ne finit pas sa phrase puisque sa mère traversait la cuisine à la hâte pour accueillir son fils.

« Levi ! Bonjour, chéri. Je ne savais même pas que tu étais ici. »

Levi frotta ses yeux bouffis de sommeil avec ses pouces, se laissa aller vers sa mère soulagée, et ne protesta pas lorsqu'elle le serra contre son ample poitrine familière.

« Chéri, tu n'as *vraiment pas* bonne mine. À quelle heure tu es rentré ? »

Levi leva faiblement les yeux un instant, puis se réfugia derechef dans son sein.

« Zora, fais-lui du thé. Le pauvre chéri, il ne peut pas parler.

— Il n'a qu'à se le faire lui-même, son thé. Le pauvre chéri ne devrait pas boire autant. »

À ces mots, Levi s'anima. Il se libéra de l'étreinte maternelle et se dirigea prestement vers la bouilloire. « Ta gueule.

— Ta gueule toi-même.

— J'ai rien bu de toute façon, j'suis fatigué, c'est tout. J'suis rentré tard.

— Personne t'a entendu. Je m'inquiète, tu sais. T'étais où ? demanda Kiki.

— Nulle part, j'ai rencontré des mecs, on a traîné un peu ensemble, quoi, on est sortis en boîte. C'était cool. Maman, y a quoi pour le p'tit déj' ?

— Ça s'est bien passé au travail ?

— Ouais, comme dab. Y a quoi pour le p'tit déj' ?

— Ce sont *mes* œufs, dit Zora qui se pencha en rapprochant son assiette vers elle. Tu sais où sont les céréales.

— Ta *gueule*.

— Chéri, je suis contente que tu te sois bien amusé, mais on s'arrête là pour l'instant. Je ne veux plus que tu sortes cette semaine, O.K. ? »

Levi haussa le ton de plusieurs décibels pour se défendre. « J'ai même pas *envie* de sortir.

— Tant mieux, parce que tes tests d'admission se profilent, et il va falloir que tu te mettes au travail.

— Oh, attends, je dois sortir mardi.

— Levi, qu'est-ce que je viens de te dire ?

— Mais j'serai de retour à onze heures. Yo, c'est important.

— Je ne veux *pas* le savoir.

— Sérieusement, oh j'te jure, ces mecs que j'ai rencontrés, ils se produisent sur scène, je serai de retour à onze heures, c'est juste à l'Arrêt de Bus, je pourrai prendre un taxi. »

Zora redressa la tête en se détournant de son petit déjeuner. « Attends, *moi* je vais à l'Arrêt de Bus mardi.

— Et alors ?

— Et alors j'ai pas envie de te voir là-bas. J'y vais avec ma classe.

— Et alors ?

— Tu peux pas y aller un autre jour ?

— Allez, tu la fermes. Maman, j'serai de retour à onze heures. J'ai deux heures de libre mercredi. J'te jure. Ça va aller. Je rentrerai avec Zora.

— Sûrement pas.

— Si, il rentrera avec toi, dit Kiki d'un ton péremptoire. Marché conclu. Tous les deux de retour à onze heures.

— *Quoi ?* »

Levi se dirigea vers le frigo en faisant une petite danse de vainqueur qu'il agrémenta en dépassant Zora d'une pirouette à la Michael Jackson.

« Ouah, c'est pas juste, se plaignit Zora. Voilà pourquoi j'aurais dû aller en fac dans une autre ville.

— Tu vis dans cette maison, tu participes à la vie de famille, se justifia Kiki en se servant des fondamentaux pour atténuer les effets d'une décision qu'elle-même savait injuste. C'est ça, le deal. Tu ne paies pas de loyer, ici. »

Zora joignit ses mains dans une simagrée de contrition. « Tu es tellement généreuse, merci. Merci de me laisser vivre dans la maison de mon enfance.

— Zora, ne me cherche pas ce matin, je te jure, ne commence même pas... »

Sans que personne le remarque, Howard venait de pénétrer dans la pièce. Il était entièrement habillé, et même chaussé. Ses cheveux étaient mouillés et plaqués en arrière. C'était peut-être la première fois en une semaine qu'Howard et Kiki se trouvaient dans la même pièce. À trois mètres l'un de l'autre, ils se regardaient dans les yeux comme deux chiens de faïence. Tandis qu'Howard demandait aux enfants de quitter la pièce, Kiki l'observa calmement. Son regard avait changé ; c'était l'un des effets secondaires. Ce qu'elle voyait, était-ce la réalité ? Elle n'aurait su le dire. Mais ce nouveau regard était sans nul doute sévère et révélateur.

253

Kiki voyait la beauté d'Howard se faner dans chaque pli et tremblement de sa peau. Elle se rendit compte qu'elle pouvait même désormais mépriser ses caractéristiques physiques les plus neutres. Ses minces narines blanches et parcheminées. Ses oreilles épaisses sur lesquelles poussaient des poils qu'il arrachait soigneusement mais dont Kiki discernait néanmoins la fantomatique existence. À chaque instant elle pouvait voir les hommes qu'il avait été ; seules ces visions menaçaient sa détermination à le mépriser. Howard à vingt-deux ans, à trente, à quarante-cinq et à cinquante et un ans ; il était difficile de faire abstraction de tous ces autres Howard ; il ne fallait pas s'égarer, afin de réagir seulement au plus récent, l'Howard de cinquante-sept ans. Le menteur, le traître, l'imposteur affectif. Elle ne flancha pas.

« De quoi s'agit-il, Howard ? »

Howard avait enfin réussi à faire sortir ses enfants récalcitrants de la cuisine. Ils étaient seuls. Il se tourna rapidement, le visage impassible. Il ne savait pas quoi faire de ses mains, de ses pieds, ni où se tenir ou contre quoi s'appuyer.

« De quoi s'agit-il, répéta-t-il doucement, ajustant son cardigan. Je ne comprends pas la question. De quoi il s'agit ? Je veux dire, manifestement, de tout. »

Kiki, consciente de sa position de force, croisa à nouveau les bras. « C'est ça. Très poétique. Mais je crois que je n'ai pas tellement l'âme d'un poète en ce moment. Tu voulais me dire quelque chose ? »

Howard regarda par terre et secoua la tête, déçu, comme un scientifique bredouille après l'échec d'une expérience soigneusement élaborée en laboratoire. « Je vois », dit-il enfin en s'acheminant comme pour regagner son bureau, mais il se retourna sur le pas de la porte. « Euh... est-ce qu'il y a une heure où on pourrait se parler vraiment ? Comme des êtres humains. Qui se connaissent. »

De son côté, Kiki avait attendu qu'il lui tendît la perche. Ce qu'elle venait d'entendre ferait l'affaire. « Ne viens pas me dire comment se comporter en être humain. Je sais, moi, comment me comporter en être humain. »

Howard leva vers elle un regard plein d'espoir. « Mais tout à fait.

— Va te faire foutre. »

Kiki accompagna ces mots d'un geste qu'elle n'avait pas fait depuis des années : un doigt d'honneur. Howard eut l'air dérouté. D'une voix lointaine, il dit : « Non... ça va pas le faire.

— Non, vraiment ? Tu ne trouves pas qu'on dialogue bien ? On ne communique pas comme tu l'espérais ? Howard, va à la bibliothèque.

— Comment est-ce que je peux te parler quand tu es comme ça ? C'est impossible. »

Sa sincère détresse était évidente, et pendant un instant Kiki eut presque envie de lui livrer la sienne. Mais elle se durcit intérieurement encore plus.

« Eh bien, je suis désolée. »

Soudain Kiki eut conscience de son propre ventre, qui débordait de ses collants ; elle remonta sa culotte et se sentit secrètement protégée, plus en sécurité. Howard posa ses mains sur le buffet comme un avocat faisant sa plaidoirie devant un jury invisible.

« Il est évident que nous devons parler de ce qui va se passer maintenant. Au moins... enfin, les enfants doivent savoir. »

Kiki éclata de rire. « Mon ange, c'est toi qui prends les décisions. Nous, on ne fait qu'encaisser les coups. Qui peut savoir ce que tu comptes encore faire subir à cette famille ? Tu le sais, toi ? Personne ne peut le savoir.

— Kiki...

— Quoi ? Qu'est-ce que tu veux que je te dise ?

— Rien ! » lança Howard avec colère, puis il reprit ses esprits, baissa la voix, et serra ses mains l'une contre l'autre. « Rien... c'est à moi qu'il incombe d'agir, je sais. Il faut que *moi* je puisse... développer ma narration de manière compréhensible... et qui constituera une..., je ne sais pas moi, une explication, je suppose, en terme de motivation...

— Ne t'inquiète pas, je saisis fort bien ta narration, Howard. Autrement dit, fais pas ton cinéma avec moi. *Tu n'es pas en cours maintenant.* Es-tu capable de me parler de façon compréhensible ? »

Howard grogna. Il exécrait qu'elle sous-entendît (vieille blessure de guerre dans leur mariage, constamment rouverte) qu'il y eût une barrière entre son langage « universitaire » et le prétendu parler « personnel » de sa femme. Elle pouvait toujours dire — et s'en privait rarement — « Tu n'es pas en cours maintenant », et avoir chaque fois raison, mais *jamais de la vie* Howard n'admettrait que le langage de Kiki exprimât plus d'émotion que le sien. Même maintenant, *même maintenant*, cette querelle immémoriale de leur mariage sonnait le clairon aux furieuses armées de son esprit qui se préparaient à livrer une nouvelle bataille. Howard dut se faire violence pour ne pas céder à cette impulsion.

« Écoute, on ne va pas... Tout ce que je veux dire, c'est que j'ai l'impression... tu vois, qu'on est vraiment en train de régresser. Au printemps, on aurait dit qu'on allait... je ne sais pas, moi. S'en sortir, j'imagine. »

Ce qui s'ensuivit jaillit de la poitrine de Kiki comme un air d'opéra. « Au printemps, je ne savais pas que tu étais en train de *baiser une de nos amies.* Au printemps, c'était juste une passade avec une inconnue, et maintenant c'est *Claire Malcolm*, et ça a duré des semaines !

— *Trois* semaines, dit Howard de façon presque inaudible.

— Je t'ai demandé de me dire la vérité, tu m'as regardée dans les yeux et tu m'as menti. Comme tous les autres connards de ton âge dans cette ville qui mentent à leurs imbéciles de femmes. J'arrive pas à croire que tu aies pu me mépriser à ce point. *Claire Malcolm est notre amie.* Warren est notre ami.

— D'accord. Eh bien, parlons-en.

— Oh, on peut ? Vraiment ?

— Bien entendu. Si tu veux.

— Et je peux poser les questions ?

— Si tu veux.

— Pourquoi tu as baisé Claire Malcolm ?

— Enfin, bon sang, Kiki, s'il te plaît...

— Désolée, c'était trop évident comme question ? Est-ce que j'aurais froissé ta sensibilité ?

— *Mais non.* Voyons... Ne sois pas ridicule... Il m'est de toute évidence douloureux de tenter d'expliquer... une chose quelque part aussi banale...

— Oh, je suis désolée si ta bite offense ta sensibilité intellectuelle. Ça doit être terrible. D'un côté on a le mécanisme complexe de ton cerveau subtil et merveilleux, et de l'autre ta bite qui se révèle être une petite ordure vulgaire et idiote. Ça doit être dur à gérer ! »

Howard ramassa son cartable, qui, Kiki le remarqua enfin, était par terre à ses pieds. « J'y vais », dit-il, et il passa à droite de la table afin d'éviter d'entrer directement en contact avec sa femme. Dans les pires moments, il arrivait que Kiki donne des coups de pied et de poing, et il arrivait à Howard de maintenir ses poignets jusqu'à ce qu'elle se calme.

« Une petite femme *blanche*, glapit Kiki de l'autre côté de la pièce, désormais incapable de se maîtriser. Une minuscule femme blanche qui tiendrait dans une de mes *poches*.

— Je pars. C'est grotesque.

— Et je ne sais pas pourquoi ça me surprend. Toi, tu n'as même pas remarqué, tu ne remarques jamais. Tu trouves ça normal. Partout où on va, je suis seule dans cet... *océan* blanc. Je ne connais pratiquement *plus aucun* Noir, Howie. Ma vie tout entière est blanche. Les seuls Noirs que je croise sont ceux qui nettoient sous mes pieds dans le putain de café de ta *putain* de fac. Ou en train de pousser un putain de

257

lit d'hôpital dans un couloir. *Je t'ai donné ma vie.* Et je ne sais plus du tout pourquoi. »

Howard s'immobilisa sous un tableau abstrait accroché au mur, dont l'élément principal était un épais morceau de plâtre blanc auquel l'artiste avait donné l'aspect d'un torchon que l'on venait de jeter. Le mouvement avait été saisi au vol, et le torchon se trouvait gelé dans l'espace, encadré par une boîte en bois blanc qui sortait du mur.

« Je ne te comprends pas, dit-il en la regardant enfin. Ce que tu me dis n'a aucun sens. Tu es hystérique.

— Je t'ai donné *ma vie.* Je ne sais même plus qui je suis maintenant. » Kiki s'affaissa sur une chaise et se mit à sangloter.

« Oh, mon Dieu, s'il te plaît... s'il te plaît..., Kiki, ne pleure pas, s'il te plaît.

— Tu n'aurais pas pu trouver quelqu'un qui me ressemble *moins*, même si tu étais allé chercher au bout du *monde*, dit-elle en donnant un grand coup de poing sur la table. Ma *jambe* pèse plus que cette femme. Tu m'as fait passer pour *quoi* dans cette ville, hein ? Tu as épousé une putain de grosse Noire et tu te tires avec la fée Clochette ? »

Howard prit ses clés dans la botte en terre sur le buffet, et se dirigea d'un pas ferme vers la porte d'entrée.

« Ce n'est pas tout à fait exact. »

Kiki se leva d'un bond et le suivit. « Quoi ? Je n'ai pas entendu, quoi ? Tu peux répéter ?

— Rien. Je n'ai pas le droit de le dire.

— Dis. Le.

— Tout ce que je disais, c'est..., Howard haussa les épaules, inquiet. Eh bien, en vérité, j'ai épousé une Noire mince. Non pas que ce soit pertinent. »

Kiki écarquilla ses yeux, qui se voilèrent de ce qui lui restait de larmes. « Nom de *Dieu*. Tu vas me poursuivre pour rupture de contrat, Howard ? Soudaine dilatation du produit ?

— Ne sois pas ridicule. Rien d'aussi banal. Je ne veux pas

commencer avec ça. Il y avait des millions de facteurs, manifestement. Ce n'est pas pour ça que les gens ont des aventures, et je ne veux pas qu'on ait ce genre de conversation, vraiment pas. C'est puéril. C'est indigne de toi, et de moi.

— Ça y est, Howard, tu recommences. Tu devrais t'entendre avec ta bite pour accorder vos violons. Ta bite est indigne de toi. » Kiki rit brièvement puis pleura — de petits cris enfantins qui venaient du ventre —, abandonnant les forces qui lui restaient.

« Écoute », dit Howard résolument, et plus Kiki sentit s'évanouir la sympathie de son mari à son égard, plus elle sanglota. « J'essaie d'être aussi honnête que possible. Si tu me demandes, de toute évidence le physique y est pour quelque chose. Tu as..., Kiki, tu as beaucoup changé. Je m'en moque, moi, mais...

— Je t'ai donné ma *vie*. Ma *vie*.

— Et je t'aime. Je t'ai toujours aimée. Mais je ne veux pas avoir cette discussion.

— Pourquoi tu ne peux pas me dire la vérité ? »

Howard passa son cartable de sa main droite à sa main gauche et ouvrit la porte d'entrée. Il se retrouvait dans le rôle de l'avocat obligé de simplifier une affaire complexe pour une cliente désespérée et sotte qui, de toute façon, n'avait pas l'intention de suivre son conseil.

« Il est vrai que les hommes... ne sont pas insensibles à la beauté... ça ne prend pas fin pour eux, cette... *préoccupation* avec la beauté en tant que réalité physique dans le monde... et c'est clairement un enfermement qui infantilise... mais c'est vrai et... je ne sais pas comment l'expliquer sinon...

— Casse-*toi*.

— Très bien.

— Tes théories esthétiques ne m'intéressent pas. Garde-les pour Claire. Elle adore ça. »

Howard soupira. « Ce n'était pas une théorie.

— Tu crois qu'il y a un putain de truc philosophique dans

le fait de ne pas pouvoir garder ta bite dans ton pantalon ? Tu n'es pas Rembrandt, Howard. Et ne te raconte pas d'histoires : chéri, je regarde les garçons tout le temps, *tout le temps*. Je vois des jolis garçons tous les jours de la semaine, et je pense à leurs bites, et à quoi ils ressembleraient à poil...

— Tu deviens vraiment vulgaire.

— Mais je suis *adulte*, Howard. Et j'ai choisi ma vie. Et je pensais que toi aussi. Mais apparemment, tu cours encore les filles.

— Mais elle n'est pas..., dit Howard qui, baissant la voix, poursuivit dans un chuchotement exaspéré, tu sais... elle a *notre* âge, un peu plus, je pense... tu parles comme s'il s'agissait d'une étudiante, comme une de celles d'Erskine... ou... Mais le fait est que je n'ai pas...

— Tu veux une putain de *médaille* ou quoi ? »

Howard tenait à claquer la porte derrière lui alors que Kiki était déterminée à la fermer d'un coup de pied. La violence du choc fit tomber le plâtre accroché au mur.

7

Le mardi soir, une canalisation à l'angle de Kennedy et de Rosebrook éclata. Un torrent noirâtre inonda la rue, dont seul émergeait le terre-plein central. L'eau clapotant de chaque côté de Kennedy Square formait des flaques sales teintées d'orange par la lueur des lampadaires. Zora avait garé la voiture familiale à une rue de là, avec l'intention d'attendre les membres de sa classe de poésie sur l'îlot directionnel au milieu de la rue qui, cerné par les eaux boueuses, portait mieux que jamais son nom. Les voitures ne cessaient d'envoyer des gerbes d'eau sale sur leur passage, et Zora décida de retourner sur le trottoir, où elle s'appuya contre un poteau en ciment devant un drugstore. De là elle était certaine de voir arriver ses camarades quelques secondes au moins avant d'être vue (c'était dans cette optique qu'elle avait choisi l'îlot). Cigarette à la main, elle tentait tant bien que mal de fumer avec plaisir malgré la sensation de brûlure sur ses lèvres gercées comme chaque hiver. Elle observa le déroulement d'un petit phénomène comportemental de l'autre côté de la rue. Chaque voiture qui passait projetait sur la chaussée quatre ou cinq litres d'eau crasseuse, que les piétons évitaient en se réfugiant dans l'entrée du McDonald's avant de poursuivre leur chemin, fiers de s'adapter si rapidement à tout ce que la ville pouvait leur faire subir.

« Quelqu'un a appelé la compagnie des eaux ? Ou c'est à nouveau le déluge ? » s'enquit d'une voix rauque à l'accent bostonien le sans-abri qui se tenait près du coude de Zora. Peau pourpre et barbe emmêlée aux poils gris et collés, yeux cernés de blanc comme un panda — on aurait pu penser qu'il passait la moitié de l'année à Aspen. Il quémandait devant la banque des pièces de dix *cents* en tendant un gobelet de polystyrène. Il rit d'un ton bourru et agita son gobelet sous le nez de Zora. Celle-ci ne répliqua pas et il réitéra sa plaisanterie. Pour lui échapper, elle avança jusqu'au bord du trottoir et scruta le caniveau, se donnant l'air de mener sa propre enquête et ainsi de paraître concernée par la situation. Les flaques qui s'étaient formées dans les nids-de-poule et les rigoles de l'asphalte inégal avaient gelé. Certaines d'entre elles fondaient déjà, mais d'autres se recouvraient d'une couche de glace mince comme du papier à cigarette, semblables à des patinoires en miniature. Zora jeta sa cigarette dans une flaque et en alluma aussitôt une autre. Il lui était pénible d'attendre seule l'arrivée du groupe. Elle se prépara un visage — comme l'avait dit son poète favori — pour les visages de rencontre, procédure qui nécessitait temps et anticipation pour fonctionner correctement. En vérité, lorsqu'elle se trouvait seule, elle n'avait pas du tout le sentiment d'avoir un visage... Pourtant elle savait qu'elle passait à la fac pour quelqu'un avec des idées bien arrêtées, une « personnalité » — mais en vérité, ces élans passionnels ne se manifestaient que rarement à la maison et pour ainsi dire jamais en dehors des salles de classe. Elle avait l'impression de ne pas avoir d'opinions propres, en tout cas pas comme d'autres semblaient en avoir. Une fois le cours terminé, elle voyait immédiatement qu'elle aurait pu argumenter tout aussi brutalement et avec autant de brio le cas contraire : préférer Flaubert à Foucault ; défendre Austen plutôt qu'Adorno. Les gens croyaient-ils réellement en quoi que ce soit ? Elle n'en avait pas la moindre idée. Soit Zora était seule à ressentir les choses de cette façon curieusement impersonnelle, soit tout le monde simulait comme elle. Zora supposait que c'était précisément cela, le secret que l'université finirait par lui révéler. Entre-temps elle attendait d'être rejointe par des personnes en chair et en os, et elle se sentit superficielle, existentiellement parlant, et se mit à passer nerveusement en revue des sujets de conversation possibles, un ramassis de pensées pénétrantes qu'elle transportait dans son cerveau pour se donner une apparence de profondeur. Rien que pour ce court déplacement dans un quartier branché de Wellington — trajet qui, effectué en voiture, lui avait interdit toute possibilité de lecture —, elle avait apporté dans son sac à dos trois romans et un petit essai de Simone de Beauvoir sur l'ambiguïté : autant de lest pour empêcher qu'elle ne fût emportée par les flots, jusque dans le ciel noir.

« La reine Zora s'éclate avec le sel de la *terre* ! »

À sa droite, ses amis, qui la saluaient ; à sa gauche, tout près de son épaule, le sans-abri dont elle s'écarta prestement, riant bêtement à l'idée qu'un lien quelconque pût exister entre eux. Elle eut droit à des accolades et autres embrassades. Voilà des gens, des amis. Un garçon qui s'appelait Ron, frêle, aux attitudes soignées et ironiques, qui aimait les japonaiseries et être propre sur lui. Une fille du nom de Daisy, grande et athlétique comme une nageuse, visage d'ingénue cent pour cent américain, cheveux d'un blond roux et une attitude quelque peu agressive qui jurait avec son allure. Daisy aimait les comédies romantiques des années quatre-vingt, Kevin Bacon et les sacs à main achetés à l'Armée du salut. Hannah était rousse, tachée de son, rationnelle, travailleuse, mûre. Elle aimait Ezra Pound et confectionner ses propres vêtements. Voilà des gens. Voilà des goûts et des tendances consommatrices et des particularités physiques.

« Où est Claire ? demanda Zora en regardant autour d'eux.

— De l'autre côté de la rue, répondit Ron, main posée sur une hanche. Avec Eddie et Lena et Chantelle et les autres, presque tout le monde est venu. Claire est *ravie*, bien sûr.

— C'est elle qui vous a envoyés ?

— Ouais. Oooooh, professeur Belsey. Des traumatismes à l'horizon ? »

Zora saisit joyeusement la perche que l'on venait de lui tendre. En vertu de son statut de fille de prof, Zora avait accès à des informations que les autres étudiants ne pouvaient espérer connaître. Elle était leur lien vital avec la vie privée des professeurs, et n'avait pas le moindre scrupule à partager avec eux tout ce qu'elle savait.

« Sans déconner. Elle arrive carrément pas à me regarder dans les yeux, même en cours, quand je lis, elle hoche la tête en direction de la fenêtre.

— Je crois qu'elle souffre d'un déficit de concentration, dit Daisy d'une voix traînante.

— D'un déficit de bite, oui, répondit Zora, car elle avait de la repartie. Tout ce qui n'a pas de bite est déficient. »

Son petit public s'esclaffa, jouant les blasés comme s'ils avaient la vie derrière eux.

Ron la saisit affectueusement par les épaules. « Le salaire du péché, et cetera », dit-il tandis qu'ils se mirent en marche. Puis il ajouta : « Où va la vertu ?

— Où va la poésie ? dit Hannah.

— Où va mon cul ? » ajouta Daisy en demandant d'un geste une cigarette à Zora. Ils étaient suaves, vifs, jeunes, hilarants, inspirés, et valaient la peine d'être vus, pensaient-ils, et c'est pourquoi ils parlaient fort et faisaient des gestes, invitant les passants à les admirer.

« Tu m'étonnes », dit Zora en ouvrant son paquet de cigarettes.

Ainsi se répéta le miracle quotidien d'une intériorité qui se révèle et provoque l'éclosion de la fleur aux mille pétales de notre présence ici-bas, parmi les autres. Ni aussi difficile que Zora redoutait, ni aussi facile que ça en avait l'air.

☆

L'Arrêt de Bus était une institution wellingtonnienne. Ce restaurant marocain populaire et bon marché ne désemplissait pas depuis deux decennies, tant les étudiants que les vieux hippies de Kennedy Square, les professeurs, les gens du coin et les touristes l'appréciaient. Il était tenu par une famille marocaine ; la nourriture était très bonne, sans prétention, et pleine de saveurs. Bien qu'il n'y eût à Wellington nulle diaspora marocaine capable d'apprécier l'authenticité du tagine d'agneau ou du couscous au safran, l'américanisation n'avait jamais tenté la famille Essakalli. Ils cuisinèrent ce qu'eux-mêmes aimaient manger, et attendirent que les gens de Wellington s'y accoutument, chose qu'ils firent. Seul le décor répondait aux envies locales de kitsch ethnique : tables en chêne marquetées de nacre, banquettes basses enterrées sous des monticules de coussins de rêche laine de chèvre bariolée. Des narguilés étaient juchés sur les hautes étagères comme des oiseaux exotiques.

Six ans plus tôt, lorsque les Essakalli étaient partis à la retraite, leur fils Youssef avait repris le restaurant avec sa femme germano-américaine, Katrin. Contrairement à ses parents, qui n'avaient fait que tolérer les étudiants — leurs pichets de bière, leurs fausses pièces d'identité, leurs demandes de ketchup —, Youssef, plus jeune et plus américain, appréciait leur présence et comprenait leurs besoins. Il avait eu l'idée de transformer le sous-sol d'une quinzaine de mètres de profondeur en un espace culturel accueillant ateliers, événements et fêtes. Parfois, des images de *La guerre des étoiles* étaient projetées accompagnées de la bande sonore du *Docteur Jivago*. D'autres fois, une rousse dodue à fossettes expliquait à une bande de filles sveltes de première année comment bouger leur abdomen progressivement dans le sens des aiguilles d'une montre — l'art de la danse du ventre. Les rappeurs du coin faisaient des concerts impromptus. Les groupes à guitares anglais aimaient particulièrement se produire ici pour se débarrasser de leur trac avant de se lancer dans leur tournée américaine. Le Maroc tel qu'il était recréé à l'Arrêt de Bus était un lieu ouvert à tous. Les gamins noirs de Boston appréciaient le Maroc, son essence arabe et son âme africaine, les énormes pipes à haschisch, la nourriture pimentée, les rythmes entraînants de leur musique. Les gamins blancs de l'université appréciaient aussi le Maroc : ils aimaient son glamour dépenaillé, sa mythologie hollywoodienne d'orientalisme apolitique, ses babouches. Sans en être vraiment conscients, les hippies et les militants de Kennedy Square venaient plus régulièrement à l'Arrêt de Bus depuis le début de la guerre. Ils exprimaient par là leur solidarité avec la souffrance étrangère. De tous les événements de l'Arrêt de Bus, les soirées slam bimensuelles étaient de loin les plus courues. Le slam était une forme artistique aussi ouverte que le lieu lui-même : tout le monde y trouvait son compte. Ni rap ni poésie, ni formel ni trop fou, ni noir ni blanc. N'importe qui ayant suffisamment de courage pouvait monter sur la petite estrade au fond du sous-sol et dire ce qu'il avait à dire. Pour Claire Malcolm, c'était chaque année l'occasion de montrer à ses nouveaux étudiants que la poésie était libre et variée, et qu'elle était prête à la découvrir sous toutes ses formes.

Parce qu'elle assistait régulièrement à ces soirées, et qu'elle était une habituée du restaurant, Claire était appréciée des Essakalli. Youssef la repéra et se fraya un chemin à travers la foule de gens qui attendaient une table, pour l'aider à tenir les portes battantes afin que ses élèves puissent se mettre au chaud à l'intérieur. Tenant le haut de la porte, Youssef sourit tour à tour aux étudiants, et chacun eut l'occasion d'admirer ses yeux d'un étonnant vert émeraude pour un visage aussi mat et indubitablement arabe que le sien, ainsi que ses cheveux soyeux, bouclés et ébouriffés comme ceux d'un enfant. Lorsque tout le monde fut entré dans l'établissement, Youssef se baissa délicatement au niveau de Claire, et lui permit de l'embrasser sur les deux joues. Tout au long de cette démonstration courtoise, il garda la main sur une petite calotte brodée perchée à l'arrière de sa tête. La classe de Claire adora tout cela. Nombre d'entre eux étaient des première année pour qui une soirée à l'Arrêt de Bus, et même un passage à Kennedy Square, était aussi exotique qu'un voyage au Maroc.

« *Youssef, ça fait bien trop longtemps* !* » s'écria Claire, qui recula d'un pas sans lâcher de ses petites mains celles de son interlocuteur. Elle pencha la tête d'un côté, comme une jeune fille. « *Moi, je deviens toute vieille, et toi, tu rajeunis*.* »

Youssef rit, secoua la tête et enveloppa d'un regard chaleureux la minuscule silhouette qu'il avait devant lui, emmitouflée dans les nombreuses épaisseurs d'un châle noir. « *Non, c'est pas vrai, c'est pas vrai... Vous êtes magnifique, comme toujours*.*

— *Tu me flattes comme un diable. Et comment va la famille* ?* » demanda Claire, balayant du regard le restaurant et le bar au bout duquel Katrin, attendant d'être remarquée, levait son bras menu et faisait un signe de la main. Femme naturellement anguleuse, elle portait aujourd'hui une sensuelle robe portefeuille marron qui soulignait sa grossesse avancée ; son ventre en pointe qu'elle portait haut suggérait qu'elle attendait un garçon. Elle vendait trois dollars pièce des billets aux adolescents qui faisaient la queue pour descendre au sous-sol.

— *Bien** », répondit Youssef simplement, puis, encouragé par la mine réjouie de Claire à sa réponse franche et honnête, il développa, cette fois beaucoup moins au goût de son interlocutrice et bavarda joyeusement au sujet de cette grossesse tant attendue, de la deuxième retraite de ses parents, qui venaient de s'établir au fin fond du Vermont, et du succès croissant de son restaurant. Les membres de la classe de poésie de Claire, ne comprenant pas le français, s'attroupèrent derrière leur professeur et sourirent timidement. Mais Claire se lassait toujours des récits d'autrui, et interrompit bientôt Youssef en lui tapotant le bras.

« Il nous faut une table, mon ange », dit-elle en anglais, regardant par-dessus la tête de Youssef les boxes alignés de part et d'autre d'un long couloir, comme des bancs d'église. Youssef adopta instantanément une attitude professionnelle.

« Oui, bien sûr. Vous êtes combien ?

— Je n'ai même pas fait les présentations », dit Claire, qui commença à désigner du doigt chaque membre effarouché de sa classe, trouvant quelque chose de flatteur — quoique n'ayant le plus souvent qu'un rapport très lointain avec la réalité — à dire sur chacun. Celui qui jouait plus ou moins du piano devenait un maestro. Celle qui s'était produite dans un cabaret universitaire était la Liza Minnelli de demain. Le chaleureux élan collectif détendit chacun d'entre eux. Même Zora — présentée comme la tête pensante du groupe — fut touchée par le charisme de Claire : vous aviez le sentiment en sa présence d'avoir la chance merveilleuse de vivre très précisément ce que vous étiez en train de vivre. Claire évoquait souvent dans sa poésie l'idée de la « justesse » : c'est-à-dire quand vos buts avoués et votre capacité à les atteindre — si petits et insignifiants fussent-ils l'un et l'autre — correspondent parfaitement, s'ajustent. C'est *alors*, affirmait Claire, que l'on devenait profondément humains, entièrement nous-mêmes, beaux. Nager si votre corps est fait pour nager. S'agenouiller lorsqu'on se sent humble. Boire de l'eau si l'on a soif. Ou — pour ceux qui voyaient grand —

267

écrire le poème qui serait le réceptacle approprié au sentiment ou à la pensée que vous espériez communiquer. En présence de Claire, vous n'étiez jamais fautif ou inadapté. Non, pas du tout. Vous étiez l'instrument et le parfait réceptacle de vos talents, croyances et désirs. Voilà pourquoi des centaines d'étudiants à Wellington se présentaient pour être admis à son cours. Le pauvre Youssef finit par manquer de mimiques émerveillées pour accueillir la race de géants venus dîner dans son établissement.

« Donc combien, déjà ? demanda-t-il derechef, lorsque Claire eut fini.

— Dix, onze ? En fait, mon chou, je crois qu'il va nous falloir trois boxes. »

La répartition autour des tables devint une affaire politique. Le box de choix était naturellement celui de Claire ; sinon, celui de Zora, mais lorsque l'une et l'autre choisirent involontairement le même box, une lutte inconvenante s'ensuivit pour les places libres. Ron et Daisy, qui occupaient les meilleures places, ne cachaient pas leur joie. En revanche, le second box derrière le leur était tristement silencieux. Le box des traînards de l'autre côté de la pièce, occupé par seulement trois personnes, boudait ouvertement. Claire aussi était déçue. Elle avait de l'affection pour les autres étudiants, pas pour ceux qui se trouvaient à sa table. L'humour caustique de blanc-bec dont Ron et Daisy faisaient preuve ne l'amusait pas. L'humour américain la laissait généralement indifférente. Jamais elle ne se sentait plus étrangère en Amérique que lorsqu'elle regardait une de ces sitcoms déconcertantes à la télévision : entrées de personnages, sorties de personnages, gags, rires préenregistrés, bêtise, ironie. Ce soir, elle aurait préféré être assise à la table des traînards avec Chantelle, à écouter cette jeune femme ténébreuse raconter ses surprenantes histoires de la vie de ghetto dans son quartier difficile de Boston. Claire était envoûtée par les descriptions de la jeune femme, une vie si différente, presque d'une autre planète. Ses propres origines étaient internationales, privilégiées, et émotionnellement austères ; elle avait grandi entourée d'intellectuels américains et d'aristocrates européens, mélange cultivé mais froid. *Cinq langues*, écrivit-elle dans un de ses premiers poèmes, le genre de cliché qu'elle s'était permis au début des années soixante-dix, *Et aucun moyen de te dire Je t'aime.* Ou, et c'était plus important, je te hais. Dans la famille de Chantelle, les deux locutions fusaient aux quatre coins de la maison avec une régularité opératique. Mais Claire n'apprendrait rien de neuf à ce sujet ce soir, car elle allait tenir le rôle du filet par-dessus lequel Ron et Daisy et Zora se balanceraient des vannes. Elle s'installa sur les coussins et essaya de faire contre mauvaise fortune bon cœur.

Le sujet de conversation tournait autour d'une série télé tellement célèbre que même Claire en avait entendu parler (bien qu'elle ne l'ait jamais vue) ; ses trois étudiants la décortiquaient avec une ironie brutale, révélant de fâcheux sujets sous-jacents ; ils lui attribuèrent de sombres visées politiques, et se servirent de complexes outils théoriques pour démanteler sa façade simple et sincère. De temps à autre la discussion faisait une embardée et ralentissait pour s'orienter vers la politique actuelle — le Président, l'administration —, ce qui ouvrait une brèche dans laquelle Claire était invitée à s'engouffrer. Elle fut reconnaissante au serveur de venir prendre leurs commandes. Une brève hésitation se fit sentir au moment de commander des boissons alcoolisées — aucun de ses étudiants sauf un, qui était en troisième cycle, n'avait l'âge requis. Claire leur fit comprendre qu'ils pouvaient faire comme bon leur semblait. Ils commandèrent alors des cocktails idiots, faussement sophistiqués, tous incompatibles avec un repas marocain : un whiskey ginger ale, un Tom Collins, un Cosmopolitan. Claire se commanda une bouteille de vin blanc. Les boissons arrivèrent rapidement. Dès la première gorgée, Claire vit ses étudiants se libérer du côté formel de la salle de classe. Ce n'était pas tant la boisson en elle-même mais la licence qu'elle donnait. « Oh, ça fait du bien, dis-moi », entendit-elle en provenance du box voisin, où une petite souris du nom de Lena reposait devant elle une simple bouteille de bière au goulot de laquelle elle venait de boire. Claire sourit intérieurement et fixa la table du regard. Chaque année, toujours plus d'étudiants, pareils mais différents. Elle écouta avec intérêt les garçons de sa classe commander leurs plats. Puis vint le tour des filles. Daisy commanda une entrée, disant qu'elle avait mangé plus tôt (vieille ruse souvent utilisée par Claire dans sa jeunesse) ; Zora, après moult hésitations, commanda un tagine de poisson sans riz, commande que Claire entendit répétée en écho par trois voix féminines dans le box derrière le sien. Puis vint le tour de Claire, qui fit comme elle faisait depuis trente ans.

« Juste une salade, s'il vous plaît. »

Claire tendit la carte au serveur, puis appuya lourdement contre la table ses mains posées l'une sur l'autre.

« Alors, dit-elle.

— Alors, fit Ron qui, téméraire, imita le geste de son professeur.

— Alors, comment ça se passe, le cours pour vous ? demanda Claire.

— Bien », dit Daisy avec aplomb, mais elle jeta ensuite un coup d'œil à Zora et à Ron, attendant leur confirmation. « Je crois que ça va, le côté débat finira par prendre tournure, je suis sûre. Pour l'instant, c'est un peu... », dit Daisy, et Ron finit à sa place :

« ... ça va, ça vient. Vous savez, parce que c'est un peu *intimidant*. » Ron se pencha par-dessus la table et poursuivit sur le ton de la confidence : « Pour les première année, je crois surtout. Mais ceux d'entre nous qui ont un peu d'expérience sont plus...

— Mais même, vous pouvez être très intimidante », insista Zora.

Pour la première fois de la soirée, Claire regarda Zora Belsey en face. « Intimidante ? Comment ça ?

— Eh bien », dit Zora, hésitant quelque peu. Son mépris pour Claire était comme l'envers opaque d'un miroir ; l'autre côté reflétait une immense envie, et de l'admiration. « C'est très intime et... et *vulnérable*, ce qu'on vous donne, ces poèmes. Naturellement on veut des critiques constructives, mais vous pouvez aussi être...

— Ouais, on peut pas se tromper, dit Daisy, déjà légèrement éméchée, on sait, genre, qui vous préférez. Et c'est un peu démoralisant. Peut-être.

— Mais je ne préfère *personne*, protesta Claire. J'évalue des poèmes, pas des gens. Il faut aider un poème à prendre son envol, et c'est ce que nous faisons, tous ensemble.

— Oui, oui, oui, dit Daisy.

— Je crois, ajouta Claire, que tout le monde mérite sa place dans cette classe.

— Oh, tout à fait », dit Ron avec ferveur ; puis, pendant le petit silence qui s'ensuivit, il opta pour une nouvelle tournure plus plaisante de la conversation.

« Vous savez ce que c'est ? suggéra-t-il. C'est juste qu'on est tous là à vous regarder, vous, et quand on pense à ce que vous avez accompli si jeune et avec tant de succès, c'est carrément impressionnant. » Il toucha sa main car, curieusement, son attitude de grande folle le lui permettait, et elle jeta à nouveau son châle par-dessus son épaule, acceptant le rôle de diva qui lui incombait. « Ouais, c'est un sacré truc, et forcément, en cours, c'est un peu comme l'éléphant dans le magasin de porcelaine.

— Tu veux dire l'éléphant dans la chambre, rectifia Claire doucement.

— Ah *oui* ! Mon Dieu ! Dans un magasin de porcelaine ? Quel *con*.

— Mais c'était comment ? demanda Daisy tandis que Ron devenait cramoisi. Je veux dire, vous étiez tellement jeune. Moi, j'ai dix-neuf ans et j'ai l'impression qu'il est trop tard pour que je fasse quoi que ce soit. Pas vrai ? Vous êtes pas d'accord ? On était en train de parler de comment Claire est impressionnante, et de l'effet que ça a dû lui faire d'avoir autant de succès si jeune et tout », dit Daisy à l'intention de Lena, qui à présent était maladroitement agenouillée près de la table basse, s'étant approchée de leur box sous le prétexte de prendre les condiments. Daisy regarda Claire, attendant qu'elle reprenne le fil. Tout le monde la regardait.

« Tu me demandais comment c'était à mes débuts.

— Ouais, ce devait être *incroyable*, non ? »

Claire soupira. Elle aurait pu passer toute la nuit à raconter ces histoires — et ne s'en privait pas lorsqu'on le lui demandait. Mais cela n'avait plus rien à voir avec elle.

« Mon Dieu... c'était en 73, une période très étrange pour être poétesse..., je rencontrais toutes sortes de gens étonnants : Ginsberg et Ferlinghetti, et je me retrouvais dans des situations dingues..., je rencontrais, je ne sais pas moi, Mick Jagger ou quelqu'un du même genre, et je me sentais très *observée*, très scrutée, pas juste mentalement mais aussi personnellement et *physiquement*... et je suppose que je me sentais quelque peu... désincarnée. On peut dire ça comme ça. Mais l'été suivant, j'étais déjà partie, j'ai passé trois ans dans le Montana, donc... tout redevient normal plus rapidement qu'on ne s'y attendrait. Et c'est tellement beau là-bas, le paysage est tellement exceptionnel ; en vérité, une terre comme celle-là vous comble, c'est ça qui vous nourrit en tant qu'artiste..., je pouvais passer des journées entières avec un bleuet..., je veux dire à me plonger dans son bleu profond... »

Tandis que Claire continuait à parler en boucle de la terre et de sa poésie, ses étudiants hochaient pensivement la tête, mais une torpeur certaine s'était emparée d'eux. Ils auraient préféré en savoir plus sur Mick Jagger, ou Sam Shepard, l'homme qu'elle avait suivi dans le Montana, information qu'ils avaient glanée sur Google. Le paysage ne les intéressait pas outre mesure. Leur poésie était une poésie de tempérament, de personnalités romantiques, de cœurs brisés et de guerre émotionnelle. Claire, revenue et lassée de tout cela, écrivait aujourd'hui des poèmes évoquant surtout les frondaisons de la Nouvelle-Angleterre, la nature, les criques, les vallées et les montagnes. Ces poèmes s'étaient révélés moins populaires que les strophes sexualisées de sa jeunesse.

La nourriture arriva. Claire parlait toujours de la terre. Zora, qui ruminait manifestement depuis quelque temps, donna de la voix. « Mais comment ne pas tomber dans le mensonge pastoral, je veux dire, n'est-ce pas une chosification dépolitisée, toute cette beauté des paysages ? Virgile, Pope, les romantiques. Pourquoi idéaliser ?

— Idéaliser ? répéta Claire incertaine. Je ne suis pas sûre, à vrai dire..., tu sais, ce que j'ai toujours ressenti en lisant, par exemple, les *Géorgiques*...

— Les quoi ?

— Virgile... dans les *Géorgiques*, la nature et les plaisirs pastoraux sont essentiels à toute... », commença Claire, mais déjà Zora n'écoutait plus. L'érudition dont Claire faisait preuve la fatiguait. Claire ignorait tout des théoriciens, des idées, de la pensée actuelle. Parfois Zora se demandait si c'était vraiment une intellectuelle. Avec elle, c'était toujours « chez Platon », ou « chez Baudelaire », ou « chez Rimbaud », comme si on avait tous le loisir de lire ce qu'on voulait. Zora cligna des yeux avec impatience, visiblement à l'affût d'un point final dans la phrase de Claire ou, faute de quoi, un point virgule à la suite duquel s'immiscer à nouveau.

« Mais après Foucault, dit-elle saisissant sa chance, où peut-on aller avec ça ? »

C'était un vrai débat intellectuel. La tablée s'anima. Lena fit de petits bonds sur ses talons pour faire circuler le sang. Claire se sentit très fatiguée. Elle était poète. Comment avait-elle fait pour se retrouver dans l'un de ces établissements, ces facultés où l'on se voit obligée de tout justifier, même son désir d'écrire sur un châtaignier ?

« Hou ! »

Claire et les autres convives levèrent la tête. Un jeune Noir grand et beau, flanqué de cinq ou six types derrière lui, se tenait près de leur table. Levi, habitué aux regards braqués sur lui, ne fut pas déboussolé par l'intérêt qu'il suscitait, et hocha simplement la tête.

« Onze heures et demie, devant, d'acc ? »

Zora acquiesça rapidement, l'adjurant intérieurement de disparaître.

« Levi ? C'est toi ?

— Oh, salut, Mizz Malcolm.

— Mon *Dieu*. Mais regardez-moi ça ! *Voilà* pourquoi tu nages autant. Tu es balèze !

— Ça commence à venir », dit Levi en arrondissant ses épaules. Il ne sourit pas. Il était au courant, au sujet de Claire Malcolm, Jerome le lui avait dit, et avec sa judicieuse capacité à analyser une situation sous tous ses angles, il n'avait pas été choqué outre mesure. Il avait eu de la peine pour sa mère, naturellement, mais il comprenait aussi la position de son père. Lui aussi avait, par le passé, aimé tendrement certaines filles, puis cavalé avec d'autres pour des raisons moins qu'honorables ; il ne trouvait donc pas si choquant de distinguer le sexe et l'amour. Mais là, voyant Claire Malcolm, il demeura interdit. C'était encore un autre exemple des goûts bizarres de son père. Mais où était le cul de cette meuf ? Et où étaient ses nichons ? Il lui sembla soudain illogique et injuste d'avoir remplacé aussi radicalement une femme par une autre. En signe de solidarité avec les proportions autrement généreuses de sa mère, il décida de couper court à la conversation.

« Eh bien, tu as très bonne mine, claironna Claire. Tu te produis sur scène ce soir ?

— Pas sûr. Ça dépend. Mes potes oui, sans doute, dit Levi en désignant d'un geste de la tête ses compagnons derrière lui. En tout cas, il va falloir que je descende. Onze heures et demie », répéta-t-il à l'intention de Zora, et il s'éloigna.

Claire, à qui la condamnation silencieuse de Levi n'avait pas échappé, se versa un grand verre de vin et plaça son couteau et sa fourchette côte à côte sur sa salade à moitié consommée. « On devrait sans doute descendre, nous aussi », dit-elle doucement.

8

La composition ethnique du sous-sol s'était modifiée depuis sa dernière visite. De là où Claire était assise, elle ne voyait qu'un petit nombre de Blancs, et personne de son âge. Cet état de faits ne changeait pas particulièrement la donne, mais Claire avait été quelque peu surprise, et il lui faudrait du temps pour se sentir à l'aise. Elle remercia le yoga, grâce auquel elle pouvait rester assise en tailleur sur un coussin à même le sol comme une femme bien plus jeune, camouflée parmi ses étudiants. Sur scène, une fille noire avec un grand turban rimait avec outrecuidance, accompagnée par le swing très blues d'un petit groupe derrière elle. *Mon utérus*, dit-elle, *est le DÉTRITUS*, dit-elle, *de tes erreurs de jugement / Je CONNAIS l'identité de ta sérénité / Quand TU prétends que mon héros est un blondinet / Cléopâtre ? Mon frère, tu as tout faux / J'ENTENDS l'esprit nubien caché derrière la vérité blanchie / Je crie / Ma rédemption a ses PROPRES intentions*. Et ainsi de suite. Ce n'était pas bon. Claire écouta ses élèves démontrer avec vivacité que ce n'était pas bon. Pédagogue, elle voulut les encourager à être moins injurieux et plus précis. Elle n'y réussit que partiellement.

« Au moins elle est *engagée* », dit Chantelle avec circonspection. L'autorité et le poids de ses adversaires l'intimidaient. « Je veux dire, c'est pas "salope" par-ci et "négro" par-là. Vous voyez ?

— Moi, ça me *tue*, ce truc, dit Zora en se prenant la tête entre les mains. C'est *trop ringard*.

— L'écrin / De mon vagin / Est bien plus sain / Que le tien », dit Ron, flirtant dangereusement (pensa Claire) avec les limites de ce qu'on pourrait juger raciste, car il parodiait à outrance les mouvements de tête contestataires et l'intonation chantante de la fille. Mais un fou rire collectif s'empara des membres du groupe, Zora en tête, ce qui désamorça toute ambiguïté. Bien entendu, pensa Claire, ils sont moins sensibles à tout ça que nous ne l'étions. En 1972, il y aurait eu un silence de mort.

Entre les rires et les conversations, les commandes et les allées et venues aux toilettes, la fille poursuivit. Au bout de dix minutes, sa médiocrité cessa de faire rire et commença, selon les dires des étudiants de Claire, à les gaver. Même les membres les plus enthousiastes du public cessèrent de hocher la tête en écoutant. Le niveau sonore des conversations augmenta. Le maître de cérémonie, ou MC, assis sur un tabouret jouxtant la scène, alluma son micro pour intervenir ; il supplia l'assistance de garder le silence, d'écouter et de faire preuve de respect, ce dernier mot ayant de l'importance à l'Arrêt de Bus. Mais la fille n'était pas bonne, et bientôt le brouhaha redémarra de plus belle. Finalement, après une sinistre promesse — « JE ME SOULÈVERAI » —, la fille s'arrêta. Des applaudissements épars se firent entendre.

« *Merci*, Queen Lara, dit le MC qui tenait son micro très près de ses lèvres comme un cornet de glace. Bon alors, je m'appelle Doc Brown, je suis votre MC ce soir, et je *veux vous entendre pour Queen Lara*... Elle a eu le *courage* de monter sur scène, il faut avoir des tripes pour faire un truc pareil... se mettre devant tout le monde et parler d'ton utérus... » Doc Brown se permit un bref gloussement, puis il reprit son rôle de faire-valoir. « Non, sans déc' franchement, il faut des tripes, j'te jure... pas vrai ? Est-ce que j'ai pas raison ? Allez, tout le monde, je veux vous entend' applaudir. Soyez pas comme ça. Je veux vous entendre pour Queen Lara et ses paroles engagées. Voilà, c'est *mieux*. »

La classe de Claire se joignit aux applaudissements circonspects. « File-nous de la poésie ! » lança Ron pour rire, à l'intention de ses amis, mais il l'avait dit trop fort.

« File-nous de la poésie ? » répéta Doc Brown, les yeux écarquillés, scrutant la pénombre du regard à la recherche de la voix non identifiée. « Putain, c'est pas souvent qu'on entend des trucs comme ça ! Voyez, c'est pour ça que *j'adore* l'Arrêt de Bus. *File-nous de la poésie.* Yo, je *sais* que c'est un gamin de Wellington... » Des rires éclatèrent de part et d'autre du sous-sol, particulièrement bruyants parmi la classe de Claire. « *File-nous de la poésie.* On a des gens instruits ici, ce soir. File-nous de la poésie. File-nous de la trigonométrie. File-nous de l'algèbre — file-nous tout ça ! dit-il de cette voix ringarde utilisée par certains comiques noirs pour imiter les Blancs. Eh bien... tu as de la chance, jeune homme, parce qu'on va bientôt te filer de la poésie, du slam, de la poésie urbaine, du rap, des rimes, on va faire tout ça pour toi. *File-nous de la poésie.* J'adore... Bon, ce soir c'est vous qui allez désigner le gagnant, on a un jéroboam de champagne, ouais, merci Mr Wellington, c'est notre nouveau mot de vocabulaire pour aujourd'hui, un jéroboam de champagne, ce qui veut dire, en fait, une *grande quantité d'alcool.* Et c'est vous, les amis, qui allez choisir le gagnant. Tout ce qu'on vous demande, c'est de faire du bruit pour votre favori. On a un sacré spectacle pour vous ce soir. On a des mecs des *Caraïbes* avec nous, on a des renois *africains* avec nous, on a des gens qui vont se la péter en français, en portugais, je ne crois pas me tromper quand j'affirme qu'on a les Nations unies du slam avec nous ce soir, donc vous êtes tous *extrêmement* privilégiés, tous. Ouais, c'est ça, répliqua Doc Brown aux hourras et aux acclamations. On va vous internationaliser la tête. Ouais, c'est comme ça que ça se passe chez nous. »

Ainsi débuta le spectacle. Le premier artiste, un jeune homme qui rimait laborieusement mais parlait avec éloquence de la dernière guerre dans laquelle l'Amérique était engagée, fut bien accueilli. Lui succéda une fille maigre et dégingandée dont les oreilles pointaient à travers un rideau de longs cheveux raides comme des tisonniers. Claire réprima sa propre détestation des métaphores élaborées et réussit à apprécier les vers cruels et spirituels de la fille sur la nullité de tous les hommes qu'elle avait connus. Mais ensuite, l'un après l'autre, trois garçons racontèrent des histoires macho de la rue, le dernier d'entre eux s'exprimant en portugais. La concentration de Claire déclina. Zora s'était retrouvée assise en face d'elle de profil, et son visage lui sembla soudain évocateur. Sans le vouloir, Claire se surprit à l'examiner. Comme elle pouvait voir son père dans ce visage ! Le léger chevauchement des dents, la face longiligne, le nez noble. Mais la jeune fille grossissait ; inévitablement, elle empruntait le chemin de sa mère. À cette pensée, Claire se réprimanda intérieurement. Elle avait tort de détester cette fille, tout comme elle avait tort de détester Howard, ou de se détester elle-même. La haine n'arrangerait rien. Ce qu'il lui fallait, c'était du discernement. Deux fois par semaine, à dix-huit heures trente, Claire prenait la voiture et allait à Boston chez le docteur Byford, dont la maison était située dans le quartier de Chapel Hill ; elle lui donnait quatre-vingts dollars de l'heure pour qu'il l'aide à gagner en lucidité. Ensemble, ils tentaient de comprendre le chaos de douleur que Claire avait provoqué. Ces séances constituaient la seule chose positive à retenir des douze derniers mois : de tous les psychiatres qu'elle avait consultés au fil des années, Byford était le seul à l'avoir menée si loin dans l'analyse. Jusqu'à maintenant, voici ce qui se dessinait : Claire Malcolm ne pouvait pas s'empêcher de saboter tout ce qui la concernait. Obéissant à un schéma d'échec profondément inscrit dans sa vie, prenant racine, d'après Byford, dans sa plus tendre enfance, Claire sabotait compulsivement toute possibilité de bonheur personnel. Il semblait qu'elle fût convaincue de ne pas mériter le bonheur. L'épisode avec Howard n'était que le tout dernier parmi une longue liste d'actes de cruauté émotionnelle qu'elle avait jugé nécessaire de s'infliger. Il suffisait d'observer quand cela avait eu lieu. Quand finalement, *finalement* elle avait trouvé cette merveilleuse bénédiction, cet ange, ce cadeau du ciel, Warren Crane, un homme qui (elle ne put s'empêcher d'énumérer ses qualités comme Byford l'avait encouragée à le faire) :

(a) Ne la considérait pas comme une menace
(b) Ne craignait ni ne redoutait sa sexualité ou son sexe
(c) Ne cherchait pas à la maltraiter mentalement
(d) Ne souhaitait pas, à un niveau préconscient, sa mort
(e) Ne lui jalousait ni son argent, ni sa réputation, ni son talent, ni sa force
(f) Ne cherchait pas à l'empêcher de vivre son lien profond à la terre — et qui, en fait, aimait la terre autant qu'elle et l'encourageait dans ce sens.

Alors qu'elle connaissait enfin une certaine joie personnelle. Enfin, à cinquante-trois ans. Et c'était donc bien entendu le moment rêvé pour saboter sa propre vie. Dans cette optique, elle avait entamé une liaison avec Howard Belsey, l'un de ses plus vieux amis. Un homme pour qui elle ne ressentait absolument aucune attirance physique. En y repensant, c'était vraiment trop parfait. Howard Belsey — lui ! Lorsque ce jour-là, dans la salle de conférences du département des Black Studies, elle se pressa contre le corps d'Howard, lorsqu'elle s'offrit si ouvertement à lui, elle ne savait pas vraiment pourquoi. En revanche, elle avait senti qu'elle réveillait chez son vieil ami tous les élans et fantasmes masculins classiques — l'occasion tardive de connaître d'autres êtres, d'autres vies, d'autres chairs, une nouvelle jeunesse. Howard lui révélait une partie secrète, frivole et honteuse de lui-même. Et c'était un aspect de sa propre personnalité qu'il connaissait mal et qu'il avait toujours pensé être indigne de lui ; elle sentait tout cela dans la fébrilité des mains d'Howard sur sa taille minuscule, la rapi-

279

dité maladroite avec laquelle il la déshabilla. Il avait été surpris par son propre désir. Claire de son côté n'avait ressenti rien de comparable. Seulement du chagrin.

Jamais une seule fois au cours de leur liaison, qui dura trois semaines, ils ne se retrouvèrent dans une chambre à coucher. Pénétrer dans une chambre aurait relevé d'une décision consciente. Mais ils se contentèrent, au gré de leurs habituelles affaires universitaires et de leurs réunions trihebdomadaires dans le bureau d'Howard, de fermer la porte à clé et de se laisser choir sur l'énorme canapé couinant recouvert d'un imprimé on ne peut plus anglais de fougères à la William Morris. En silence et avec frénésie, ils baisaient au milieu des feuilles, presque toujours assis, Claire posée négligemment sur son collègue, ses petites jambes couvertes de taches de rousseur entourant sa taille. Lorsqu'ils avaient terminé, il avait pour habitude de la faire basculer en arrière jusqu'à l'allonger sous lui. Curieusement, il posait alors ses grandes mains à plat sur son corps, sur ses épaules, sa poitrine plate, son estomac, ses chevilles, sur la mince ligne épilée de ses poils pubiens. Il avait l'air émerveillé, comme s'il s'assurait qu'elle fût là tout entière et que cela fût bien réel. Puis, ils se levaient et se rhabillaient. *Comment cela a-t-il pu se passer ?* C'est ce qu'ils disaient souvent après, ou quelque chose dans le genre. Une chose stupide et lâche et inutile. Entre-temps, l'amour avec Warren connaissait un regain d'extase que des larmes de culpabilité venaient toujours couronner, et que Warren, dans son innocence, prenait pour une manifestation de joie. Toute la situation était ignoble, et elle ne pouvait la défendre, même en son for intérieur ; d'autant qu'elle restait terrifiée et humiliée par son enfance misérable et dénuée d'amour, qui après toutes ces années l'asphyxiait encore !

Le troisième mardi après le début de leur liaison, Howard se rendit dans le bureau de Claire afin de lui annoncer la fin de l'aventure. Pour la première fois, l'un et l'autre reconnurent qu'elle avait débuté. Il lui expliqua qu'il avait été pris en flagrant délit avec un préservatif. Il s'agissait du même préservatif inemployé qui avait tant fait rire Claire, l'après-midi de leur deuxième rendez-vous, lorsque Howard le lui avait présenté, comme un adolescent anxieux et bien intentionné (« Howard, chéri, c'est très gentil, mais je ne suis plus fertile, tu sais »). En l'entendant raconter cette histoire, Claire eut derechef envie de rire — un tel désastre inutile était tellement typique d'Howard. Mais ce qui suivit était moins drôle. Il lui dit qu'il avait avoué en racontant à Kiki le minimum nécessaire — à savoir qu'il l'avait trompée —, sans mentionner Claire. C'était aimable de sa part, et Claire le remercia. Il lui adressa un regard étrange. Il avait menti pour épargner les sentiments de sa femme, pas la réputation de Claire. Il acheva son court exposé des faits. Ses jambes flageolèrent quelque peu. L'Howard que Claire avait devant elle était différent de celui qu'elle connaissait depuis trente ans. Il n'était plus cet universitaire un peu dur qui l'avait toujours considérée (soupçonnait-elle) comme un être légèrement ridicule, et qui n'avait jamais semblé totalement convaincu de la nécessité de la poésie. Ce jour-là dans son bureau, Howard paraissait avoir justement besoin de quelques vers réconfortants. Tout au long de leur amitié, Claire s'était moquée de son intellectualisme scrupuleux, tout comme il l'avait taquinée à propos de ses idéaux artistiques. Selon sa vieille plaisanterie, Howard n'était humain qu'en théorie. Et en général, ce sentiment était partagé au sein de la faculté : il était presque impossible pour ses étudiants d'imaginer qu'Howard eût femme et famille, qu'il allât aux toilettes, qu'il fût amoureux. Claire n'était pas si naïve ; elle savait qu'il aimait, et intensément, mais elle savait aussi que cela ne se manifestait pas normalement chez lui. Quelque chose dans sa vie universitaire avait modifié la nature même de son amour. Naturellement, sans Kiki il ne pouvait pas fonctionner — tous ceux qui le connaissaient le savaient. Mais leur mariage était de ceux que l'on ne cerne pas facilement. Il aimait la lecture, elle non ; il était théorique, elle était politique. Kiki appelait une rose une rose. Pour Howard, il s'agissait d'une accumulation de constructions culturelles et biologiques tournant autour des pôles binaires, et s'attirant mutuellement, de la nature et de l'artifice. Claire s'était toujours demandé comment pouvait fonctionner un mariage comme le leur. Le docteur Byford était allé jusqu'à suggérer que cette raison précisément avait poussé Claire à avoir une histoire avec Howard après tant d'années. Au moment où elle s'investissait affectivement comme jamais, elle s'immisçait dans le couple le plus harmonieux de son entourage. Et c'était vrai : assise à son bureau à observer cet homme perdu et à la dérive, elle se sentit bizarrement légitimée. Le voir dans cet état signifiait qu'elle avait eu raison, après tout, au sujet des universitaires. (Et n'aurait-elle pas dû déjà le savoir ? Elle en avait épousé trois.) Ils n'avaient pas la moindre idée de ce qu'ils faisaient. Howard était totalement incapable de faire face à cette réalité nouvelle. Il n'était pas à même de concilier l'image qu'il avait de lui-même avec ce qu'il avait fait. C'était irrationnel, et c'est pourquoi il lui était impossible de le comprendre. Pour Claire, leur liaison ne faisait que confirmer ce qu'elle savait déjà sur les parties les plus sombres de son être. Pour Howard, il s'agissait manifestement d'une révélation.

C'était affreux de penser à lui en voyant le reflet de son visage dans les traits de Zora. Depuis que son rôle dans l'escapade d'Howard n'était plus un secret, la culpabilité de Claire avait quitté la sphère privée de l'indulgence pour se transformer en punition publique. Non pas qu'elle fût embarrassée par la honte ; elle avait déjà tenu à plusieurs reprises le rôle de la maîtresse, et n'avait pas été particulièrement intimidée à l'époque. Mais cette fois, elle enrageait et se sentait humiliée d'être punie pour une chose qu'elle avait faite avec si peu de désir ou de volonté. C'était une femme encore sous l'emprise des traumatismes de son enfance. Il eût été plus censé d'envoyer au coin la petite fille de trois ans qui sommeillait en elle. Comme le docteur Byford l'expliquait, elle était la victime d'un trouble psychologique pernicieux et typiquement féminin : elle ressentait une chose et en faisait une autre. Elle était étrangère à elle-même.

Étaient-elles toujours ainsi, se demanda-t-elle — ces filles d'aujourd'hui, cette nouvelle génération ? Faisaient-elles toujours autre chose que ce qu'elles ressentaient ? Leur plus grand désir était-il toujours d'être désirées ? Demeuraient-elles toujours des objets de désir au lieu d'être — comme Howard pourrait le dire — des sujets désirants ? Songeant aux filles assises les jambes croisées avec elle dans ce sous-sol, à Zora face à elle, ou aux filles en colère qui criaient leur poésie sur scène — elle admit que non, il n'y avait pas de changement majeur. Elles continuaient à se priver de nourriture, elles continuaient à lire des magazines féminins explicitement misogynes, elles continuaient à se couper discrètement avec de petits couteaux, pensant que cela passerait inaperçu, elles continuaient de simuler l'orgasme avec des hommes qu'elles n'aimaient pas, elles continuaient à mentir à tout le monde sur tout. Bizarrement, Claire avait toujours considéré Kiki Belsey comme une merveilleuse anomalie, justement dans ce domaine. Claire se souvint de l'époque où Howard rencontra sa future femme pour la première fois ; Kiki était alors étudiante-infirmière à New York. Sa beauté était impressionnante, presque indescriptible, mais, au-delà de cela, Kiki irradiait une féminité essentielle que Claire avait déjà imaginée dans sa poésie — naturelle, honnête, puissante, directe, pleine de ce qui ressemblait à du désir authentique. Une déesse du quotidien. Elle ne faisait pas partie de la bande d'intellectuels d'Howard, mais elle était activement politisée, et elle exprimait bien et avec sincérité ce qu'elle croyait. Plus que féminine, elle était très femme, comme on disait à l'époque. Pour Claire, Kiki n'était pas seulement la preuve vivante de l'humanité d'Howard, mais elle incarnait l'arrivée, sans cesse annoncée en ce bas monde, d'un nouveau type de femme. Sans jamais avoir été très proche de Kiki, Claire croyait pouvoir honnêtement affirmer qu'elles avaient toujours eu de l'affection l'une pour l'autre. Elle n'avait jamais ressenti la moindre inimitié envers Kiki, ne lui avait jamais souhaité de mal. Claire émergea alors de ses pensées ; elle se concentra à nouveau sur les traits de Zora, et le visage de celle-ci cessa d'être un flou de couleurs et de pensées intimes, pour recouvrer sa souveraineté. Claire ne pouvait pas franchir la dernière étape — songer à ce que Kiki pouvait penser d'elle à présent. C'était devenir à ses propres yeux moins qu'un être humain, une personne bannie, au-delà de toute pitié, un Caliban. Personne ne peut se bannir soi-même.

Il y avait du remue-ménage autour de la scène. Le groupe suivant attendait que Doc Brown achève l'introduction. Un groupe énorme. Neuf, dix garçons ? C'étaient le genre de garçons qui font trois fois plus de bruit que leur nombre ne le laisserait attendre. Ils se bousculèrent, épaule contre épaule, en montant les marches, puis bataillèrent pour atteindre les cinq ou six micros sur pied qui se trouvaient devant eux — il n'y en aurait pas assez pour tout le monde. Levi Belsey se trouvait parmi eux.

« On dirait que c'est au tour de ton frère, dit Claire, poussant doucement Zora dans le dos.

— Oh, mon Dieu, dit Zora en regardant à travers ses doigts posés en éventail sur son visage. Avec un peu de chance, il n'est que le *hype man*.

— Le quoi ?

— Genre un animateur, mais pour le rap », expliqua Daisy avec obligeance.

Les garçons finirent par tous tenir sur scène. Les musiciens furent congédiés. Ce groupe avait son propre enregistrement : un lourd *beat* des Caraïbes avec, dans les aigus, des claviers stridents. Ils se mirent à vociférer tous ensemble en créole. Cela ne marchait pas. Après de nouvelles bousculades, l'un d'entre eux fut désigné pour commencer. Un maigre à capuche s'avança et se donna à fond. La barrière de la langue eut un effet intéressant. Les dix garçons, clairement soucieux d'être compris du public, sautaient, poussaient des cris et se penchaient vers la foule, qui ne pouvait pas s'empêcher de répondre, même si la plupart des spectateurs, ne comprenant pas les paroles, ne réagissaient qu'au *beat*. Levi tenait effectivement le rôle du *hype man*, saisissant son micro à intervalles réguliers pour crier « YO ! ». Certains des plus jeunes Noirs du public se précipitèrent sur scène en réaction à la seule énergie du spectacle, ce qui galvanisa Levi, qui les encouragea en anglais.

« Levi ne parle même pas français, dit Zora en grimaçant. Je ne crois pas qu'il ait la moindre idée de ce qu'il est en train de promouvoir. »

C'est alors que tous les membres du groupe, y compris Levi, entonnèrent le refrain en anglais : « ARISTIDE, TON RÉGIME EST CORROMPU ET CUPIDE, VOILÀ POURQUOI ON N'EST PAS LIBRES ! »

« Pas mal, les rimes, dit Chantelle en riant. Bien élémentaire, quoi.

— C'est politique ? » demanda Daisy avec répugnance. Fort heureusement, après avoir été repris deux fois, le refrain fit place au créole survolté des couplets. Claire s'efforça laborieusement de traduire en simultané pour ses élèves. Sous le poids d'un trop grand nombre de termes inconnus, elle abandonna bientôt, pour faire des paraphrases : « Ils semblent être très remontés contre la présence américaine à Haïti. Les rimes sont très... disons basiques.

— On a quelque chose à voir avec Haïti ? demanda Hannah.

— On a quelque chose à voir avec beaucoup d'endroits dans le monde, répondit Claire.

— Et comment ton frère les connaît, ces mecs ? » demanda Daisy.

Zora écarquilla les yeux. « Je n'en ai aucune idée. »

285

— Je ne m'entends plus penser », dit Ron, qui se leva pour aller au bar.

Le plus corpulent des garçons s'avança à son tour pour faire un solo. Il était également le plus en colère, et les autres reculèrent pour lui laisser l'espace dont il avait besoin pour exprimer ce qui le mettait dans cet état.

« Ce qu'ils font mérite le respect, cria Claire à ses élèves en tentant de se faire entendre par-dessus le bruit assourdissant d'un autre refrain. Ils ont la puissance des troubadours... Mais je dirais qu'ils ont deux ou trois trucs à apprendre et à assimiler au niveau de l'idée et de la forme..., tu casses la forme si tu y mets d'un coup toute cette fureur politique sans la digérer. Je crois que je vais monter m'en griller une. » Sans avoir besoin de poser ses mains par terre, elle se leva habilement.

« Je vais venir avec vous », dit Zora, qui l'imita plus lourdement.

Elles se frayèrent sans un mot un chemin à travers la foule du sous-sol, puis celle du restaurant. Claire se demanda ce qui l'attendait. Dehors, la température avait encore baissé de quelques degrés.

« On la partage ? Ça ira plus vite.

— Merci », dit Claire en acceptant la cigarette que Zora lui tendait. Ses doigts tremblaient légèrement.

« Ils sont dingues, ces mecs, dit Zora. On voudrait tant qu'ils soient bons, mais...

— Ouais.

— C'est peut-être qu'ils en font un peu trop. Ça correspond parfaitement à Levi. »

Elles gardèrent le silence pendant une minute. « Zora, dit Claire, se laissant aller sous les effets du vin, est-ce que tout se passe bien entre toi et moi ?

— Oh, *absolument* », répondit Zora avec assurance et rapidité, comme si elle avait attendu cette question toute la soirée.

Dubitative, Claire la regarda et lui repassa la cigarette. « T'es sûre ?

— *Tout à fait*. Nous sommes tous des adultes. Et je n'ai pas du tout l'intention de me comporter autrement. »

Claire eut un sourire contrit. « J'en suis ravie.

— Je vous en prie. Il s'agit de compartimenter.

— Tu fais preuve d'une grande maturité. »

Zora sourit avec satisfaction. Ce n'était pas la première fois que Claire se sentait étrangère à elle-même en parlant avec la fille d'Howard, comme si elle n'était effectivement qu'une figurante comme une autre parmi les six milliards qui participaient à un fabuleux son et lumière, véritable succès planétaire, intitulé « La Vie de Zora ».

« Ce qui compte pour moi, dit Zora d'une voix qui devenait extrêmement hésitante, c'est de savoir..., je veux dire, si je peux vraiment y arriver, à écrire.

— C'est une découverte quotidienne », répondit Claire évasive. Elle sentit le regard avide de Zora braqué sur elle ; elle pressentait que quelque chose d'important allait être dit. Mais à ce moment la porte du restaurant s'ouvrit brusquement. C'était Ron. Les clients qui dînaient derrière lui se plaignirent du courant d'air.

« Oh, mon Dieu, il faut que vous voyiez ce mec. Il est incroyable. En bas. Il est en train de démolir tout le monde.

— Il a intérêt à être bon : on est en train de fumer.

— Zora, crois-moi. C'est carrément Keats avec un sac à dos. »

Tous trois retournèrent à l'intérieur. Arrivés dans le sous-sol, ils purent à peine dépasser les portes battantes, et furent obligés de rester debout. Ils ne pouvaient pas voir, mais pouvaient entendre. Debout, le public tout entier se déhanchait. La musique balayait la foule comme le vent un champ de maïs. La voix qui passionnait tant le public s'exprimait avec précision (c'était la première fois de la soirée que chaque mot était compris par tous) en lançant des vers polysyllabiques avec une facilité déconcertante. Le refrain était une simple phrase répétée d'une voix blanche et douce : *Mais c'est pas comme ça*. Les paroles, en revanche, racontaient avec humour et finesse les différents obstacles que rencontre un jeune Noir qui cherche à progresser autant spirituellement que matériellement. Dans le premier couplet, il essayait de prouver que le sang des Indiens d'Amérique coulait dans ses veines afin d'être admis dans les plus prestigieuses universités du pays, plaisanterie — risquée dans une ville universitaire — qui fit beaucoup rire. Le couplet suivant, l'histoire d'une petite amie qui s'était fait avorter sans lui en parler, comprenait, prononcés d'une traite et à une vitesse incroyable, les vers suivants :

T'aimes pas ma vie / C'est ça que j'essaie de dire, yo / Quand tu m'as balancé un texto / Carl, j'ai deux semaines de retard / J'ai lâché mon portable / dans ma tasse de thé / Je commençais à me dire que je pourrais assurer / Je sais que je veux te traiter / Bien comme il faut et pas te tromper / Une semaine plus tard je vais te voir / Pas besoin de me traîner au talk show de Leeza / J'allais faire mon Dr Spock / Je parle du médecin, pas du Vulcain / Mais t'avais déjà parlé à tes copines du boulot / Et elles avaient décidé que j'étais un salaud / Mais depuis quand un poste chez McDo' / Fait de ces connes des autorités / De ma putain de paternité ? / Comment ça, quoi ? Pardon ? / Eh ouais, je sais qu'tu pensais que j'en serais ravi / Ma descendance laminée / Par un décret de tes amies — mais c'est pas comme ça.

L'assistance tout entière en eut le souffle coupé, puis éclata de rire de plus belle, siffla et applaudit.

« Oh, c'est vraiment brillant », dit Claire en s'adressant à Ron qui, pour toute réponse, se prit la tête dans les mains, faisant mine de se pâmer.

Zora grimpa sur un petit tabouret marocain. Du haut de son point d'observation, elle saisit le poignet de Ron et s'exclama : « Oh, mon *Dieu*..., je le connais carrément. »

Car il s'agissait de Carl, qui portait un vieux blouson de sport des années 1950 et un joli petit sac à dos bariolé. Il

allait et venait sur scène avec autant de naturel et de simplicité que pour accompagner Zora à la fac, lâchant des rimes
complexes d'un sourire enjôleur avec la même facilité que
s'il chantait en harmonie dans un quatuor *a cappella*. Seule
la sueur ruisselant sur son visage trahissait son effort. Doc
Brown dans son enthousiasme avait rejoint Carl sur scène,
réduit au rôle de *hype man* comme Levi, jouant les faire-
valoir en s'immisçant dans le sillage des mots de Carl.

« Quoi ? » dit Ron, incapable d'entendre quoi que ce soit,
même Carl, dans les cris et les sifflets de la salle.

« JE CONNAIS CE TYPE.

— CE TYPE ?

— OUI.

— OH, MON DIEU. IL EST HÉTÉRO ? »

Zora rit. Tout le monde ressentait à présent les effets de
l'alcool. Elle eut un sourire entendu, comme si elle était
dans la confidence, et se balança au rythme de la musique
autant que son tabouret le lui permettait.

« Essayons de nous rapprocher de la scène », suggéra
Claire et, suivant Ron qui du coude leur frayait un chemin à
travers la foule, ils rejoignirent leurs places initiales à la fin
du morceau.

« MA PAROLE ! » cria Doc Brown comme l'accompagnement enregistré de Carl s'achevait. Il souleva la main droite
de Carl comme celle d'un boxeur victorieux. « Je crois que
nous avons un gagnant, je reprends : je *sais* que nous avons
un *champion*... » Mais Carl se libéra de la main de Doc et
quitta la scène d'un bond. Parmi les acclamations, quelques
huées de factions rivales se firent entendre çà et là, mais les
vivats l'emportèrent. Les garçons créoles et Levi avaient disparu. De toutes parts les gens tapaient Carl dans le dos et lui
touchaient la tête avec affection.

« Hé ! Tu veux pas ton jéroboam ? Il est timide, notre ami.
Il veut pas sa récompense !

— Non, non, non, garde-moi mon champagne, cria Carl.

Ton ami doit se laver la figure. Trop de sueur... trop c'est trop. »

Doc Brown hocha solennellement la tête. « Bien vu, bien vu, mieux vaut être frais et dispos. Ça fait aucun doute. Alors en attendant, place au DJ. »

La musique retentit et le public, cessant d'être un public, se mua en une foule apaisée.

« Invite-le », reprit Ron, puis se tournant vers le groupe : « Zora connaît ce garçon. Il faut qu'il vienne nous voir.

— Tu le connais ? Il a beaucoup de talent, fit Claire.

— Je le connais à peine », dit Zora en écartant de deux centimètres son pouce et son index. À ces mots, elle se détourna et se retrouva face à Carl. Il portait sur son visage l'euphorie de l'artiste qui sort de scène et se mêle à la plèbe de son public. Il la reconnut, saisit son visage entre ses mains et déposa un énorme baiser mouillée en plein sur sa bouche. La sensation de ses lèvres sur les siennes était le contact le plus doux et le plus exquis que Zora ait jamais eu avec le corps d'autrui.

« T'as vu ? dit-il. *Ça*, c'était de la poésie. Je dois aller aux chiottes. »

Il était sur le point de repartir quand la minuscule Claire se mit en travers de son chemin. Ses élèves derrière elle, redoutant de la voir s'humilier, eurent un mouvement de recul.

« Salut ! » dit-elle.

Carl baissa les yeux pour voir qui lui barrait le passage.

« Ouais, merci, c'est sympa », dit-il en supposant qu'elle avait un message semblable à celui de tous les autres. Il essaya de poursuivre son chemin, mais elle le retint par le coude.

« Ça t'intéresserait de perfectionner ton talent ? »

Carl s'arrêta et la regarda fixement. « Pardon ? »

Claire répéta la question.

Carl grimaça. « Qu'est-ce que vous entendez par *perfectionner* ?

— Écoute, quand tu reviens des toilettes, dit Claire, passe nous voir. On est une classe, une classe de poésie à Wellington. On aimerait te parler. On a une idée qui pourrait t'intéresser. » Ses élèves furent émerveillés par son assurance — apanage, sans doute, de l'âge et du pouvoir.

Carl haussa les épaules, puis se fendit d'un sourire. Il avait gagné à l'Arrêt de Bus. Il les avait tous déchirés à l'Arrêt de Bus. Tout était pour le mieux dans le meilleur des mondes possibles. Il avait du temps pour tous.

« D'acc' », dit-il.

9

Peu avant Thanksgiving, un événement délicieux se produisit.

Zora était à Boston, elle sortait d'une librairie d'occasion où elle s'était rendue pour la première fois. C'était jeudi, son jour de repos, et malgré les prévisions météorologiques qui annonçaient des vents forts, elle était allée en ville sur un coup de tête. Elle avait acheté un mince volume de poésie irlandaise et, la main sur son chapeau pour l'empêcher de s'envoler, elle venait de poser le pied sur le trottoir lorsqu'un autocar se gara devant elle. Jerome en descendit. Il rentrait un jour plus tôt que prévu pour le week-end de Thanksgiving, n'ayant dit à personne ni quand ni comment il comptait arriver. Pris dans une grosse rafale de vent qui fit voler les feuilles mortes et chavira une poubelle, frère et sœur s'enlacèrent, autant pour se maintenir en équilibre que pour exprimer leur joie de se retrouver. Avant même qu'ils puissent parler, un retentissant « Yo ! » les apostropha par-derrière. C'était Levi que le vent poussait vers eux.

« C'est pas *vrai* », dit Jerome, et pendant un moment ils restèrent blottis les uns contre les autres et répétèrent cette simple phrase, bloquant le passage. Il faisait très froid ; le vent était suffisamment fort pour renverser un enfant. Ils auraient dû aller quelque part et prendre un café, mais ils n'étaient pas prêts à quitter l'endroit où ils se trouvaient, c'eût été comme déserter les lieux d'un miracle. Chacun avait un puissant désir d'apostropher les passants pour leur expliquer ce qui venait de se produire. Mais qui les aurait crus ?

« C'est *dingue*. Je ne passe jamais par ici. D'habitude, je prends le train !

— Putain, c'est carrément ouf. C'est pas normal », dit Levi, dont l'esprit était naturellement porté sur les théories de complot et les phénomènes paranormaux. Ils secouèrent tous trois la tête en riant, et se racontèrent leurs parcours respectifs, prenant soin, afin de désamorcer leur sentiment d'extrême bizarrerie, d'affirmer quelques éléments de bon sens, tels que « Eh bien, on est souvent à Boston en fin de semaine » et « En fait, on est tout près de la station de métro qui est sur notre ligne ». Mais personne n'était particulièrement convaincu par ces paroles, et l'émerveillement perdura. L'envie pressante de raconter leur histoire à quelqu'un s'intensifia. Jerome sortit son portable et appela Kiki. Elle était assise à son bureau (où trônaient des photographies de ses trois enfants) en train de taper les remarques du médecin pour les dossiers des patients du service d'urologie de l'hôpital Beecham.

« Jay ? Mais tu es rentré quand, mon chéri ? Tu n'as rien dit.

— À l'instant. Mais c'est pas incroyable ? »

Kiki cessa de taper et se concentra sur ce qu'on lui disait. Cela soufflait tant dehors que des feuilles mouillées fouettaient régulièrement la fenêtre devant elle en s'y agglutinant. Les mots de Jerome lui parvenaient comme autant de cris lancés d'un navire pris dans la tempête.

« Tu as croisé Zora ?

— Et Levi. On est là tous les trois, maintenant, on flippe carrément ! »

En bruit de fond Kiki entendait Zora et Levi qui demandaient à Jerome de leur passer le téléphone.

« J'arrive pas à le croire, c'est fou. Il y a plus de choses sur
terre et dans le ciel, Horatio, n'est-ce pas ? » C'était la seule
citation littéraire que connaissait Kiki et elle s'en servait à
l'occasion de tout incident troublant et, même, d'événements qui, à vrai dire, étaient à peine étranges. « C'est
comme ce qu'on dit sur les jumeaux. Ce sont les ondes. Vous
ressentez sans doute la présence les uns des autres.

— Mais c'est pas *dingue*, cette histoire ? »

Kiki sourit dans le combiné sans être réellement enthousiaste. Un reste de mélancolie se mêlait à la pensée de ces
trois adultes frais émoulus de l'enfance, déambulant sans
son aide et librement à travers le monde, ouverts à sa magie
et à sa beauté, prêts à toute nouvelle expérience, mais pas,
certainement pas à taper les remarques du médecin pour
les dossiers des patients du service d'urologie de l'hôpital
Beecham.

« Levi est pas censé être en cours ? Il est deux heures et
demie. »

Jerome transmit la question à Levi en lui tendant le téléphone, mais Levi se mit à reculer comme si l'engin allait
exploser. Écartant bien les jambes en tentant de maintenir
son équilibre dans un violent vent de travers, il commença à
former exagérément et en silence trois mots sur ses lèvres.

« Quoi ? dit Jerome.

— Levi, répéta Kiki, école. Pourquoi il est pas à l'école ?

— Heure de perm, répondit Jerome en traduisant correctement les mimiques de Levi. Il a une heure de perm.

— Ah bon ! Jerome, passe-moi ton frère s'il te plaît.

— Maman ? Maman ? La ligne est mauvaise. Je t'entends
pas. C'est une vraie tornade ici. Je te rappellerai quand je
serai sorti de la ville », dit Jerome. C'était puéril, mais dans
l'immédiat il formait avec son frère et sa sœur une alliance
sacrée, et il ne serait pas celui qui briserait le lien délicat
qu'une petite coïncidence avait tissée entre eux. Les enfants

293

Belsey se réfugièrent dans un café proche. Ils s'assirent sur les hauts tabourets alignés le long de la vitrine et regardèrent la végétation du Boston Common bouleversée par le vent. Ils se racontèrent simplement ce qu'ils devenaient, se ménageant de longs silences confortables durant lesquels ils s'attaquaient à leurs muffins et à leurs cafés. Jerome — après deux mois passés à s'efforcer d'être spirituel et brillant dans une ville inconnue parmi des inconnus — apprécia ce cadeau à sa juste valeur. On parle du silence bienheureux qui peut exister entre deux amants, mais celui que Jerome partageait avec sa sœur et son frère, assis à manger sans rien dire, était formidable aussi. Avant l'existence du monde, avant qu'il soit peuplé, et avant qu'il y ait des guerres, des emplois, des universités, et des films, des vêtements et des opinions et des voyages à l'étranger — avant tout cela, il n'y avait eu qu'une seule personne, Zora, et un seul endroit : la cabane de chaises et de draps dans le salon. Quelques années plus tard, Levi était arrivé ; on lui avait fait de la place ; et ce fut comme s'il avait toujours existé. À présent, en les observant tous deux, Jerome se reconnut dans les articulations de leurs doigts et la jolie conque de leurs oreilles, leurs longues jambes et leurs cheveux bouclés en bataille. Il pouvait s'entendre dans leurs légers zézaiements — leurs langues charnues vibrant contre leurs dents légèrement avancées. Il ne se demandait pas s'il les aimait ou comment ou pourquoi. Ils incarnaient l'amour : ils avaient été la première preuve d'amour dans sa vie, et ils en seraient la dernière confirmation lorsque tout aurait disparu.

Jerome demanda à Zora : « Tu te souviens de ça ? — il désigna d'un geste de la tête le parc de l'autre côté de la rue. Mon idée de réconciliation. Quelle idée idiote. Comment ils vont, d'ailleurs ? »

Pour l'heure, toutes les feuilles et toutes les couleurs de la scène de cette virée familiale avaient disparu, au point qu'il était difficile d'imaginer que quoi que ce soit puisse y repousser.

« Ça va. Ils sont encore mariés. Ils vont aussi bien qu'on peut l'espérer », dit Zora, et elle se glissa de son tabouret pour aller chercher de la crème allégée pour son café et une autre part de cheesecake. Bizarrement, si on commandait le cheesecake comme si on venait juste d'y penser, il était moins calorique.

« C'est plus dur pour toi, dit Jerome en s'adressant à Levi sans le regarder. Toi, tu dois y être tout le temps. C'est comme si tu étais dans le ventre de la bête. »

Levi ne releva pas cette imputation de stoïcisme. « J'sais pas, moi. Ça va, mec. Je sors beaucoup. Tu vois.

— Ce qui est bête, poursuivit Jerome en tripotant une bague sur son auriculaire, c'est que Kiki l'aime toujours. C'est tellement évident. Je ne *comprends pas*, comment peut-on aimer quelqu'un qui *refuse* le monde à ce point, je veux dire avec autant *d'acharnement* ? Ce n'est que lorsque je suis loin de la maison et que je parle à des gens qui sont pas de la famille que je me rends compte à quel point il est psychotique. La seule musique dans la maison en ce moment, c'est, genre, de *l'électro japonais*. Bientôt on en sera réduits à taper sur des morceaux de bois. Je te parle d'un mec qui a fait la cour à sa femme en chantant la moitié de *La flûte enchantée* sous ses fenêtres. Maintenant, il lui interdit même d'accrocher un tableau qu'elle aime dans la maison. Parce qu'il a une théorie tordue dans sa tête, tout le monde doit en pâtir. C'est un tel refus de la *joie*. Je ne sais même pas comment tu peux supporter de vivre là. »

Levi fit des bulles dans son café allongé en soufflant dans sa paille. Il pivota sur son tabouret et, pour la troisième fois en un quart d'heure, vérifia l'heure à la pendule sur le mur du fond.

« Comme j'te disais, je sors beaucoup. J'vois pas c'qui s'passe.

— Ce que j'ai vraiment compris, c'est qu'Howard ne sait

pas être reconnaissant, insista Jerome en parlant plus à lui-même qu'à son frère. On dirait qu'il sait qu'il a une chance inouïe, sans pouvoir s'en montrer reconnaissant, parce que ça le met mal à l'aise. Évidemment, puisque ça voudrait dire qu'il reconnaît la transcendance, et on sait à quel point il déteste *ça*. Donc, il nie tous les cadeaux que la vie nous offre, il nie tout ce qui a une valeur essentielle, et c'est comme ça qu'il évacue la question de la reconnaissance. Si les cadeaux n'existent pas, il n'a pas besoin de penser à l'existence d'un Dieu qui pourrait en être le donateur. Mais c'est précisément là où la joie réside. Je m'agenouille devant Dieu tous les jours. Et c'est incroyable, Levi, affirma-t-il en se tournant sur son tabouret pour contempler le profil impavide de son frère. Je t'assure.

— Cool », répondit Levi avec une totale sérénité, prêt à accueillir la question de Dieu dans le cadre de sa conversation comme n'importe quel autre sujet. « Chacun prend la vie comme elle vient », ajouta-t-il honnêtement, puis il commença à enlever les fruits de son second muffin aux myrtilles

« *Pourquoi tu fais ça* ? demanda Zora, qui reprit place entre ses frères.

— J'aime l'*arôme* des myrtilles, expliqua Levi, trahissant une pointe d'impatience, mais je ne suis pas très fan des *myrtilles*. »

Zora pivota sur son tabouret, tournant le dos à son cadet afin de parler en tête à tête avec son frère aîné. « C'est marrant que tu parles de ce concert... Tu te souviens du mec ? dit Zora, ses doigts tambourinant vaguement sur son verre comme pour suggérer qu'elle venait à l'instant de penser à ce qu'elle allait dire. Le mec du concert qui pensait que j'avais volé son truc, tu te rappelles ?

— Bien sûr, dit Jerome.

— Eh bien, il est en cours avec moi maintenant. Au cours de Claire.

— Au cours de *Claire* ? Le mec du parc ?

— Il écrit des paroles incroyables, en fait. On l'a entendu à l'Arrêt de Bus, toute la classe, on est allés le voir, puis Claire l'a invité au cours. Il est venu deux fois déjà. »

Jerome regarda dans sa tasse de café. « Toujours à défendre la veuve et l'orphelin, Claire..., elle ferait mieux de s'occuper de sa propre vie.

— Et donc, ouais, il s'avère qu'il est plutôt étonnant, dit Zora, parlant en même temps que son frère, et je crois que tu serais intéressé par ce qu'il fait, tu sais, de la poésie narrative... Je lui disais que tu devrais... parce qu'il est tellement doué, tu sais, tu pourrais, genre, l'inviter, ou...

— Il est pas comme ça », coupa Levi.

Zora fit volte-face. « Si t'es jaloux, faut te soigner ! » Elle se retourna vers Jerome et poursuivit : « Levi et... c'étaient *qui*, ces mecs ? Genre des mecs qu'il a rencontrés sur les quais, qui venaient de débarquer, en tout cas, Carl les a *démolis* à l'Arrêt de Bus. *Démolis*. Le pauvre chéri. Ça lui fait encore mal.

— Ça n'a rien à voir, dit Levi très calmement, sans hausser le ton. Je dis juste qu'il est pas mal, parce que c'est la vérité.

— C'est *ça*, ouais. Laisse tomber.

— C'est juste le genre de rappeur que les Blancs adorent, voilà.

— Oh, ta *gueule*. C'est trop *pitoyable* de dire ça. »

Levi haussa les épaules. « C'est vrai. Il délire pas, il fait pas de *crunk*, pas de *hyphy*, il confronte pas le style côte Est à c'lui de la côte Ouest », dit-il content de s'être exprimé d'une façon qu'il savait impénétrable pour sa sœur et son frère, ainsi que pour 99,9 pour cent de la population mondiale. « Mes potes à moi, ils ont tous ceux qui souffrent avec eux, ce mec, il a son dictionnaire, c'est tout.

— Attends, dit Jerome en secouant la tête pour s'éclaircir les idées. Pourquoi est-ce que je voudrais l'inviter, moi, ce type ? »

Zora eut l'air étonné. « Comme ça. Je pensais juste... tu es

297

de retour. Je pensais que ce serait bien pour toi de te faire quelques amis et peut-être...

— Je peux me faire mes propres amis, merci.

— O.K., très bien.

— D'accord.

— *Très bien.* »

Les bouderies silencieuses de Zora étaient toujours oppressantes, et aussi agressives que si elle vous criait dessus à pleins poumons. Pour y mettre fin, soit vous vous excusiez, soit elle vous balançait l'un des cadeaux empoisonnés emballés dans du joli papier dont elle avait le secret.

« En tout cas, ce qui est bien, c'est que maman sort beaucoup plus, dit-elle en prenant une cuillerée de mousse dans son café moka. Je crois que ça l'a libérée un peu de ce côté-là. Elle voit des gens et tout.

— C'est bien, c'est ce que j'espérais.

— Ouais... répondit Zora en buvant bruyamment. Elle voit Carlene Kipps assez souvent. J'arrive à peine à le croire. » Ainsi présenta-t-elle son cadeau.

Jerome porta sa tasse de café à ses lèvres et but lentement une gorgée avant de répondre. « Je sais. Elle me l'a dit.

— Ah bon. Ouais... On dirait qu'ils vont crécher là un bon moment. Je veux dire, les Kipps. Sauf le fils, mais il a l'intention de se marier ici, apparemment. Et les conférences de Monty commenceront après Noël.

— Michael ? dit Jerome, avec ce qui ressemblait à une sincère affection. C'est pas vrai. Avec qui ? »

Zora secoua la tête, impatiente. Ce n'était pas ce qui l'intéressait. « Je sais pas, moi. Une chrétienne. »

Jerome reposa sa tasse bruyamment sur la table. D'un coup d'œil Zora chercha et trouva l'accessoire inquiétant que Jerome portait de temps à autre, et qui, à présent, semblait être définitivement adopté : une petite croix en or autour de son cou.

« Papa va essayer de les interdire, les conférences, dit-elle à la hâte. Je veux dire, en invoquant la loi contre l'incitation à la haine raciale. Il demande à voir le texte des conférences à l'avance ; il pense qu'il peut le coincer pour homophobie. Je ne pense pas qu'il ait la moindre chance. J'aimerais pouvoir dire le contraire, mais ça va être dur. Pour l'instant on n'a que le titre. C'est *dingue*. C'est trop parfait. »

Jerome garda le silence. Il continua à observer le petit étang balayé par le vent dans le parc en face. Une houle agitait la surface de l'eau comme si deux gros bonshommes sautaient chacun à leur tour des deux côtés d'une baignoire.

« "L'éthique de l'université", deux points, "Réhumanisons les sciences humaines". C'est pas *parfait*, ça ? »

Jerome tira sur les manches de son long imperméable noir pour recouvrir ses poignets. D'abord l'une, puis l'autre. Il glissa ses doigts sous les manches et referma ses poings sur le tissu, puis s'appuyant des coudes sur la table il posa ses joues sur ses mains fermées.

« Et Victoria ? demanda-t-il.

— Hum. Comment ça ? » demanda Zora innocemment, bien que ce ne fût plus l'heure de l'être.

La voix douce de Jerome s'imprégna d'un léger grognement. « Eh bien, tu m'as parlé des autres avec une telle *joie*, tu vas pas me parler d'elle aussi ? »

Zora nia catégoriquement la joie ; Jerome insista sur ce point ; une dispute de frère et sœur typique s'ensuivit, soulevant des subtilités de ton et de phrasé qui ne pouvaient être ni objectivement prouvées ni rationnellement mises en cause.

« Crois-moi, fit Zora avec véhémence pour en finir une fois pour toutes, je ne ressens aucune *joie* par rapport à Victoria Kipps. Aucune. Elle est en *cours* avec moi comme auditrice. Le cours de *papa*. Il y a des milliers de cours de première année auxquels elle pourrait assister, et elle choisit un séminaire de deuxième année. C'est *quoi*, son problème ? »

Jerome sourit.

« C'est pas drôle. Je ne sais même pas pourquoi elle vient. Elle fait tapisserie. »

Jerome regarda sa sœur avec intensité, comme s'il cherchait à lui faire comprendre qu'il s'attendait à plus de sa part. Il lui adressait ce genre de regard depuis qu'ils étaient enfants, et Zora se défendit comme elle l'avait toujours fait, en attaquant.

« Je suis désolée, mais je ne l'aime pas. Je ne peux pas prétendre le contraire si ce n'est pas le cas. Je ne l'aime pas. Ce n'est qu'une jolie fille typique, d'un vide sidéral, uniquement dans le rapport de force. Elle essaie de le cacher en lisant un truc de *Barthes*, *tout* ce qu'elle fait, c'est citer Barthes ; c'est tellement ennuyeux, mais en vérité, dès que ça se complique pour elle, elle s'en sort avec son *charme*. C'est écœurant. Oh, mon Dieu, et elle a une clique de garçons qui la suivent partout. C'est pas un problème, bien sûr c'est pathétique, mais bon, chacun fait ce qu'il veut... mais c'est nul de foutre en l'air la dynamique d'un cours avec des questions idiotes qui ne mènent nulle part. Tu vois ? Et elle est vaniteuse. Qu'est-ce qu'elle est vaniteuse. Heureusement que tu t'es sorti de cette situation. »

Jerome avait l'air peiné. Il détestait entendre dire du mal de quiconque ; sauf d'Howard peut-être, et encore, il préférait dans ce cas s'acquitter lui-même de la fâcheuse besogne. Il plia en deux l'emballage de son muffin et le glissa entre ses doigts comme une carte à jouer.

« Tu ne la connais pas du tout. Elle n'est pas si vaniteuse que ça. C'est juste qu'elle n'est pas encore à l'aise avec son apparence. Elle est jeune. Elle ne sait toujours pas comment elle va s'en servir. C'est dur à assumer, tu sais, d'être belle comme ça. »

Zora éclata de rire. « Oh que si, elle sait. Elle la met au service du mal. »

Jerome roula des yeux mais rit aussi.

« Tu crois que je plaisante. C'est un poison, cette fille. Il faut l'arrêter. Avant qu'elle ne détruise quelqu'un. Je parle sérieusement. »

C'était allé trop loin. Zora s'en rendit compte et se tassa un peu plus sur son tabouret.

« T'as pas besoin de dire tout ça, pas devant moi en tout cas », dit Jerome, courroucé, mettant mal à l'aise sa sœur, qui n'avait fait qu'exprimer ses sentiments. « Parce que... je ne... je ne l'aime plus. » Cette phrase toute simple sembla le laisser sans souffle. « Voilà ce que j'ai appris ce semestre. C'était dur, j'y ai mis toute ma volonté. J'ai vraiment pensé que son visage ne cesserait jamais de me hanter. » Jerome baissa les yeux vers la table puis, les relevant, les plongea dans ceux de Zora. « Mais j'ai réussi. Je ne l'aime plus. » Il prononça cette phrase avec une telle solennité et une telle véhémence que Zora fut tentée de rire, comme ils avaient toujours ri par le passé dans des moments pareils. Mais personne ne rit.

« Je me tire », dit Levi, qui quitta d'un bond son tabouret.

Les deux autres se tournèrent vers lui, surpris.

« Je dois y aller, réitéra-t-il.

— Tu retournes au bahut ? demanda Jerome en regardant sa montre.

— Ouais », répondit Levi, car cela ne servait à rien d'inquiéter les gens sans raison. Il fit ses adieux, enfila son manteau Bibendum et donna une grande tape entre les omoplates de sa sœur, puis de son frère. Il alluma son iPod (dont les écouteurs n'avaient pas quitté ses oreilles depuis leurs retrouvailles). Il eut de la chance. C'était une très belle chanson, de l'homme le plus gros du rap : un génie hispanique né dans le Bronx, qui pesait cent soixante kilos. Mort à vingt-cinq ans d'un infarctus, mais encore très vivant pour Levi et des millions de gamins comme lui. Levi sortit du café et descendit la rue en faisant de petits bonds rythmiques au son des astucieuses fanfaronnades de l'homme gros, dont le style (ainsi qu'Erskine avait jadis essayé de le lui expliquer) différait peu de celui des rodomontades épiques que l'on trouve chez Milton, disons, ou dans l'*Iliade*. Ces comparaisons n'avaient aucun sens pour Levi. Son corps aimait tout simplement cette chanson, et il ne se soucia pas de dissimuler le fait qu'il dansait en marchant. Poussé par le vent, il devint aussi véloce que Gene Kelly. Bientôt, il put voir le clocher de l'église puis, un pâté de maisons plus loin, il fut ébloui par les draps blancs immaculés suspendus aux grilles noires. Il n'avait pas tant de retard. Certains types étaient encore en train de déballer. Felix — le « chef », ou du moins celui qui tenait les cordons de la bourse — lui fit un signe de la main. Levi courut à sa rencontre. Ils se cognèrent les poings amicalement, puis se serrèrent la main. Certaines personnes ont les mains qui transpirent, la plupart les ont moites, puis il y a quelques êtres d'exception comme Felix dont les mains sont sèches et fraîches comme la pierre. Levi se demandait si cela avait quelque chose à voir avec l'intensité du noir de sa peau. Felix était l'homme le plus noir que Levi eût jamais rencontré. Sa peau était pareille à l'ardoise. Levi considérait Felix — il ne pourrait jamais l'exprimer à voix haute, il savait que cela n'avait pas de sens, mais, quoi qu'il en soit, c'était ainsi — comme, en quelque sorte, l'essence même du Noir. Vous le regardiez et vous vous disiez : C'est ça, être à ce point différent ; voilà ce que les Blancs craignent et adorent et désirent et redoutent. Il était d'un noir aussi pur que — à l'autre extrême — le blanc de ces étranges Suédois aux cils translucides. Par exemple, si vous cherchiez le mot noir dans le dictionnaire... c'était impressionnant. Et, comme pour souligner sa singularité, Felix ne tirait jamais au flanc comme les autres, il ne plaisantait pas. Il était exclusivement concentré sur les affaires. Levi l'avait vu rire une seule fois, lors de leur première rencontre ce fameux samedi où il lui avait demandé s'il avait du travail à lui proposer. C'était un rire africain, au timbre profond et sonore comme celui d'un gong. Felix venait d'Angola. Les autres, d'Haïti et de République dominicaine. Et il y avait un Cubain aussi. Et voilà qu'à présent — Felix tout autant que Levi en fut surpris — un citoyen métis américain se joignait à eux. Levi avait dû per-

302

sévérer pendant une semaine pour le convaincre qu'il avait réellement envie de travailler avec eux. Mais maintenant, à voir comment Felix lui tenait la main et lui flattait le dos, Levi était convaincu qu'il l'aimait bien. Les gens avaient tendance à apprécier Levi, et il en était reconnaissant — même s'il ne savait pas envers qui il convenait de l'être. Avec Felix et les autres, le pacte avait été scellé lors de la soirée à l'Arrêt de Bus. Ils ne pensaient tout bonnement pas qu'il viendrait. Ils étaient plus que persuadés qu'il ne se montrerait pas. Pour eux, il n'avait fait que passer. Mais il y était vraiment allé, et ils l'avaient respecté pour ça. Sans se contenter de faire de la présence, il avait démontré à quel point il pouvait être utile.

Sa façon de s'exprimer clairement en anglais — comparé aux autres — avait convaincu le MC d'écouter leur cassette et de permettre ensuite à dix types de monter sur scène en même temps, et d'obtenir ainsi la caisse de bière promise à chaque intervenant. Levi était désormais accepté. Être accepté était un sentiment étrange. Depuis quelques jours il retrouvait les gars après l'école, passait du temps avec eux, et cela avait été une révélation pour lui. Marchez dans la rue accompagné de quinze Haïtiens et vous verrez comme les gens sont mal à l'aise. Il se sentait un peu comme Jésus se promenant avec les lépreux.

« Te revoilà, dit Felix en hochant la tête. O.K.

— O.K., répondit Levi.

— Les samedis et dimanches, tu viendras. Régulièrement. Et les jeudis ?

— Non, mec, samedi et dimanche, c'est bon. Mais pas les jeudis. À part aujourd'hui, j'ai ma journée. C'est cool ? »

Felix hocha à nouveau la tête, sortit un calepin et un stylo de sa poche et nota quelque chose.

« C'est cool si tu travailles. C'est carrément cool si tu travailles, dit-il en accentuant de façon peu naturelle certains mots.

— Moi, le travail, ça me connaît.

— Ça te connaît », répéta Felix avec plaisir. « Très bien.

Tu travailleras de l'autre côté, dit-il en désignant du doigt l'angle opposé de la rue. On a un nouveau. Tu travailles avec lui. Quinze pour cent. Sois vigilant. Putains de flics partout. Ouvre bien ton œil. Voilà le matos. »

Levi obtempéra, ramassant deux sacs faits de draps qu'il s'apprêtait à soulever lorsque Felix le rappela.

« Prends-le. Chouchou. »

Felix poussa un jeune homme vers lui. Il était maigre, avec des épaules à peine plus larges que celles d'une fille ; on aurait pu nicher un œuf entre chaque vertèbre de sa colonne vertébrale. Il avait un grand afro naturel, une petite moustache duveteuse, et une pomme d'Adam plus grosse que son nez. Levi pensa qu'il devait avoir une vingtaine d'années, peut-être avait-il même vingt-huit ans. Il portait un pull bon marché en acrylique orange, manches retroussées jusqu'aux coudes malgré le froid. Une impressionnante cicatrice, rose sur sa peau noire, commençait en pointe sur son avant-bras droit et s'élargissait comme le sillage d'un navire.

« C'est ça, ton nom ? demanda Levi pendant qu'ils traversaient la rue. Genre, le préféré ?

— Ça veut dire quoi ?

— Tu sais, le chouchou de la maîtresse, quoi.

— C'est haïtien. C-H-O-U-C...

— Ouais, ouais, je vois... » Levi se pencha sur le problème. « Eh bien, je peux pas t'appeler comme ça, moi. Je vais t'appeler Tchou. Ça marche bien, en fait. Levi et Tchou.

— C'est pas mon nom.

— Ouais, je comprends, *man*, mais je trouve que ça sonne mieux, tu vois, Tchou. Levi et Tchou. T'entends ? »

Aucune réponse ne vint.

« Ouais, c'est ça, le bitume. Tchou. Le Tchou, quoi. C'est cool. Tope là, allez, non, pas comme ça, comme ça, voilà.

— Et si on s'y mettait, d'accord ? » dit Tchou en libérant sa main de celle de Levi. Il regarda les deux côtés de la rue. « Il faut lester tout ça, à cause du vent. J'ai des pierres que j'ai prises au cimetière. »

Levi ne s'attendait pas à l'entendre s'exprimer dans un anglais aussi grammaticalement correct. Silencieux et surpris, il aida Tchou à défaire son paquet, et une pile de sacs à main bariolés se déversa sur le trottoir. Il se planta sur le drap pour l'empêcher de s'envoler, tandis que Tchou plaçait des pierres sur les anses des sacs. Puis Levi fixa ses DVD à un autre drap avec des pinces à linge. Il tenta de faire la conversation.

« Tchou, le truc le plus important, là où il faut être vigilant, c'est les flics : tu dois garder un œil ouvert et si t'en vois un, tu me fais signe. Tu brailles, tu piailles, c'est comme tu veux. Et tu dois les voir avant qu'ils soient là, il faut avoir le sens du bitume au point de sentir un flic à huit pâtés de maisons d'ici. Ça prend du temps, c'est un art. Mais tu dois l'apprendre. C'est ça, le bitume.

— Je vois.

— J'ai passé ma vie dans ces rues, donc c'est presque une seconde nature pour moi.

— Seconde nature.

— Mais ne t'inquiète pas, ça viendra avec le temps.

— Je suis sûr que j'y arriverai. Quel âge as-tu, Levi ?

— Dix-neuf », dit Levi, qui sentait que plus il se vieillissait mieux ça valait. Mais il n'obtint pas la réaction escomptée. Tchou ferma les yeux et secoua la tête, légèrement mais de façon perceptible.

Levi rit nerveusement. « Hé, Tchou, t'emballe pas d'un seul coup d'un seul. »

Tchou regarda Levi droit dans les yeux, cherchant de la sympathie. « Putain, comme je déteste vendre des trucs », dit-il avec une certaine tristesse, songea Levi.

« Tchou, c'est pas de la vente », répondit Levi prestement. Maintenant qu'il comprenait le problème, il était content — car c'était si facile à résoudre ! C'était juste une question d'attitude. Il dit : « C'est pas comme travailler au drugstore ! Tu te démerdes, mec. Et c'est différent. C'est ça, le bitume. Se démerder, c'est rester vivant, t'es mort si tu sais pas te

305

démerder. Et t'es pas un renoi si tu connais pas la démerde. C'est pour ça qu'on est tous frères, qu'on soit à Wall Street ou sur MTV ou à l'angle de la rue en train de vendre de l'herbe. C'est beau, je te jure. On se démerde ! »

Il n'avait jamais exposé sa philosophie personnelle de façon si complète. Il se tut dans l'attente d'un Amen adéquat.

« Je sais pas de quoi tu parles, dit Tchou en soupirant. Allez, on y va. »

Levi fut déçu par cette réaction. Même si les autres mecs ne comprenaient pas tout à fait son enthousiasme pour leurs activités, ils souriaient toujours et jouaient le jeu, et ils avaient même appris certains des mots empruntés que Levi aimait utiliser pour décrire leur véritable situation. *Hustler, Playa, Gangsta, Pimp*. L'image d'eux-mêmes qu'ils voyaient dans les yeux de Levi constituait après tout une bonne alternative à leur propre réalité. Qui ne préférerait pas être un gangsta plutôt qu'un camelot ? Qui ne préférerait pas se démerder plutôt que vendre à la sauvette ? Qui préférerait leurs petites chambres froides et humides à cette vidéo en Technicolor, cette communauté du dehors à laquelle, selon Levi, ils appartenaient tous ? Le bitume, le bitume mondial bondé de renois démerdards qui travaillaient au coin des rues de Roxbury à Casablanca, de South Central à Cape Town.

Levi fit une nouvelle tentative : « Je parle de la démerde, mec ! C'est comme... »

« Louis Vuitton, Gucci, Gucci, Fendi, Fendi, Prada, Prada », fit Tchou comme on lui avait appris. Deux Blanches d'une cinquantaine d'années s'arrêtèrent devant son étalage et commencèrent à marchander effrontément. Levi remarqua que l'anglais de son acolyte se métamorphosa d'un coup, devenant plus simple, monosyllabique. Il constata aussi que les femmes se sentaient bien plus à l'aise avec Tchou qu'avec lui. Lorsque Levi essaya de placer un petit laïus sur la qualité de la marchandise, elles le dévisagèrent bizarrement, comme s'il les avait vexées. Bien sûr, elles ne voulaient jamais discuter — Felix le lui avait expliqué. Elles ont honte d'acheter chez vous. Il était difficile pour lui de s'en souvenir, après le mégastore, où les clients étaient si fiers de leur pouvoir d'achat. Levi se tut et observa Tchou empocher rapidement quatre-vingt-cinq dollars pour trois sacs. Ça, c'était un autre aspect positif de ce business : si les gens achetaient, ils le faisaient vite et repartaient rapidement. Levi félicita de sa vente son nouvel ami.

Tchou sortit une cigarette et l'alluma. « C'est l'argent de Felix, dit-il en interrompant Levi. Pas le mien. J'étais taxi avant, c'étaient les mêmes conneries.

— On touche notre part, mec, on touche notre part. C'est ça l'économie, non ? »

Tchou rit amèrement. « L'original se vend huit cents dollars, dit-il en pointant un doigt sur un magasin de l'autre côté de la rue. Les faux, trente dollars. Le coût de production, cinq dollars, trois peut-être. C'est ça, l'économie. L'économie *américaine*. »

Levi secoua la tête en pensant au miracle de la chose. « Non mais, tu *imagines* que ces connes sont prêtes à payer trente dollars pour un sac qui en vaut trois ? C'est carrément dingue. Alors là, *ça*, c'est de la démerde. »

Tchou baissa les yeux sur les baskets de Levi. « Tu les as payées combien ?

— Cent vingt dollars », annonça Levi fièrement, et en sautillant sur place il fit la démonstration des absorbeurs de choc implantés dans les semelles.

« Quinze dollars pour les fabriquer, dit Tchou en exhalant des cornes de fumée par ses narines. Pas plus, quinze dollars. C'est sur ton dos qu'on se démerde, mon pote.

— Arrête, mais comment tu sais ça ? C'est pas vrai, mec. C'est pas vrai du tout.

— Je viens de l'usine où on fabrique tes chaussures. Où on *fabriquait* tes chaussures. On n'y fait plus rien maintenant », dit Tchou, qui cria « Prada ! » pour alpaguer un autre groupe de femmes. L'attroupement gonflait sans cesse, comme s'il ramenait les clientes dans un filet invisible tendu sur le trottoir. *Venir d'une usine ?* Comment pouvait-on *venir* d'une usine ? Mais ce n'était plus le temps des questions ; à présent du côté de Levi se trouvait un groupe de filles gothiques. Elles avaient des cheveux noirs et elles étaient blanches et maigres et attachées les unes aux autres par d'étranges chaînes en métal — le genre de filles qui traînaient à la station de métro Harvard le vendredi soir avec une bouteille de vodka dissimulée dans leurs larges pantalons. Elles voulaient des films d'horreur, et Levi en avait. Les affaires marchaient bien, et pendant l'heure suivante les deux vendeurs ne se parlèrent pour ainsi dire pas, sinon pour s'échanger de la monnaie de leurs sacs banane respectifs. Levi, qui n'avait jamais pu supporter les mauvaises ondes, éprouvait le besoin de se faire aimer par ce type, comme il avait l'habitude de l'être la plupart du temps. Enfin le flot de clients s'éclaircit. Levi en profita.

« Qu'est-ce que t'as, mec ? Ne le prends pas mal, mais... t'as vraiment pas l'air d'être le genre de type qui fait ce que t'es en train de faire, tu vois ce que je veux dire ?

— Et si on faisait comme ça ? » dit Tchou doucement, et Levi fut de nouveau déconcerté par l'aisance — quoique teintée d'un accent exotique — avec laquelle il maniait le parler américain. « Tu me laisses tranquille et je fais de mon mieux pour te laisser tranquille. Tu vends tes films. Je vends ces sacs. Ça te va ?

— Ouais, c'est cool », répondit Levi faiblement.

« *Les meilleurs films, les plus grands succès, trois pour dix dollars !* » tonna Levi à la cantonade. Il enfonça sa main dans sa poche et trouva deux bonbons Junior Mints encore emballés. Il en proposa un à Tchou, qui refusa dédaigneusement. Levi enleva le papier et goba le bonbon. Il *adorait* les Junior Mints. Menthe enrobée de chocolat, c'était tout ce qu'on pouvait attendre d'un bonbon. La menthe glissa dans sa gorge. Il s'efforça de rester silencieux. Puis il dit : « T'as beaucoup d'amis ici ? »

Tchou soupira. « Non.

— Personne en ville ?

— Non.

— Tu connais *personne* ?

— Si, j'en connais deux ou trois. Qui travaillent de l'autre côté du fleuve. À Wellington. À la fac.

— Ah bon ? dit Levi. Quel département ? »

Tchou cessa d'organiser l'argent dans sa banane et dévisagea Levi avec curiosité. « Ils font le ménage, dit-il. Je sais pas dans quel département. »

O.K., O.K., t'as gagné, frérot, pensa Levi qui s'accroupit pour ranger une pile de DVD qui était en ordre. Il en resterait là avec ce mec. Mais à présent, c'était Tchou qui semblait intéressé.

« Et toi, le relança-t-il. Felix m'a dit que tu habitais Roxbury. »

Levi leva les yeux vers Tchou. Il souriait, enfin.

« Ouais, mec, c'est ça. »

Tchou le dominait du regard comme s'il était l'homme le plus grand de l'histoire de l'humanité.

« Oui. C'est ce qu'on m'a dit, que tu habitais Roxbury. Et tu rappes aussi avec eux.

— Pas vraiment. Je les ai juste accompagnés. C'est bon en tout cas, ce qu'ils font, ils sont engagés. Ils ont la rage. J'apprends un peu plus sur le... disons, sur le contexte politique, voilà ce qui m'intéresse en ce moment », dit Levi qui faisait référence à un livre sur Haïti qu'il avait emprunté (même s'il ne l'avait pas encore lu) à la bibliothèque centenaire d'Arundel. Pour la première fois, Levi était entré dans ce petit espace sombre et cloîtré sans y être poussé par l'imminence d'un devoir ou d'un examen.

« Mais ils disent qu'ils te croisent jamais là-bas, à Roxbury. Les autres. Ils disent qu'ils te croisent jamais.

— Ouais, ben. J'suis plutôt du genre à rester chez moi.

— Je vois. Bon, peut-être qu'on se croisera, dit Tchou et son sourire s'élargit, dans le *tierka*. »

10

Katherine (Katie) Armstrong a seize ans. Elle est l'une des plus jeunes étudiantes actuellement inscrites à Wellington. Elle a grandi à South Bend, dans l'Indiana, où elle était de loin l'élève la plus brillante de son lycée. Même si la grande majorité des élèves du lycée de Katie ou bien abandonnent leurs études, ou bien les poursuivent à l'excellente université d'État de l'Indiana, personne ne fut très surpris d'apprendre que Katie, bénéficiaire d'une bourse d'études, s'était inscrite dans une université très chic de la côte Est. Katie est douée pour les arts et les sciences, mais son cœur — pour autant que cela ait du sens — a toujours été du côté gauche de son cerveau. Katie adore les arts. Étant donné la relative pauvreté de ses parents et de leur faible niveau d'études, elle sait que sa famille eût trouvé plus logique qu'elle tentât une faculté de médecine ou même qu'elle fît du droit à Harvard. Mais ses parents sont généreux et aimants, et ils acceptent tous ses choix.

L'été précédant son arrivée à Wellington, elle avait pensé devenir folle tant elle avait hésité entre l'anglais et l'histoire de l'art comme spécialité. Elle n'a toujours pas décidé. Certains jours elle a envie d'être éditrice de quelque chose. D'autres, elle peut s'imaginer à la tête d'une galerie ou même en train d'écrire un livre sur Picasso, qui est l'être humain le plus incroyable dont elle ait jamais entendu parler. Pour l'instant, en première année, elle n'a pas à faire de choix. Elle suit le séminaire sur la peinture du vingtième siècle du professeur Cork (réservé aux élèves de deuxième année, mais elle a supplié pour être admise) et deux cours de littérature, poésie romantique anglaise et post-modernisme américain. Elle apprend le russe, elle fait de l'accueil téléphonique au numéro d'urgence pour les personnes atteintes de troubles du comportement alimentaire, et elle monte le décor pour une mise en scène de *Cabaret*. Naturellement timide, Katie est obligée de surmonter sa grande nervosité chaque semaine simplement pour entrer dans les salles où ont lieu ces activités variées. Un cours en particulier la terrifie : celui du professeur Belsey, sur l'art du dix-septième siècle. La majeure partie du semestre est consacrée à Rembrandt, qui est le deuxième être humain le plus incroyable dont Katie ait jamais entendu parler. Elle avait toujours rêvé de suivre un jour un cours en fac sur Rembrandt avec d'autres gens intelligents amoureux de ce peintre et n'ayant pas peur de l'exprimer. Jusqu'ici, elle n'était allée qu'à trois cours. Elle n'y avait pas compris grand-chose. Souvent elle avait l'impression que le professeur parlait une autre langue que celle qu'elle avait passé seize ans à perfectionner. À l'issue du troisième cours, elle était rentrée dans son dortoir et avait pleuré. Elle avait maudit sa stupidité et sa jeunesse. Elle aurait tant souhaité qu'on lui ait donné au lycée d'autres livres à lire que ceux avec lesquels elle avait manifestement perdu son temps jusqu'ici. À présent, Katie s'est calmée. Elle a cherché dans le Webster certains des mots de vocabulaire mystérieux de son cours. Les mots n'y figuraient pas. Elle a trouvé « liminal », mais l'emploi qu'en faisait le professeur Belsey lui demeurait obscur. Cependant, Katie n'est pas le genre de fille qui abandonne facilement. Le quatrième cours a lieu aujourd'hui, et elle est préparée. La semaine passée, les étudiants avaient reçu un polycopié avec les reproductions des deux tableaux dont il serait question aujourd'hui. Katie a passé une semaine à les contempler, et à y penser profondément, et elle a pris des notes dans son cahier.

Le premier tableau est *La lutte de Jacob avec l'ange*, de 1658. Katie a pensé à l'empâtement épais qui, contre-intuitivement, génère cette atmosphère somnolente et rêveuse. Elle a noté la ressemblance entre l'ange et Titus, le joli fils de Rembrandt ; les lignes de perspective qui créent des illusions de mouvement figé ; la dynamique entre l'ange et Jacob. La lutte violente qu'elle a sous les yeux est aussi un enlacement amoureux. L'homo-érotisme de la toile lui rappelle le Caravage (depuis son arrivée à Wellington, beaucoup de choses lui apparaissent homo-érotiques). Elle adore les couleurs ocrées — la simple tunique en damas de Jacob, et la blouse de paysan blanc cassé que porte l'ange. Le Caravage affublait toujours ses anges d'ailes d'aigle sombrement resplendissantes ; en revanche, même si ce n'est pas une colombe, l'ange de Rembrandt est loin d'être un aigle. Katie n'a jamais vu d'oiseau avec des ailes aussi indistinctes, miteuses et brunâtres. Elles ont presque l'air d'avoir été rajoutées après coup, comme pour nous rappeler que ce tableau est censé parler de sujets bibliques, de choses détachées du monde. Mais au fond du cœur protestant de Rembrandt, pense Katie, la lutte ici représentée est engagée pour l'âme terrestre d'un homme, pour sa foi *humaine* en ce monde. Katie, qui deux ans auparavant avait lentement et douloureusement perdu sa foi, a retrouvé le passage correspondant dans la Bible, et a recopié les mots suivants dans son cahier ·

Jacob demeura seul. Alors un homme lutta avec lui jusqu'au lever de l'aurore... Et il dit : Laisse-moi aller, car l'aurore se lève. Et Jacob répondit : Je ne te laisserai point aller, que tu ne m'aies béni.

Katie trouve ce tableau impressionnant, beau, stupéfiant — mais sans être vraiment émouvant. Elle ne trouve pas les mots adéquats, ne parvient pas à en cerner la cause. Encore une fois, tout ce qu'elle peut dire, c'est qu'elle n'a pas le sentiment d'observer une lutte pour la foi. Du moins, pas une lutte telle qu'elle l'a connue. Jacob semble chercher de la sympathie, et l'ange a l'air de vouloir lui en témoigner. Ce n'est pas ainsi qu'une lutte s'engage. Le combat n'est pas là. Est-ce que ça a un sens ?

Le second tableau en revanche, *Femme nue assise sur une butte*, gravure de 1631, la fait pleurer. Le sujet, une femme nue difforme, avec de petits seins rondelets et un ventre amplement distendu, assise sur une pierre, regarde Katie droit dans les yeux. Katie a lu quelques fameuses analyses de cette gravure. Tout le monde s'accorde à la trouver techniquement bonne mais visuellement repoussante. Elle rebute bien des hommes faisant autorité. Une simple femme nue est apparemment bien plus écœurante que Samson se faisant éborgner ou Ganymède pissant partout. Est-elle si grotesque ? D'emblée, ce fut pour Katie un choc semblable à celui qu'on éprouve à la vue d'une photo de soi peu flatteuse et crûment éclairée. Ensuite, elle commença à relever les indices humains ne figurant pas explicitement dans le cadre, mais suggérés par ce que l'on peut voir. Katie est émue par les marques laissées sur les jambes de la femme par ses bas absents, et par ses bras musclés de travailleuse. Ce ventre flasque qui a porté de nombreux bébés, ce visage encore jeune qui par le passé a attiré les hommes et qui en attirera peut-être encore. Katie — une asperge physiquement — voit même son propre corps dans celui-ci, comme si Rembrandt lui disait, à elle et à toutes les femmes : « Car vous êtes terrestres, comme cette femme nue assise, et vous serez vous aussi réduites à cela, et ce sera une bénédiction pour vous de ressentir aussi peu de honte et autant de joie qu'elle ! » Voilà ce qu'est une femme : sans enjolivure, après les enfants et le travail et l'âge, et l'expérience — *ce sont les marques de la vie*. Tel était le sentiment de Katie. Et tout cela grâce à de simples hachures croisées (Katie compose ses propres bandes dessinées et connaît un peu le procédé) ; tous ces signes annonciateurs de mortalité sortis d'un encrier !

Katie arrive en cours tout excitée. Elle s'assied tout excitée. Elle laisse son cahier ouvert devant elle, déterminée cette fois-ci, *déterminée* à faire partie des trois ou quatre étudiants qui oseront parler durant le cours du professeur Belsey. Les tables des quatorze étudiants présents sont agencées en carré, de telle sorte que tout le monde peut se voir. Des morceaux de papier pliés en deux sur lesquels figurent leurs noms sont posés sur leurs tables. Ils ont l'air d'un groupe de banquiers. Le professeur Belsey parle.

« Ce que nous essayons... de *sonder* ici, dit-il, est l'unité structurelle du mythème de l'artiste en tant qu'individu autonome qui porte sur l'être humain un regard privilégié. Quels sont les éléments de ces textes — de ces images en tant que narration — qui implicitement font appel à la notion quasi mystique du génie ? »

Un long silence affreux s'ensuit. Katie se mord les cuticules.

« Pour le formuler différemment : sommes-nous face à une véritable *rébellion*, un refus ? On nous dit que cela constitue le rejet du nu classique. D'accord. Mais. Ce nu n'est-il pas la *confirmation* de l'idéalité du vulgaire ? Étant donné qu'il est déjà inscrit dans l'idée d'une dévalorisation sociale de la femme en particulier ? »

Un nouveau silence. Le professeur Belsey se lève et écrit en grosses lettres sur le tableau noir derrière lui le mot LUMIÈRE.

« Les deux œuvres évoquent l'illumination. Pourquoi ? C'est-à-dire, pouvons-nous parler de lumière en tant que concept neutre ? Quel est le *logos* de cette lumière, cette lumière *spirituelle*, cette prétendue illumination ? À quoi souscrivons-nous en parlant de la "beauté" de cette "lumière", dit le Professeur Belsey en formant des guillemets avec ses doigts. De quoi traitent vraiment ces images ? »

À ce moment, Katie voit l'occasion se présenter et commence à réfléchir lentement à la possibilité d'ouvrir sa bouche et d'en laisser sortir un son. Sa langue est contre ses dents. Mais c'est la Noire incroyablement belle, Victoria, qui parle, et comme toujours elle semble monopoliser l'attention du professeur Belsey, même si Katie est presque certaine que ce qu'elle dit n'est pas particulièrement intéressant.

« C'est une œuvre qui représente sa propre intériorité, dit-elle très lentement, baissant les yeux sur sa table puis les levant de façon bêtement aguicheuse comme à son habitude. La peinture même en est le sujet. C'est une œuvre à propos de la peinture. Je veux dire, c'est la force désirante. »

Le professeur Belsey donna un coup sec sur sa table pour exprimer son intérêt, comme pour signifier *oui, on progresse.*

« O.K., dit-il. Développez. »

Mais avant que Victoria puisse répondre elle est interrompue.

« Euh... je ne comprends pas ton utilisation du mot "œuvre". Je ne crois pas que ce seul mot puisse contenir l'histoire de la peinture, ou même son logos. »

Cette idée aussi semble intéresser le professeur. Le jeune homme qui vient de parler porte un tee-shirt avec L'ÊTRE inscrit devant et LE TEMPS derrière, jeune homme que Katie craint bien plus que n'importe qui d'autre dans toute l'université, bien plus qu'elle ne pourrait craindre une femme, même la belle Noire, car il est clairement le troisième être humain le plus incroyable dont elle ait jamais entendu parler. Il s'appelle Mike.

« Mais tu as déjà privilégié ce terme », dit la fille du professeur que Katie, qui pourtant ne déteste pas facilement les gens, hait de toutes ses forces. « Tu présupposes que la gravure n'est que de la "peinture dévalorisée". Donc la voilà, la problématique. »

Et, maintenant, le cours échappe à Katie ; le reste de l'heure file à travers ses orteils comme la mer et le sable lorsqu'elle se tient au bord de l'océan et que, somnolente, elle permet *bêtement* à la marée de s'éloigner et au monde de l'abandonner si rapidement qu'elle en a la tête qui tourne...

À trois heures un quart, Trudy Steiner leva la main avec hésitation pour faire remarquer que le cours aurait dû prendre fin depuis un quart d'heure. Howard rassembla ses papiers en un tas ordonné et s'excusa uniquement du retard. Pour lui, ce cours avait été le meilleur qu'ils aient eu jusque-là. La dynamique du groupe commençait enfin à se mettre en place. Mike en particulier l'impressionnait beaucoup. Il faut des gens comme ça dans une classe. À vrai dire, il lui rappelait un peu l'Howard qu'il avait été à cet âge-là. Cet âge d'or, qui ne dura que quelques années, pendant lequel il avait cru qu'Heidegger lui sauverait la vie.

Chacun commença à ranger ses affaires. Zora leva le pouce en direction de son père et se dépêcha de partir ; de toute façon, une erreur d'emploi du temps lui faisait manquer les dix premières minutes du cours de poésie de Claire. Christian et Meredith, présents au cours d'Howard en tant qu'assistants totalement superflus (étant donné le petit nombre d'élèves), distribuèrent des polycopiés pour la semaine suivante. Lorsque Christian rejoignit Howard assis à son bureau, il s'accroupit avec une inquiétante souplesse pour se mettre à son niveau, et d'une main aplatit sa raie sur le côté.

« C'était incroyable.

— Ça s'est bien passé, oui, c'est ce qui m'a semblé, dit Howard en prenant un polycopié des mains de Christian.

— Je crois que le polycopié a incité au dialogue, commença Christian précautionneusement dans l'attente d'une confirmation. Mais sincèrement, c'est votre manière de redéfinir le dialogue qui lance la machine. »

À ces mots, Howard sourit, puis grimaça. Bien qu'il fût apparemment américain, Christian avait une étrange façon de parler anglais, un peu comme si ses phrases étaient traduites au moment où il les prononçait.

« C'est le polycopié qui a tout déclenché », acquiesça Howard, provoquant chez Christian des vagues de protestations reconnaissantes. Ces polycopiés, Christian les avait préparés lui-même. Howard avait chaque fois l'intention de les regarder de plus près mais cette semaine, comme toujours, il finirait par lire quelques pages en diagonale le matin du cours. Tous deux le savaient pertinemment.

« Vous avez reçu le message concernant le report de la réunion de la faculté ? » demanda Christian.

Howard fit oui de la tête.

« C'est le 10 janvier, première réunion après Noël. Vous voulez que j'y assiste ? » demanda Christian.

Howard doutait que cela fût nécessaire.

« Parce que j'ai fait pas mal de recherches sur les limites fixées par rapport au discours politique dans le campus. Je veux dire, non pas que ce soit particulièrement important... je suis sûr que vous n'en aurez pas besoin... mais je crois quand même que ce serait utile, même si pour en être sûrs il nous faudrait connaître le contenu des conférences que Kipps a l'intention de donner », dit Christian qui commença à sortir des papiers de son cartable. Tandis que Christian lui parlait, Howard cherchait Victoria du coin de l'œil. Mais Christian parla trop longtemps ; à sa grande consternation, Howard vit ses jambes chancelantes de jeune jument sortir de la salle de classe, entourées de part et d'autre d'amis de sexe masculin. Chaque jambe était impeccablement emballée et fétichisée dans son jean serré. Elle fit claquer les talons de ses bottes en cuir. La dernière chose qu'il vit fut la perfection de son cul — si haut, si rond — comme il disparaissait dans le couloir ; comme il partait. En trente ans d'enseignement, il n'avait jamais vu quelque chose de comparable. Ou bien il avait vu beaucoup d'autres filles de ce genre pendant toutes ces années, sans jamais les remarquer avant aujourd'hui. Quoi qu'il en soit, il s'y était résigné. Depuis deux cours, il avait cessé d'essayer de ne pas regarder Victoria Kipps. À l'impossible nul n'est tenu.

Exhibant une confiance de collègue, le jeune Mike approcha Howard pour lui poser une question sur un article qu'il avait cité en passant. Libéré de l'étrange asservissement de la contemplation de Victoria, Howard se fit une joie de lui indiquer la référence et l'année de publication de la revue en question. La salle continua à se vider. Howard se pencha sous son bureau pour éviter d'avoir à parler à d'autres étudiants et enfouit ses papiers dans son cartable. Il avait la sensation désagréable que quelqu'un s'éternisait, ce qui signifiait toujours une demande de conseil. *Je me demandais si on pourrait prendre un café... il y a deux ou trois choses dont j'aimerais vous parler...* Howard se concentra sur les fermoirs de son sac. Mais on s'éternisait toujours. Il leva le regard. Cette étrange fille fantomatique qui ne disait jamais un mot était en train de faire tout un numéro pour ranger son cahier et son stylo. Elle gagna enfin la porte et recommença à s'éterniser, obligeant Howard à la frôler pour sortir.

« Kathy, tout va bien ? demanda Howard d'une voix tonitruante.

— Oh ! Oui... je veux dire, c'était juste... Professeur Belsey, est-ce que le cours aura lieu... dans la même salle la semaine prochaine ?

— La même, absolument », répondit Howard, qui s'éloigna à grands pas dans le couloir, descendit par la rampe d'accès pour handicapés et quitta le bâtiment.

« Professeur Belsey ? »

Dehors, dans la petite cour octogonale, il s'était mis à neiger. D'épais rideaux de flocons tombaient, obscurcissant la lumière du jour sans que personne ne s'encombre de toute la mystique qui entoure la neige en Angleterre : *Tiendra-t-elle ? Fondra-t-elle ? Est-ce de la neige fondue ? Est-ce de la grêle ?* Là, il s'agissait de neige, point final, et d'ici au lendemain matin il y en aurait jusqu'aux genoux.

« Professeur Belsey ? Je peux vous parler une seconde ?

— Victoria, oui », dit-il en clignant les yeux pour dégager les flocons de ses cils. Elle était trop parfaite sur ce fond blanc. En la regardant, il se sentit ouvert aux idées, aux possibilités, prêt à se montrer indulgent envers des arguments qu'il aurait rejetés deux minutes plus tôt. Ce serait par exemple le moment rêvé pour que Levi lui demande vingt dollars ou pour que Jack French le sollicite pour présider un groupe de réflexion sur le devenir de l'université. Puis — Dieu merci — elle détourna la tête.

« Je vous rejoins », dit Victoria à deux jeunes hommes qui lui faisaient face en reculant tout sourire, leurs mains roses et gercées façonnant des boules de neige. Victoria emboîta le pas d'Howard. Il remarqua que les cheveux de la jeune fille attiraient la neige d'une façon différente des siens, elle se posait soigneusement au somment de sa tête, comme du glaçage.

« Je n'en ai jamais vu comme ça ! » dit-elle gaiement alors qu'ils passaient par le portail et s'apprêtaient à traverser la petite rue qui menait à la cour principale de la faculté. Elle tenait ses mains d'une drôle de façon, dans les poches arrière de son jean, ses coudes se détachant dans son dos comme des moignons d'ailes. « Ç'a dû commencer pendant qu'on était en cours. Putain ! C'est comme la neige au cinéma !

— Ça m'étonnerait que la neige au cinéma coûte un million de dollars par semaine à dégager.

— Ah ouais, tant que ça.

— Tant que ça.

— C'est énorme.

— Tout à fait. »

Cet échange, qui n'était que leur deuxième tête-à-tête, ressemblait en tout point au premier : bête et bizarrement empreint d'humour, Vee souriant de toutes ses dents, Howard se demandant si elle se moquait de lui ou si elle le draguait. Elle avait couché avec son fils — c'était ça, la blague ? Dans ce cas, il ne pouvait pas dire que cela lui semblait drôle. Mais il avait accepté son jeu dès le départ : ce faux-semblant qui consistait à prétendre ne s'être jamais rencontrés avant ce semestre et n'avoir d'autre lien que celui de professeur à étudiante. Elle le prenait à contre-pied. Elle ne le craignait pas. N'importe lequel de ses étudiants eût été en ce moment même en train de se creuser les méninges afin de trouver une phrase brillante — non, ils ne l'auraient jamais abordé sans avoir préparé à l'avance quelque préambule éblouissant, quelque petite sortie rhétorique ennuyeuse à souhait. Combien d'heures dans sa vie Howard avait-il passé à sourire mollement à ces commentaires soigneusement élaborés, dont certains avaient été échafaudés des jours et des semaines durant dans les cerveaux surchauffés et nerveux de ces gamins ambitieux ? Mais Vee était différente. En dehors du cours, elle semblait fière de se comporter quasiment comme une débile.

« Euh, écoutez, vous savez ce truc organisé par les associations d'étudiants, le dîner à la con ? dit-elle en penchant son visage vers le ciel blanchâtre. Chaque table doit convier trois professeurs, mon dîner aura lieu à Emerson Hall et ce n'est pas trop formel, pas aussi snob que les autres... c'est sympa en fait, c'est mixte, hommes-femmes, et plutôt relax. En fait, c'est juste un dîner, et d'habitude il y a un discours très long et très ennuyeux. Donc. Dites-moi non tout de suite si c'est le genre de chose que vous ne faites pas... je veux dire, je sais pas, moi, c'est la première fois que j'y participe. J'ai pensé vous demander. Ça ne coûte rien de demander. » Elle tira la langue et happa quelques flocons de neige.

« Oh..., eh bien, si tu veux que j'y aille, j'irai, bien sûr », commença Howard en se tournant vers elle timidement, mais Vee mangeait toujours de la neige. « Mais... est-ce que tu ne crois pas que tu devrais, enfin, que tu te dois peut-être d'inviter ton père ? Je ne voudrais pas marcher sur ses plates-bandes », dit Howard à toute vitesse. Qu'Howard n'ait pas pensé une seule seconde à ses propres obligations témoignait du pouvoir de séduction de la jeune fille.

« Oh, mon Dieu, non. Il doit déjà avoir été invité par des milliers d'étudiants. En plus, l'idée qu'il dira le bénédicité avant le repas me stresse. En fait, je *sais* qu'il le fera, ce qui sera... *intéressant.* »

Howard remarqua que la façon de parler de la jeune fille s'imprégnait déjà du fluctuant accent transatlantique de ses propres enfants. Quel dommage. Il aimait cette intonation du nord de Londres où se mêlaient un soupçon des Caraïbes et, sauf erreur de sa part, un soupçon aussi d'une école pour jeunes filles de bonne famille. Ils s'immobilisèrent. Howard allait devoir bifurquer pour emprunter les escaliers de la bibliothèque. Ils se firent face. Vee, grandie par ses bottes, était presque aussi grande qu'Howard. Elle serra ses bras autour d'elle et, avec une petite plainte, rentra sa lèvre inférieure sous ses dents de devant, à la façon de certaines filles très belles qui font parfois des têtes de foldingues sans craindre de rester à tout jamais figées dans cette pose. Howard réagit en lui présentant un visage très grave.

« Ma décision dépendra entièrement...

— De quoi ? » Elle tapa ses moufles pleines de neige l'une contre l'autre.

« ... de la présence éventuelle d'un *glee club*.

— De *quoi* ? Je ne sais pas... Je ne sais même pas ce que c'est.

— Des jeunes gens qui chantent, dit Howard en grimaçant légèrement. En harmonie et en canon.

— Je ne crois pas. Personne ne m'en a parlé.

— Je ne peux pas aller où que ce soit s'il y a un *glee club*. C'est très important. J'ai eu une très fâcheuse expérience. »

Maintenant ce fut au tour de Vee de se demander s'il se moquait d'elle. Mais Howard était tout à fait sérieux. Elle plissa les yeux et le regarda en claquant des dents.

« Mais vous viendrez ?

— Si tu es sûre que tu veux que je vienne.

— Je suis absolument sûre. C'est juste après Noël, c'est dans longtemps, le 10 janvier.

— Pas de *glee club*, dit Howard tandis qu'elle s'éloignait.

— Pas de *glee club* ! »

☆

C'était toujours pareil, le cours de poésie de Claire, et c'était toujours un plaisir. Chaque semaine les étudiants apportaient un poème qui n'était qu'une variation infime du précédent, et Claire réagissait à chacun avec un mélange salutaire de violente affection et de réelle perspicacité. Ainsi, les poèmes de Ron évoquaient toujours la désaffection sexuelle de l'homme moderne, ceux de Daisy, New York, ceux de Chantelle, la lutte des Noirs, tandis que les poèmes de Zora semblaient toujours avoir été créés par une machine choisissant des mots au hasard. Le grand talent de Claire en tant qu'enseignante consistait à trouver des qualités dans chacune de ces tentatives et de parler aux auteurs comme si leurs noms étaient déjà connus dans chaque foyer américain féru de poésie. Et ce n'est pas rien de s'entendre dire à dix-neuf ans que le nouveau poème de Daisy est caractéristique de l'œuvre de Daisy, que l'on y trouve Daisy en pleine possession de ses moyens, montrant toutes les traditionnelles qualités tant aimées de Daisy ! Claire était un excellent professeur. Elle vous rappelait à quel point il était noble d'écrire de la poésie ; à quel point le miracle devait vous habiter pour communiquer le plus intime de vous-même, et de le faire dans cette forme stylisée, grâce à la rime, la métrique, les images et les idées. Après que chaque étudiant eut lu son travail et qu'on en eut débattu avec sérieux et pertinence, Claire finissait par lire le poème d'un grand poète, le plus souvent mort, et encourageait ses étudiants à en parler comme ils l'avaient fait des autres. Ainsi, chacun apprenait à imaginer une continuité entre son propre poème et la poésie mondiale. Quelle sensation ! Vous sortiez du cours sinon en compagnie de Keats et Dickinson et Eliot et les autres, du moins dans la même chambre sonore, le même appel de l'histoire. La transformation était particulièrement remarquable chez Carl. Trois semaines auparavant, il avait assisté avachi à son premier cours, avec un air à la fois comique et sceptique. Il avait marmonné ses paroles dans sa barbe, et parut offusqué par l'intérêt respectueux que celles-ci suscitèrent. « C'est même pas un *poème*, protesta-t-il, c'est du rap. — Quelle est la différence ?

demanda Claire. — C'est deux choses différentes, contra Carl, deux expressions artistiques distinctes. Sauf que le rap, c'est pas une expression artistique. C'est juste du *rap*. — Ce qui veut dire qu'on ne peut pas en parler ? — Vous pouvez en *parler*, bien sûr, j'vous en empêcherai pas. » Pour commencer, ce jour-là, Claire lui démontra que son rap était constitué d'iambes, de spondées, de trochées et d'anapestes. Carl nia passionnément connaître ces formes mystérieuses. Il avait l'habitude d'être célébré à l'Arrêt de Bus, pas dans une salle de classe. Le principe fondateur d'une grande part de sa personnalité se résumait à la conviction qu'il n'avait rien à faire dans une salle de classe.

« Mais ces structures, lui avait expliqué Claire, sont inscrites dans ton cerveau. Tu penses déjà en sonnets. Tu le fais sans le *savoir*, mais tu le fais quand même. » Ce genre d'affirmation ne peut que vous rendre un peu plus sûr de vous le lendemain dans la boutique Nike lorsque vous demandez à votre client s'il veut essayer le même modèle en 45. « Tu m'écriras un sonnet, tu veux bien ? » lui demanda Claire avec douceur. Au cours suivant, elle lui avait demandé : « Et ton sonnet, Carl ? » Il avait répondu « Il est sur le feu. Je vous ferai signe quand il sera prêt. » Naturellement, il flirtait avec elle ; il l'avait toujours fait avec ses profs, tout au long de ses années de lycée. Et Mrs Malcolm lui rendait la pareille. Au lycée, Carl avait couché avec sa prof de géo — ça s'était très mal passé. En y repensant, cet incident lui semblait annonciateur de sa rupture définitive avec le milieu scolaire. Mais avec Claire, la chose était parfaitement dosée. Cela n'avait rien de... *déplacé* — voilà le mot. Claire dégageait cette chose remarquable qu'ont certaines profs, et qu'il n'avait pas ressentie depuis qu'il était petit garçon, avant que celles-ci ne commencent à se demander s'il allait les agresser ou les violer : elle voulait qu'il réussisse. Même si cela ne le mènerait nulle part, quant à son parcours universitaire. Il n'était pas vraiment un étudiant et elle n'était pas vraiment son professeur, et de toute façon Carl n'était pas fait pour les salles de classe. Et pourtant. Elle voulait qu'il *réussisse*. Et il voulait réussir *pour elle*.

Donc pour ce quatrième cours, il lui apporta un sonnet. Comme elle avait dit. Quatorze vers avec dix syllabes (ou *beats*, comme Carl ne pouvait s'empêcher d'y penser) par vers. Ce n'était pas un très bon sonnet. Mais tous les membres de la classe s'extasièrent, comme s'il avait réussi une fission nucléaire. Zora dit : « Je crois que c'est le seul sonnet vraiment drôle que j'aie jamais lu. » Carl se méfia. Il se demandait encore si toute cette histoire de fac n'était pas un tour de mauvais goût qu'on lui jouait.

« Tu veux dire que c'est drôle parce que c'est con ? »

Tous les étudiants dans la salle crièrent, *Nooooon !* Puis Zora dit : « Non, non, non, c'est *vivant*. Je veux dire, la forme ne t'as pas inhibé : moi, elle m'inhibe toujours. Je ne sais pas comment tu as fait. » Les autres élèves appuyèrent ses dires avec enthousiasme, et une conversation débridée s'amorça, qui dura pendant presque toute l'heure, sur *son poème*, comme si son poème était aussi réel qu'une statue ou un pays. Pendant cette discussion Carl baissa les yeux plusieurs fois sur son sonnet et ressentit une chose qu'il n'avait jamais connue dans une salle de classe : de la fierté. Il avait écrit son sonnet de façon peu soignée, comme il faisait pour ses raps, avec un crayon, sur du papier brouillon chiffonné et taché. Maintenant, il avait le sentiment que cette façon de faire n'était pas à la hauteur de cette voie nouvelle pour transmettre son message. Il se promit de taper le truc, si jamais un jour il avait accès à un ordinateur.

Alors que les étudiants préparaient leurs sacs pour partir, Mrs Malcolm dit : « Carl, est-ce que tu tiens vraiment à ce cours ? »

Carl regarda autour de lui précautionneusement. C'était une question bien curieuse à lui poser devant tout le monde.

« Je veux dire, est-ce que tu veux continuer à suivre le cours ? Même si ça se complique ? »

C'était bien ça : ils le croyaient bête. Ces étapes préliminaires étaient à son niveau, mais il ne serait pas à la hauteur des suivantes, quelles qu'elles soient. Mais alors, pourquoi lui avait-on demandé de venir ?

« Comment ça, compliqué ? demanda-t-il crispé.

— Je veux dire, si certains cherchaient à t'empêcher d'assister à ce cours, tu te battrais pour continuer ? Ou tu me laisserais me battre pour toi ? Ou tes camarades poètes ici présents ? »

Carl eut un regard noir. « J'aime pas me trouver là où je ne suis pas le bienvenu. »

Claire secoua la tête et agita les mains pour chasser cette pensée.

« Je m'exprime mal. Carl, tu veux suivre ce cours, n'est-ce pas ? »

Carl fut à deux doigts de répondre qu'il s'en foutait pas mal, mais au dernier moment il comprit à l'expression ardente de Claire qu'elle souhaitait qu'il réponde tout autrement.

« Bien sûr. C'est intéressant, vous savez. J'ai l'impression de... enfin, d'apprendre.

— Oh, ça me fait tellement plaisir », dit-elle et elle sourit à se décrocher la mâchoire. Puis son sourire céda la place au sérieux. « Bien, dit-elle fermement. C'est décidé. Bien. Donc, tu restes, et *tous ceux qui ont besoin de ce cours* », dit-elle avec ferveur, et son regard passa de Chantelle à une jeune fille nommée Bronwyn qui travaillait à la Wellington Savings Bank, puis à un garçon mathématicien du nom de Wong, étudiant à l'université de Boston, « *y resteront*. O.K., c'est bon pour aujourd'hui. Zora, tu peux rester un moment ? »

Les étudiants sortirent, chacun légèrement curieux et envieux de la dérogation spéciale accordée à Zora. En partant, Carl lui donna un coup de poing amical sur l'épaule. Zora s'illumina. Claire reconnut et se souvint de ce sentiment, et ressentit de la pitié pour Zora (car il lui semblait quand même peu probable qu'elle eût la moindre chance avec Carl). Elle sourit en se revoyant au même âge.

« Zora, tu es au courant de la réunion de la faculté ? »
Claire s'assit sur son bureau et regarda Zora dans les yeux.
Elle avait mal appliqué son mascara, et ses cils faisaient des
paquets.

« Bien sûr, répondit Zora. C'est la grande réunion. Celle
qui a été reportée. Howard va sortir la grosse artillerie
contre les conférences de Monty Kipps. Puisque personne
d'autre ne semble avoir les couilles de le faire.

— Hum, dit Claire, gênée par l'évocation d'Howard. Oh
ça, oui. » Claire se détourna de Zora et regarda par la
fenêtre.

« Pour une fois, tout le monde y sera, dit Zora. C'est
devenu ni plus ni moins un combat pour l'âme de cette fac.
Howard dit que c'est la réunion la plus importante depuis
des années à Wellington. »

C'était le cas. Ce serait également la première réunion
interdisciplinaire depuis que toute l'histoire de l'année passée avait été ébruitée. La réunion n'aurait pas lieu avant un
bon mois, la note de ce matin esquissait on ne peut plus
clairement la scène à venir : bibliothèque glacée, murmures,
regards — détournés et appuyés —, Howard assis dans son
fauteuil, l'esquivant, leurs collègues prenant un malin plaisir
à le voir l'esquiver. Sans parler des motions ajournées, des
votes bloqués, des discours enflammés, des protestations,
des propositions et contre-propositions. Et Jack French dirigeant tout cela lentement, très lentement. Claire estimait
qu'un tel avilissement mental et spirituel serait malvenu à ce
stade vital de son rétablissement.

« Oui... Donc, Zora, tu sais bien qu'il y a des gens au sein
de cette faculté qui ne sont pas en faveur de notre cours... je
veux dire, qui trouvent que des gens comme Chantelle... et
Carl n'ont pas leur place parmi nous. Cette question précise
sera à l'ordre du jour. Un vent réactionnaire souffle actuellement sur la faculté, et ça me fait très, très peur. Ils ne vou-
dront pas m'entendre, moi : pour eux, je ne suis qu'une poétesse communiste anti-guerre à côté de ses pompes ou un

truc dans ce goût-là. Je trouve que nous avons besoin qu'une voix puissante s'élève en faveur de ce cours dans le camp de ceux qui sont concernés. Sinon, on va encore nous ressasser la même dialectique idiote. Et il me semble qu'un étudiant serait bien plus apte à défendre notre cause. Quelqu'un pour qui le contact avec ces gens au sein du cours a été bénéfique. Quelqu'un qui pourrait, eh bien, me suppléer à la réunion. Faire un discours enflammé à propos d'une chose qui lui importe. »

Le fantasme universitaire numéro un de Zora était de faire aux membres de la faculté un discours enflammé.

« Vous voulez que, *moi*, j'y aille ?

— Seulement, *seulement* si ça ne te pose pas de problème.

— Attendez, un discours conçu et écrit par moi ?

— Eh bien, je n'avais pas vraiment pensé à un discours au sens strict, mais du moment où tu sais ce que tu as envie de...

— Je veux dire, *où allons-nous*, demanda Zora vigoureusement, si on ne peut pas partager les *énormes* ressources de cette université avec ceux qui en ont vraiment besoin ? C'est *dégoûtant*. »

Claire sourit. « Tu es déjà parfaite.

— Rien que moi. Vous n'y serez pas ?

— Je trouve que ce serait plus percutant s'il n'y avait que toi pour dire ce qui te tient à cœur. Je veux dire, ce que j'aimerais *vraiment* faire, c'est envoyer Carl lui-même, mais tu sais..., dit Claire en soupirant, c'est triste, mais en vérité on ne peut pas faire appel à la conscience de ces gens dans une langue autre que celle de Wellington. Et toi, tu connais le langage de Wellington, Zora. Toi, mieux que quiconque. Et je ne veux pas dramatiser les choses, mais quand je pense à Carl, je pense à un sans-voix qui a besoin d'une personne comme toi, qui sache se faire entendre, pour parler à sa place. Je trouve que c'est d'une très grande importance. Je crois aussi que dans le climat actuel c'est un magnifique cadeau à faire à un laissé-pour-compte. Tu ne trouves pas ? »

11

Deux semaines plus tard, l'université de Wellington ferma pour les fêtes de fin d'année. Il continua de neiger. Chaque nuit, invisibles, des employés de la ville dégageaient les trottoirs. Bientôt des congères de glace grise, dont certaines dépassaient le mètre et demi, bordèrent chaque rue. Jerome rentra. Se succédèrent de nombreuses fêtes ennuyeuses : département d'histoire de l'art, des cocktails chez le président, puis chez le vice-président, à l'hôpital de Kiki, à l'école de Levi. Plus d'une fois, Kiki se retrouva en train de circuler dans des pièces surchauffées et bondées, une coupe de champagne à la main, espérant voir Carlene Kipps quelque part parmi les guirlandes et les silencieuses servantes noires circulant avec des plateaux de crevettes. Elle vit Monty, assez souvent, appuyé contre les lambris, attifé de l'un de ses absurdes costumes dix-neuvième siècle à trois pièces, avec sa montre de gousset, faisant connaître ses opinions avec emphase, et presque toujours en train de manger — mais Carlene n'était jamais avec lui. Carlene Kipps était-elle l'une de ces femmes qui promettent l'amitié sans jamais vraiment la donner ? Une allumeuse de l'amitié ? Ou bien Kiki s'était-elle méprise ? Après tout, c'était le mois de l'année où les familles se rapprochaient, se refermaient sur elles-mêmes, se scellaient ; entre Thanksgiving et le Nouvel An, le monde se contractait jour après jour pour devenir le foyer microcosmique et festif dans lequel chacun avait ses propres rites et obsessions, ses règles et ses rêves. Vous n'osiez pas téléphoner aux autres. Les autres n'osaient pas vous téléphoner. Comment appeler à l'aide du fond de cette prison annuelle ?

Puis un mot arriva à la maison des Belsey, remis en mains

propres. C'était de Carlene. Noël approchait, et elle avait pris du retard dans ses cadeaux. Elle avait encore passé une période alitée, et sa famille était allée se changer les idées à New York, afin que les enfants fassent des emplettes et que Monty s'occupe de ses œuvres de charité. Kiki serait-elle partante pour l'accompagner à Boston faire les magasins ? Par un triste samedi Kiki vint chercher son amie en taxi. Elle installa Carlene à l'avant et prit place à l'arrière, levant les pieds pour éviter l'eau glacée qui glissait sur le plancher du véhicule.

« Où z'aller ? » demanda le chauffeur, et lorsque Kiki lui donna le nom du centre commercial, il n'en avait jamais entendu parler, bien que ce fût un point de repère bostonien. Il voulait le nom des rues.

« C'est le plus grand centre commercial de Boston. Vous ne connaissez donc pas du tout la ville ?

— C'est pas *mon* boulot. Vous devez savoir où aller.

— Mais c'est *exactement ça*, votre boulot.

— Je trouve qu'ils devraient au moins savoir parler anglais correctement pour avoir le droit de conduire, se plaignit Carlene d'un ton guindé, sans baisser la voix.

— Non, c'est ma faute », marmonna Kiki, honteuse d'être à l'origine de cet échange. Elle s'enfonça sur son siège. La voiture traversa le pont de Wellington. Kiki regarda une nuée d'oiseaux piquer sous l'arche et atterrir sur la rivière glacée.

« Pensez-vous, demanda Carlene inquiète, qu'il faut faire plusieurs magasins, ou qu'il vaut mieux en choisir un grand et s'y tenir ?

— Moi, je suis pour tous les éviter !

— Vous n'aimez pas Noël ? »

Kiki réfléchit. « Pas exactement. Mais ça ne me fait pas le même effet qu'avant. *J'adorais* Noël en Floride, il faisait *chaud* en Floride, mais ce n'est même pas la raison. Mon père était pasteur et il m'a transmis la signification de Noël, non pas en termes de foi, mais il pensait que Noël représentait "l'espoir que les meilleures choses se réalisent". C'est comme ça qu'il disait. C'était une façon de se rappeler ce que nous pourrions être. Maintenant, il s'agit surtout de recevoir des cadeaux.

— Et vous n'aimez pas les cadeaux.

— Je n'ai plus besoin de rien maintenant.

— Eh bien, je vous garde quand même sur ma liste », dit Carlene joviale ; de sa place à l'avant elle agita un petit carnet blanc. Puis, sur un ton plus sérieux, elle dit : « J'aimerais vous offrir quelque chose, pour vous remercier. J'ai été plutôt seule ces derniers temps. Et vous avez eu la bonté de me rendre visite et de passer quelques moments avec moi... même si je ne suis pas de très bonne compagnie actuellement.

— Mais non. C'est un plaisir de vous voir. J'aimerais le faire plus souvent. Maintenant, barrez mon nom de cette satanée liste. »

Mais il y resta, même si aucun cadeau n'était inscrit à côté. Elles traversèrent de long en large et d'un pas lourd un énorme centre commercial glacé et trouvèrent quelques vêtements pour Victoria et Michael. Quand Carlene faisait les courses elle était désordonnée et paniquée ; elle passait vingt minutes à examiner un article très joli sans se décider, puis achetait trois choses quelconques à la hâte. Elle parla beaucoup de bonnes affaires et du fait d'en avoir pour son argent, ce qui déprima quelque peu Kiki, vu la situation financière manifestement confortable des Kipps. Cependant, Carlene voulait offrir à Monty quelque chose de « vraiment bien » ; les deux femmes bravèrent donc la neige pour se rendre à trois pâtés de maisons de là, dans une boutique spécialisée plus chic et plus petite où Carlene espérait trouver une canne à pommeau sculpté.

« Et vous, qu'allez-vous faire à Noël ? demanda Kiki tandis qu'elles avançaient péniblement à travers la foule sur Newbury Street. Vous irez quelque part ? Vous retournerez en Angleterre ?

— D'habitude, nous passons Noël à la campagne. On a un magnifique cottage à Iden. C'est près de Winchelsea Beach. Vous connaissez ? »

Kiki avoua son ignorance.

« C'est le lieu le plus beau que je connaisse. Mais cette année, nous sommes obligés de rester ici. Michael est déjà en Amérique, il repartira le 3 janvier. J'ai tellement hâte de le voir ! Nos amis ont une maison à Amherst qu'ils vont nous prêter, tout près de là où habitait Miss Dickinson. Elle vous plairait. Je l'ai visitée, elle est très jolie et très grande, même si je la trouve moins belle que celle d'Iden. Mais la chose vraiment formidable, c'est leur collection d'art. Ils ont trois Edward Hopper, deux Sargent, et un Miró ! »

Kiki fut estomaquée ; elle applaudit. « Oh, mon Dieu, j'adore Edward Hopper. C'est incroyable ! Il me *sidère*. Vous *imaginez*, avoir des choses comme ça chez vous ? Oh, ma douce, je vous envie, vraiment. J'aimerais tant voir ça. C'est *merveilleux*.

— Ils sont passés déposer la clé aujourd'hui. J'aimerais y être déjà. Mais je devrais quand même attendre que Monty et les enfants rentrent à la maison. » Ce dernier mot la laissa songeuse, comme si d'autres pensées avaient pris le pas dans son esprit. « Comment vont les choses chez vous, Kiki ? J'ai beaucoup pensé à vous. J'étais inquiète. »

Kiki passa un bras autour de son amie. « Carlene, honnêtement, ne vous inquiétez pas pour moi. Tout va bien. Ça se tasse. Même si Noël *est loin d'être* l'époque la plus facile chez nous, chantonna Kiki, détournant habilement le sujet de conversation. Howard ne supporte pas Noël.

— Howard... ma *parole*. Il a l'air de détester tant de choses. La peinture, mon mari... »

Kiki ouvrit la bouche sans savoir ce qu'elle pouvait dire pour contrer cette affirmation. Carlene lui caressa la main.

« Je suis taquine, je ne faisais que vous taquiner. Donc, il déteste Noël aussi. Parce qu'il n'est pas chrétien.

— En fait, personne chez nous ne l'est, répondit Kiki fermement, pour éviter tout malentendu. Mais Howard est particulièrement déterminé sur ce point. Il ne veut rien voir qui y ait trait dans la maison. Les enfants étaient tristes au début, mais ils s'y sont habitués maintenant, et on se rattrape avec autre chose. Mais sinon, ni lait de poule ni guirlandes n'ont droit de cité dans notre maison !

— À vous entendre, on dirait un harpagon !

— Non... il n'est pas du tout *radin*. En fait, il est incroyablement généreux. On fait un gueuleton qui n'en finit plus le jour même, et il couvre les enfants de cadeaux le jour du Nouvel An, mais il refuse de fêter Noël. Je crois qu'on ira voir des amis à Londres cette année... ça dépend si les enfants sont d'accord. Un couple que nous connaissons depuis longtemps. On y est allés il y a deux ans, c'était charmant. Ils sont juifs, donc il n'y a pas de problème. C'est comme ça qu'Howard aime les choses : pas de rites, pas de superstitions, pas de traditions et pas d'images du père Noël. Ça doit sembler étrange, j'imagine, mais nous y sommes habitués.

— Je ne vous crois pas, vous vous moquez.

— C'est vrai ! En fait, quand on y pense, c'est une politique plutôt chrétienne. Tu ne te prosterneras point devant des images taillées, tu ne te prosterneras point devant un autre dieu que moi...

— Je vois, dit Carlene, consternée par la légèreté dont Kiki faisait preuve en évoquant le sujet. Mais qui est son Dieu ? »

Kiki se préparait à répondre à cette question difficile lorsqu'elle fut distraite par le bruit et les couleurs d'un groupe d'Africains à un pâté de maisons de là. Occupant la moitié du trottoir, ils vendaient leurs contrefaçons, et parmi eux, cela ne faisait aucun doute, parmi eux se trouvait...

Mais, alors qu'elle l'apostrophait, des badauds faisant leurs courses les croisèrent en sens inverse, lui bouchant la vue, et lorsqu'ils eurent passé leur chemin, le mirage avait disparu.

« C'est bizarre, non ? J'ai *constamment* l'impression de voir Levi, jamais les deux autres. C'est l'uniforme : casquette, capuche, jean. Tous ces garçons sont habillés exactement de la même façon que Levi. On dirait une putain d'armée. Je vois des garçons qui lui ressemblent partout où je vais.

— Quoi qu'en disent les médecins », affirma Carlene en s'appuyant sur Kiki, tandis qu'elles montaient les quelques marches menant à un petit hôtel particulier du dix-huitième siècle réaménagé pour faire de la place aux produits, aux vendeurs et aux clients, « les yeux et le cœur sont directement reliés. »

Dans ce magasin, elles trouvèrent une canne qui correspondait presque à celle que Carlene avait en tête. Ainsi que des mouchoirs brodés d'un monogramme, et une lavallière des plus hideuses. Carlene était satisfaite. Kiki suggéra de faire emballer le tout par le personnel du magasin. Carlene, qui n'avait jamais imaginé qu'une telle faveur pût exister, demeura près de la fille chargée des paquets-cadeaux, et ne put s'empêcher de proposer à l'occasion son doigt pour tenir un morceau de scotch ou d'aider à faire un nœud.

« Ah, un Hopper », dit Kiki, heureuse de la coïncidence. En effet, accrochée au mur parmi les nombreuses lithographies médiocres de célèbres tableaux américains — censées signaler que ce lieu, contrairement au centre commercial d'où elles venaient, avait de la classe — se trouvait une reproduction de *Route dans le Maine*. « Quelqu'un vient de marcher le long de cette route, murmura-t-elle en passant doucement le doigt sur la surface plate et dénuée de peinture. En fait, je crois que c'était moi. Je me promenais nonchalamment en comptant les poteaux. Sans savoir où j'allais. Pas de famille. Pas de responsabilités. Comme ce serait merveilleux !

— Allons à Amherst », dit Carlene Kipps à brûle-pourpoint. Elle saisit la main de Kiki.

« Oh, ma chère, j'aimerais bien y aller un de ces jours ! Ce serait un vrai régal de voir des tableaux comme ça, et pas dans un musée. Ouah... c'est tellement gentil de m'inviter, merci. Je m'en réjouis d'avance. »

Carlene eut l'air affolé. « Non, ma chère, maintenant, allons-y maintenant. J'ai les clés, si on prend le train on y sera à temps pour déjeuner. Je veux que vous voyiez ces tableaux, ils sont faits pour être appréciés par quelqu'un comme vous. On ira dès que tout sera emballé. On sera de retour demain soir. »

Kiki regarda par les portes la neige qui tombait en biais. Elle contempla le visage pâle et émacié de son amie, et sentit la main de Carlene trembler dans la sienne.

« Vraiment, Carlene, une autre fois, j'aimerais y aller, mais... la météo ne s'y prête pas... et il est un peu tard pour se mettre en route : peut-être qu'on pourrait organiser un petit voyage la semaine prochaine, et... »

Carlene Kipps lâcha la main de Kiki et se détourna vers l'emballage de ses cadeaux. Elle était contrariée. Elles quittèrent le magasin peu après. Carlene attendit sous une banne tandis que Kiki sortait sous la neige pour héler un taxi.

« Vous m'avez rendu un grand service, c'est très aimable », dit Carlene formellement tandis que Kiki lui ouvrait la portière, comme si elles ne montaient pas toutes deux dans le même taxi. Le trajet du retour fut tendu et silencieux.

« Quand reviennent les vôtres ? » demanda Kiki, qui dut répéter sa question, car soit Carlene ne l'avait pas entendue, soit elle n'avait pas voulu l'entendre.

« Cela dépendra des obligations de Monty, répondit Carlene pompeusement. Il y a une église là-bas avec laquelle il travaille beaucoup. Il ne partira que lorsqu'ils pourront se passer de lui. Il a un profond sens du devoir. »

Alors ce fut au tour de Kiki d'être irritée.

Elles se séparèrent devant la maison de Carlene, et Kiki décida de faire le reste du trajet jusque chez elle à pied. Tandis qu'elle avançait tant bien que mal dans la neige fondue, elle fut bouleversée par la conviction grandissante d'avoir fait une erreur. Elle avait fait preuve de bêtise et de perversité en réagissant à la spontanéité passionnée de Carlene par des plaintes sur le temps qu'il faisait et le choix du moment. Elle eut le sentiment d'avoir échoué à une mise à l'épreuve. C'était exactement le genre de proposition qu'Howard et les enfants auraient trouvée absurde, sentimentale et malcommode — en l'occurrence, elle regrettait de ne pas l'avoir acceptée. Elle passa le reste de l'après-midi fort marrie, irritable avec les siens et indifférente au déjeuner pour la paix (un des nombreux repas de ce genre) qu'Howard lui avait préparé. En sortant de table, elle mit son chapeau et ses gants et regagna la maison de Redwood Avenue. Clotilde ouvrit la porte et l'informa que Mrs Kipps venait juste de partir pour la maison d'Amherst, et qu'elle ne rentrerait que le lendemain.

Paniquée, Kiki courut tant bien que mal jusqu'à l'arrêt de bus ; puis elle abandonna l'idée de prendre le bus, marcha jusqu'au carrefour et réussit à trouver un taxi. À la gare, elle retrouva Carlene en train de s'acheter un chocolat chaud avant de monter dans le train.

« Kiki !

— J'ai décidé de vous accompagner, j'adorerais, si je suis toujours la bienvenue. »

Carlene posa une main gantée sur la joue brûlante de Kiki, laquelle, de façon tout à fait inattendue, eut envie de pleurer.

« Vous resterez dormir. On mangera en ville et on passera toute la journée de demain dans la maison. Quelle femme curieuse vous êtes. Vous en avez, des façons de faire ! »

Elles remontaient le quai bras dessus bras dessous lorsqu'elles entendirent crier plusieurs fois le nom de Carlene. « Maman ! Hé, maman !

— Vee ! Michael ! Mais c'est..., bonjour, mes chéris ! Monty !

— Carlene que fais-tu donc ici ? Viens là que je t'embrasse, vieille sotte, quelle *idée* ! Tu te sens mieux alors. »

335

Carlene hocha la tête comme une enfant heureuse. « Bonjour », dit Monty, qui grimaça en saluant Kiki. Il lui serra rapidement la main puis se retourna vers sa femme. « C'était un cauchemar à New York : l'incompétent qui dirige cette église..., incompétent ou criminel, je ne sais pas, en tout cas, nous avons décidé de rentrer en avance, et heureusement... il n'est pas question que Michael se marie dans cet endroit, c'est moi qui te le dis, pas question, mais qu'est-ce que tu...

— J'allais chez Eleanor », dit Carlene, qui rayonnait sous les baisers de ses deux enfants, dont l'un d'eux, Victoria, lançait à Kiki des regards d'amante jalouse. L'autre jeune fille, habillée sobrement d'un col roulé bleu avec un collier de perles, tenait le bras disponible de Michael. Sa fiancée, supposa Kiki.

« Kiki, je crois que nous allons devoir reporter notre voyage.

— L'homme m'a affirmé ne rien savoir — rien — des quatre dernières lettres que nous lui avons envoyées au sujet de l'école à Trinidad. Il s'en était lavé les mains ! Dommage qu'il n'ait alerté personne de notre côté.

— Et ses comptes étaient plus que douteux. Je les ai épluchés. Il y avait quelque chose qui clochait sérieusement », ajouta Michael.

Kiki sourit. « Très bien, dit-elle. Partie remise, à une autre fois.

— Vous voulez qu'on vous dépose ? demanda Monty d'un ton bourru alors que la famille s'apprêtait à partir.

— Oh, non merci, non... vous êtes cinq, et un taxi ne... »

L'heureux clan s'éloigna vivement sur le quai, riant et parlant en même temps, tandis que le train pour Amherst se mettait en branle et que Kiki se tenait là, le chocolat chaud de Carlene à la main.

De la beauté et d'avoir tort

Lorsque je dis que je déteste le temps, Paul répond
mais sans lui, comment former son
caractère, comment se façonner une âme ?

Mark Doty

1

Un espace vert tentaculaire du nord de Londres, avec ses chênes, ses saules et ses châtaigniers, ses ifs et ses sycomores, ses hêtres et ses bouleaux ; qui domine la ville et s'étend bien au-delà ; qui, quoique planté avec soin, tient plus du parc abandonné, mais qui, sans être la campagne, n'est pas plus un jardin que ne l'est Yellowstone ; qui a une multitude de tons verts pour chaque intensité de lumière ; qui se couvre en automne de chaudes teintes brunes ambrées, et de jaune canari au flamboyant printemps ; avec ses buissons d'herbes hautes qui chatouillent la peau, et abritent les ados amoureux et les fumeurs de joints, avec ses larges chênes contre lesquels s'embrassent des hommes téméraires ; ses prairies tondues pour les jeux de ballon en été, ses collines pour les amateurs de cerfs-volants, ses étangs pour les hippies, sa piscine de plein air glacée pour les vieux intrépides, ses méchants lamas pour enfants méchants, et, pour les touristes, son manoir à la façade d'un blanc immaculé digne d'un gros plan hollywoodien, et son salon de thé — même si vous avez tout intérêt à aller déguster dehors ce que vous y achetez, les pieds dans l'herbe, assis à l'ombre d'un magnolia, sous une pluie de clochettes blanches évasées aux bords teintés de rose. Hampstead Heath ! Gloire de Londres ! Où Keats se promenait et où

Jarman tirait des coups, où Orwell venait soigner ses poumons affaiblis et où Constable ne manquait jamais de trouver du sacré.

Nous sommes fin décembre ; la lande d'Hampstead a revêtu son austère cape d'hiver. Le ciel est incolore. Les arbres sont noirs et brutalement élagués. L'herbe couverte de gelée blanche craque sous les pieds, et seul l'éclat cramoisi du houx dessine çà et là un peu de relief. Dans une maison haute et étroite donnant sur toute cette splendeur, les Belsey passent leurs vacances de Noël avec Rachel et Adam Miller, de très vieux amis de fac d'Howard, mariés depuis plus longtemps qu'eux, qui n'ont pas d'enfants et ne fêtent pas Noël. Les Belsey ont toujours aimé leur rendre visite. Pas tant pour la maison elle-même, qui est une anarchie de chats, de chiens, de toiles inachevées, de bocaux de nourriture mystérieuse, de masques africains poussiéreux, de quelque douze mille livres, et d'une dangereuse quantité de bibelots et autres babioles. Mais la lande ! La vue de chaque fenêtre vous ordonne de sortir et d'en profiter. Les invités s'exécutent malgré le froid. Ils passent la moitié de leur temps dans le petit jardin des Miller plein de ronces, qui malgré son étendue limitée présente l'intérêt de déboucher directement sur les étangs d'Hampstead. Howard, les enfants Belsey, Rachel et Adam étaient tous dans le jardin — les enfants faisant des ricochets sur l'eau, les adultes observant deux pies qui bâtissaient leur nid dans les hauteurs d'un arbre — lorsque Kiki ouvrit une triple fenêtre en saillie et se dirigea vers eux la main sur la bouche.

« Elle est morte ! »

Howard regarda sa femme et ne se sentit que vaguement alarmé. Tous ceux qu'il aimait véritablement se trouvaient avec lui, ici dans le jardin. Kiki s'approcha tout près de lui et d'une voix rauque répéta son message.

« Qui..., Kiki, *qui* est morte ?

— Carlene ! Carlene Kipps. C'était Michael, le fils, au téléphone.

— Comment diantre ont-ils eu ce numéro ? demanda Howard bêtement.

— Je sais *pas*..., j'imagine qu'à l'hôpital..., je n'en reviens pas. Je l'ai vue il y a deux semaines ! Elle sera enterrée ici, à Londres. Au cimetière de Kensal Green. L'enterrement a lieu vendredi. »

Howard fronça les sourcils.

« Enterrement ? Mais... nous n'allons quand même pas y aller.

— BIEN SÛR QU'ON Y VA ! » cria Kiki, qui commença à pleurer. Ses enfants, alertés, s'approchèrent. Howard enlaça sa femme.

« O.K., O.K., O.K., on y va, on y va. Ma chérie, excuse-moi. Je ne savais pas que tu... » Howard cessa de parler et lui baisa la tempe. Cela faisait des lustres qu'il n'avait pas été aussi proche d'elle physiquement.

☆

À moins de deux kilomètres, au pied d'une colline, dans le quartier verdoyant de Queen's Park, on s'occupait douloureusement des choses pratiques qui s'imposent après un décès. Une heure avant que Michael ne téléphone à Kiki, Monty Kipps avait invité sa famille — Victoria, Michael et Amelia, sa fiancée — à le rejoindre dans son bureau. Au son de sa voix, chacun s'était préparé à recevoir d'encore plus pénibles nouvelles. Une semaine auparavant, à Amherst, ils avaient appris la cause de la mort de Carlene : un cancer foudroyant qu'elle avait caché à sa famille. Dans sa valise ils avaient trouvé des antidouleurs que seuls les hôpitaux sont en mesure de prescrire. La famille ne savait toujours pas qui les lui avaient fournis ; Michael passait le plus clair de son temps à hurler sur des médecins dans le combiné. Il était plus facile d'agir ainsi que de se demander pourquoi sa mère, se sachant condamnée, avait ressenti le besoin de cacher son état de santé aux êtres qui l'aimaient le plus. Extrêmement inquiets, les jeunes gens pénétrèrent dans la pièce et s'installèrent dans son inconfortable mobilier édouardien. Les stores étaient tirés. Seul le feu d'une petite bûche dans la cheminée en faïence fleurie illuminait la pièce. Monty avait l'air fatigué. Ses yeux de carlin étaient rougis, et son gilet déboutonné et sale pendait de chaque côté de son ventre.

« Michael », dit Monty, et il tendit à son fils une petite enveloppe. Michael la saisit.

« La seule chose que l'on puisse supposer, dit Monty tandis que Michael sortait de l'enveloppe une simple feuille de papier plié, c'est que la maladie de votre mère avait commencé à affecter son esprit. Ce mot a été trouvé dans le tiroir de sa table de chevet. Qu'est-ce que tu en penses ? »

Par-dessus l'épaule de son fiancé, Amelia tenta de déchiffrer ce qui était écrit et, lorsqu'elle y parvint, lâcha un petit cri de surprise.

« Eh bien, premièrement, ce document n'a aucune valeur légale, dit Michael de but en blanc.

— C'est écrit au crayon ! laissa échapper Amelia.

— Personne ne prétend le contraire, dit Monty en se pinçant l'arête du nez. Ce n'est pas la question. La question, c'est : qu'est-ce que cela veut dire ?

— Elle n'aurait jamais écrit une chose pareille, dit Michael sûr de lui. Qui peut affirmer que c'est son écriture ? Je ne pense pas que ce soit le cas.

— Mais qu'est-ce qui est marqué ? » dit Victoria qui recommença à pleurer, chose qu'elle faisait presque chaque heure depuis quatre jours.

« *À qui de droit*, commença Amelia les yeux écarquillés comme une enfant, et chuchotant comme un bébé. *À ma mort je laisse mon tableau d'Hector Hyp, Hyp...* j'arrive jamais à prononcer ce nom !... *Maîtresse Er... Erzu...*

342

— Bon sang, on sait de quel tableau il s'agit ! lâcha Michael d'un ton sec. Désolé, papa, ajouta-t-il.

— ... *à Mrs Kiki Belsey* ! annonça Amelia comme si ces mots étaient les plus remarquables qu'on lui eût jamais demandé de prononcer. Et c'est signé par Mrs Kipps !

— Elle n'a pas écrit ça, répéta Michael. Sûrement pas. Elle n'aurait jamais fait une chose pareille. Désolé. Impossible. De toute évidence, cette femme avait une emprise sur maman dont on ne savait rien : elle a dû convoiter ce tableau depuis un moment... on sait qu'elle est venue à la maison. Non, désolé, c'est complètement à côté de la plaque, conclut Michael, même s'il venait de se contredire.

— Elle a ensorcelé Mrs Kipps ! cria Amelia, dont l'innocente imagination était infectée par les épisodes les plus tape-à-l'œil de la Bible.

— Tais-toi, Amelia », maugréa Michael. Il retourna la feuille de papier, comme si le verso blanc pouvait lui donner un indice sur son origine.

« Ceci est une affaire de famille, Amelia, dit Monty avec sévérité. Et tu n'es pas encore de la famille. Il serait préférable que tu gardes tes commentaires pour toi. »

Amelia se saisit de la croix qu'elle portait autour du cou et baissa les yeux. Victoria se leva de son fauteuil et arracha la feuille de papier des mains de son frère. « C'est l'écriture de maman. J'en suis sûre.

— Oui, dit Monty judicieusement. Je crois qu'il n'y a aucun doute là-dessus.

— Écoute, il vaut quoi, ce tableau ? Quelque chose comme trois cent mille ? En sterling ? dit Michael, car contrairement aux Belsey les Kipps ne répugnaient pas à parler d'argent. Donc, il n'est pas possible, *absolument pas possible* qu'elle ait pu laisser ce tableau sortir de la famille.. et ce qui me conforte dans mes idées, c'est qu'elle avait parlé, plutôt récemment d'ailleurs...

— De nous le donner à nous ! couina Amelia. Comme cadeau de mariage !

— Il se trouve que c'est vrai, acquiesça Michael. Maintenant, tu m'apprends qu'elle a laissé le tableau le plus précieux de notre collection à une quasi-inconnue ? À Kiki Belsey ? Ça m'étonnerait.

— Est-ce qu'il n'y avait pas une autre lettre, rien d'autre ? demanda Victoria déconcertée.

— Rien », dit Monty. Il passa une main sur son crâne chauve. « Je n'y comprends rien. »

Michael tapa sur l'accoudoir du siège sur lequel il était assis. « Quand je pense que cette femme a essayé de profiter de quelqu'un d'aussi malade que maman, ça me dégoûte.

— Michael, la question, c'est comment doit-on s'y prendre ? »

Les hommes se mirent à réfléchir. Les femmes, à qui on ne demandait rien, s'enfoncèrent instinctivement dans leurs sièges tandis que Michael et son père se penchèrent en avant, les coudes sur les genoux.

« Tu crois que Kiki Belsey est au courant de ce... *message* ? dit Michael en prononçant ce dernier mot comme s'il avait de la peine à croire en son existence.

— C'est justement ce qu'on ne sait pas. En tout cas, elle n'a rien réclamé. Pas encore.

— Qu'elle soit au courant ou non, s'écria Victoria, elle ne peut rien prouver, pas vrai ? Je veux dire, elle n'a aucune preuve écrite qui serait recevable par un tribunal. Putain, mais il nous revient de droit, ce tableau ! » Victoria s'abandonna de nouveau aux sanglots. Elle pleurait de dépit. Jamais la mort, sous quelque forme que ce soit, n'avait atteint les doux confins de sa vie. L'incrédulité se mêlait étroitement à la douleur qu'elle ressentait. Dans tous les autres domaines, lorsque les Kipps étaient atteints, ils se défendaient : Monty avait engagé trois poursuites pour diffamation ; Michael et Victoria avaient été élevées pour défendre avec férocité leur foi et leurs idées politiques. Mais ça — on ne pouvait pas se battre contre ça. Les progressistes laïques, c'était une chose ; la mort en était une autre.

« Je ne veux pas t'entendre parler comme ça, Victoria, dit Monty avec force. Je te prie de respecter cette maison et ta famille.

— Apparemment, je respecte ma famille plus que maman : elle ne nous mentionne même pas. » Elle brandit le message et, dans son élan, le lâcha. La feuille tomba en flottant mollement sur la moquette.

« Votre mère », dit Monty, puis il s'interrompit et, pour la première fois depuis le début de cette histoire, ses enfants le virent verser une larme. C'en était trop pour Michael : il laissa aller sa tête dans les coussins, émit un cri rauque et angoissé, et commença lui aussi à verser d'étonnantes larmes de colère.

« Votre mère, tenta Monty à nouveau, était une femme dévouée et une mère magnifique. Mais elle était très malade à la fin et seul le Seigneur sait comment elle l'a supporté. Et ça, dit-il en ramassant le message par terre, c'est un symptôme de sa maladie.

— Amen ! dit Amelia en serrant son fiancé contre elle.

— Ammy, s'il te plaît », grogna ce dernier en la repoussant. Amelia cacha son visage dans l'épaule de Michael.

« Je regrette de vous l'avoir montré, dit Monty en pliant la feuille en deux. Ça n'a aucun sens.

— Personne ne pense que ça a du sens, lança Michael en s'essuyant le visage avec un mouchoir qu'Amelia avait eu la présence d'esprit de lui donner. Brûle-le et qu'on n'en parle plus. »

Enfin le mot avait été prononcé. La bûche émit un bruyant craquement, comme si le feu écoutait et réclamait de nouveaux combustibles. Victoria ouvrit la bouche mais se tut.

« Exactement », dit Monty. Il froissa le mot dans sa main et le jeta d'un geste sec dans les flammes. « Même si je trouve qu'on devrait l'inviter à l'enterrement. Mrs Belsey.

— Pourquoi ! cria Amelia. Elle est ignoble, je l'ai vue la fois où on s'est croisés à la gare et elle m'a regardée comme si je n'existais même pas ! Elle est prétentieuse. Et c'est pratiquement une Rasta ! »

Monty grimaça. Il était de plus en plus clair qu'Amelia n'était pas la plus réservée des jeunes chrétiennes réservées.

« Ce n'est pas bête, ce que dit Ammy. Pourquoi l'inviter ? dit Michael.

— De toute évidence, votre mère se sentait proche de Mrs Belsey. On l'a tous laissée un peu seule ces derniers mois. » Au son de cette vérité criante chacun s'efforça de fixer un point par terre. « Mrs Belsey était devenue son amie. Peu importe ce que nous en pensons, nous devons le respecter. Nous devrions l'inviter. C'est la moindre des choses. Est-ce qu'on est d'accord ? Je serais étonné qu'elle puisse venir, de toute façon. »

Quelques minutes plus tard les enfants ressortirent du bureau, chacun un peu plus déconcerté par la véritable personnalité de celle dont la page nécrologique paraîtrait dans le *Times* du lendemain matin : Lady Kipps, femme aimante de Sir Montague Kipps, mère dévouée de Victoria et de Michael, Anglo-Jamaïcaine de la première génération, infatigable bénévole de sa paroisse, mécène.

2

Par les fenêtres sales de leur taxi les Belsey observèrent Hampstead se transformer pour devenir West Hampstead, puis Willesden. Le long de chaque ligne aérienne de chemin de fer, toujours plus de graffitis ; dans chaque rue, moins d'arbres, et toujours plus de sacs plastique frémissant accrochés à leurs branches. Les restaurants de poulet frit se multiplièrent à tel point qu'à Willesden Green une enseigne sur deux ou presque avait quelque chose à voir avec la volaille. Sur un mur au-dessus des rails, à une hauteur qui avait mis le taggueur en danger de mort, un message écrit en carac-

tères gigantesques : TA MÈRE A APPELÉ. En d'autres circonstances, cela eût été drôle.

« Ça devient un peu plus... minable par ici, tenta Zora de
la nouvelle voix calme qu'elle avait adoptée pour la circons-
tance. Ils sont pas riches ? Je croyais qu'ils étaient riches.

— C'est là qu'ils habitent, dit Jerome avec simplicité. Ils
adorent vivre ici. Ils y ont toujours vécu. Ils ne sont pas prétentieux. C'est ça que j'essayais toujours de vous faire comprendre. »

Howard heurta son alliance contre le verre épais de la
fenêtre. « Ne te fie pas aux apparences. Il y a des maisons
grandioses par ici. En plus, les hommes comme Monty adorent être la star du patelin.

« *Howard* », dit Kiki sur un ton qui empêcha toute discussion jusqu'à Winchester Lane, où leur trajet s'acheva. La voiture se gara près d'une petite église anglaise campagnarde,
arrachée de son environnement villageois et parachutée
dans cette banlieue urbaine — en tout cas, telle fut l'impression des enfants Belsey. En fait, c'était la campagne qui avait
rétréci. À peine cent ans plus tôt, quelque cent âmes vivaient
dans cette paroisse de pâturages et de vergers ; ces terrains
étaient loués à un collège d'Oxford, institution qui compte
encore parmi ses possessions une grande partie de Willesden Green. C'était effectivement une église campagnarde.
Debout dans la cour couverte de gravier, sous les branches
nues d'un cerisier, Howard parvenait presque à imaginer des
enclos, des haies, de l'églantine, et des ruelles pavées à la
place de la grouillante rue principale.

Une foule se formait. Elle se massait autour du monument aux morts de la Première Guerre mondiale, un simple
pilier à l'inscription illisible, chaque mot se fondant dans les
rainures de la pierre. La plupart des gens étaient tout de
noir vêtus, même si nombre d'entre eux, comme les Belsey,
ne l'étaient pas. Un petit homme sec, qui portait une veste
orange d'éboueur, faisait courir deux bull-terriers blancs et
identiques sur le petit monticule verdoyant entre le presby-

tère et l'église. Il n'avait pas l'air de faire partie de l'assistance. On lui jeta des regards désapprobateurs ; quelques commentaires désobligeants fusèrent. Il continuait de lancer son bâton aux deux chiens, qui persistaient à le lui rapporter, leurs mâchoires respectives cramponnées à chaque extrémité, formant ainsi une nouvelle créature à huit pattes aux mouvements parfaitement coordonnés.

« Des gens de tous les horizons, murmura Jerome, car tout le monde murmurait. Ça se voit bien qu'elle connaissait toutes sortes de personnes. Vous imaginez chez nous un enterrement, ou *n'importe quel* événement aussi bigarré ? »

Les Belsey regardèrent autour d'eux et se rendirent compte que Jerome avait raison. Tous les âges, toutes les couleurs, et plusieurs religions ; des gens très bien habillés — chapeaux et sacs à main, perles et bagues — et des gens issus d'un tout autre monde, en jean et casquette de baseball, saris et duffel-coats. Et parmi eux — quel bonheur — Erskine Jegede ! Il eût été déplacé de crier sa joie et de faire des signes de la main ; on envoya donc Levi le chercher. Erskine s'approcha de sa lourde démarche de taureau, vêtu de tweed vert bouteille très chic et brandissant un parapluie comme une canne. Ne lui manquait que le monocle. En le voyant, Kiki ne comprit pas comment elle avait pu ne pas remarquer auparavant que, le côté dandy à outrance d'Erskine mis à part, ses goûts vestimentaires et ceux de Monty étaient sensiblement identiques.

« Ersk, *Dieu merci*, tu es là, dit Howard en enlaçant son ami. Mais pourquoi ? Je croyais que vous passiez Noël à Paris.

— On y *était*, on est descendus au Crillon..., quel hôtel d'ailleurs, c'est un endroit somptueux, et j'ai reçu un appel de Brockes, Lord Brockes, ajouta Erskine jovialement. Mais Howard, tu *sais bien* que je connais notre ami Monty depuis *très* longtemps. Le premier Noir à Oxford, c'est soit lui, soit moi, on n'est jamais d'accord sur ce point. Mais même si nous n'avons pas toujours vu les choses de la même façon, il a de l'éducation, et moi aussi. Donc me voici.

— Bien *sûr*, dit Kiki d'une voix chargée d'émotion et elle saisit la main d'Erskine.

— Puis, naturellement, Caroline a insisté », poursuivit Erskine malicieusement en désignant d'un mouvement de tête la mince silhouette de sa femme à quelques mètres de là, et en lui adressant un regard où se mêlaient ironie et tendresse. Sous le porche de l'église, elle était en pleine discussion avec un Noir anglais, célèbre présentateur du journal télévisé. « Mon épouse est une femme aux capacités étonnantes. C'est la seule personne de ma connaissance qui fait des mondanités même aux enterrements. » Erskine mit la sourdine sur son puissant rire nigérian. « *Tous ceux qui comptent y seront*, dit-il en imitant — mal — l'accent d'Atlanta de sa femme, même si je crains qu'il y ait moins de personnalités que prévu. En tout cas, je n'ai jamais vu *de ma vie* la moitié des gens ici présents. Mais bon. Au Nigeria, on pleure aux enterrements ; apparemment, à Atlanta, on y développe ses réseaux. C'est merveilleux ! À vrai dire, je suis plutôt surpris de *vous* voir ici. Je croyais que tu préparais un duel avec Monty pour janvier. » Erskine mania son parapluie comme une rapière. « En tout cas, c'est la rumeur qui court à la fac. Oui, Howard. Ne va pas me dire que tu n'as pas d'arrière-pensée ? Hein ? Mais... est-ce que j'ai fait une bourde ? demanda Erskine lorsque Kiki retira sa main de la sienne.

— Euh... je crois que maman et Carlene étaient plutôt proches », murmura Jerome.

Erskine posa théâtralement sa main sur son cœur. « Mais vous n'auriez pas dû me laisser parler à tort et à travers ! Kiki, je ne savais pas du tout que tu connaissais cette dame. Je suis très gêné.

— Mais non », dit Kiki. Elle le regarda froidement. La moindre friction en société paralysait Erskine. Il donnait l'impression de souffrir physiquement.

Ce fut Zora qui lui sauva la mise. « Hé, papa, c'est pas Zia Malmud, là-bas ? Vous n'étiez pas tous en fac avec lui ? »

Zia Malmud, intellectuel, ex-socialiste, militant pacifiste, essayiste, poète occasionnel, épine dans le pied du gouvernement actuel, habitué des plateaux de télévision — ou, comme Howard l'avait succinctement dit, « le parfait monsieur citation » —, se trouvait près du monument aux morts, fumant sa pipe légendaire. Howard et Erskine fendirent prestement la foule afin d'aller saluer leur ancien camarade d'Oxford. Kiki les regarda s'éloigner. Elle vit se dessiner à gros traits sur le visage d'Howard un soulagement vulgaire. Pour la première fois depuis leur arrivée à l'enterrement, il avait réussi à maîtriser ses mouvements convulsifs, à cesser de farfouiller dans ses poches et de se triturer les cheveux. Car là se trouvait Zia Malmud, qui en soi n'avait absolument aucun lien direct avec l'idée de la mort, et qui pouvait donc lui donner des nouvelles bienvenues d'un autre monde, loin de cet enterrement, le monde *d'Howard* : un monde de conversation, de débats, d'ennemis, de journaux, d'universités. Raconte-moi n'importe quoi mais ne me parle pas de la mort. Pourtant, le seul devoir que l'on a lorsqu'on se rend à un enterrement, c'est d'accepter que quelqu'un vient de mourir ! Kiki se détourna.

« Tu sais, dit-elle, frustrée, sans s'adresser à l'un de ses enfants en particulier, je commence à en avoir sérieusement marre d'entendre Erskine dire du mal de Caroline. Tout ce que ces hommes savent faire, c'est parler de leurs femmes avec mépris. Avec *mépris*. J'en *peux plus* !

— Oh, tu sais, maman, il n'en croit pas un mot, dit Zora avec lassitude alors qu'elle s'apprêtait encore une fois à expliquer le fonctionnement du monde à sa mère. Erskine aime Caroline. Ils sont mariés depuis des *lustres*. »

Kiki se retint de réagir. Elle se contenta d'ouvrir son sac et se mit à chercher son brillant à lèvres. Levi, qui pour pallier son ennui avait commencé à shooter dans les gravillons, lui demanda qui était le mec aux grosses chaînes en or, avec le

350

chien d'aveugle. Le maire, devina Kiki, mais elle n'en était pas sûre. *Le maire de Londres ?* Kiki acquiesça en marmonnant, mais se détourna à nouveau et se mit sur la pointe des pieds pour voir par-dessus les têtes des personnes rassemblées. Elle cherchait Monty. Elle était curieuse de le voir. Elle voulait savoir à quoi ressemblait un homme qui venait de perdre sa femme tant vénérée. Levi continua à la harceler : *De la ville tout entière ? Comme le maire de New York ?* Peut-être pas, concéda Kiki avec irritation, peut-être que c'est le maire du quartier seulement.

« Sans déc... c'est *zarbi* », dit Levi en tirant d'un doigt courbé le col raide de sa chemise qui lui comprimait le cou. Certes, il assistait pour la première fois à un enterrement, mais ce n'était pas seulement la nouveauté qui le frappait. C'était en effet un rassemblement surréel, avec cet étrange mélange des classes (que même un garçon aussi américain que Levi ne pouvait pas ne pas remarquer), et cette totale absence d'intimité provoquée par le muret en briques haut d'une cinquantaine de centimètres seulement, qui délimitait l'endroit. Voitures et bus passaient sans cesse ; des écoliers bruyants fumaient, montraient du doigt et chuchotaient ; un groupe de femmes musulmanes en hidjab complet passa en ondoyant comme une apparition.

« C'est plutôt bas de gamme, se permit Zora.

— Écoute, c'était *son* église, je suis venu ici avec elle, elle aurait voulu que la cérémonie ait lieu dans son église, insista Jerome.

— Mais *bien entendu* », dit Kiki. Des larmes lui picotèrent les yeux. Elle pressa la main de Jerome qui, surpris par cette émotion, lui pressa la main en retour. Sans la moindre annonce, ou du moins sans que les Belsey aient entendu quoi que ce soit, la foule commença à pénétrer dans l'église. L'intérieur était aussi simple que le suggérait l'extérieur. Des poutres reliaient les murs en pierre, et le jubé en chêne sombre était très simplement sculpté. Les vitraux étaient jolis, bariolés mais plutôt élémentaires, et il n'y avait qu'un tableau, suspendu en hauteur sur le mur du fond : sans éclairage, et couvert de poussière, il était trop foncé pour qu'on puisse y distinguer quoi que ce soit. Oui, lorsqu'on levait les yeux pour regarder autour de soi — comme on le fait d'instinct dans une église — tout était comme on pouvait l'imaginer. Mais une fois qu'on les baissait à nouveau, comme le firent tous ceux qui pénétraient pour la première fois dans cette église, on réprimait un frisson. Même Howard — qui se targuait d'être férocement flegmatique en ce qui concernait la modernisation architecturale — ne trouva rien de positif à dire. Le sol en pierre avait été entièrement recouvert de carrés de moquette peu épais et usés, imbriqués les uns dans les autres. Dans chaque carré, des carreaux orange avec un triste contour gris se dessinaient de plus en plus petit. Sous l'influence d'une multitude de pieds, la couleur orange était devenue marron. Puis il y avait les bancs, ou plutôt l'absence de bancs. Ils avaient tous été arrachés et remplacés par des rangées de chaises de conférence — du même orange aéroport que la moquette — disposées en un timide demi-cercle censé, supposa Howard, créer l'atmosphère amicale et informelle de réunions matinales autour d'un thé ou autre événement de quartier. Au final, l'effet était d'une laideur incomparable. Il n'était pas difficile de retrouver la logique qui avait mené à cette décision : la détresse financière, et l'argent que ne manquerait pas de générer la vente de bancs datant du dix-neuvième siècle, la sévérité autoritaire des rangées parallèles, l'aspect accueillant du demi-cercle. Mais non — c'était tout de même une décision criminelle. C'était trop laid. Kiki et sa famille s'assirent sur les petites chaises en plastique inconfortables. Il n'y avait aucun doute : Monty voulait prouver qu'il était un homme du peuple, comme les puissants aiment si souvent le faire — et qui plus est, aux dépens de sa femme. Carlene ne méritait-elle pas mieux qu'une petite église délabrée dans une rue bruyante ? Kiki se sentit trembler d'indignation. Puis, lorsque l'assistance au complet fut assise et que résonna la douce musique de l'orgue, elle changea radicalement d'avis. Jerome avait raison : c'était ici, près de chez elle, que Carlene venait prier le dimanche. En fait, il fallait féliciter Monty. Il aurait pu organiser l'enterrement dans un endroit chic de Westminster, ou en haut de la colline, à Hampstead, ou — qui sait ? — peut-être même à St Paul (Kiki ne prit pas le temps d'examiner les aspects pratiques de cette conjecture), mais non. Monty avait fait venir la dépouille mortelle de sa femme aimée ici à Willesden Green, dans la petite église locale qu'elle chérissait et dont les paroissiens avaient eu tant d'affection pour elle. Kiki se réprimanda intérieurement pour sa première réaction, ô combien belseyienne. Était-elle désormais incapable de reconnaître l'émotion véritable lorsqu'elle l'avait sous les yeux ? Ici étaient réunis des gens simples qui aimaient leur Dieu, dans cette église aménagée pour que les paroissiens s'y sentent à l'aise, autour de cet honnête homme qui avait aimé sa femme — tout cela n'était-il pas digne d'intérêt ?

« Maman, siffla Zora en tirant sur la manche de sa mère. *Maman*. C'est pas Chantelle, là ? »

Arrachée à ses anxieuses pensées, Kiki regarda docilement dans la direction que Zora indiquait du doigt, même si le nom qu'elle avait prononcé lui était inconnu.

« Ça peut pas être elle. Elle est dans ma classe, dit Zora en plissant les yeux. À vrai dire, elle n'en fait pas vraiment *partie*, mais... »

Les portes de l'église s'ouvrirent. Des rubans de lumière se faufilèrent dans la pénombre à l'intérieur, s'enroulant autour d'une pile de livres de cantiques à tranche dorée, éclairant les cheveux blonds d'un bel enfant, et la bordure cuivrée des fonts baptismaux octogonaux. Toutes les têtes de l'assistance se tournèrent simultanément, geste qui faisait terriblement écho à la cérémonie de mariage, pour voir Carlene Kipps remonter l'allée enfermée dans une boîte en bois. Seul Howard leva les yeux vers la voûte de la nef, espérant y trouver une issue, un soulagement, une distraction. Tout

353

sauf ça. Mais il fut rappelé à la réalité par un flot de musique qui venait d'un balcon au-dessus de lui et déferlait sur sa tête. Là, huit jeunes hommes — cheveux bien proprement coupés au carré, visages roses de petit garçon — mettaient leurs voix mêlées au service d'un idéal sonore qui dépassait de loin l'ensemble de leurs individualités.

Howard, qui avait cessé depuis longtemps de croire en cet idéal, fut, de façon aussi horrible que soudaine, mortellement touché. Il ne put même pas vérifier le programme qu'il tenait à la main, ni savoir qu'il s'agissait de l'*Ave Verum* de Mozart chanté par un chœur venu de Cambridge, ni même avoir le temps de se rappeler qu'il détestait Mozart, ni rire de la prétention onéreuse qui avait poussé Monty à faire venir le chœur de Kings College pour chanter à un enterrement à Willesden Green. Il était trop tard pour tout cela. Le chant s'était emparé de lui. *Aaaaah Vééééiii, Aah, aah, véi* chantaient les jeunes hommes ; la petite ascension optimiste des trois premières notes, la douleur déclinante des trois suivantes ; le cercueil passa si près du coude d'Howard qu'il crut en sentir le poids dans ses bras ; la femme à l'intérieur n'avait que sept ans de plus que lui ; il songea au séjour infini de cette femme là-dedans ; puis à la perspective de son propre séjour ; derrière le cercueil, les enfants Kipps avançaient en pleurant ; devant Howard, un homme vérifiait l'heure à sa montre comme si la fin du monde (car il s'agissait bien de cela pour Carlene Kipps) n'était qu'un simple contretemps dans sa journée chargée, alors que lui aussi connaîtrait un jour la fin de son monde, tout comme Howard, tout comme des dizaines de milliers de gens chaque jour, dont bien peu, au cours de leurs vies, parviennent à croire vraiment en ce néant vers lequel ils s'acheminent. Howard agrippa les accoudoirs de sa chaise et essaya de réguler sa respiration, au cas où il aurait été en train de faire une crise d'asthme, ou un malaise dû à la déshydratation, choses qui lui étaient déjà arrivées par le passé. Mais il s'agissait d'autre chose : il avait dans la bouche un goût de sel, d'eau salée, en grande quantité, jusque dans ses narines ; ça ruisselait le long de son cou et ça formait une petite flaque dans le délicat puits triangulaire à la base de sa gorge. Ça venait de ses yeux. Il eut le sentiment d'avoir au centre de son estomac une seconde bouche béante, qui hurlait. Des convulsions faisaient trembler les muscles de son ventre. Tout le monde autour de lui baissait la tête et joignait les mains, comme il est de mise aux enterrements, Howard le savait bien : il avait déjà assisté à de nombreuses obsèques. En temps normal, il aurait été en train de griffonner discrètement au crayon sur le bord du programme, tout en songeant au rapport désagréable qu'avait entretenu le mort dans sa boîte avec le type qui prononçait une chaleureuse oraison funèbre, ou en se demandant si la veuve du mort saluerait la maîtresse de celui-ci, assise au troisième rang. Mais à l'enterrement de Carlene Kipps, Howard resta entièrement concentré sur le cercueil. Il ne quitta pas cette boîte des yeux une seule seconde. Sûr et certain que des bruits embarrassants émanaient de lui, il était incapable de les maîtriser. Ses pensées en le quittant s'enfuirent au fin fond de leurs gouffres noirs. La pierre tombale de Zora. Celle de Levi. De Jerome. De tout le monde. La sienne. Celle de Kiki. De Kiki. De Kiki. De Kiki.

« Papa, ça va, mec ? » chuchota Levi en posant entre les omoplates de son père une main puissante et consolatrice. Mais Howard l'éluda, se leva et franchit les portes de l'église par lesquelles Carlene venait d'entrer.

☆

Le ciel, dégagé au début de la cérémonie, était désormais couvert. L'assemblée, plus bavarde en quittant l'église qu'elle ne l'avait été avant d'y entrer, partageait anecdotes et souvenirs, sans savoir comment mettre un terme de façon respectable aux conversations ; comment passer des forces invisibles de ce monde — l'amour, la mort et ce qui leur succède — à ses aspects purement pratiques : trouver un taxi et décider si on allait ou non au cimetière, à la veillée mortuaire, ou aux deux. Kiki ne pensait pas être la bienvenue ni à l'un ni à l'autre, mais tandis qu'elle se tenait avec Jerome et Levi près du cerisier, elle eut la surprise de voir arriver Monty Kipps, qui l'aborda et l'invita expressément.

« Vous êtes sûr ? Nous ne voudrions pas vous *importuner*. »

La réponse de Monty fut courtoise. « Pas le moins du monde. Tous les amis de ma femme sont les bienvenus.

— *J'étais* son amie, dit Kiki peut-être un peu trop vivement car le sourire de Monty se rétrécit et se crispa. Je veux dire, je ne la connaissais pas très bien, mais le peu que j'ai connu... eh bien, j'ai vraiment aimé ce que j'ai connu d'elle. Je suis tellement désolée. Elle était vraiment incroyable. Si généreuse avec les autres.

— Elle l'était, en effet, dit Monty, et une expression étrange passa sur son visage. Naturellement, on craignait parfois que certains ne cherchent justement à profiter de cette qualité.

— Oui ! » dit Kiki et elle lui toucha la main impulsivement. « Ça m'a frappée, moi aussi. Et je me suis rendu compte que ce serait une honte terrible pour la personne qui le *ferait*, je veux dire, pour celle qui en profiterait... mais *pas* pour elle. »

Monty hocha rapidement la tête. Il devait bien sûr parler à beaucoup d'autres personnes. Kiki retira sa main. De sa voix basse et musicale, Monty lui indiqua le chemin jusqu'au cimetière, puis jusqu'à la maison des Kipps, où la veillée mortuaire devait avoir lieu, indiquant d'un bref signe de la tête à l'intention de Jerome que ce dernier connaissait déjà leur maison. Levi écarquilla les yeux pendant cet échange : il n'avait pas pensé que ces trucs funéraires avaient des deuxième et troisième actes.

« *Merci*, vraiment. Et je suis... *tellement* désolée qu'Howard ait dû partir pendant la..., il a eu un truc... à l'estomac, dit Kiki en faisant un geste peu convaincant devant son propre ventre. Je suis désolée, vraiment.

— Je vous en prie », dit Monty en secouant la tête. Il sourit à nouveau brièvement, puis s'élança à travers la foule. Ils le regardèrent s'éloigner. Tous les deux ou trois pas, on l'abordait pour lui présenter des condoléances, qu'il recevait avec la même courtoisie et patience dont il venait de faire preuve envers les Belsey.

« Quel grand homme, dit Kiki admirative en parlant à ses fils. Vous voyez ce que je veux dire ? Il n'est pas *mesquin*, lui », dit-elle puis elle s'obligea à se taire, mue par sa nouvelle résolution de ne pas critiquer son mari devant ses enfants.

« Est-ce qu'on doit aller aux autres trucs aussi ? » demanda Levi, mais tout le monde l'ignora.

« Non mais, à *quoi* il pensait ? lâcha Kiki soudain. Comment peut-on partir au milieu d'un enterrement ? Qu'est-ce qui se passe dans sa tête ? Je ne vois pas comment ça peut... » Elle se maîtrisa à nouveau. Elle respira profondément. « Et *bon sang*, où est passée Zora ? »

Tenant ses garçons par la main, elle longea le muret. Ils trouvèrent Zora près de l'entrée de l'église en train de parler avec une fille noire bien faite qui portait un tailleur bleu marine bon marché. Ses cheveux repassés lui faisaient une coupe au carré style années vingt avec un accroche-cœur collé à sa joue. Cette vision enchanteresse ragaillardit Levi et Jerome.

« Chantelle est le nouveau projet de Monty, expliqua Zora. Je savais que c'était toi, on suit un cours de poésie ensemble. Maman, je te présente Chantelle, dont je te parlais tout à l'heure. »

Chantelle et Kiki semblèrent surprises.

« Nouveau projet ? demanda Kiki.

— Le professeur Kipps, dit Chantelle d'une voix presque inaudible, fréquente mon église. Il m'a demandé de faire un stage exceptionnel pendant les vacances de fin d'année. Noël, c'est la période la plus occupée... il faut envoyer les dons aux îles dans le besoin avant le jour de Noël... c'est une occasion formidable..., ajouta Chantelle, l'air misérable.

— Tu es à Green Park alors », dit Jerome en s'avançant d'un pas tandis que son frère restait en retrait, car chacun savait déjà pertinemment que cette fille n'était pas pour Levi. Malgré son nom et contrairement aux apparences, elle faisait partie du monde de Jerome.

« Pardon ? dit Chantelle.

— Le bureau de Monty : à Green Park. Avec Emily et les autres.

— Ouais, c'est ça », dit Chantelle, et sa lèvre se mit à trembler violemment. Jerome regretta aussitôt de l'avoir importunée de la sorte. « Je donne un coup de main, en fait... je veux dire, *j'allais* aider avec ça... mais là je crois que je vais devoir rentrer demain. »

Kiki tendit la main et toucha le coude de Chantelle. « Eh bien, au moins, tu seras chez toi pour Noël. »

Chantelle sourit douloureusement. Elle donnait la très nette impression qu'un Noël chez elle était une chose qu'il valait mieux éviter.

« Oh, ma pauvre..., ç'a dû être un choc... venir ici, et puis cette histoire affreuse... »

Kiki ne faisait qu'être elle-même, témoignant de l'empathie instinctivement, chose à laquelle ses enfants étaient habitués ; mais pour Chantelle, c'était trop précisément ce dont elle avait besoin. Elle éclata en sanglots. Kiki l'entoura aussitôt de ses bras et posa la tête de la jeune fille contre son sein.

« Oh, ma chérie..., oh... ça va. Ça va, ma chérie. Voilà... ça va mieux. Tout va bien... ça va. »

Chantelle s'écarta lentement. Levi lui caressa doucement l'épaule. C'était le genre de fille qu'on avait envie de protéger d'une manière ou d'une autre.

« Tu viens au cimetière ? Tu veux y aller avec nous ? »

Chantelle renifla et s'essuya les yeux. « Non, merci, madame, je vais rentrer chez moi. Je veux dire, à l'hôtel.

358

J'étais hébergée chez Sir Monty », articula-t-elle très soigneusement, soulignant ainsi la bizarrerie du titre à l'oreille et dans la bouche d'une Américaine. « Mais maintenant... eh bien, je pars demain de toute façon, comme je vous ai dit.

— À l'hôtel ? Un hôtel à Londres ? C'est de la folie, ma fille ! s'exclama Kiki. Tu devrais rester avec nous, chez nos amis. C'est juste pour un soir, faut pas que tu paies tout cet argent.

— Non, je ne... », commença Chantelle, puis elle se tut. « Je dois me sauver, dit-elle. J'ai été heureuse de vous rencontrer tous... je suis désolée pour... Zora, de toute façon, on se voit en janvier. Heureuse de vous connaître, madame. »

Chantelle salua les Belsey d'un hochement de tête et se dirigea prestement vers le portail. Les Belsey s'acheminèrent à sa suite, mais plus lentement, cherchant vainement Howard du regard.

« Je n'en *reviens pas*. Il est parti ! Levi, donne-moi ton portable.

— Ça marche pas ici, j'ai pas le bon forfait ou un truc comme ça.

— Moi non plus », dit Jerome.

Kiki enfonça les talons de ses escarpins dans le gravier. « Là, il est allé trop loin. La journée d'aujourd'hui était consacrée à quelqu'un d'autre, *pas* à lui. On a *enterré* quelqu'un aujourd'hui. Il ne recule vraiment devant rien.

— Maman, calme-toi. Écoute, mon portable fonctionne, mais tu pensais appeler qui au juste ? » demanda judicieusement Zora. Kiki appela Adam et Rachel, mais Howard n'était pas à Hampstead. Les Belsey s'engouffrèrent dans un des nombreux taxis que les Kipps, prévoyants, avaient pensé à commander et qui attendaient à la queue leu leu, longue file d'hommes étrangers au volant de voitures étrangères, fenêtres baissées.

3

Vingt minutes plus tôt, Howard avait quitté le cimetière, tourné à gauche et continué tout droit. Il n'avait aucune destination en tête — du moins consciemment. Son inconscient n'en pensait pas moins. Il se dirigeait vers Cricklewood.

Il termina à pied les cinq cents derniers mètres du trajet amorcé ce matin en taxi : il descendit cette changeante colline du nord de Londres, qui débouchait sur l'ignominie de Cricklewood Broadway. On traverse plusieurs secteurs en descendant cette colline, et certains s'embourgeoisent de temps à autre pour ensuite retomber dans la décrépitude, mais les points le plus haut et le plus bas — Hampstead et Cricklewood — restent identiques à eux-mêmes. Cricklewood est irrécupérable : c'est en tout cas ce qu'affirment les agents immobiliers qui passent dans leurs Mini Cooper décorées devant les salles de tombola à l'abandon, les bureaux, les entrepôts et autres hangars. Ils ont tort. Pour apprécier Cricklewood, il faut arpenter ses rues, comme Howard le fit cet après-midi-là. C'est alors qu'on se rend compte que les visages de Cricklewood que l'on croise depuis à peine un kilomètre ont plus de charme que l'ensemble des maisons à double façade de style géorgien de Primrose Hill. Les Africaines vêtues d'étoffes kenté, la blonde anguleuse et musclée comme un lévrier avec trois téléphones portables glissés dans la ceinture de son survêtement, les Polonais et les Russes reconnaissables entre mille qui introduisaient dans cette île de faces de patate sans fronts ni mentons l'ossature faciale du réalisme soviétique, les Irlandais appuyés contre les portails des HLM comme des paysans à la foire au cochon de Kerry... Les croisant à cette distance, les cataloguant *sans être obligé de leur parler*, Howard le *flâneur** s'autorisa à les aimer et, plus encore, à se laisser aller au sentiment romantique d'être l'un des leurs. Notre heureuse petite bande d'ordures ! Il avait les mêmes origines que ces gens-là. Il serait toujours des leurs. Il évoquait souvent et avec fierté cette ascendance lors de colloques marxistes et dans ses écrits ; il lui était arrivé de ressentir une communion semblable dans les rues de New York et les banlieues de Paris. Pourtant, en général Howard aimait que ses racines prolétaires restent là où elles s'épanouissaient le mieux : dans son imagination. La même peur, la même dynamique qui l'avaient éjecté de l'enterrement de Carlene Kipps dans ces rues froides le poussaient maintenant à entreprendre ce rare voyage : il descendit Broadway, dépassa le McDonald's puis les boucheries halal, prit la deuxième rue à gauche et arriva devant l'épais panneau de verre encastré dans la porte, au 46. Il se retrouvait devant cette porte pour la première fois depuis quatre ans. Quatre ans ! Durant l'été où la famille Belsey avait examiné la possibilité de rentrer à Londres pour les études secondaires de Levi. Après un repérage décevant des écoles du quartier nord de la ville, Kiki avait insisté pour qu'ils aillent, en souvenir du passé, faire un tour au 46 avec les enfants. La visite avait été un échec. Et depuis, seuls quelques coups de fil avaient été échangés entre cette habitation et le 83 Langham, ainsi que les habituelles cartes d'anniversaire de naissance et de mariage. Howard, qui au cours de ces dernières années s'était pourtant souvent rendu à Londres, n'avait jamais fait le déplacement jusqu'à cette porte. Quatre ans, c'est long. Il faut une bonne raison pour rester éloigné quatre ans. Dès qu'il appuya sur la sonnette, Howard sut qu'il avait fait une erreur. Il attendit — personne ne vint. Radieux et soulagé, il se tourna, s'apprêtant à partir. La visite parfaite : bien intentionnée, mais personne n'était là. Puis la porte s'ouvrit. Une dame âgée inconnue se tenait devant lui, un vilain bouquet de fleurs à la main — de nombreux œillets, quelques marguerites, une fougère ramollie et un lilas martagon flétri. Elle lui sourit coquettement, comme une femme qui ferait le quart de son âge face à un homme deux fois plus jeune qu'Howard.

« Bonjour ? dit Howard.

— Bonjour, mon cher », répondit-elle sereinement, sans cesser de sourire. Ses cheveux, à la manière des vieilles dames anglaises, étaient à la fois volumineux et transparents, chaque boucle dorée (car les rinçages bleus ont depuis peu disparu de ces îles) semblable à une gaze à travers laquelle Howard apercevait le couloir derrière elle.

« Désolé, est-ce qu'Harold est là ? Harold Belsey ?

— Harry ? Oui, bien sûr. C'est à lui, dit-elle en secouant le bouquet assez brutalement. Entrez donc, mon cher.

— *Carol* », Howard entendit la voix de son père en provenance du petit salon vers lequel ils s'approchaient rapidement, « *c'est qui ? Dis-leur que j'en veux pas !* »

Il était dans son fauteuil, comme d'habitude. Avec la télé allumée, comme d'habitude. La pièce était, comme toujours, très propre et, à sa façon, très belle. Elle ne changeait jamais. Sentant toujours le renfermé, mal éclairée, avec une seule fenêtre à double vitrage donnant sur la rue, elle n'en était pas moins colorée. Des marguerites brillantes et effrontées sur les coussins, un canapé vert, et trois chaises de salle à manger rouge vif. Le papier peint était très élaboré, des arabesques rose et marron de cachemire italianisant, comme une glace napolitaine. Des cercles et des diamants noirs étaient imprimés dans des formes hexagonales orange et marron sur la moquette. Le vieux chauffage électrique d'appoint, grand comme un robot, était peint d'un bleu brillant comme le manteau de la vierge. Il était irrésistiblement comique de voir dans ce décor exubérant des années soixante-dix (hérité du précédent locataire) ce monsieur âgé en costume gris, mais Howard se retint de rire. Cela lui faisait mal au cœur de voir les détails immuables. Comme une vie doit être étriquée pour qu'une carte postale couleur bonbon, de Mevagissey Harbour, Cornwall, puisse tenir son rang quatre années de suite sur le dessus de cheminée ! Les photographies de Joan, la mère d'Howard, n'avaient pas changé de place non plus. Une série de photos de Joan au zoo de

Londres se chevauchaient dans un seul et même cadre. Celle dans laquelle elle tient un pot de tournesols était toujours sur la télévision. Celle où elle se trouve prise avec ses demoiselles d'honneur dans une bourrasque, son voile claquant dans le vent, était toujours suspendue près de l'interrupteur. Elle était morte depuis quarante-six ans, mais chaque fois qu'Harold allumait la lumière, il la voyait à nouveau.

Harold leva les yeux sur Howard. Le plus âgé des deux hommes pleurait déjà. Ses mains tremblaient d'émotion. Il se leva difficilement de son fauteuil et enlaça doucement son fils par la taille, car Howard, qui était beaucoup plus grand que lui, le dominait plus que jamais. Par-dessus l'épaule de son père, Howard lut les petits messages posés sur la cheminée, écrits sur des bouts de papier d'une main tremblante.

Parti chez Ed me faire couper les cheveux. Reviens de suite.
Parti à la coopérative rendre la bouilloire. De retour dans un quart d'heure.
Parti acheter des clous. De retour dans vingt minutes.

« Je vais préparer le thé, et mettre les fleurs dans un vase », dit Carol timidement derrière eux, et elle partit dans la cuisine.

Posant ses mains sur celles d'Harold, Howard sentit les rêches irruptions de psoriasis et la vieille alliance enfoncée dans la peau.

« Papa, assieds-toi.

— M'asseoir ? Comment est-ce que je peux *m'asseoir* ?

— Tu n'as qu'à..., dit Howard qui le poussa doucement dans son fauteuil avant de prendre place sur le canapé, t'asseoir, quoi.

— La famille est avec toi ? »

Howard secoua la tête. Harold reprit sa position de vaincu, les mains sur ses genoux, la tête baissée, les yeux fermés.

« C'est qui, cette femme ? demanda Howard. Ce n'est sûrement pas l'infirmière. Ils sont pour qui, ces messages ? »

Harold soupira profondément. « Tu es donc venu sans ta famille. Eh bien... voilà. Ils ne voulaient pas venir sans doute...

— Harry, la femme dans la cuisine, c'est qui ?

— Carol ? répéta Harold dont le visage exprimait le mélange habituel de perplexité et de persécution. Mais c'est Carol.

— D'accord. Mais qui est Carol ?

— C'est juste une femme qui passe me voir. Quelle importance ? »

Howard soupira dans le canapé vert. Dès l'instant où sa tête s'appuya sur le velours, il eut l'impression d'avoir passé ces quarante dernières années ici en compagnie de son père, l'un et l'autre toujours emprisonnés dans la terrible douleur inexprimable de la mort de Joan. Car ils tombèrent immédiatement dans la répétition des mêmes gestes et phrases, comme si Howard n'avait jamais été en fac (chose qu'Harry eût préférée), jamais quitté ce pays minable, jamais épousé une femme qui n'était ni de sa race ni de sa nationalité. Il n'avait jamais été nulle part, n'avait jamais rien fait. Il était toujours le fils d'un boucher et ils étaient toujours livrés à eux-mêmes, se disputant dans un pavillon à proximité du chemin de fer, à Dalston. Deux Anglais naufragés ensemble, sans rien en commun sinon une femme morte que tous deux avaient aimée.

« Et puis, de toute façon, je ne veux pas parler de *Carol*, dit Harry, anxieux. Tu es là ! C'est de ça que je veux parler ! Tu es *là*.

— Je te *demande* tout simplement qui *c'est* ! »

À présent, Harold était exaspéré. Légèrement sourd, il lui arrivait, lorsqu'il était troublé, de parler très fort sans s'en rendre compte. « C'est une dame de l'ÉGLISE. Elle passe deux, trois fois par semaine prendre le thé. Elle vient VOIR SI JE VAIS BIEN. C'est une femme gentille. Mais, et *toi*, comment vas-tu ? dit-il en esquissant un sourire jovial et forcé. C'est ça qu'on veut savoir, n'est-ce pas ? Et New York, ça baigne ? »

Howard serra la mâchoire. « On te paie une infirmière, Harry.

— Comment ça, fiston ?

— J'ai dit *qu'on te paie une infirmière*. Pourquoi tu ouvres à ces gens, bon sang ? Ils ne font que du prosélytisme. »

Harold passa sa main sur son front. Un rien le mettait dans un état de panique physique et mentale, le genre de panique que ressentent les êtres normaux lorsque leur enfant a disparu et qu'un policier frappe à leur porte.

« Pro-quoi ? QU'EST-CE QUE TU DIS ?

— Les chrétiens dingos qui te vendent leurs bondieuseries.

— Mais elle n'est pas bien méchante, tu sais ! C'est juste une dame gentille ! En plus, je supportais plus l'infirmière ! C'était une harpie, déplaisante et osseuse. Féministe sur les bords, tu vois. Elle n'était pas gentille avec moi, fiston. Elle était folle... » Il versa quelques larmes qu'il essuya sans soin avec la manche de son cardigan. « Je lui ai donné son congé, l'année dernière. C'est Kiki qui payait. C'est marqué dans mon petit livre. Tu paies plus. Il n'y a pas de, pas de... merde, COMMENT ÇA S'APPELLE DÉJÀ ? *Prélèvement*..., je perds la tête..., débit...

— *Prélèvement automatique* », lui souffla Howard. Il éleva la voix, dégoûté de lui-même. « C'est pas une putain de question d'argent, tu m'entends, papa ? C'est une question de qualité de soins.

— Je me soigne, moi ! » Puis il murmura : « *J'suis bien obligé...* »

Donc, cela avait pris combien de temps ? Huit minutes ? Harry assis sur le bord de son fauteuil, suppliant, suppliant toujours avec des mots inadéquats. Howard, déjà furieux, fixant du regard la moulure en forme de rose au plafond. Un étranger assistant à cette scène les eût pris tous deux pour des aliénés. Et aucun des deux hommes n'aurait pu expliquer pourquoi ce qui venait de se passer s'était passé, ou du moins ne saurait l'expliquer sans prendre autant de temps qu'il faudrait, assis avec l'étranger, pour raconter toute l'histoire, jour par jour — diapositives à l'appui —, des cinquante-sept dernières années. Ni l'un ni l'autre n'avaient voulu que les choses se déroulent ainsi. Mais c'est ainsi qu'elles se déroulaient. L'un et l'autre avaient eu d'autres intentions. Howard, lorsqu'il avait frappé à la porte huit minutes auparavant, était plein d'espoir, le cœur libéré par la musique, l'esprit frappé et ouvert par l'effroyable proximité de la mort. Sur le pas de la porte où il avait attendu, il s'était senti malléable, capable de changer. Huit minutes auparavant. Mais une fois à l'intérieur, tout était redevenu comme avant. Il n'avait pas voulu être agressif, ni n'avait voulu élever la voix ou chercher querelle. Il avait eu l'intention d'être aimable et tolérant. De la même façon, quatre ans auparavant, Harry n'avait sans doute pas eu l'intention de dire à son fils unique qu'on ne pouvait pas s'attendre à ce que les Noirs se développent mentalement autant que les Blancs. Il *avait voulu* dire : Je t'aime, j'aime mes petits-enfants, s'il vous plaît, restez un jour de plus.

« Et voici, chantonna Carol en posant devant les Belsey deux thés au lait fort peu appétissants. Non, je ne reste pas. J'y vais. »

Harold essuya encore une larme. « Carol, ne pars pas ! Voici mon fils, Howard. Je t'en ai parlé.

— Ravie », dit Carol sans avoir du tout l'air ravie, et Howard regretta d'avoir parlé si fort.

« Professeur Howard Belsey.

— Professeur ! » s'exclama Carol sans sourire. Elle croisa ses bras sur sa poitrine en attendant d'être impressionnée.

« Mais... pas en médecine, clarifia Harold avec un air défait. Il n'avait pas la patience pour faire médecine.

— Tant pis, dit Carol, on ne peut pas tous sauver des vies. En tout cas, ce fut un plaisir. Heureuse de vous avoir rencontré, Howard. À la semaine prochaine, Harry. Que Dieu te garde. Autrement dit, ne fais rien que je ne ferais pas moi-même. D'accord ?

— Ça m'étonnerait, tiens ! »

Ils rirent et, tandis qu'Harry essuyait toujours ses larmes, marchèrent ensemble jusqu'à la porte d'entrée, sans cesser de prononcer ces mêmes petites phrases typiquement anglaises qui avaient toujours rendu Howard complètement fou. Son enfance avait été imprégnée de ce bruit futile, qui se substituait aux vraies conversations. *Froid de canard dehors. J'en veux bien, merci. Non, j'aime pas trop le tien.* Et ainsi de suite. Et ainsi de suite. C'était précisément cela qu'il avait fui en s'échappant à Oxford, et qu'il continuait de fuir depuis. Une vie à moitié vécue. *Une vie qu'on n'analyse pas ne vaut pas la peine d'être vécue.* Tel avait été l'adage de l'adolescence inexpérimentée d'Howard. Personne ne va vous dire, à dix-sept ans, que l'analyse elle-même sera la plus grande part du problème.

« Donc : combien voulez-vous mettre au minimum pour cet objet ? demanda un homme à la télévision. Quarante livres ? »

Howard déambula jusqu'à la longue cuisine étroite jaune canari afin de jeter son thé dans l'évier et de se faire un café instantané. Il chercha un biscuit sec dans les placards (quand donc mangeait-il des biscuits secs ? seulement ici ! seulement avec cet homme !) et trouva quelques biscuits d'avoine. Il remplit sa tasse et entendit Harold se réinstaller dans son fauteuil. Howard se tourna dans l'espace minuscule de la cuisine et fit tomber du coude un objet sur la desserte. Un livre. Il le ramassa et l'emmena dans le salon.

« C'est à toi ? »

Il entendit son propre accent dégringoler l'échelle sociale pour redevenir ce qu'il avait été.

« Oh, bon sang, enfin... regarde-le, quelle tapette, ma parole », dit Harold en faisant allusion à la télévision. Il se concentra sur Howard. « J'sais pas. C'est quoi ?

— Un livre. Miraculeusement.

— Un livre ? Un des miens ? » dit Harold allégrement, comme si cette pièce contenait la moitié de la Bodleian Library d'Oxford, et non trois plans de la ville, de différentes tailles, et un Coran gratuit reçu par la poste. Il s'agissait d'un livre de bibliothèque à couverture rigide, bleu royal, dont la jaquette avait disparu. Howard regarda la tranche.

« *Chambre avec vue*. Forster. » Howard sourit tristement. « Je ne supporte pas Forster. Alors, ça te plaît ? »

Harold fit une grimace dégoûtée. « Ooh que non, c'est pas le mien. Ça doit être à Carol. Toujours en train de lire quelque chose, celle-là.

— Pas une mauvaise idée.

— Comment, fiston ?

— J'ai dit que ce n'est pas une si mauvaise idée. Lire quelque chose, de temps à autre.

— Sans doute, sans doute... c'était plus le truc de ta mère, n'est-ce pas ? Toujours un livre à la main. Une fois dans la rue elle est rentrée dans un réverbère parce qu'elle lisait en marchant », dit Harold, une histoire qu'Howard avait entendue un nombre incalculable de fois, comme il avait entendu ce qui suivit : « J'imagine que c'est d'elle que tu tiens... Nom de Dieu, regarde-moi cette vieille tante. Regarde ça ! Tu te rends compte, violet et rose ? Il peut pas être sérieux quand même ?

— Qui ça ?

— *Lui*, machin-truc... c'est un crétin. Y reconnaîtrait même pas une antiquité si on lui en foutait une dans le trognon... Mais c'était marrant hier, parce qu'il faisait le numéro où tu dois deviner le prix d'un truc avant qu'il soit vendu, je veux dire, pour la plupart, c'est que de la camelote, je donnerai pas dix shillings pour la plupart des trucs qu'ils proposent, pour être honnête, et on avait des trucs bien mieux qui traînaient chez ma maman quand j'étais petit... je n'y ai jamais pensé à l'époque, mais bon, voilà... j'ai oublié ce que je te racontais du coup..., ah oui, donc d'habitude ce sont des couples ou une mère et sa fille, les gens qui passent à l'émission, mais hier il avait deux bonnes femmes, des vrais putains d'autocars les deux, énormes, je te jure, cheveux très courts, habillées naturellement comme des mecs, comme elles font, laides comme pas permis, et elles voulaient acheter des trucs militaires, des médailles et des trucs du genre, tu vois, parce qu'elles étaient carrément militaires toutes les deux, comme tu t'en doutes, et elles se tenaient par la main, oh, mon Dieu..., je riais, oh, mon Dieu... » Harold éclata d'un rire enjoué. « Et on voyait bien qu'il savait pas trop quoi dire... enfin franchement, il est pas très kasher lui-même, n'est-ce pas. » Harold rit encore, puis devint sérieux, car il avait peut-être remarqué l'absence de rires autour de lui. « Mais cet aspect des choses a toujours existé dans l'armée, non ? Je veux dire, c'est là surtout qu'on les trouve, ces femmes... j'imagine que ça doit mieux leur aller, mentalement... pour ainsi dire... », dit Harold, prononçant la seule locution prétentieuse de son répertoire. Donc Howard, pour ainsi dire... Il avait commencé à s'en servir lorsque Howard était rentré pour l'été après sa première année à Oxford.

« Ça doit leur aller... à qui ? demanda Howard en posant son biscuit.

— Comment ça, fiston ? Oh, regarde, tu as cassé ton biscuit. Tu aurais dû apporter une soucoupe pour les miettes.

— Je me demandais de qui tu parlais au juste.

— Oh, Howard, ne te fâche donc pas. Tu es toujours si fâché !

— Non, dit Howard en adoptant un ton insistant et pédant. J'essaie juste de saisir l'histoire que tu viens de me raconter. Est-ce que tu tentais de m'expliquer que les deux femmes étaient lesbiennes ? »

Le visage d'Harold se plissa, exprimant un sentiment de grande détresse esthétique, comme si Howard venait de démolir *La Joconde* d'un coup de pied. *La Joconde*. Un tableau qu'adore Harold. Lorsque Howard publiait ses pre-

369

mières critiques dans les revues qu'Harold n'achète jamais, l'un de ses clients montra au boucher un article dans lequel son fils écrivait avec enthousiasme sur la *Merda d'artista* de Piero Manzoni. Harold ferma boutique et s'élança dans la rue avec une poignée de pièces de deux pence pour téléphoner. « De la merde en boîte ? Pourquoi tu peux pas écrire sur quelque chose de beau, comme *La Joconde* ? Ta mère en serait tellement fière. De la *merde en boîte* ? »

« Ça ne sert à rien de s'énerver, Howard, dit Harold d'un ton apaisant. C'est juste ma façon de parler, ça fait tellement longtemps que je t'ai pas vu, je suis juste content de te voir, n'est-ce pas, j'essaie de trouver quelque chose à dire, tu vois... »

Howard, dans ce qu'il jugea comme un effort surhumain, se tut.

Ensemble, ils regardèrent *Les Chiffres et les Lettres*. Harold passa à son fils un petit calepin blanc pour faire ses calculs. Howard marqua beaucoup de points avec les lettres, et même légèrement plus que les candidats à l'écran. Tandis qu'Harold peinait. Son mot le plus long comportait cinq lettres. Mais avec les chiffres, le pouvoir changea de mains. Il y a toujours un certain nombre de choses nous concernant que nos parents sont seuls à savoir. Harold Belsey était le seul à savoir qu'en matière de chiffres, Howard Belsey, qui détenait maîtrise et doctorat, n'était qu'un enfant. Il avait besoin d'une calculette pour les multiplications les plus élémentaires. Il avait réussi à dissimuler ce fait pendant presque trente ans, dans sept universités différentes. Mais dans le salon d'Harold, la vérité allait éclater.

« Cent cinquante-six, fit Harold, annonçant le chiffre ciblé. Qu'est-ce que t'as trouvé, fiston ?

— Cent... euh, rien. J'ai rien trouvé.

— Je t'ai eu, professeur !

— Tout à fait.

— Ouais, mais..., acquiesça Harold en hochant la tête tandis que la candidate à l'écran expliquait ses calculs plutôt alambiqués. Bien sûr, tu peux le faire comme ça, ma mignonne, mais le mien est bien plus joli à voir. »

Howard posa son stylo et appuya ses mains contre ses tempes.

« Ça va, Howard ? T'as l'air d'avoir la tête dans le cul depuis que t'es arrivé. Tout va bien à la maison ? »

Howard regarda son père, et décida de faire une chose qu'il ne faisait jamais. Lui dire la vérité. Sans rien attendre. Il parla autant au papier peint qu'à l'homme en face de lui.

« Non, ça ne va pas.

— Non ? Qu'est-ce qu'il y a ? Oh, mon Dieu, dis-moi que personne n'est mort, fiston ? Je ne supporterais pas si quelqu'un était mort !

— *Personne* n'est mort, dit Howard.

— Bon alors, dis-moi bon sang, tu vas me filer un infarctus.

— Kiki et moi..., dit Howard en employant une formule plus ancienne que son mariage, on est mal. En fait, Harry, je crois que c'est fini entre nous. » Howard posa ses mains sur ses yeux.

« Mais ça ne peut pas être vrai, dit Harold précautionneusement. Vous êtes mariés depuis... ça fait combien d'années déjà ? Vingt-huit ans, par là ?

— Trente.

— Ben, tu vois. Ça peut pas s'effondrer comme ça du jour au lendemain, hein ?

— Eh bien, si, quand tu... » Howard gémit malgré lui en ôtant ses mains de ses yeux. « C'est devenu trop difficile. On ne peut pas continuer quand ça devient aussi dur. Quand tu ne peux même pas *communiquer*... Tu perds ce qu'il y avait avant. C'est ce que je ressens maintenant. J'ai du mal à y croire. »

Harold ferma les yeux. Les traits de son visage se convulsèrent comme ceux d'un candidat à un jeu télévisé. La perte des femmes était son sujet de prédilection. Il garda le silence pendant un moment.

« Et c'est elle qui veut arrêter, ou c'est toi ? dit-il enfin.

— C'est elle », confirma Howard, et il se sentit réconforté par la simplicité des questions de son père. « Et... parce que je n'arrive pas à trouver assez de raisons pour la faire changer d'avis. »

Howard succomba à l'hérédité paternelle — des larmes faciles et abondantes.

« C'est bien, mon fils. Mieux vaut que ça sorte », dit Harold délicatement. Howard rit doucement au son de cette phrase : si ancienne, si familière, si entièrement inutile. Harold se pencha en avant et toucha le genou de son fils. Puis il s'enfonça dans son fauteuil et saisit la télécommande.

« Elle s'est trouvé un mec noir, j'imagine. C'était sûr que ça arriverait. Ça fait partie de leur nature. »

Il mit la chaîne des informations. Howard se leva.

« *Putain* », dit-il franchement ; il essuya ses larmes avec la manche de sa chemise et eut un rire macabre. « *Putain*, j'apprendrai jamais. » Il mit son manteau. « À plus, Harry. Attendons encore plus longtemps avant de se revoir, d'accord ?

— Oh non ! pleurnicha Harold, avec un air tragique. Qu'est-ce que tu me dis, là ? On passe un bon moment ensemble, non ? »

Howard fixa son père du regard, incrédule.

« *Non*. Fiston, *s'il te plaît*. Allez, reste encore un peu. J'ai dit ce qu'il fallait pas, c'est ça ? J'ai dit ce qu'il fallait pas. Dans ce cas, parlons-en ! Tu es toujours en train de courir. Tu cours par-ci, tu cours par-là. Les gens aujourd'hui pensent qu'ils vont plus vite que la mort. C'est juste le temps qui passe. »

Harry voulait simplement qu'Howard se rassoie, qu'ils puissent recommencer. Il restait quatre heures de programmes de qualité avant d'aller se coucher — des émissions sur les antiquités, l'immobilier, les voyages, des jeux — qu'il se serait fait une joie de regarder avec son fils en bonne camaraderie, avec un commentaire de temps à autre sur les dents proéminentes de tel présentateur, les petites mains ou la sexualité de tel autre. Et ce serait une façon de dire : *ça fait plaisir de te voir. Ça fait trop longtemps. Nous sommes de la même famille.* Mais Howard ne pouvait pas le faire quand il avait seize ans et ne le pouvait toujours pas à présent. Il ne croyait tout simplement pas, à l'encontre de son père, que l'amour se mesure en temps passé ensemble. Et donc, pour éviter une conversation sur une actrice australienne de télé, Howard alla dans la cuisine laver sa tasse et les deux ou trois autres choses dans l'évier. Dix minutes plus tard, il partait.

4

Les victoriens étaient de fabuleux constructeurs de cimetières. À Londres nous en avions sept, les « Magnificent Seven » : Kensal Green (1833), Norwood (1838), Highgate (1839), Abney Park (1840), Brompton (1840), Nunhead (1840) et Tower Hamlets (1841). Vastes jardins de plaisir le jour, nécropoles la nuit, ils sont envahis de lierre ; des jonquilles surgissent de la riche couche d'humus. On a construit sur certains d'entre eux ; d'autres sont dans un état déplorable. Kensal Green survit. Trente hectares, deux cent cinquante mille âmes. Il y a de la place pour des anglicans dissidents, des musulmans, des chrétiens orthodoxes russes, un célèbre zoroastrien et, côté St Mary's, des catholiques. On y trouve des anges sans tête, des croix celtiques aux extrémités manquantes, quelques sphinx renversés dans la boue. Cela ressemble à ce que serait le cimetière du Père-Lachaise à Paris si personne ne connaissait son existence et n'y allait jamais. Dans les années 1830 Kensal Green était un lieu paisible, au nord-ouest de la ville, où les grands et les bons de ce bas monde trouvaient leur dernier repos. Maintenant, de toutes parts, ce cimetière « campagnard » donne sur la ville : appartements d'un côté, bureaux de l'autre, les voies ferrées font vibrer les fleurs dans leurs pots en plastique bon marché, et la chapelle est tapie sous l'usine à gaz qui ressemble à un énorme tambour dépiauté.

Carlene Kipps fut enterrée derrière une rangée d'ifs en haut du cimetière. Alors qu'ils s'éloignaient de la tombe, les Belsey restèrent à l'écart des autres membres de l'assistance. Socialement, ils avaient l'impression d'être dans les limbes. Ils ne connaissaient personne en dehors de la famille, et pourtant n'étaient pas proches de la famille. Ils n'avaient pas de voiture (car le chauffeur de taxi avait refusé de les attendre), et ne savaient pas comment ils allaient se rendre à la veillée mortuaire. Les yeux rivés au sol, ils essayèrent de marcher au rythme funèbre approprié. Le soleil était si bas que les ombres spectrales des croix de pierre d'une rangée de tombes se dessinaient sur les sépultures qui leur faisaient face. Zora tenait à la main un dépliant qu'elle avait pris dans une boîte à l'entrée. Il comportait un plan totalement incompréhensible du cimetière, ainsi qu'une liste de ses morts célèbres. Zora voulait trouver Iris Murdoch ou Wilkie Collins ou Thackeray ou Trollope ou n'importe lequel des autres artistes qui, comme l'a si bien dit le poète, s'en sont allés au Paradis en passant par Kensal Green. Elle tenta de suggérer à sa mère ce détour littéraire. À travers ses larmes (qui n'avaient cessé depuis que les premières pelletées de terre avaient atterri sur le cercueil), Kiki lui adressa un regard noir. Zora tenta de rester à la traîne, et s'éloigna du chemin pour examiner la moindre tombe qui semblait être celle qu'elle cherchait. Mais chaque fois son instinct la trompait. Les mausolées de quatre mètres de haut couronnés d'anges ailés, avec des lauriers à leur base, sont pour les marchands de sucre, les agents immobiliers et les militaires — pas pour les écrivains. Elle aurait pu chercher toute la journée sans trouver la tombe de Collins, par exemple : une simple croix posée sur un simple bloc de pierre.

« Zora ! siffla Kiki dans un retentissant cri silencieux, comme elle savait le faire. Je ne vais pas te le répéter. *Reste* avec nous.

374

— *D'accord.*

— Je veux sortir d'ici avant la tombée de la nuit.

— *D'accord !* »

Levi enlaça la taille de sa mère. Elle n'était plus elle-même, il le voyait bien. La longue tresse de Kiki heurta sa main comme la queue d'un cheval. Il s'en saisit et tira affectueusement dessus.

« Je suis désolé pour ton amie », dit-il.

Kiki prit la main de son fils posée sur son dos et l'embrassa.

« Merci, mon chéri. C'est fou... Je ne sais même pas pourquoi je suis bouleversée à ce point. Je la connaissais à peine, cette femme, tu sais ? Je veux dire, je la connaissais pour ainsi dire pas du tout.

— Ouais, dit Levi pensivement tandis que sa mère attirait doucement la tête de son fils contre son épaule. Mais parfois, parfois tu sais, dès que tu rencontres quelqu'un, que vous vous comprenez parfaitement, et que cette personne est comme ton frère... ou ta sœur, rectifia Levi, car il avait pensé à une tout autre personne. Même si eux, genre, ils ne s'en rendent pas compte, *toi*, tu le sens. Et en fin de compte, ça n'a aucune importance qu'ils le voient ou non, tout ce que tu peux faire, c'est de montrer ce sentiment. C'est à *toi* de le faire. Puis tu attends, et tu vois ce qu'on te donne en échange. C'est comme ça que ça marche. »

Il y eut un petit silence que Zora ne put s'empêcher de crever.

« Amen ! dit-elle en riant. Prêche, mon frère, prêche ! »

Levi assena un coup de poing sur le bras de Zora, qui le tapa en retour, puis ils se mirent à courir en zigzaguant entre les tombes, Zora s'efforçant d'échapper à son frère. Jerome les apostropha en leur intimant de montrer un peu plus de respect. Kiki savait qu'elle devrait les arrêter, mais elle ne pouvait s'empêcher d'être soulagée d'entendre, alors que le jour déclinait, des jurons, des rires et des cris. Cela changeait les idées, et vous faisait un peu oublier tous ces gens sous vos pieds. Kiki et Jerome s'immobilisèrent sur les

375

marches blanches de la chapelle et attendirent que Zora et Levi les rejoignent. Kiki entendit les claquements des pas de ses enfants résonner sous le porche derrière elle. Ils se précipitèrent vers elle comme les ombres échappées de leurs tombes, et s'immobilisèrent à ses pieds, essoufflés et hilares. Elle ne distinguait plus leurs traits à la lueur de ce crépuscule, mais seulement les silhouettes et les mouvements de visages aimés qu'elle connaissait par cœur.

« O.K., ça suffit maintenant. Partons si vous le voulez bien. Par où ? »

Jerome enleva ses lunettes et les essuya sur le coin de sa chemise. L'enterrement n'avait-il pas eu lieu juste à gauche de cette chapelle justement ? Auquel cas, ils venaient de décrire un cercle qui se mord la queue.

☆

Après avoir pris congé de son père, Howard traversa la rue et entra au Windmill Pub. Là il commanda et entreprit de boire une bouteille de vin rouge tout à fait acceptable. Il pensait avoir choisi une place au calme dans un coin du bar, mais, deux minutes après qu'il se fut installé, on baissa au niveau de sa tête et alluma un énorme écran plat qu'il n'avait pas remarqué jusqu'alors. Un match de football opposant une équipe blanche à une équipe bleue commença. Des hommes s'approchèrent. Ils semblèrent accepter et apprécier la présence d'Howard, le prenant pour l'un de ces supporters passionnés qui arrivent en avance pour avoir la meilleure place. Howard ne fit rien pour dissiper ce malentendu et se retrouva happé par la ferveur générale. Bientôt il applaudissait et s'époumonait avec les autres. Lorsqu'un inconnu dans un accès d'enthousiasme renversa sa bière sur l'épaule d'Howard, celui-ci sourit et haussa les épaules en silence. Peu de temps après, le même homme offrit une bière à Howard en la posant devant lui sans un mot et sans avoir l'air d'attendre quoi que ce soit en retour.

À la fin de la première mi-temps, un autre homme à côté d'Howard trinqua joyeusement avec lui, approuvant le choix qu'il avait fait au hasard d'encourager l'équipe bleue, même si le score était toujours nul et vierge. Ce score n'évolua d'ailleurs pas. Et, à la fin du match, personne ne se bagarra ni ne se mit en colère — ce n'était manifestement pas ce genre de match. « Bon, ben on a obtenu ce qu'on voulait », dit l'un des hommes, philosophe. Cette vérité suscita des sourires et des hochements de tête chez les trois autres hommes. Tout le monde avait l'air satisfait. Howard aussi hocha la tête, et vida sa bouteille. Il faut une sacrée descente pour pouvoir vider seul une bouteille entière de cabernet et une pinte de bière et n'en ressentir que très peu les effets, mais Howard ne doutait pas de ses capacités en la matière. Tous les événements de ces derniers jours se réduisirent à un flou agréable dans lequel il était enroulé, en sécurité comme dans un mol édredon. Il avait obtenu ce qu'il voulait. Il emprunta le couloir jusqu'au téléphone qui faisait face aux toilettes.

« Adam ?

— *Howard.* » Sur le ton d'un secouriste qui peut enfin cesser les recherches.

« Salut. Écoute, j'ai été séparé des autres... Ils ont appelé ? »

Howard reconnut avec justesse l'inquiétude qu'exprimait le silence à l'autre bout du fil.

« Howard..., tu es soûl ?

— Je vais faire comme si je n'avais pas entendu ce que tu viens de dire. J'essaie de trouver Kiki. Elle est avec toi ? »

Adam soupira. « Elle te cherche aussi. Elle a laissé une adresse. Elle m'a dit de te dire qu'ils vont tous à la veillée mortuaire. »

Howard appuya son front contre le mur, où des numéros de taxi étaient punaisés.

« Howard, je suis en train de peindre. J'en mets partout sur le téléphone. Tu veux l'adresse ?

« — Non, non... je l'ai. Est-ce qu'elle t'a semblé... ?

— Oui, *très*. Howard, je dois y aller. On se voit tout à l'heure à la maison. »

Howard appela un taxi et sortit l'attendre. Le taxi arriva, la portière du chauffeur s'ouvrit et un jeune Turc au sens littéral se pencha et posa à Howard une question plutôt métaphysique : « *C'est vous* ? »

Howard s'éloigna du mur du pub. « Oui, c'est moi.

— Où allez-vous ?

— Queens Park, s'il vous plaît », fit Howard. Il contourna la voiture d'un pas chancelant et monta devant côté passager. Il comprit en s'asseyant que ce n'était pas la procédure habituelle. Cela devait sans doute être inconfortable pour le chauffeur d'avoir un passager assis aussi près de lui, non ? Ou si ? Ils roulèrent en silence, un silence insupportable pour Howard tant il lui paraissait chargé de tension homoérotique, politique et violente. Il ressentit le besoin de s'exprimer.

« Je ne suis pas dangereux, vous savez, je ne suis pas un de ces hooligans anglais, je suis un peu ivre, c'est tout. »

Le jeune chauffeur sur la défensive lui adressa un regard incertain. « Vous faites de l'humour ? » dit-il avec un accent prononcé, mais avec une aisance telle que son « vous faites de l'humour ? » sonnait comme une homélie turque.

« Désolé, dit Howard en rougissant. Ne faites pas attention à moi. Ne faites pas attention à moi. » Il plaça ses mains entre ses genoux. Le taxi passa devant le métro où Howard avait rencontré Michael Kipps pour la première fois.

« Il faut continuer tout droit, je crois, dit Howard très doucement. Puis peut-être à gauche sur la route principale, oui, puis dépassez le pont et ce sera sur votre droite, je crois.

— Vous parlez tout bas. Je n'entends rien. »

Howard répéta ce qu'il venait de dire. Le chauffeur se

378

tourna et lui adressa un regard incrédule. « Vous ne connaissez pas le *nom de la rue* ? »

Howard dut admettre qu'il ne le connaissait effectivement pas. Le jeune Turc grommela furieusement en turc, et Howard eut l'impression d'être sur le point de vivre en direct l'une de ces tragédies anglaises en taxi dans lesquelles client et, chauffeur tournent en rond, le tarif grimpe, grimpe et, pour finir, la disgrâce : on vous injurie et vous jette à la rue, plus que jamais loin de votre destination.

« Là ! Ça y est ! On vient de passer devant ! » cria Howard et il ouvrit la portière alors que le taxi roulait encore. Une minute plus tard ils se séparèrent froidement, et le pourboire de vingt pence laissé par Howard — toute la monnaie qu'il avait dans sa poche — fut loin de réchauffer l'atmosphère. C'est au cours de voyages comme celui-ci, lorsque vous êtes si affreusement incompris, que votre foyer vous manque, ce lieu où, pour le meilleur comme pour le pire, on vous comprend pleinement. Son chez-lui, c'était Kiki. Il lui fallait la retrouver.

Howard poussa la porte d'entrée des Kipps, ouverte comme la dernière fois, mais aujourd'hui pour une tout autre raison. Le couloir au carrelage en forme de diamants grouillait de visages tristes et de costumes sombres. Personne ne se tourna vers Howard, sauf une fille qui, plateau à la main, s'approcha pour lui proposer un sandwich. Howard en prit un à l'œuf et au cresson et se dirigea nonchalamment jusqu'au salon. Ce n'était pas le genre de veillée mortuaire où la tension de l'enterrement se relâche et se dissipe. Personne ne riait doucement en évoquant tel affectueux souvenir ou en racontant telle histoire calomnieuse. L'atmosphère était aussi solennelle que lors de la cérémonie à l'église, et le souvenir de cette femme vivante et étonnante qu'Howard avait rencontrée un an plus tôt dans cette même pièce était pour le moment pieusement préservé dans une gelée de voix basses et de fades anecdotes qui la conservait à la perfection. Howard entendit une femme dire à sa voisine : *Elle pensait toujours à autrui, jamais à elle-même*. Il prit sur la table de la salle à manger un grand verre de vin que quelqu'un venait de poser là et partit se poster près des portes-fenêtres. De là, il avait une bonne vue sur salon, jardin, cuisine et couloir. Il ne voyait pas Kiki. Ni les enfants. Ni même Erskine. Il vit une moitié de Michael Kipps ouvrant la porte du four et en ressortant un grand plateau de friands. Soudain Monty pénétra dans la pièce. Howard se tourna vers le jardin et contempla cet arbre énorme sous lequel, chose qu'il ne pouvait savoir, son fils aîné avait été déniaisé. Ne sachant que faire, il sortit et ferma doucement la porte derrière lui. Au lieu d'emprunter la longue allée du jardin où, en tant que seule présence sur les lieux, il ne manquerait pas de se faire remarquer, Howard se dirigea jusqu'à l'étroite allée séparant la maison des Kipps de celle de leurs voisins. Il marqua une pause, roula une mince cigarette et la fuma. Le mélange de ce nouveau vin, blanc et doux, de l'air froid et du tabac lui fit tourner la tête. Il s'avança dans l'allée jusqu'à l'entrée latérale et s'assit sur la marche froide. De là, il put admirer l'opulence banlieusarde des cinq jardins alentour : les branches noueuses des arbres centenaires, les toits en tôle ondulée des remises, les luxueuses lueurs orangées des halogènes. Tellement silencieux. Au loin, le cri d'un renard, comme un enfant qui pleurait, mais aucune voiture, aucune voix. Sa famille eût-elle été plus heureuse ici ? Il avait fui une hypothétique vie bourgeoise en Angleterre pour se jeter dans les bras de ce qui n'était en fait qu'une vie bourgeoise à l'américaine — il se l'avouait à présent — et, dans la déception de son évasion manquée, il avait pourri la vie des autres. Howard écrasa sa cigarette sur le gravier. Il eut la gorge serrée, mais ne pleura pas. Il n'était pas son père. Il entendit retentir la sonnette des Kipps. Il se leva à moitié et tendit l'oreille, espérant reconnaître la voix de sa femme. Mais non. Kiki et les enfants étaient sans doute passés en coup de vent. Il imagina les membres de sa famille en chœur grec, révulsés et outrés par lui, quittant précipitamment la scène à chacune de ses entrées. Peut-être allait-il passer le restant de ces jours à les poursuivre de maison en maison.

Il se leva, ouvrit la porte derrière lui, et se retrouva dans une sorte de pièce de rangement pleine d'accessoires pour laver, sécher, repasser et aspirer. La pièce donnait sur le couloir, où Howard s'avança tête baissée ; puis, suivant la courbe de la rampe d'escalier, il grimpa les marches deux à deux. À l'étage supérieur il se retrouva face à six portes identiques sans aucun moyen de savoir laquelle pourrait éventuellement desservir la salle de bains. Il ouvrit une porte au hasard, et se trouva dans une jolie chambre à coucher, propre au point de ressembler à une maison modèle, qui ne montrait aucun signe d'habitation. Deux tables de chevet, un livre sur chacune. Triste. Il ferma la porte et ouvrit la suivante. Il aperçut un mur peint comme une fresque italienne, avec des oiseaux et des papillons et de la vigne sinueuse. Il ne pouvait imaginer une telle extravagance ailleurs que dans une salle de bains, il ouvrit donc la porte un peu plus. Un lit et deux pieds au fond de la pièce.

« Désolé ! » dit Howard et il tira trop brusquement la porte à lui, de telle sorte qu'elle claqua et rebondit en se rouvrant encore un peu plus que précédemment, jusqu'à cogner contre le mur à l'intérieur de la pièce. Victoria, vêtue du haut noir qu'elle avait porté à l'enterrement, avait remplacé sa jupe à hauteur de genoux par un tout petit short de sport vert en veloutine gansé d'argent. Elle avait pleuré. Ses longues jambes étaient étalées devant elle ; surprise, elle les plia sous son menton en les entourant de ses bras.

« Putain de merde !

— Oh, mon Dieu, je suis désolé ! Désolé », dit Howard. Il fut obligé de pénétrer un peu plus dans la chambre pour atteindre la poignée de porte. Ce faisant, il essaya de détourner son regard de la fille.

« Howard Belsey ? » Victoria se retourna rapidement sur le lit et s'agenouilla.

381

« Oui, désolé. Je vais juste refermer la porte.

— Attendez !

— Comment ?

— Juste... attendez.

— Je vais juste... », dit Howard qui commença à fermer la porte, mais Victoria se leva d'un bond et s'en saisit pour l'en empêcher.

« Vous êtes *là* maintenant, vous n'avez qu'à *entrer*. Vous êtes déjà *là* », gronda-t-elle en fermant la porte du plat de la main. Ils restèrent côte à côte une seconde, puis elle regagna le lit et lui jeta un regard noir. Howard prit son verre de vin à deux mains et y plongea les yeux.

« Je suis... désolé pour... je..., commença-t-il absurdement.

— *Quoi ?* »

Howard leva les yeux et vit Victoria avaler une gorgée du grand verre de vin rouge qu'elle tenait à la main. Il s'aperçut aussi qu'une bouteille vide se trouvait près d'elle.

« Je devrais y aller. Je cherchais la...

— Écoutez, vous êtes *là* maintenant. Allez, asseyez-*vous*. On n'est pas dans votre cours, là. »

Elle recula sur le lit et s'assit en tailleur, s'appuyant sur le cadre en bois, tenant ses orteils dans ses mains. Elle était excitée, ou du moins excitable : elle ne tenait pas en place. Howard demeura immobile. Il ne pouvait pas bouger.

« Je croyais que c'étaient les toilettes, dit-il très doucement.

— *Quoi ?* J'entends pas, j'entends pas ce que vous dites.

— Les murs... je croyais que c'était la salle de bains.

— Oh ! Eh bien, non. C'est un boudoir, expliqua Victoria, décrivant négligemment de sa main libre une arabesque.

— Je vois bien », dit Howard qui promena son regard sur la coiffeuse, le tapis en peau de mouton et le cabriolet recouvert d'un tissu dont le motif semblait avoir servi d'inspiration à la personne qui avait peint les murs. Cela ne ressemblait en rien à la chambre d'une jeune chrétienne.

« Et donc maintenant, dit Howard avec circonspection, je vais y aller. »

Victoria saisit derrière elle un énorme coussin duveteux. Elle le lança sur Howard de toutes ses forces, atteignant son épaule ; il renversa un peu de vin sur sa main.

« Hé ! Je suis en *deuil*, dit-elle avec cet affreux et nasillard accent transatlantique qu'Howard avait déjà remarqué. C'est quand même la *moindre des choses* de vous asseoir et de vous soucier de mon état spirituel et mental, professeur. Écoutez, si ça peut vous rassurer, dit-elle en se levant d'un bond et traversant la pièce sur la pointe des pieds jusqu'à la porte, je vais verrouiller, pour qu'on soit tranquilles. » Elle regagna le lit sur la pointe des pieds. « C'est mieux comme ça ? »

Non, ce n'était pas mieux. Howard se détourna pour partir.

« S'il vous plaît. J'ai besoin de parler avec quelqu'un, lui parvint dans son dos une voix qui se brisait. Vous êtes là. Personne d'autre n'est là. Ils sont tous à prier Dieu en bas. Vous, vous êtes *là*. »

Les doigts d'Howard effleurèrent le loquet. Victoria tapa du plat de la main sur le couvre-lit.

« Mon *Dieu* ! Je ne vais pas vous *agresser* ! Je vous demande de *m'aider*. Ça fait pas partie de votre *boulot* ? Oh, laissez tomber, O.K. ? Laissez tomber. Je vous emmerde. »

Elle se mit à pleurer. Howard se tourna vers elle.

« Merde, merde, merde. J'en ai tellement *marre* de pleurer ! » dit Victoria à travers ses larmes, puis elle se mit à rire d'elle-même. Howard s'achemina jusqu'au fauteuil face au lit et s'assit lentement. En vérité, c'était presque un soulagement de s'asseoir. Sa tête tournait toujours de façon désagréable après la cigarette qu'il avait fumée. Victoria essuya ses larmes avec les manches de son chemisier noir.

« Mince alors. C'est loin. »

Howard hocha la tête.

« Pas très chaleureux.

— Je ne suis pas chaleureux. »

Victoria but longuement dans son verre. Elle caressa le bord argenté de son short vert.

« Je dois avoir l'air d'une tarée. Mais j'ai *besoin* de me mettre à l'aise quand je suis à la maison, j'ai toujours été comme ça. Je ne supportais plus cette jupe. J'ai *besoin* d'être à l'aise. »

Elle fit rebondir plusieurs fois ses genoux sur le matelas. « Votre famille est là ? demanda-t-elle.

— Je les cherchais, justement. C'est ça que je faisais.

— Je croyais que vous cherchiez les toilettes, dit Victoria d'un ton accusateur en fermant un œil, tendant le bras et pointant sur lui un doigt tremblotant.

— Ça aussi.

— Hum. » Elle se tourna et fit un plongeon à plat sur le matelas, si bien que ses pieds reposaient contre la tête du lit et que son visage se trouvait non loin des genoux d'Howard. Elle posa son verre en équilibre hasardeux sur la couette et appuya son menton sur ses mains. Elle scruta le visage d'Howard et finit par sourire doucement, comme si elle venait d'y déceler quelque chose d'amusant. Howard suivit du regard ses yeux qui vagabondaient, essayant de les canaliser sur l'affaire en cours.

« J'ai perdu ma mère, dit-il sans réussir le moins du monde à adopter le ton qu'il avait escompté. Alors je sais ce que tu traverses. J'étais plus jeune que toi quand elle est morte. Bien plus jeune.

— C'est sans doute ça l'explication », dit-elle. Une grimace pensive avait succédé à son sourire. « Voilà pourquoi vous ne pouvez pas dire : *J'aime la tomate.* »

Howard fronça les sourcils. À quel jeu jouait-elle ? Il sortit son paquet de tabac. « Mais... j'aime... la... tomate, dit-il lentement en sortant ses Rizla +. Je peux ?

— Ça m'est égal. Vous ne voulez pas savoir ce que ça veut dire ?

— Pas vraiment. Je suis préoccupé par d'autres choses.

— C'est un truc de Wellington..., un truc d'étudiants, dit

384

Victoria rapidement en se redressant sur ses coudes. C'est un langage codé. Par exemple, on dit, genre : Le cours du professeur Simeon, c'est "La dichotomie nature/culture de la tomate" et le cours de Jane Colman, c'est "Afin de comprendre la tomate il faut d'abord découvrir la secrète part féminine de son histoire"..., elle est *tellement* conne, cette bonne femme..., et le cours du professeur Gilman, c'est "La structure de la tomate ressemble à celle de l'aubergine", et le cours du professeur Kellas, c'est "Il est impossible de prouver l'existence de la tomate sans faire expressément référence à la tomate elle-même", et le cours d'Erskine Jegede, c'est "La tomate post-coloniale mangée par Naipaul". Et ainsi de suite. Donc vous demandez : "T'as quoi comme cours, là ?" et on vous répond : "La tomate entre 1670 et 1900". Ou un truc dans le genre. »

Howard soupira. Il humecta sa feuille à rouler.

« Hilarant.

— Mais *vous*... votre cours est culte. *J'adore* votre cours. Votre cours est axé sur le fait de ne jamais, *jamais* dire *J'aime la tomate*. C'est pour ça que vous avez si peu d'élèves : je veux dire, ne le prenez pas mal, c'est un compliment. Ils ne supportent pas la rigueur qui consiste à ne jamais dire *J'aime la tomate*. Parce que ça, c'est la pire chose qu'on puisse jamais faire dans votre cours, pas vrai ? Puisque la tomate n'est pas là pour qu'on *l'aime*. C'est ça que *j'adore* dans votre cours. C'est authentiquement intellectuel. La tomate se révèle être une construction complètement bidon qui ne peut en aucun cas mener à une vérité supérieure..., personne ne prétend que la tomate va vous sauver la vie. Ou vous rendre heureux. Ou vous apprendre à vivre ou vous *ennoblir* ou servir *d'exemple formidable de l'esprit humain*. Vos tomates n'ont rien à voir avec l'*amour* ou la *vérité*. Ce ne sont pas des sophismes. Ce ne sont que des tomates plutôt inutiles auxquelles les gens, pour des raisons totalement égoïstes qui leur sont propres, ont attaché une importance culturelle, je devrais dire *nutritionnelle*. » Elle rit tristement.

385

« C'est comme ce que vous êtes toujours en train de dire : il faut *sonder* ces termes. Pourquoi elle est si belle, cette tomate ? Qui a décidé de lui attribuer cette valeur ? Je trouve ça vraiment stimulant..., ça fait un moment que j'ai envie de vous le dire ; je suis *heureuse* de l'avoir dit. Ils ont tous tellement peur de vous qu'ils ne disent jamais rien et je pense toujours : Écoutez, c'est juste un mec, les profs sont juste des gens..., peut-être que ça lui ferait plaisir d'entendre qu'on aime son cours, vous voyez ? En tout cas. Votre cours est sans aucun doute le plus rigoureux intellectuellement... Tout le monde le sait, vraiment, et Wellington est carrément le paradis des cérébraux, c'est donc un sacré compliment. »

Howard ferma les yeux et passa ses doigts dans ses cheveux. « Dis-moi, je suis curieux : c'est quoi, le cours de ton père ? »

Victoria réfléchit un instant. Elle vida son verre. « La tomate sauvera votre âme.

— Bien sûr. »

Victoria appuya sa tête contre sa paume et soupira. « Je n'en reviens pas de vous avoir parlé des tomates. Je serai excommuniée à mon retour. »

Howard rouvrit les yeux et alluma sa cigarette. « Je ne le dirai à personne. »

Ils se sourirent, brièvement. Puis Victoria parut se rappeler où elle se trouvait et pourquoi — son visage s'assombrit et elle pinça ses lèvres tremblantes en s'efforçant de retenir ses larmes. Howard s'enfonça dans le fauteuil. Ils gardèrent le silence pendant plusieurs minutes. Howard fuma sans discontinuer.

« Kiki », dit-elle soudain. Et quel avilissement d'entendre le nom de votre bien-aimée dans la bouche de la personne avec laquelle vous êtes sur le point de la trahir ! « Kiki, répéta-t-elle, votre femme. Elle est incroyable. Son allure. Elle est comme une reine. Avec son air impérieux.

— Une reine ?

— Elle est très belle, dit Victoria avec impatience, comme

386

si Howard refusait obstinément de saisir une évidence criante. Comme une reine africaine. »

Howard tira difficilement sur le bout trop serré de sa cigarette. « Je crois bien que ta description ne lui plairait pas.

— Belle ? »

Howard expira de la fumée. « Non, reine africaine.

— Pourquoi pas ?

— Je crois qu'elle trouverait ça condescendant, sans parler du fait que c'est une erreur factuelle. Écoute, Victoria.

— Vee ! Une fois pour toutes !

— Vee, je vais y aller maintenant, dit-il, mais il demeura immobile. Je ne crois pas pouvoir t'aider ce soir. Tu as un peu trop bu, et tu es très éprouvée par...

— Donnez-m'en un peu. » Elle désigna du doigt le verre d'Howard et s'avança vers lui. Elle avait placé ses coudes de telle sorte que ses seins jaillissaient l'un contre l'autre comme deux collines, et leurs sommets, qu'une crème quelconque avait rendus luisants, entreprirent de communiquer avec Howard indépendamment de leur propriétaire.

« Allez », dit-elle.

Pour la faire boire, Howard allait devoir porter son verre aux lèvres de la jeune fille.

« Une gorgée », dit-elle en fixant les yeux d'Howard par-dessus le bord du verre. Il l'inclina donc vers elle et elle prit une grande gorgée. Lorsqu'elle releva la tête, sa bouche versatile et d'une largeur déraisonnable, était mouillée. Les sillons de ses lèvres épaisses et sombres ressemblaient à ceux de sa femme — prune dans les rainures et presque noirs partout ailleurs. Il ne lui restait que quelques traces de rouge à lèvres aux commissures, comme si ses lèvres étaient tout simplement trop charnues pour qu'on les couvrît entièrement.

« Elle doit être remarquable.

— Qui ?

— Putain, essayez de suivre. Votre femme. Elle doit être remarquable.

— Doit-elle l'être vraiment ?

— Ouais. Parce que ma mère ne se lie — ne se *liait* — pas facilement d'amitié, dit Victoria, et sa voix se brisa au son de ce changement de temps. Elle était exigeante dans son rapport avec les autres. Il était difficile de la connaître. Je commence à me dire que je ne l'ai finalement pas très bien connue...

— Je suis sûr que ce n'est pas...

— Non, taisez-vous, dit Victoria d'une voix avinée, laissant quelques larmes couler sur ses joues, c'est pas de ça que je parle..., ce que je disais, c'est qu'elle ne supportait pas les imbéciles, vous voyez ? Il fallait que les gens soient exceptionnels d'une façon ou d'une autre. Ils fallaient que ce soit des *personnes authentiques*. Pas comme vous et moi. Authentiques, et particuliers. Donc Kiki doit être exceptionnelle. Diriez-vous, ajouta Victoria, qu'elle est exceptionnelle ? »

Howard jeta son mégot dans le verre vide de Victoria. Seins ou pas, il était temps de partir.

« Je dirais... qu'elle a rendu possible en sa forme actuelle l'existence que je mène. Et cette forme est exceptionnelle, oui. »

Victoria secoua la tête d'un air contrit et avança sa main qu'elle plaça sur son genou.

« Vous voyez, là ? Vous ne pouvez jamais simplement dire... j'aime la tomate.

— Je croyais qu'on parlait de ma femme, pas d'un légume. »

Victoria rectifia en lui tapotant le pantalon du doigt. « D'un fruit, en fait. »

Howard hocha la tête. « Un fruit.

— Allez, professeur, donnez-m'en encore. »

Howard maintint son verre hors de portée. « Tu en as déjà eu assez.

— Donnez-m'en encore ! »

Elle le fit. D'un bond elle quitta le lit et s'assit sur ses genoux. Son érection était flagrante, mais d'abord elle vida

388

calmement le reste de son verre, et s'appuya contre lui à la façon de Lolita sur Humbert, comme s'il n'était qu'une chaise sur laquelle elle se trouvait assise. Sans aucun doute elle avait lu *Lolita*. Elle passa alors son bras autour de son cou et Lolita se transforma en tentatrice (peut-être s'était-elle aussi renseignée du côté de chez Mrs Robinson), suçant lascivement son oreille, puis la tentatrice se mua en copine de lycée affectueuse, qui lui embrassait tendrement le coin de la bouche. Mais de quel genre de copine s'agissait-il ? Il avait à peine commencé à lui rendre son baiser qu'elle se mit à gémir avec un enthousiasme déconcertant ; puis elle commença à tortiller étrangement sa langue, ce qui prit Howard au dépourvu. Il essaya à plusieurs reprises de réguler son baiser, afin qu'il ressemblât un tant soit peu à ce qu'il connaissait du baiser, mais elle était déterminée à folâtrer avec sa langue sur son palais tout en maintenant une prise zélée et franchement inconfortable sur ses couilles. Elle commença lentement à déboutonner sa chemise, comme si une musique accompagnait ses gestes, et sembla déçue de ne pas trouver sur son torse un tapis de poils pornographiques. Elle le caressa alors de façon presque conceptuelle, comme si les poils s'y trouvaient effectivement, et tira sur ceux, épars, qu'Howard avait tout en — était-ce possible ? — ronronnant. Elle l'attira sur le lit. Avant qu'il ait même songé à lui enlever son chemisier, elle l'avait déjà fait. S'ensuivirent cris et ronronnements, même si les mains d'Howard n'avaient pas encore atteint les seins de la jeune fille, car il était en train de se démener, de l'autre côté du lit, pour se débarrasser d'une chaussure en l'attaquant avec l'autre. Il se leva à moitié, afin de mieux plier le bras pour atteindre la chaussure récalcitrante. Sur le lit, elle avait l'air de continuer sans lui, se tordant de façon capricieuse tout en passant ses doigts dans ses courts dreadlocks, comme on le ferait avec des cheveux plus longs et plus blonds.

« Oh, Howard, dit-elle.

— Oui, une minute », dit-il. *Voilà*. Il se tourna à nouveau vers elle avec l'intention de la relever pour la mettre en face de lui, et embrasser à tête reposée cette bouche merveilleuse, puis passer sa main sur ses seins, ses épaules, ses bras, enlacer ce derrière généreux et serrer entièrement contre lui ce merveilleux morceau. Mais elle s'était déjà retournée sur le ventre, la tête pressée contre le lit comme si une main invisible la maintenait avec l'intention de l'étouffer, les jambes écartées, débarrassée de son short, ses mains posées sur ses fesses, qu'elle écartait. Le minuscule nœud rose au centre mit Howard devant un dilemme. Elle ne voulait quand même pas... ou bien si ? C'était donc ça, la mode d'aujourd'hui ? Howard enleva son pantalon ; son érection faiblit quelque peu.

« Baise-moi », dit Victoria, qui répéta cette injonction plusieurs fois. Howard entendait les cliquetis et les murmures du rez-de-chaussée, où avait lieu la veillée funèbre de la mère de cette fille. Se prenant la tête entre les mains, il s'approcha d'elle par-derrière. À peine l'effleurait-il qu'elle gémissait et semblait trembler de passion pré-orgasmique, et pourtant elle était, comme Howard put le découvrir lors de sa deuxième tentative, complètement sèche. L'instant suivant, elle s'était léchée la main et l'avait mise là où il fallait. Elle se frotta, ainsi qu'Howard, avec vigueur. Obéissante, son érection rappliqua.

« Mets-la-moi, dit Victoria. Baise-moi. Mets-la-moi à fond. »

Très détaillé. Timidement, Howard avança la main pour toucher ses seins. Elle lui lécha les doigts et lui demanda plusieurs fois s'il aimait faire ce qu'il était en train de faire, question à laquelle il ne pouvait répondre que par l'affirmative. Puis elle commença à lui dire à quel point il aimait ce qu'il était en train de lui faire. Howard, fatigué par ce commentaire en continu, promena sa main plus bas sur son ventre, qu'elle releva immédiatement comme un chat qui s'étire et rentra — en fait, elle semblait retenir son souffle —, pour ne respirer à nouveau que lorsqu'il eut ôté sa main. Il eut le sentiment que chaque partie du corps de la jeune fille disparaissait au moment où il la touchait, pour revenir dans sa main l'instant suivant, remodelée.

« Oh, je te veux tellement *en moi* », dit Victoria et elle leva encore plus haut son derrière. Howard tenta de s'étirer de telle sorte qu'il pût toucher la peau de son visage ; elle gémit et prit ses doigts dans sa bouche, comme s'il s'agissait de la bite d'un autre, et commença à les sucer.

« Dis-moi que tu as envie de moi. Dis-moi à quel point tu as envie de me baiser, dit Victoria.

— J'ai envie..., je..., tu es tellement... belle », chuchota Howard, qui se leva légèrement sur ses talons et embrassa la seule partie du corps de la jeune fille qui lui fût véritablement accessible, le creux de ses reins. D'une main forte, elle le remit à genoux.

« Mets-la-moi », dit-elle.

Bon, d'accord. Howard saisit sa bite et s'immisça dans la brèche. Il s'était dit qu'il serait difficile de surpasser les cris et gémissements qu'elle avait déjà poussés, mais, alors qu'il pénétrait Victoria, elle y parvint, et Howard, qui n'était pas habitué à tant de félicitations aussi tôt dans la procédure, eut peur de lui avoir fait mal, et hésita alors à s'enfoncer plus profondément.

« Baise-moi plus fort ! » dit Victoria.

Ainsi Howard s'introduisit plus profondément, trois fois, lui faisant don de la moitié environ de ses vingt et un centimètres, cet heureux accident de la nature qui, à en croire Kiki, était la principale et unique raison pour laquelle Howard n'était plus boucher dans Dalston High Street. Mais au bout de sa quatrième estocade, ses nerfs, l'étroitesse et le vin eurent raison de lui, et il jouit par petites secousses frissonnantes, sans grand plaisir. Il s'affala sur Victoria et attendit, morose, les sons familiers de la déception féminine.

« Oh, mon Dieu ! Oh, mon Dieu ! dit Victoria en se convulsant de façon dramatique, oh, j'adore quand tu me baises ! »

Howard se retira et s'allongea près d'elle sur le lit. Victoria, qui avait à présent totalement recouvré ses esprits, se tourna sur elle-même et déposa sur son front un baiser maternel.

« C'était délicieux.

— Mmmm, dit Howard.

— Je prends la pilule, donc. »

Howard grimaça. Il n'avait même pas demandé.

« Tu veux que je te suce ? J'aimerais tant goûter à ta bite. »

Howard se releva et empoigna son pantalon. « Non, ça va, je... putain. » Il regarda sa montre, comme si l'heure tardive était le problème. « Il faut qu'on descende... je ne comprends pas ce qui vient de se passer. C'est de la folie. Tu es mon élève. Tu as couché avec *Jerome.* »

Victoria s'assit sur le lit et lui toucha le visage. « Écoute, sans vouloir paraître ringarde, Jerome est adorable, mais c'est un *garçon*, Howard. J'ai besoin d'un homme en ce moment.

— Vee, s'il te plaît, dit Howard se saisissant de son poignet et lui tendant son chemisier. On doit descendre.

— D'accord, d'accord, calmos. »

Ils s'habillèrent ensemble, Howard à la hâte, Victoria avec langueur, et Howard s'émerveilla du fait que ce dont il avait rêvé depuis tant de semaines — voir cette fille nue — venait dramatiquement de s'inverser. Il aurait fait absolument n'importe quoi pour la voir habillée. Enfin, lorsqu'ils furent tous deux vêtus, Howard trouva son caleçon coincé dans une taie d'oreiller. Il l'enfonça dans sa poche. À la porte, Victoria l'immobilisa en posant une main sur sa poitrine. Elle respira profondément, et l'encouragea à faire de même. Elle déverrouilla la porte. Aplatit d'un doigt une mèche folle qu'Howard avait sur le front, et ajusta sa cravate.

« N'aie pas trop l'air d'aimer les tomates », dit-elle.

5

Au début du siècle dernier, Helen Keller fit une série de conférences en Nouvelle-Angleterre au cours desquelles elle envoûta son public en racontant sa vie (et le surprit aussi par ses idées socialistes). En route elle s'arrêta à Wellington College, où elle donna son nom à une bibliothèque, planta un arbre et reçut un diplôme de docteur *honoris causa*. D'où la bibliothèque Keller, une longue pièce pleine de courants d'air située au rez-de-chaussée du département d'anglais, avec une moquette verte, des murs rouges et beaucoup trop de fenêtres — c'est impossible à chauffer. Un portrait d'Helen en taille réelle, portant une toge universitaire, assise dans un fauteuil, ses yeux aveugles baissés modestement sur ses genoux, est accroché à l'un des murs. Sa compagne, Annie Sullivan, se tient debout derrière elle, une main posée tendrement sur l'épaule de son amie. C'est dans cette salle glaciale que se tiennent toutes les réunions de la Faculté de lettres. Aujourd'hui, nous sommes le 10 janvier. La première réunion de faculté de l'année va commencer dans cinq minutes. Comme lorsqu'un vote très important doit avoir lieu dans la Chambre des lords, même les professeurs les plus réticents sont présents ce matin, y compris les ermites octogénaires titularisés. Toutes les places sont prises, même si personne ne se dépêche ; ils arrivent par vagues, écharpes raidies et mouillées par la neige, marques de sel sur leurs chaussures en cuir, mouchoirs, toux et problèmes respiratoires à l'avenant. Dans un coin, les parapluies s'entassent comme des oiseaux morts après une expédition de chasse. Professeurs, chercheurs et maîtres-assistants associés sont attirés par le fond de la salle, où pâtisseries sous cellophane et café et déca fumants dans des pots de cantine en acier sont disposés sur de longues tables. Les réunions de faculté — surtout celles présidées par Jack French, comme le sera celle-ci — peuvent durer jusqu'à trois heures. L'autre priorité, c'est d'essayer de trouver une place assise aussi près de la sortie que possible, afin de pouvoir discrètement partir au milieu de la séance. Le rêve (si rarement accompli !) est de pouvoir partir tôt sans se faire remarquer.

Lorsque Howard arriva dans l'entrée de la bibliothèque Keller, toutes les places permettant une sortie discrète étaient déjà prises. Il fut obligé de prendre place à l'avant de la salle, directement sous le portrait d'Helen et à moins de deux mètres de Jack French et de son assistante, Liddy Cantalino, qui s'affairaient autour d'une quantité de papiers empilés, étalés sur deux chaises, ce qui ne laissait rien présager de bon. Ce n'était pas la première fois au cours d'une réunion de faculté qu'Howard souhaitait partager les handicaps sensoriels d'Helen Keller. Il aurait payé cher pour ne pas avoir à contempler le petit visage anguleux de sorcière de Jane Colman, et sa tignasse de cheveux blonds desséchés crépus qui dépassaient du genre de béret que l'on trouve dans les publicités du *New Yorker*, censés vous donner l'air européen. Pareil pour le chouchou des étudiants : Jamie Anderson, spécialiste de l'histoire des populations indiennes d'Amérique, déjà titularisé à trente-six ans, et dont le minuscule ordinateur portable tenait en équilibre sur l'accoudoir de son siège. Surtout, Howard aurait souhaité ne pas entendre les grommellements venimeux des professeurs Burchfield et Fontaine, deux grandes dames corpulentes du département d'histoire, serrées l'une contre l'autre sur l'unique canapé, toutes deux emmaillotées dans ce qui ressemblait à du tissu pour rideaux, qui regardaient Howard d'un mauvais œil. Telles des poupées russes, elles étaient presque identiques ; Fontaine, légèrement moins épaisse que l'autre, semblait être sortie toute faite du corps de Burchfield. Elles avaient une coupe au bol fonctionnelle et de grosses lunettes en plastique datant du début des années soixante-dix, et pourtant elles dégageaient une aura radieuse quasi sexuelle qui provenait du fait d'avoir écrit — il y a certes quinze ans — une poignée de livres qui étaient au programme de chaque université du pays. Et ces femmes-là n'avaient que faire de ponctuation à la mode : les titres de leurs ouvrages ne contenaient ni deux points, ni tiret, ni sous-titre. On parlait encore du Staline de Burchfield et du Robespierre de Fontaine. Ainsi, à leurs yeux, les Howard Belsey de ce monde n'étaient que des mouches du coche qui voletaient d'une faculté à l'autre avec leur charabia en vogue, ne signifiant rien, n'accomplissant rien. Lorsque, à l'automne dernier, la titularisation d'Howard avait été proposée après dix ans passés dans l'établissement, elles s'y étaient encore opposées. Elles s'y opposeraient une fois de plus cette année. Comme elles étaient en droit de le faire. Et c'était aussi leur droit, en tant que membres « à vie » de la faculté, de défendre l'esprit et l'âme de Wellington — dont elles se considéraient les garantes — contre les abus et déformations d'hommes comme Howard, dont la présence au sein de cet établissement, cela allait sans dire, devait être temporaire. Si elles avaient quitté leurs bureaux ce matin pour être présentes à cette réunion, c'était afin de s'assurer qu'Howard resterait à sa place. Elles ne pouvaient pas lui permettre de prendre sans surveillance une décision affectant cette université qu'elles aimaient tant. Maintenant, alors que la pendule sonnait dix heures, et que Jack, debout devant l'assemblée, faisait entendre des toussotements préliminaires, Burchfield et Fontaine eurent l'air de hérisser leurs plumes et de s'installer comme deux grosses poules se couchant sur leurs œufs. Elles jetèrent à Howard un dernier regard méprisant. Howard ferma les yeux, se préparant aux habituelles montagnes russes verbales qui caractérisait tout discours préliminaire de Jack.

« Il y a, dit Jack en joignant ses mains, une dyade de raisons pour lesquelles la réunion du mois dernier a été retardée, reprogrammée..., il serait peut-être plus judicieux de dire repositionnée, à cette date, le 10 janvier, et je trouve qu'avant de poursuivre avec cette réunion, à laquelle, d'ailleurs, je vous souhaite tous la bienvenue après ce que j'espère avoir été des vacances de Noël agréables et surtout *reposantes*..., oui, et comme je disais, avant d'entamer ce qui promet d'être une réunion à l'ordre du jour vraiment chargé..., avant donc de commencer, je voulais brièvement évoquer les raisons pour lesquelles cette réunion a dû justement être repositionnée, ce qui, comme nombre d'entre vous le savent, ne s'est pas fait sans polémique. Bien. Donc. Pour commencer, plusieurs membres de notre communauté ont trouvé que les sujets de discussion de cette réunion à venir — et à laquelle nous participons maintenant — étaient d'une ampleur et d'une complexité telles qu'il faudrait... non, qu'il fallait impérativement que les opinions divergentes soient examinées sous notre éclairage collectif, et je ne suggère pas par là que la discussion que nous allons bientôt entamer soit d'une nature purement binaire..., personnellement, je crois sans aucun doute que nous allons découvrir le contraire et que nous allons en fait peut-être nous retrouver tous alignés ce matin sur des points divergents du, du, du, disons de *l'entonnoir* de la discussion que nous allons avoir ce matin. Et donc, afin de créer un espace propice à la formulation, nous avons suivi leur conseil et décidé, sans faire voter les membres de la faculté, de retarder la réunion ; naturellement, ceux qui estiment que cette décision a été prise sans concertation préalable peuvent noter leur objection dans notre dossier en ligne, que notre chère Liddy Cantalino a créé spécialement pour ces réunions..., je crois que la mémoire-cache se trouve dans le code SS76 du site de la Faculté de lettres, dont l'adresse, je l'espère, vous est déjà familière... c'est bien... ? » demanda Jack en regardant Liddy assise à côté de lui. Liddy hocha la tête, se leva, répéta le code mystérieux, et se rassit. « Merci, Liddy. Donc, oui. Donc il y a un forum pour ceux qui voudraient se plaindre. Maintenant. La deuxième raison, qui Dieu merci est bien moins délicate, avait tout simplement trait au temps, chose qui nous a tous, vous, Liddy et moi, frappés. Ainsi, Liddy et nombre de nos collègues qui lui en

396

ont parlé trouvaient que le moins qu'on puisse dire, c'est que la densité extrême, vous m'excuserez d'employer une expression aussi rebattue, du calendrier de décembre, des événements tant universitaires que festifs, nous laissait très peu de temps pour la préparation habituelle et nécessaire sinon obligatoire que nécessite toute réunion de faculté qui se veut efficace. Et je crois que Liddy a quelques mots à nous dire au sujet de la façon dont nous allons programmer à l'avenir cette réunion cruciale. Liddy ? »

Liddy se leva à nouveau et réajusta rapidement ses seins Sur son pull les rênes se déplaçaient irrégulièrement de la gauche vers la droite.

« Salut tout le monde, donc... pour reprendre ce que Jack vient de dire, nous autres femmes du côté administratif sommes totalement débordées en décembre, et si on continue à avoir chaque année une fête de Noël pour chaque département, comme on a décidé de le faire l'an dernier, sans parler du fait qu'on a pratiquement chaque gamin de la fac qui court après une recommandation la semaine qui précède les vacances, même si on leur a dit *Dieu sait* combien de fois pendant l'automne de ne pas attendre la dernière minute pour leurs recommandations, mais en tout cas... on s'était dit que ce serait plus logique de se laisser un peu de temps pour respirer durant la dernière semaine avant les vacances, afin qu'on puisse, en ce qui me concerne, éviter d'avoir le cul entre quinze chaises au premier de l'an. » L'assistance eut un rire poli. « Si vous me pardonnez l'expression. »

Ce que chacun fit. La réunion commença. Howard s'affaissa sur son siège. Ce n'était pas encore son tour. Il passait en troisième, ce qui était absurde, puisque tous ceux présents étaient sans doute venus pour voir le cirque de Monty et Howard. Mais pour commencer, Christopher Fay, spécialiste gallois de lettres classiques, qui occupait le poste de responsable temporaire du service des logements pour étudiants, vêtu d'un gilet arlequin et d'un pantalon rouge, allait parler pendant une éternité de salles de réunions pour étudiants en troisième cycle. Howard sortit son stylo et, tout en simulant un air absorbé censé suggérer une activité plus sérieuse, se mit à faire des dessins sur ses notes. *La liberté de parole sur ce campus est d'une grande importance, mais elle doit coexister avec d'autres libertés, à savoir celles qui garantissent que les étudiants de cette université soient à l'abri d'attaques verbales et personnelles, de dénigrement conceptuel, de stéréotypes patents, ainsi que toute autre manifestation de haine.* Howard orna son entrée en matière d'une série de fioritures imbriquées comme des branchages élégants, dans le style de William Morris. Une fois les contours dessinés, il entreprit de les colorier. Cette tâche achevée, d'autres fioritures lui vinrent à l'esprit ; le motif s'étendit au point d'occuper presque toute la marge. Il leva la feuille de ses genoux et l'admira. Puis il recommença à colorier, prenant un plaisir enfantin à ne pas déborder, se soumettant à des principes arbitraires de style et de forme. Il leva les yeux et fit semblant de s'étirer ; ce mouvement lui fournit le prétexte de tourner sa tête à droite et à gauche tout en examinant la salle à la recherche de partisans et de détracteurs. Erskine était assis de l'autre côté de la salle, entouré des membres de son département des Black Studies, la cavalerie d'Howard. Claire n'était pas là, en tout cas, il ne la voyait pas. Il savait que Zora était assise sur un banc dans le couloir en train de répéter son propre discours, attendant qu'on l'appelle. Les collègues d'histoire de l'art étaient éparpillés çà et là, mais tous répondaient à l'appel. Monty — et ce fut un choc déplaisant — était juste derrière lui, à une distance qu'un cavalier, aux échecs, aurait franchi en un coup. Il sourit et salua Howard d'un petit geste de la tête, mais Howard, honteusement indigne d'une telle courtoisie, ne fit que se détourner violemment et enfonça son crayon dans son genou. Quand on prend la femme d'autrui, on dit : cocufier. Mais comment dit-on quand on prend sa fille ? S'il y avait un mot pour le dire, Howard était sûr que Christopher Fay, dont le point de vue hautement sexualisé des mœurs du monde antique plaisait tant aux éditeurs, le connaîtrait. Howard leva le regard sur Christopher qui, toujours debout, agile comme un bouffon, parlait avec animation. La petite queue-de-rat qu'il avait sur la nuque tressautait à gauche et à droite. C'était le seul autre Britannique de la faculté. Howard s'était souvent demandé quelle opinion à leur contact ses collègues américains devaient se faire du Royaume.

« Merci Christopher », dit Jack, qui prit ensuite très long-temps pour présenter celle qui allait remplacer celui-ci comme responsable temporaire du service des logements pour étudiants (Christopher partant bientôt à Canterbury en congé sabbatique), une jeune femme qui se leva alors pour parler des recommandations que Christopher avait déjà lon-guement évoquées. Un mouvement ample mais discret, comme une hola, parcourut l'assistance tandis que chacun replaçait son derrière sur son siège. Une veinarde s'échappa par la double porte qui grinçait — une impertinente roman-cière professeur associé — mais son départ ne passa pas inaperçu. Les yeux de fouine de Liddy la regardèrent partir, et elle inscrivit quelque chose sur un papier. Howard se sur-prit à ressentir de la nervosité. Il lut ses notes en diagonale, trop agité pour se concentrer sur son texte phrase par phrase. Il était presque temps. Puis il était temps.

« Et maintenant si vous voulez bien vous pencher sur le troisième sujet à l'ordre du jour, qui concerne une série de conférences proposées pour le semestre à venir... et j'aime-rais demander au professeur Howard Belsey, qui dépose une motion contre, contre, contre, cette série de conférences..., je vous demande à tous de vous reporter aux notes qu'Ho-ward a jointes à l'ordre du jour, et auxquelles, je l'espère, vous avez accordé l'attention nécessaire et... oui. Donc. Howard, si vous voulez bien... ? »

Howard se leva.

« Peut-être que ce serait mieux si vous... ? » suggéra Jack.

Howard se fraya un chemin entre les chaises pour rejoindre Jack ; il fit face à l'assistance.

« Vous avez la parole », dit Jack ; il s'assit et se mit a ronger nerveusement l'ongle de son pouce.

« Le droit à la libre expression, commença Howard dont le genou droit tremblait de façon incontrôlable, sur ce campus, même s'il est fondamental, doit néanmoins respecter d'autres droits... »

À ce moment, Howard fit l'erreur de lever la tête et de regarder autour de lui, comme il est conseillé de faire lorsqu'on parle en public. Il aperçut Monty, qui souriait en hochant la tête, comme un roi face au fou venu le divertir. Howard trébucha une fois, deux fois, puis, pour remédier au problème, ne quitta plus des yeux sa feuille. Maintenant, au lieu de broder avec subtilité autour de ses notes, d'improviser, de lancer des apartés ironiques et d'utiliser les sophismes faciles qu'il avait eu l'intention de dégainer, il lut son papier d'un ton frénétique et raide. Il conclut abruptement et, les yeux vides, observa la dernière indication qu'il avait notée au crayon et qui disait : *Après avoir exposé les points principaux, viens-en au fait.* Quelqu'un toussa. Howard leva les yeux et ne vit que Monty — son sourire était démoniaque — puis baissa les yeux derechef sur sa feuille. Il dégagea les cheveux que la sueur collait sur son front.

« Laissez-moi, euh... laissez-moi..., je voudrais exprimer clairement mon inquiétude. Lorsque le professeur Kipps a été invité à Wellington par la Faculté de lettres, c'était pour participer à la vie de cet établissement et pour proposer une série de conférences *édifiantes* sur l'un des très, très, *très nombreux* sujets dont il est spécialiste... » Howard fut récompensé par les quelques rires qu'il avait escomptés, et ce petit coup de fouet lui redonna la confiance dont il avait besoin. « Mais il n'a surtout pas été invité pour faire des discours politiques qui seraient susceptibles d'offenser gravement voire d'éveiller l'hostilité de nombreuses communautés dans ce campus. »

Monty se leva et secoua la tête, apparemment amusé. Il leva la main. « S'il vous plaît, dit-il, puis-je ? »

Jack eut l'air chagriné. Comme il détestait ce genre d'affrontement dans sa faculté !

« Eh bien, professeur Kipps, je crois que si nous pouvons juste, juste, juste... Si on pouvait laisser finir Howard si vous le voulez...

— Bien sûr. Je serai patient et tolérant tandis que mon collègue me calomnie », dit Monty sans cesser de sourire, et il se rassit.

Howard poursuivit : « Je voudrais rappeler ici que l'an dernier les membres de cette université ont réussi à interdire la venue d'un philosophe invité. À l'unanimité il a été décidé qu'il ne pouvait utiliser cet établissement pour véhiculer les opinions exprimées dans ses travaux, jugées "anti-israéliennes", ainsi que des thèses offensantes pour les membres de notre communauté. Cette objection (qui exprimait une opinion que je ne partageais pas) mise aux voix fut adoptée, et ce monsieur a été tenu à l'écart de Wellington en raison du fait que ses opinions présentaient un caractère offensant pour certains éléments de cette communauté. Et ce sont exactement les mêmes raisons que j'avance devant vous ce matin, mais avec une différence de taille. Je n'ai pas l'habitude et je n'aime pas particulièrement interdire ce campus à des intervenants dont je ne partage pas les convictions politiques, et c'est pour cela que je ne demande pas l'interdiction d'office de ces conférences, mais que je demande plutôt que le texte nous soit montré, afin que les membres de cet établissement puissent le consulter, pour éventuellement exiger que soit coupé tout matériel enfreignant les lois anti-discriminatoires internes à cet établissement — comme elles ont été définies par la commission pour l'égalité des chances, que je préside. J'ai écrit au professeur Kipps pour lui demander un exemplaire de son texte — chose qu'il a refusée. Je demande à nouveau aujourd'hui qu'il nous remette au moins le plan des conférences qu'il a l'intention de donner. J'ai deux raisons essentielles de réitérer ma demande : premièrement, les affirmations réductrices et offensantes que le professeur a tenues publiquement tout au long de sa carrière sur l'homosexualité, la race et les sexes. Deuxièmement, sa série de conférences, intitulée "Réhumaniser les sciences humaines", porte le même titre qu'un article qu'il a récemment publié dans le *Wellington Herald*, qui en soi contenait suffisamment d'éléments homophobes pour que l'association LesBiGay de Wellington décide de manifester et de tenter d'empêcher toute conférence que le professeur serait susceptible de donner ici. Pour ceux d'entre vous qui ont raté cet article, je l'ai photocopié ; Lydia le distribuera à tous ceux qui souhaitent le lire, à la fin de cette réunion. Donc, pour conclure, dit Howard, en pliant en deux ses papiers, je propose au professeur Kipps la chose suivante : qu'il nous remette le texte de ses conférences ; sinon, qu'il nous fournisse un plan ; ou sinon, qu'il nous fasse part ce matin de ses intentions.

— Est-ce... ? demanda Jack. Voilà en gros... donc, je suppose que nous devons nous adresser au professeur et..., professeur Kipps, pourriez-vous s'il vous plaît... »

Monty se leva et agrippa le dossier de la chaise devant lui, se penchant au-dessus comme s'il s'agissait d'un pupitre.

« Monsieur le Doyen, je vais me faire un plaisir de répondre. Comme tout cela m'amuse. Je raffole des contes de fées libéraux. Tellement reposants : ils ne requièrent pas trop d'effort intellectuel. » Un rire nerveux agita les membres de la faculté. « Mais, si vous le voulez bien, je vais m'en tenir aux faits dans l'immédiat, et répondre aussi directement que possible aux inquiétudes du professeur Belsey. Je ne puis malheureusement accéder à ses trois requêtes, étant donné que je suis dans un pays libre et que je revendique la liberté d'expression comme un droit inaliénable. Je tiens à rappeler au professeur Belsey que nous ne sommes plus en Angleterre. » À ces mots, l'assistance éclata d'un rire plus fort que celui avec lequel elle avait accueilli les propos d'Howard. « Si cela peut lui faire plaisir — et je sais à quel point l'esprit libéral aime se faire plaisir —, je suis prêt à endosser seul l'entière responsabilité du contenu de mes conférences. Mais je crains d'être dans l'impossibilité de pouvoir répondre à sa demande franchement bizarre de connaître l'"intention" qui m'anime. À vrai dire, je reconnais que je suis surpris et amusé qu'un anarchiste textuel, ainsi que le professeur aime à se définir, cherche avec autant de passion à connaître l'intention d'un texte... »

Une pincée de rires intellectuels sans joie, semblables à ceux que l'on entend lors des conférences d'écrivains.

« Je n'avais aucune idée, continua Monty gaiement, qu'il était aussi pointilleux sur le caractère absolu du mot écrit.

— Howard, voulez-vous..., dit Jack French, mais Howard parlait déjà en même temps que lui.

— Écoutez, ce que je veux dire, c'est... », clama Howard, en se tournant vers Liddy, sa plus proche interlocutrice, mais Liddy n'était pas intéressée. Elle gardait son énergie pour le septième point à l'ordre du jour : la demande de deux photocopieuses supplémentaires faite par le département d'histoire. Howard se retourna vers l'assemblée. « Comment peut-il assumer la responsabilité de son texte tout en étant incapable de nous dire quelle intention l'anime ? »

Monty posa ses mains de chaque côté de son ventre. « Vraiment, professeur Belsey, c'est trop stupide pour mériter une réponse. Il va sans dire qu'un homme peut écrire un texte en prose sans avoir l'"intention" de susciter une réaction particulière, ou du moins il peut écrire, et il écrit sans présupposer les résultats et les conséquences dudit texte.

— À vous de me le dire, cher ami, c'est vous l'intégriste de la Constitution ! »

Les rires fusèrent, plus nombreux et plus francs. Pour la première fois, Monty eut l'air légèrement froissé.

« Je vais écrire, articula-t-il, sur mes opinions concernant l'état du système universitaire dans ce pays. J'écrirai en me

403

servant de mes connaissances, *ainsi que* de mon sens moral...

— *Avec* l'intention claire et nette d'offenser et d'exclure toutes sortes de minorités dans ce campus. En endossera-t-il la responsabilité ?

— Professeur Belsey, si je puis faire référence à l'une de vos vaches sacrées libérales, Jean-Paul Sartre : "Nos désirs nous sont obscurs et pourtant nous sommes responsables de ce que nous sommes — telle est la vérité." Maintenant n'est-ce pas *vous*, professeur, qui évoquez le caractère instable du sens textuel ? N'est-ce pas *vous*, professeur, qui évoquez la nature indéterminée de tout système de signes ? Comment diantre puis-je donc prévoir *avant* de donner mes conférences l'effet que la "multivalence", dit Monty en prononçant ce mot avec un dégoût manifeste, de mon propre texte aura sur la "conscience hétérogène" de mon public ? » Monty soupira lourdement. « Toute votre ligne d'attaque est un exemple parfait de ma thèse. Vous photocopiez mon article, mais vous ne prenez pas le temps de le lire attentivement. Dans cet article, je demande : "Pourquoi existe-t-il une règle pour l'intellectuel libéral et une tout autre règle pour son collègue conservateur ?" Et maintenant, je vous le demande : pourquoi devrais-je livrer le texte de mes conférences à une commission d'inspecteurs libéraux, et voir ainsi ma propre liberté d'expression — liberté tant vantée au sein de cet établissement — limitée et menacée ?

— Oh, putain de Dieu ! » explosa Howard. Jack bondit de son siège.

« Euh, Howard, je vais devoir vous demander de surveiller votre langage.

— Ce n'est pas nécessaire, ce n'est pas nécessaire, je ne suis pas si délicat, monsieur le Doyen. Je n'ai jamais cru avoir affaire à un homme bien élevé...

— Écoutez, dit Howard dont le visage s'empourprait, ce que je veux savoir...

— Howard, s'il vous plaît, dit Monty en le réprimandant,

j'ai eu la politesse de vous écouter jusqu'au bout. *Merci*. Donc : il y a deux ans, à Wellington, dans cet illustre établissement si attaché à la liberté, un groupe d'étudiants musulmans a demandé qu'une salle leur soit réservée pour leurs prières quotidiennes, et cette requête a été rejetée en grande partie grâce aux efforts du professeur Belsey, à la suite de quoi ce groupe de musulmans poursuit actuellement l'université de Wellington en justice, POUR FAIRE RESPECTER SON DROIT, tonna Monty afin de couvrir les protestations d'Howard, faire respecter son droit de pratiquer sa religion...

— Bien entendu, votre sympathie pour la foi musulmane est légendaire », persifla Howard.

Monty prit un air empreint de gravité historique. « Je soutiens toute liberté religieuse face à la menace du fascisme laïque.

— Monty, vous le savez aussi bien que moi : cette affaire n'a *rien à voir* avec la discussion d'aujourd'hui. La politique de cette université s'est toujours opposée à toute activité religieuse, et il ne s'agit pas de discrimination de notre part...

— HA !

— Nous ne faisons *pas* de discrimination, mais nous encourageons tous nos étudiants à poursuivre leurs intérêts religieux à l'extérieur de l'université. Mais cette affaire n'a absolument rien à faire ici : nous parlons aujourd'hui d'une tentative cynique pour imposer à nos étudiants ce qui n'est en fait qu'une patente idéologie de droite déguisée en une série de conférences sur...

— S'il nous faut parler d'idéologie patente, nous devrions aborder la façon clandestine de gérer les admissions ici à Wellington, une politique qui est une perversion de la loi sur la discrimination positive (qui, soit dit en passant, est elle-même une perversion), et qui permet à des étudiants qui ne sont PAS inscrits à cette université de suivre néanmoins des cours ici, dispensés par des professeurs qui, à leur propre discrétion (pour reprendre le terme si frauduleusement employé), accueillent ces "étudiants" dans leurs classes, les préférant à de *véritables* étudiants plus qualifiés qu'eux, et *non* parce que ces jeunes gens remplissent les critères universitaires d'admission de Wellington, non, mais parce qu'on les considère comme des *nécessiteux*, comme si cela aidait les minorités, de les pousser dans un milieu d'élite auquel elles ne sont pas encore préparées. Quand la vérité, c'est que les libéraux considèrent comme toujours que cela leur est salutaire, seulement parce qu'en agissant ainsi l'âme libérale elle-même, dit Monty avec une malicieuse emphase, se fait plaisir. »

Howard applaudit et adressa à Jack French un regard excédé.

« Désolé, de *quelle* affaire parlons-nous maintenant ? Y a-t-il une seule chose dans cette université contre laquelle le professeur Kipps n'est *pas* en guerre ? »

Jack French jeta un regard angoissé à l'ordre du jour que Liddy venait de lui tendre.

« Euh, Howard a raison, Montague..., je vois que vous avez émis une réserve sur les admissions, mais il s'agit du quatrième point aujourd'hui... comme vous pourrez le constater sur l'ordre du jour. Si nous pouvions juste nous en tenir à... je suppose que la question, telle qu'Howard l'a posée, c'est : Donnerez-vous votre texte à vos collègues ? »

Monty bomba le torse, tenant sa montre à gousset à la main. « Non, je ne le ferai pas.

— Eh bien, le soumettrez-vous au vote ?

— Monsieur le Doyen, avec tout le respect que vous dois, je ne le ferai pas. Pas plus que je n'accepterais que l'on vote pour savoir si un homme a le droit de m'arracher la langue : un vote en l'occurrence est complètement hors de propos. »

Jack regarda désespérément Howard.

« Quelqu'un a quelque chose à ajouter ? suggéra Howard exaspéré.

— Oui..., dit Jack avec un énorme soulagement. Quelqu'un a quelque chose à ajouter ? Elaine... vous vouliez dire quelque chose ? »

La professeur Elaine Burchfield ajusta ses lunettes sur son nez. « Howard Belsey suggère-t-il *vraiment*, dit-elle avec une déception toute patricienne, que Wellington est un établissement délicat au point de craindre toute joute politique entre ses murs ? La conscience libérale (que le professeur Kipps se plaît à ridiculiser) est-elle si faible qu'elle ne résisterait pas à une série de six conférences exprimant un point de vue différent du sien ? Il me semble que cette perspective est très alarmante. »

Howard, rouge de colère, répondit en regardant le haut du mur du fond de la salle. « De toute évidence, je ne m'exprime pas clairement. Le professeur Kipps a dénoncé par écrit, aux côtés de son "âme sœur" le juge Scalia, l'homosexualité comme un mal... »

Monty bondit à nouveau de son siège. « Je récuse cette interprétation de ma thèse. J'ai défendu par écrit le point de vue du juge Scalia, selon lequel tout chrétien engagé a le droit d'avoir une telle opinion sur l'homosexualité, et qu'en outre il s'agit d'une atteinte aux droits des chrétiens lorsque leur opposition aux homosexuels, qui relève du principe moral, se traduit légalement par "discrimination". Voilà très exactement mon argumentation. »

Howard vit avec satisfaction qu'à ses explications Burchfield et Fontaine eurent un mouvement de recul et de dégoût. Il fut d'autant plus surpris lorsque Fontaine fit entendre sa fameuse voix de baryton lesbien pour dire : « Nous pouvons trouver ces opinions répréhensibles voire répugnantes, mais nous nous trouvons ici au sein d'un établissement qui défend la discussion intellectuelle et le débat.

— Mais bon sang, Gloria, c'est tout le *contraire* de la pensée ! » cria le chef du département d'anthropologie sociale. Ainsi démarra une partie de ping-pong verbal qui attira de plus en plus de participants tandis que le débat faisait rage dans la salle, se poursuivant sans qu'Howard eût besoin de jouer l'arbitre.

Il s'assit et entendit sa thèse se perdre dans les méandres des récits d'autres affaires, certaines similaires, d'autres fastidieusement hors de propos. Erskine, voulant bien faire, raconta longuement et avec force détails toute l'histoire du mouvement pour les droits civiques, dans le but apparent de montrer que, vu la rigidité avec laquelle il interprétait la Constitution des États-Unis, Kipps aurait voté contre la déségrégation. Son argument était valable, mais il fut noyé par l'émotion dont Erskine faisait preuve en l'énonçant. Ainsi s'écoula une demi-heure. Finalement, Jack reprit le contrôle du débat. Doucement, il répéta à Monty la requête d'Howard. Et Monty refusa derechef de faire part du texte de ses conférences.

« Eh bien, concéda Jack, vu la détermination manifestée par le professeur Kipps... mais nous pouvons néanmoins voter pour décider si ces conférences doivent avoir lieu ou non. Je sais que ce n'était pas dans vos premières intentions, Howard, mais vu les circonstances... Nous avons ce pouvoir.

— Je n'ai pas d'objection à ce qu'un vote démocratique ait lieu là où droit et pouvoir sont réunis, ce qui est le cas présentement, dit Monty sur un ton majestueux. Il est clair qu'au bout du compte seuls les membres de cette faculté ont le droit de décider qui pourra ou non intervenir dans leur université. »

Howard, pour toute réponse, ne put que hocher la tête en boudant.

« Tous ceux qui sont pour..., je veux dire, pour que les conférences aient lieu, sans consultation préalable. » Jack mit ses lunettes pour compter le vote. Il n'avait aucun besoin de le faire. À l'exception de quelques petites enclaves qui soutenaient Howard, toutes les mains se levèrent.

Sonné, Howard regagna sa place. Sur son chemin, il croisa sa fille, qui venait juste de pénétrer dans la salle. Zora pressa son bras et lui sourit, supposant qu'il s'était aussi bien acquitté de sa tâche qu'elle était sur le point de le faire. Elle prit place à côté de Liddy Cantalino. Elle posa sur ses genoux une pile de papiers parfaitement rangés. Éclairée intérieurement par sa redoutable jeunesse, elle avait l'air puissant.

« Maintenant, dit Jack, l'une de nos étudiantes, comme vous pouvez voir, nous a rejoints..., elle va nous parler d'un sujet qui lui tient passionnément à cœur, si j'ai bien compris, et auquel le professeur Kipps a fait allusion tout à l'heure, à savoir nos étudiants discrétionnaires, si je peux employer ce terme... mais avant de poursuivre là-dessus, nous devons nous occuper de quelques affaires courantes... » Jack tendit la main pour réceptionner une feuille de papier que Liddy avait déjà extraite de sa pile et lui présentait. « Merci, Liddy. Les publications ! Toujours une bonne nouvelle. Et parmi les publications de l'année prochaine nous avons "Les moulins de mon esprit : à la poursuite du rêve de l'énergie naturelle", du professeur J. M. Wilson, chez Branvain Press, dont la publication est prévue pour le mois de mai ; "Peins-le en noir : les aventures de l'Amérique minimaliste", du professeur Stefan Guilleme, chez Yale University Press, pour le mois d'octobre ; et "Frontières et croisements, ou danser avec les Anansi : une étude des mythèmes des Caraïbes", d'Erskine Jegede, que publiera notre propre maison, en août prochain... »

Pendant cette liste des publications triomphantes à venir, Howard dessina sur les deux côtés d'une feuille de papier, en attendant l'inévitable et presque traditionnelle allusion à sa personne.

« Et nous attendons... nous attendons..., dit Jack avec mélancolie. "Contre Rembrandt : sonder un maître", du professeur Howard Belsey, qui... qui...

— Pas encore de date prévue », confirma Howard.

6

À treize heures trente, les portes s'ouvrirent. L'entonnoir auquel Jack avait fait allusion se forma au niveau de l'entrée, un grand nombre de profs s'efforçant de sortir par la petite ouverture. Howard se fondit dans la masse et écouta les potins, dont la plupart concernaient Zora, et sa brillante intervention. Sa fille avait réussi à repousser à la prochaine réunion, qui devait se tenir le mois prochain, la décision concernant les étudiants discrétionnaires. Au sein du système wellingtonien, obtenir un tel report était aussi remarquable que d'ajouter un amendement à la Constitution. Howard était fier d'elle et de son discours, mais il la féliciterait plus tard. Il lui fallait absolument quitter cette salle. Il la laissa en pleine discussion avec des sympathisants et se lança avec détermination à l'assaut de la sortie. Il prit à gauche dans le hall, évitant la foule qui se dirigeait vers la cantine des professeurs, et s'échappa par l'un des corridors qui menaient à l'entrée principale. Là, les vitrines se succédaient le long des murs, chacune renfermant son lot de trophées, de certificats de remise de prix au papier gondolé, de photos d'étudiants en tenues de sport antédiluviennes. Il marcha jusqu'au bout du corridor et s'appuya contre la sortie de secours. On n'avait pas le droit de fumer où que ce soit dans ce bâtiment. Il n'avait pas l'intention de fumer ; il se roulerait une cigarette et la fumerait dehors. Il tapota les poches de sa veste et localisa la réconfortante blague à tabac vert et or dans sa poche de poitrine. C'était une marque qu'on ne trouvait qu'en Angleterre, et à Noël il s'était fait un stock en en achetant vingt à l'aéroport. *C'est quoi ta résolution pour le Nouvel An ?* lui avait demandé Kiki, *le suicide ?*

« Te voilà ! »

Le doigt de tabac niché dans la paume d'Howard fit un bond et atterrit sur sa chaussure.

« Oh ! » fit Victoria, qui s'agenouilla pour le récupérer.

Elle se releva avec grâce ; son dos parut se dérouler petit à petit jusqu'à ce qu'elle fût droite comme un i tout près de lui. « Salut, étranger. »

Elle reposa le tabac dans la main d'Howard. Il ressentit un choc viscéral à se retrouver aussi près d'elle. Il ne l'avait pas revue depuis cet après-midi-là. Avec l'aptitude miraculeuse qu'ont les hommes à compartimenter leurs vies, il avait à peine pensé à elle. Il avait regardé de vieux films avec sa fille et fait des promenades paisibles et méditatives avec sa femme ; il avait travaillé un peu à ses conférences sur Rembrandt. Il s'était rappelé, avec la mièvre tendresse des êtres déloyaux, à quel point il avait de la chance et combien il était béni des dieux d'avoir sa famille. À vrai dire, en tant que concept, et *prémisse*, « Victoria Kipps » avait fait énormément de bien au mariage et à l'état mental général d'Howard. Le concept de Victoria Kipps avait mis en perspective la chance énorme qu'il avait eue dans sa vie. Mais Victoria Kipps n'était pas un concept. Elle existait pour de vrai. Elle lui tapota le bras.

« Je te cherche partout, dit-elle.

— Vee.

— Pourquoi tu es habillé comme ça ? dit-elle en touchant les revers de son veston. Oh, bien sûr, la réunion de faculté... *Très* beau. Tu ne seras quand même jamais mieux sapé que papa. C'est perdu d'avance.

— Vee. »

Elle le regarda avec la même expression amusée qu'il venait de voir sur le visage de son père. « *Oui*. Quoi ?

— Vee... Qu'... Qu'est-ce que tu fais ici ? »

Il chiffonna sa feuille à rouler pleine de tabac et la jeta dans une poubelle à proximité.

« Eh bien, professeur Belsey, je suis inscrite dans cette faculté. » Elle baissa d'un ton. « J'ai essayé de t'appeler. » Elle enfonça profondément ses mains dans les poches de pantalon d'Howard. Howard s'en saisit et les enleva. Il l'attrapa par le coude et l'entraîna par la porte de sortie de

411

secours, qui les mena à l'épicentre secret du bâtiment : les escaliers de secours, les placards à ménage, et les réserves. Des étages inférieurs leur parvenait le bruit d'une photocopieuse qui soufflait et s'agitait. Howard dévala quelques marches pour contrôler la spirale des escaliers jusqu'au sous-sol, mais il n'y avait personne. La photocopieuse fonctionnait automatiquement, crachant les pages et les agrafant. Howard revint lentement vers Victoria.

« Tu ne devrais pas être de retour en fac si tôt.

— Pourquoi pas ? Pourquoi est-ce que je resterais à la maison ? J'ai essayé de t'appeler.

— Non, dit-il. N'essaie pas de m'appeler. Il vaut mieux pas. »

Ici, dans cette cage d'escalier minable, la lumière du jour qui filtrait par deux fenêtres grillagées créait une ambiance à la fois pénitentiaire et cinématographique qui rappelait à Howard, de façon incongrue, Venise. La lumière éclairait parfaitement la structure sculpturale du visage de la jeune fille, faite de lignes et de plats. Howard fut envahi d'une pressante émotion qu'il n'avait jamais ressentie, ou n'avait pas ressentie jusqu'alors.

« Oublie-moi s'il te plaît. Oublie tout ça.

— Howard, je...

— Non, Vee, c'était fou, dit-il la saisissant par les coudes. Et c'est terminé. C'était de la *folie*. »

Même au beau milieu de la panique et de l'horreur de cette situation, Howard prit le temps de s'émerveiller de la simple stimulation qu'il y a à participer à un drame généralement réservé à la jeunesse, avec ces secrets, ces messes basses et ces gestes furtifs. Mais Victoria s'éloigna de lui et croisa les bras sur ce ventre adolescent à la peau tendue comme un tambour.

« Euh, je te parle de ce soir, dit-elle d'une voix acerbe. C'est pour ça que je t'ai appelé. Le dîner d'Emerson Hall ? Auquel on est censés aller ensemble ? Je ne suis pas en train de te demander en mariage : pourquoi vous pensez tous dans ta famille qu'on veut vous épouser ? Écoute... je voulais juste savoir si tu as toujours l'intention de venir. Ça sera ennuyeux si je dois trouver quelqu'un d'autre pour m'accompagner maintenant. Oh, mon Dieu... c'est embarrassant... laisse tomber.

— Emerson Hall ? » répéta Howard. La porte de secours s'ouvrit. Howard se colla au mur tandis que Vee s'appuya contre la rampe d'escalier. Un gamin avec un sac à dos passa entre eux, dépassa la photocopieuse, et disparut par une porte qui menait Dieu sait où.

« Putain, ce que tu es vaniteux, dit Victoria sur un ton lassant qui rappela à Howard une partie de la réalité de cet après-midi dans le boudoir. C'est une question bien simple. Et, tu sais, *ça va les chevilles*. Je n'ai jamais pensé qu'on allait s'échapper au coucher du soleil. Tu n'es vraiment pas si *génial*. »

Elle tentait avec ces paroles de le provoquer, mais elle restait curieusement inerte ; elle ne faisait que du bruit. Ils ne se connaissaient pas du tout. Ce n'était pas comme avec Claire. Avec Claire, deux vieux amis de longue date avaient perdu la tête en même temps lors du dernier tour de piste de leurs vies. Et Howard avait *su*, au moment même où cela se produisait, que c'était par peur qu'ils changeaient de couloir, juste pour voir si c'était différent, mieux, plus facile, de courir dans un autre couloir — tant ils étaient effrayés de rester à jamais dans celui où ils se trouvaient. Mais cette fille n'avait même pas commencé la course. Elle ne méritait pas d'être méprisée pour autant — Dieu sait qu'Howard lui-même n'avait entendu le top départ qu'à l'approche de ses trente ans. Mais il avait sous-estimé la bizarrerie qu'il y a à évoquer son futur avec quelqu'un pour qui l'avenir n'avait pas encore de limites : un palais des plaisirs plein de possibilités, avec un nombre incalculable de portes, où seul un imbécile resterait enfermé dans une seule pièce.

« Non, acquiesça Howard puisque l'admettre n'engageait à rien. Je ne suis pas si génial.

413

— Non... mais... enfin, t'es pas *horrible* », dit-elle en s'approchant de lui ; au dernier moment, elle fit volte-face et se retrouva à ses côtés, appuyée contre le mur. « T'es pas mal. Comparé à certains branleurs qu'on trouve par ici. »

Elle lui donna un petit coup de coude dans le ventre. « En tout cas, si tu es vraiment sur le point de m'abandonner à tout jamais, merci pour le souvenir. T'étais très "amour courtois" sur ce coup-là. »

Victoria brandissait une série de photos d'identité. Howard les saisit et les regarda sans les reconnaître.

« Je les ai trouvées dans ma chambre, chuchota-t-elle. Elles ont dû tomber de la poche de ton pantalon. Le même costume que celui que tu portes maintenant, d'ailleurs. Tu n'as qu'un seul costume ou quoi ? »

Howard regarda les clichés de plus près.

« Quel *poseur** tu fais ! »

Howard regarda d'encore plus près. Les couleurs étaient affadies et vieillies.

« Je ne sais pas du tout quand elles ont été prises.

— C'est ça, dit Victoria. Va donc raconter ça au juge.

— Je ne les ai jamais vues.

— Tu sais à quoi j'ai pensé en les voyant ? Aux autoportraits de Rembrandt. Tu trouves pas ? Pas celle-là, mais regarde celle-*ci*, avec tes cheveux qui te cachent les yeux. Et ça marche parce que tu as l'air plus vieux dans celle-ci que dans celle-*là*... » Elle s'appuyait contre lui, épaule contre épaule. Howard posa doucement sur l'un de ses visages son propre pouce. C'était Howard Belsey. C'était ça que les gens voyaient tandis qu'il arpentait la planète.

« En tout cas... elles sont à moi maintenant », dit-elle en les lui arrachant des mains. Elle plia en deux la série de photos et la mit dans sa poche.

« Donc ce soir... tu viens me chercher ? Comme dans les films : je porterai un *corsage**, et puis après je vomirai sur tes chaussures. »

Elle s'éloigna de lui, monta une marche, tendit les bras

414

pour s'appuyer au mur et à la rampe, et se balança d'avant en arrière. Elle ressemblait fatalement à l'un des enfants d'Howard au 83 Langham.

« Je ne crois pas... », lança Howard, puis il recommença : « À quel truc on est censés aller ?

— Emerson Hall. Trois profs par table. Tu es le mien. Bouffe, boissons, discours, rideau. Pas compliqué.

— Est-ce que ton... Monty..., est-ce qu'il sait que tu y vas avec moi ? »

Victoria roula des yeux. « Non, mais il trouvera ça *parfait*. Il estime que, Mike et moi, nous devrions toujours nous mettre en travers du chemin des gauchistes. Il dit que c'est une bonne façon d'apprendre à ne pas être bête.

— Victoria, dit Howard qui fit un effort pour la regarder dans les yeux. Je crois que tu devrais trouver quelqu'un d'autre pour aller avec toi. Je trouve ça déplacé. Et, pour être honnête, je ne suis vraiment pas dans l'état d'esprit en ce moment pour aller à un...

— Oh, mon Dieu ! Hé ! Je suis une fille qui vient de perdre sa mère. Putain, tu es *tellement* égocentrique. »

Victoria remonta les escaliers et posa la main sur la porte de secours. Les larmes brouillaient déjà ses yeux. Naturellement, Howard eut pitié d'elle, mais surtout il désira intensément qu'elle pleure, si elle devait pleurer, loin d'ici et loin de lui, avant que quelqu'un ne descende les escaliers ou ne passe par cette porte.

« Bien sûr, je comprends... bien *sûr*... mais tout ce que je dis... tu vois, on a fait une... affreuse connerie et il vaut mieux qu'on arrête là... qu'on mette un point final avant de faire du mal aux autres. »

Victoria eut un rire horrible.

« Mais ce n'est pas vrai ? » Howard la suppliait en chuchotant. « Tu ne trouves pas que ça serait mieux ?

— Mieux pour qui ? Écoute, dit-elle en redescendant trois marches, si tu annules maintenant ça aura l'air encore plus douteux. Tout est organisé... je suis chef de table, je dois y

415

aller. Je viens de me taper trois semaines de cartes de condoléances et de conneries dans le genre..., j'avais juste envie de
faire quelque chose de *normal*.

— Je comprends », dit Howard en détournant le regard. Il
pensa faire un commentaire sur l'emploi étrange qu'elle
venait de faire, du mot « normal », mais malgré toute son
élégance et son panache, Victoria en cet instant montrait
surtout de la fragilité. Elle était complètement vulnérable, et
une menace se cristallisait dans sa lèvre inférieure qui tremblait ; une menace, et un avertissement. S'il la brisait, jusqu'où s'envoleraient les morceaux ?

« Bon, retrouve-moi à huit heures devant Emerson Hall,
d'accord ? Tu vas porter ce costume ? Les hommes sont censés être en smoking, mais... »

La porte de secours s'ouvrit.

« Et il me faudra cette dissertation lundi prochain », lâcha
Howard d'une voix forte, les muscles de son visage se rétrac-
tant. Victoria fit une moue exaspérée, tourna les talons et
partit. Howard sourit et salua de la main Liddy Cantalino,
qui venait chercher ses photocopies.

☆

Ce soir-là, lorsque Howard rentra chez lui, vers l'heure du
dîner, il n'y avait pas de dîner — c'était l'un de ces soirs où
chacun s'apprêtait à sortir. On cherchait clés, épingles à cheveux, manteaux, serviettes de bain, beurre de cacao, flacons
de parfum, portefeuilles, les cinq dollars qui se trouvaient
un peu plus tôt sur le buffet, carte d'anniversaire, enveloppe.
Howard, qui n'avait pas l'intention de changer de costume
pour sortir, s'assit sur le tabouret dans la cuisine comme un
astre déclinant autour duquel sa famille tournait en orbite.
Malgré le départ de Jerome pour Brown deux jours plus tôt,
le vacarme n'avait pas diminué, et les couloirs et les escaliers semblaient toujours aussi peuplés. Sa famille était là et
elle était nombreuse.

« *Cinq dollars*, dit Levi soudainement à son père. Ils étaient sur le *buffet*.

— Désolé, je n'ai rien vu.

— Mais qu'est-ce que je vais faire, alors ? » réclama Levi.

Kiki fit son entrée dans la cuisine. Elle était resplendissante avec son tailleur à col Nehru en soie verte. Elle avait détaché et huilé le bout de sa longue natte, et les mèches libérées tombaient séparément. À chaque oreille elle portait les seuls bijoux qu'Howard ait été capable de lui offrir : deux émeraudes en forme de gouttes qui avaient appartenu à sa mère.

« Tu es magnifique, dit Howard sincèrement.

— Quoi ?

— Rien. Tu es magnifique. »

Kiki grimaça et secoua la tête afin de chasser cette interruption inattendue du cheminement de sa pensée.

« Écoute, j'ai besoin que tu signes cette carte. C'est pour Theresa de l'hôpital. C'est son anniversaire, je ne sais pas quel âge elle a mais Carlos est en train de la plaquer et elle se sent très mal. Avec quelques-unes des filles, on la sort ce soir pour boire des verres. Tu *connais* Theresa, Howard, elle fait partie de ces gens qui ne sont pas toi et qui existent sur cette planète. *Merci*. Levi, signe aussi. Tu n'as qu'à signer, tu n'as rien besoin d'écrire. Et sois de retour à dix heures et demie, pas plus tard. Tu vas à l'école demain. Où est Zora ? Elle devrait la signer aussi. Levi, tu as renouvelé ton forfait ?

— Comment je peux me racheter un forfait si on n'arrête pas de me piquer ma thune ? Tu peux me le dire ?

— En tout cas, laisse-moi un numéro où je peux te joindre, O.K. ?

— Je sors avec mon *pote*. Il a pas de portable, lui.

— Levi, explique-moi quel genre d'ami tu as qui n'a pas de téléphone portable. C'est qui, ces gens ?

— Maman, sois honnête, dit Zora qui entra dans la cuisine à reculons vêtue de satin bleu électrique, avec les mains au-dessus de la tête. À quoi il ressemble, mon cul dans cette robe ? »

Un quart d'heure plus tard, il s'agissait de voitures, de bus et de taxis. Howard glissa sans un mot de son tabouret et mit son pardessus. Ce qui surprit sa famille.

« Où tu *vas* ? demanda Levi.

— Truc à la fac, dit Howard. Un dîner d'association d'étudiants.

— Un des dîners de ce soir ? dit Zora narquoise. Tu ne me l'avais pas dit. Je pensais que tu n'y allais pas cette année. Où ça ? » Elle enfilait une longue paire de gants qui montaient jusqu'aux coudes.

« Emerson Hall, dit Howard avec hésitation. Mais je ne te verrai pas, n'est-ce pas ? Tu vas à Fleming Hall.

— Pourquoi tu vas à Emerson Hall ? Tu ne vas *jamais* à Emerson Hall. »

Howard trouvait que sa famille au complet s'intéressait d'un peu trop près à cette question. Réunis en un demi-cercle, ils mettaient tous leurs manteaux, et attendaient sa réponse.

« Des ex-étudiants à moi voulaient que je... », commença Howard, mais déjà Zora lui coupait la parole.

« Eh bien, moi, je suis chef de table... j'ai demandé à Jamie Anderson. Je suis en retard, en fait... je dois filer. » Elle avança pour embrasser son père sur la joue, mais Howard se déroba.

« Pourquoi tu as demandé à Anderson ? Pourquoi tu ne m'as pas demandé, à moi ?

— *Papa*, je suis allée avec toi l'année dernière.

— *Anderson* ? Zora, c'est un charlatan. Il est à peine post-adolescent. En fait, c'est un crétin, voilà ce qu'il est. »

Zora sourit — flattée par cette manifestation de jalousie.

« Il n'est pas si nul que ça.

— Il est ridicule — *tu* m'as dit à quel point son cours était ridicule. Pamphlets post-amérindiens ou je ne sais pas comment il appelle son truc. Je ne comprends tout simplement pas pourquoi tu choisirais de...

— Papa, ça va, il est pas si mal. Il est... rafraîchissant : il a de nouvelles idées. Et j'emmène Carl aussi. Jamie s'intéresse à l'oralité ethnique.

— Tu m'étonnes.

— Papa, je dois y aller. »

Elle l'embrassa doucement sur la joue. Sans le serrer dans ses bras. Sans lui ébouriffer les cheveux.

« Attends ! dit Levi. J'ai besoin que tu m'emmènes ! » et il suivit sa sœur à la porte.

Et maintenant Kiki aussi allait l'abandonner, sans un adieu. Mais, sur le pas de la porte, elle se retourna, se dirigea vers Howard et saisit son bras aux muscles relâchés. Elle approcha l'oreille d'Howard de sa bouche.

« Howard, Zora t'adore. Mais ne fais pas le con. Elle voulait y aller avec toi, mais les gens de son cours ont insinué qu'elle bénéficiait d'une sorte de... je ne sais pas, moi... traitement de faveur. »

Howard ouvrit la bouche pour protester, mais Kiki lui tapa doucement sur l'épaule. « Je sais, mais ils n'ont pas besoin qu'on leur fournisse de raisons supplémentaires. Je crois que certains ont été plutôt vaches avec elle. Elle a été très affectée. Elle m'en a parlé à Londres.

— Mais pourquoi elle n'en a pas parlé avec moi ?

— Chéri, pour être honnête, à Londres tu avais vraiment l'air enfermé dans ta bulle. Et tu écrivais, elle aime bien quand tu travailles..., elle ne voulait pas t'embêter avec ça. Malgré tout ce que tu peux penser, dit Kiki en serrant délicatement le bras de son mari, on veut tous que ton travail avance. Écoute, je dois y aller. »

Elle l'embrassa sur la joue comme Zora l'avait fait, avec nostalgie. Un rappel de leur tendresse d'antan.

7

En janvier, à l'occasion du premier dîner de gala de l'année, se révèle l'extraordinaire force de volonté des étudiantes de Wellington. Malheureusement pour ces jeunes femmes, cette démonstration de volonté absolue est mise sur le compte de la « féminité » — vertu des plus passives — et en conséquence n'est pas comptabilisée dans leur moyenne. C'est injuste. Pourquoi n'existe-t-il pas de récompense pour la fille qui se prive de manger pendant toute la période de Noël — refusant confiseries, rôtis et liqueurs — afin de faire son apparition au dîner de gala du mois de janvier vêtue d'une robe dos nu et de chaussures découvertes sur les orteils, bien que la température soit voisine de zéro et le sol recouvert d'une épaisse couche de neige ? Howard, qui portait un long pardessus, des gants, des chaussures en cuir et une grosse écharpe universitaire, se tenait près de la porte d'entrée d'Emerson Hall, et regardait avec émerveillement la brume de flocons blancs tomber sur des épaules et des mains dénudées, les hommes en habit tenant leurs partenaires décoratives et à moitié nues tandis qu'ensemble ils évitaient flaques et congères comme des danseurs de salon en train d'exécuter un parcours du combattant. Elles ressemblaient toutes à des princesses — mais de quel acier elles étaient faites !

« B'soir, Belsey », dit un vieil historien que connaissait Howard. Howard hocha la tête en direction de l'homme et le laissa passer. Le compagnon de la soirée de l'historien était un jeune homme. Howard pensa qu'ils avaient tous deux l'air plus heureux que les partenaires mixtes élèves-enseignants qui passaient le portail par intermittence. Ce dîner était une vieille tradition, même si on ne s'y sentait pas toujours à l'aise. Ce n'était plus jamais la même chose d'enseigner à un étudiant après l'avoir vu sur son trente et un — même si, dans le cas d'Howard, il avait déjà vu bien plus que cela. Howard entendit la première sonnerie du dîner retentir. C'était le signal pour que chacun gagne sa place. Les mains dans les poches, il attendit. Il faisait trop froid même pour fumer une cigarette. Il leva le regard sur l'étendue de Wellington Square, aux clochers d'un blanc éclatant et sur les arbres à feuilles persistantes, dans les branches desquels se trouvaient encore des lumières de Noël. Le froid mordant faisait constamment couler les yeux d'Howard. Ainsi, toute lumière électrique se répandait en scintillant ; les réverbères crachaient des fontaines d'étincelles ; les feux de signalisation se transformaient en phénomènes naturels, rougeoyant et palpitant à la manière de l'aurore boréale. Elle avait désormais dix minutes de retard. Le vent qui soufflait soulevait des nuages de neige qui glissaient au-dessus du sol. La cour derrière lui ressemblait à une toundra. Encore cinq minutes. Howard erra lentement jusqu'à Emerson Hall, et se positionna juste derrière les portes d'entrée, où il ne pourrait pas la rater. Les convives étant tous déjà assis, il se retrouva avec le personnel de service, si noirs dans leurs chemises blanches, brandissant ces plateaux de crevettes de Wellington qui avaient toujours l'air plus goûteux qu'elles ne l'étaient en réalité. Ils étaient moins réservés derrière, ils riaient et sifflaient en parlant ce créole animé, et se touchaient entre eux. Ils ne ressemblaient en rien aux serveurs silencieux et dociles qu'ils devenaient dès lors qu'ils pénétraient dans la salle. Ils se tenaient à présent à la queue leu leu tout près d'Howard, avec leurs plateaux, gigotant impatiemment comme des footballeurs dans le tunnel, prêts à s'élancer sur le terrain. Une porte sur le côté s'ouvrit avec fracas et toutes les têtes se tournèrent simultanément, y compris celle d'Howard. Quinze jeunes Blancs vêtus de costumes noirs et gilets dorés assortis pénétrèrent dans le couloir. Ils se regroupèrent en quinconce sur les escaliers principaux. Le plus gros d'entre eux chanta une note claire et stable avec laquelle les autres s'harmonisèrent, jusqu'à former un accord presque insupportablement agréable. Il vibra

421

dans l'air si brutalement qu'Howard le ressentit dans son corps, comme s'il s'était tenu tout près d'une sono survoltée. La porte d'entrée s'ouvrit.

« Merde ! Désolée, je suis en retard. Crise vestimentaire. »

Victoria, qui portait un pardessus très long, dégagea la neige de ses épaules. Les jeunes hommes, apparemment satisfaits de leurs essais de voix, cessèrent de chanter et regagnèrent la pièce d'où ils étaient venus. Les serveurs les gratifièrent d'une petite rafale d'applaudissements qui paraissaient nettement ironiques.

« Tu es très en retard », dit Howard qui grimaçait en regardant les chanteurs s'éloigner, mais Victoria ne répondit pas. Elle s'affairait à enlever son manteau. Howard se tourna à nouveau vers elle.

« Qu'est-ce que t'en penses ? » demanda-t-elle, même s'il n'y avait aucun doute sur la réponse. Elle portait un tailleur-pantalon blanc et chatoyant, taille basse. Apparemment, elle ne portait rien en dessous. Sa taille était parfaitement dessinée ; son derrière était impertinent. Elle avait encore changé de coiffure. Cette fois-ci elle avait la raie sur le côté et l'ensemble était lisse et gominé comme dans les vieilles photos de Joséphine Baker. Ses cils étaient plus longs que d'habitude. Aucun serveur du groupe homme ou femme ne la quittait des yeux.

« Tu es..., tenta Howard.

— Ouais, bon... je me suis dit qu'au moins l'un de nous serait bien habillé. »

Ils pénétrèrent dans la salle à manger en même temps que les serveurs et en profitèrent pour passer inaperçus. Howard redoutait que les convives, au contact inopiné de l'impossible beauté qui marchait à ses côtés, ne cessent toute activité et conversation. Ils gagnèrent leurs places à une longue table qui se trouvait le long du mur est. Il y avait quatre professeurs à cette table avec leurs hôtes estudiantins d'Emerson Hall ; les autres places étaient occupées par des étudiants de première année, venus d'autres résidences, et qui avaient payé leur place. Ce dispositif se répétait dans toute la salle. Près de la scène, Howard repéra Monty. Il était assis avec une fille noire dont la coiffure ressemblait à celle de Victoria. Avec les autres étudiants de sa table, elle était concentrée sur Monty, qui discourait comme il en avait l'habitude.

« Ton *père* est là ?

— Oui », dit Victoria innocemment ; elle étala sa serviette blanche sur son pantalon blanc. « Il est rattaché à Emerson Hall, tu ne le savais pas ? »

Pour la première fois Howard fut frappé par la pensée que cette magnifique fille célibataire de dix-neuf ans qui faisait la cour à un homme marié de cinquante-sept ans (bien que celui-ci possédât tous ses cheveux) fût peut-être poussée par d'autres raisons que la passion animale. Était-il en train, comme l'aurait dit Levi, de se faire rouler dans la farine ? Mais Howard fut interrompu dans ses pensées par un vieillard en toge qui se leva, leur souhaita à tous la bienvenue, puis prononça quelques longues phrases en latin. La sonnerie retentit à nouveau. Les serveurs arrivèrent. On baissa la lumière des plafonniers, et les bougies sur les tables illuminèrent la salle de leur incandescence vacillante. Les garçons passèrent avec le vin, se penchant délicatement par-dessus l'épaule gauche des convives, et finissant de verser avec un petit mouvement sec et élégant du poignet. L'entrée suivit : deux crevettes de celles qu'Howard avait aperçues dans le hall d'entrée, à côté d'un bol de soupe épaisse de palourdes accompagné d'un sachet de croûtons. Howard avait lutté pendant dix ans contre ces petits sachets de croûtons Wellington Town et avait appris à les laisser tranquilles. Victoria déchira le sien, faisant voler trois croûtons sur la poitrine d'Howard. Elle rit. D'un rire charmant — on eût dit qu'elle n'était *pas de service* quand elle riait. Mais elle poursuivit son numéro ; elle rompit son petit pain en lui adressant la parole dans ce style malicieux et railleur qu'elle voulait aguichant. De l'autre côté d'Howard, une fille timide et

423

quelconque qui venait du Massachusetts Institute of Technology tentait de lui expliquer quel domaine des sciences physiques elle étudiait. Tandis qu'il mangeait, Howard essaya d'écouter. Il s'efforça de lui poser toutes sortes de questions intéressées, espérant ainsi atténuer les effets de la franche indifférence que Victoria manifestait à son égard. Mais au bout de dix minutes, il avait épuisé ses réserves de questions. Les termes techniques intraduisibles créaient un mur infranchissable entre physicienne et historien d'art : deux mondes qui ne s'uniraient jamais. Howard vida son deuxième verre de vin et s'excusa pour aller aux toilettes.

« Howard ! Hahahahaha ! Merveilleux comme lieu de rencontre. Mon Dieu, ces trucs, hein ? Ces *putains* de trucs. Une fois par an et c'est quand même trop souvent, bon sang ! »

C'était Erskine, soûl et flageolant. Il vint se mettre à côté d'Howard, et ouvrit sa braguette. Howard ne pouvait pas pisser près des gens qu'il connaissait. Il fit semblant d'avoir terminé et se dirigea vers le lavabo.

« Tu as l'air de t'en sortir. Dis-moi, Ersk, comment tu as fait pour t'en jeter autant derrière la cravate ?

— Je bois depuis une heure pour me mettre dans le bain. John Flanders, tu connais ?

— Je crois pas.

— Tu en as, de la chance. Mon étudiant le plus ennuyeux, le plus laid, le plus *stupide*. Pourquoi ? *Pourquoi* est-ce que ce sont toujours les étudiants avec lesquels tu as le moins envie de passer du temps qui veulent à tout prix en passer avec toi ?

— C'est sado-maso, plaisanta Howard en se savonnant les mains. Ils *savent* que tu ne les aimes pas. Et ils essaient de te coincer quand tu as baissé ta garde, et que tu es suffisamment éméché pour l'admettre. »

Erskine finit de pisser laborieusement, soupira, remonta sa braguette et rejoignit Howard aux lavabos. « Et toi ? »

Howard leva le regard vers son reflet dans le miroir. « Victoria Kipps. »

Erksine siffla lascivement, et Howard savait ce qui suivrait. Lorsqu'il parlait de femmes séduisantes, Erskine ôtait son masque charmeur. Howard avait toujours connu cet aspect de la personnalité de son ami, sans jamais vouloir s'y appesantir. L'alcool empirait les choses. « Cette fille, chuchota Erskine en secouant la tête. Ça me *brûle* les yeux, rien que de la regarder. T'as intérêt à t'attacher la bite à la jambe quand tu la croises dans un couloir. Pas la peine de rouler les yeux comme ça. Allez, tu n'es pas un ange, Howard, on le sait tous maintenant. C'est quelque chose, cette fille ! Il faudrait être aveugle pour ne pas le voir. Comment peut-elle être de la même famille que ce grand morse de Monty !

— Elle est jolie », concéda Howard. Il plaça ses mains sous le séchoir, dans l'espoir que le bruit ferait taire Erskine.

« Les garçons ces jours-ci ont de la chance. Tu sais ça ? La génération de filles de leur âge savent utiliser leur corps. Elles *comprennent* leur pouvoir. Quand j'ai épousé Caroline, elle était belle, oui, bien sûr. Mais au lit, une écolière du Sud. Une enfant. Et maintenant, on est trop vieux. On rêve, mais on ne peut pas toucher. *Posséder* Miss Kipps ! Mais ces jours sont révolus ! »

Erskine baissa la tête, feignant un chagrin extrême, et sortit des toilettes à la suite d'Howard. Howard dut faire preuve d'une certaine retenue pour ne pas dire à Erskine qu'il *avait* touché, que *ses* jours à lui n'étaient pas encore révolus. Il accéléra le pas légèrement, ayant hâte de regagner sa table. À entendre un autre homme parler ainsi de Victoria, il la désira de nouveau.

« En avant, cœurs vaillants », dit Erskine devant la porte qui menait à la salle. Il se frotta les mains et quitta Howard pour se diriger vers sa propre table. Un flot de serveurs partait alors qu'ils arrivaient. Howard fut très conscient de sa peau blanche tandis qu'ils passaient tous devant lui ; il était comme un touriste passant dans une ruelle bondée des

Caraïbes. Finalement il trouva sa place. Il eut en s'asseyant une brève pensée pornographique : sous cette table il pourrait glisser quelques doigts en Victoria et ainsi la faire jouir. La réalité reprit le dessus. Elle portait un pantalon. Elle était occupée, elle parlait très fort, à la fille timide, au garçon à côté d'elle, et à celui à côté de ce dernier. Leurs expressions donnèrent à croire à Howard que Victoria n'avait cessé de parler depuis qu'il avait quitté la table.

« Mais bon, je suis comme ça, c'est tout, disait-elle. Je suis de ceux qui trouvent ce genre de comportement tout à fait inacceptable, et puis c'est comme *ça* que je suis. Je ne vais pas m'en excuser. Je trouve que je mérite ce respect. Je suis très *claire* par rapport à mes limites... »

Howard prit la carte posée devant lui pour savoir quel était le plat suivant.

Chant

Poulet fermier au jambon de parme
sur un lit de risotto aux pois de senteur

Le professeur Emily Hartman s'adressera à l'assistance

Tarte au citron

Bien sûr, Howard savait que ça allait arriver. Mais il ne s'était pas douté que ça arriverait si vite. Il avait l'impression qu'on ne lui avait pas laissé le temps de se préparer correctement. Il était trop tard pour ressortir ; la sonnerie retentissait. Et les voici qui arrivaient, ces garçons avec leur gilet doré, leur coupe de cheveux à la Scott Fitzgerald et leurs visages rougeauds. Des applaudissements nourris accueillirent leur progression vers la scène — on aurait presque pu dire qu'ils y allaient en trottinant. Ils se positionnèrent à nouveau en quinconce, le plus grand au fond, les blonds au milieu et le gros devant et au centre. Le gros ouvrit la bouche et émit une note semblable à un son de cloche, dans

426

lequel vibrait l'argent ancestral de Boston. Ses camarades s'harmonisèrent parfaitement avec lui. Howard ressentit son trouble habituel derrière ses yeux, qui venait de se remplir d'eau. Il se mordit la lèvre et pressa ses genoux l'un contre l'autre. Tout cela allait être d'autant plus désagréable qu'il n'avait pas vidé sa vessie. Autour de sa table, neuf visages sérieux regardaient vers la scène, dans l'attente du divertissement. Le silence régnait dans la salle, hormis le vibrant accord. Howard sentit Victoria lui toucher le genou sous la table. Il enleva sa main. Il devait concentrer toute son énergie afin d'assujettir à sa volonté son sens surdéveloppé du ridicule. Jusqu'où irait sa volonté ?

Il y a en ce monde deux sortes de *glee club*, ou petite chorale d'hommes qui chantent *a capella* en harmonie étroite : ceux qui chantent les chansons sentimentales du genre et des mélodies de Gershwin ; qui oscillent doucement, se balancent d'un côté et de l'autre, claquent parfois des doigts, font des clins d'œil au public. Howard pouvait à la rigueur supporter ce genre-là. Il avait survécu à des événements que des *glee clubs* de ce type avaient honoré de leur présence. Mais ces garçons-ci n'entraient pas dans cette catégorie. Pour eux, se balancer en claquant des doigts et en faisant des clins d'œil n'était qu'un échauffement. Ce soir, le premier morceau de ce *glee club* était « Pride (In the Name of Love) », de U2, qu'ils avaient pris la peine de transformer en samba. Ils oscillèrent, ils claquèrent des doigts, ils firent des clins d'œil. Ils pivotèrent simultanément sur eux-mêmes. Ils échangèrent leurs places. Ils avancèrent, ils reculèrent — tout en respectant leur mise en place. Ils affichaient tous le genre de sourire que vous feriez à un forcené pour le convaincre de baisser le revolver qu'il tenait braqué sur la tempe de votre mère. L'un des garçons avec sa voix commença à reproduire la ligne de basse du disque. Et maintenant, Howard ne pouvait plus se retenir. Il commença à frissonner, et, obligé de choisir entre larmes et bruit, il opta pour les larmes. En quelques secondes, son visage fut

427

inondé. Ses épaules tremblaient. Son visage s'empourpra sous ses multiples efforts pour ne pas faire de bruit. L'un des garçons sortit de la formation pour exécuter un *moonwalk* à la Michael Jackson. Howard se tamponna le visage avec une épaisse serviette en coton.

« Arrête ! chuchota Victoria en lui pinçant le genou. Tout le monde regarde. »

Howard fut surpris de constater qu'une fille qui avait tant l'habitude d'être regardée fût tant dérangée par cet autre type de regard. Penaud, il enleva le mouchoir de son visage contrit, mais le bruit s'échappa alors. Un rire perçant retentit dans la salle et attira les regards de tous les convives à la table d'Howard ainsi que de ceux des quatre tables alentour. Même les convives de la table de Monty l'entendirent, et ils tournèrent la tête pour chercher du regard — sans pouvoir encore le localiser — l'origine de l'insolent tapage.

« Qu'est-ce que tu fais ? T'es malade ou quoi ? Arrête ! »

Howard lui fit comprendre d'un geste qu'il était incapable de s'arrêter. Il passa du gloussement au glapissement.

« Excusez-moi, dit une professeur sévère qu'il ne connaissait pas, assise à la table derrière la sienne, mais vous êtes très malpoli. »

Mais Howard ne savait pas dans quelle direction tourner son visage. Il pouvait soit faire face au *glee club*, soit faire face aux convives assis à sa table, qui tous s'efforçaient de se dissocier de lui, profondément enfoncés sur leurs sièges, regard braqué obstinément vers la scène.

« S'il te plaît, dit Victoria avec urgence, ce n'est pas drôle. C'est vraiment *gênant*, je te jure. »

Howard regarda le *glee club*. Il essaya de penser à des choses qui n'avaient rien de drôle : la mort, le divorce, les impôts, son père. Mais le gros avait une façon de taper dans ses mains qui fut fatale à Howard. Il se leva de sa chaise en titubant, la renversa, la remit en place, puis s'échappa par l'allée centrale.

Lorsque Howard arriva chez lui, il était dans un état de semi-ébriété : trop ivre pour travailler, mais pas assez pour dormir. La maison était vide. Il alla dans le salon. Murdoch était roulé en boule. Howard se pencha, caressa son petit museau et tira sur la peau marron-rose de sa babine, exposant ses dents émoussées et inoffensives. Murdoch remua, renfrogné. Lorsque Jerome était un bébé, Howard avait aimé aller dans la pouponnière et toucher la tête crépue de son fils, sachant qu'il allait s'éveiller, *voulant* qu'il se réveille. Il avait aimé sentir se reposer sur ses genoux cette petite présence chaude qui sentait le talc, petits doigts de bébé tendus vers le clavier. C'était déjà un ordinateur, à l'époque ? Non : une machine à écrire. Howard souleva Murdoch hors de son panier puant, le prit sous son bras et l'emporta avec lui dans la bibliothèque. Il parcourut d'un œil impatient l'arc-en-ciel de tranches et de titres. Mais chacun d'entre eux se heurtait à une résistance dans son âme — il ne voulait ni fiction ni biographie, il ne voulait ni poésie ni quoi que ce soit d'universitaire écrit par quelqu'un de sa connaissance. Murdoch ensommeillé aboya doucement et emprisonna dans sa gueule deux des doigts d'Howard. De sa main libre Howard prit une édition datant du début du vingtième siècle d'*Alice au pays des merveilles* et l'embarqua avec lui et Murdoch sur le canapé. Dès qu'Howard l'eut relâché, Murdoch regagna son panier. Ce faisant il adressa à Howard un regard plein de ressentiment et, une fois dans sa position précédente, il se cacha la tête dans les pattes. Howard plaça un coussin à une extrémité du canapé et s'allongea. Il ouvrit le livre et son regard fut attiré par une poignée de phrases en lettres majuscules.

TRÈS

    SORTIT UNE MONTRE DE LA POCHE DE SON GILET
    CONFITURE D'ORANGE

        BOIS-MOI

Il lut quelques lignes. Abandonna. Regarda les images. Abandonna. Ferma les yeux. Puis une masse lourde et douce se tenait près de sa cuisse sur le canapé, et une main lui toucha le visage. La lumière du porche baignait le salon d'une nuance ambrée. Kiki lui enleva le livre des mains.

« Compliqué comme lecture. Tu dors ici ? »

Howard se redressa à moitié. Il porta la main à son œil et en délogea un dur morceau de sommeil jaune. Il demanda l'heure.

« Tard. Les enfants sont rentrés. Tu ne les as pas entendus ? »

Howard ne les avait pas entendus.

« Tu es rentré tôt ? Tu aurais dû me le dire ; tu aurais pu sortir le Doc. »

Howard continua de se redresser et lui saisit le poignet. « Dernier verre », dit-il, mais il dut répéter, car la première fois il n'avait émis qu'un croassement.

Kiki secoua la tête.

« Keeks, s'il te plaît, juste un petit dernier. »

Kiki pressa ses paumes sur ses yeux. « Howard, je suis crevée. J'ai passé une soirée éprouvante. Je trouve qu'il est un peu tard pour boire.

— S'il te plaît, ma chérie. Un dernier. »

Howard se leva et se dirigea vers le mini-bar près de la chaîne hi-fi. Il ouvrit la petite porte et se retourna : Kiki était debout. Il lui adressa un regard suppliant. Elle soupira et se rassit. Howard apporta une bouteille d'amaretto et deux verres à cognac. C'était une boisson qu'adorait Kiki, et elle baissa la tête comme pour saluer malgré elle son choix. Howard s'assit près de sa femme.

« Comment allait Tina ?

— *Theresa*.

— Theresa. »

Rien ne suivit. Howard encaissa les ondes de colère silencieuse émanant de Kiki. Ses doigts tapotèrent le cuir du canapé. « Eh bien, elle est en colère, *bien sûr* qu'elle est en colère. Carlos est un connard. Il a déjà contacté ses avocats. Theresa ne sait même pas qui est la femme. Bla, bla, bla. Le petit Louis et Angela sont anéantis. Maintenant, ils vont au tribunal. Je ne comprends absolument pas pourquoi. Ils n'ont même pas d'argent à se disputer.

— Ah », dit Howard qui, disqualifié, n'avait pas le droit de rajouter quoi que ce soit. Il remplit deux verres d'amaretto, en tendit un à Kiki et porta son verre contre celui de sa femme. Il maintint son verre en l'air. Elle le regarda en plissant les yeux, mais trinqua avec lui.

« Donc. Encore un mariage qui se fout en l'air, dit-elle en observant par la porte-fenêtre la silhouette de leur saule. Cette année... tout le monde s'effondre autour de nous. Il n'y a pas que nous. C'est tout le monde. C'est le quatrième depuis cet été. Dominos. Tac, tac, tac. C'est comme si chaque mariage marchait avec une minuterie. C'est pitoyable. »

Howard se pencha en avant avec elle, mais garda le silence.

« C'est même pire, c'est prévisible. » Kiki soupira. Elle se débarrassa d'un coup de pied de son mocassin et approcha son pied nu de Murdoch. Elle suivit avec son gros orteil le tracé de sa colonne vertébrale.

« Il faudrait quand même qu'on parle, Howard, dit-elle. On ne peut pas continuer comme ça. Il faut qu'on parle. »

Howard se pinça les lèvres et regarda Murdoch. « Certes, mais pas ce soir, dit-il.

— Ouais, mais on *doit* parler.

— Je suis d'accord avec toi. Mais pas maintenant. Pas maintenant. »

Kiki haussa les épaules et continua à caresser Murdoch. Elle passa son gros orteil sous son oreille et la retourna. La lumière du porche s'éteignit et ils se retrouvèrent dans l'obscurité de leur banlieue bourgeoise. La seule lumière encore allumée provenait de la petite ampoule de la hotte dans la cuisine.

« C'était comment, ton dîner ?

431

— Embarrassant.

— Pourquoi ? Claire était là ?

— *Non*. Ce n'est même pas... »

Le silence retomba. Kiki souffla bruyamment. « Désolée. Pourquoi c'était embarrassant ?

— Il y avait un *glee club*. »

Malgré la pénombre, Howard la vit sourire. Elle ne le regardait pas, mais elle souriait. « Oh, mon Dieu. Dis-moi que c'est pas vrai.

— Un *glee club* au grand complet. En gilet doré. »

Kiki hocha rapidement la tête à plusieurs reprises sans cesser de sourire. « Ils ont chanté *Like a Virgin* ?

— Ils ont chanté un truc de U2. »

Kiki fit passer sa natte sur le devant de son corps et entortilla l'extrémité autour de son poignet.

« Laquelle ? »

Howard lui répondit. Kiki grimaça, vida son amaretto et s'en resservit un. « Non... je ne la connais pas, celle-là... tu peux me la chanter ?

— La chanter comme elle est *en vrai* ou comme ils l'ont chantée ?

— Ça n'a pas pu être pire que cette fois-là. C'est pas possible. Oh, mon Dieu, j'ai cru *mourir* cette fois-là.

— Yale », dit Howard. Depuis toujours il avait été le dépositaire des dates, noms et lieux de leur vie commune. Il supposait que c'était son côté féminin. « Au dîner pour Lloyd.

— Yale. La vengeance des garçons blancs de la soul. Oh, Seigneur. J'ai dû quitter la pièce. J'en chialais de rire. Il me parle toujours à peine, à cause de ce soir-là.

— Lloyd est un pompeux imbécile.

— C'est vrai..., dit Kiki songeuse en faisant tourner le pied de son verre entre ses doigts. Mais quand même, on ne s'est *pas* bien comportés ce soir-là. »

Dehors, un chien hurla. Howard sentit la soie verte et rêche qui recouvrait le genou de Kiki appuyé contre le sien. Il ne savait pas encore si elle en était également consciente.

« C'était pire ce soir », dit-il.

Kiki siffla. « Non, non, tu ne vas *pas* me dire que c'était aussi mauvais qu'à Yale. C'est même pas possible.

— Pire.

— Je ne te crois pas, désolée. »

Howard, qui avait une voix mélodieuse, se lança dans une imitation réussie.

Kiki se tenait la mâchoire. Sa poitrine fut secouée par saccades, elle se retint de rire, puis, rejetant la tête en arrière, elle explosa. « Tu *inventes*, c'est même pas vrai. »

Howard insista en secouant la tête. Il continua de chanter.

Kiki agita le doigt. « Non, non, non, il me faut les mouvements avec les mains. C'est pas la même chose sinon. »

Howard se leva sans cesser de chanter, et se tourna pour faire face au canapé. Il ne mimait rien encore ; il lui fallait d'abord penser aux mouvements et les intégrer dans son propre corps, dont la coordination n'était pas la qualité principale. Il paniqua un instant, incapable de maîtriser d'un seul coup l'idée et le mouvement. Soudain, il réussit. Son corps sut quoi faire. Il commença par tourner sur lui-même en claquant des doigts.

« Oh, *arrête*. Je ne te crois *pas* ! Non ! Ils n'ont *pas* fait ça ! »

Kiki retomba contre les coussins ; chaque partie de son corps tressautait. Howard accéléra et chanta plus fort, et il esquissa des pas avec plus de confiance et d'adresse.

« Oh, mon *Dieu*. Mais qu'est-ce que tu as *fait* ?

— J'ai dû partir », dit Howard rapidement, et il continua de chanter.

La porte de la chambre de Levi au sous-sol s'ouvrit. « Yo ! On *baisse le son*, mec. Y en a qui essaient de dormir !

— Désolé ! » chuchota Howard. Il s'assit, prit son verre et le porta à sa bouche, sans cesser de rire, espérant enlacer Kiki, mais à cet instant elle se leva avec agitation, comme une femme qui vient de se souvenir d'une tâche qui lui reste à faire. Elle aussi riait toujours, mais sans joie, et en s'es-

433

tompant son rire se transforma en une sorte de gémissement, puis en un filet de soupir, pour disparaître. Elle s'essuya les yeux.

« Eh bien », dit-elle. Howard posa son verre sur la table,
prêt à dire quelque chose, mais elle était déjà dans l'embrasure de la porte. Elle l'informa qu'il y avait un drap propre
pour le divan dans le placard de l'étage.

8

Levi avait besoin de sommeil. Il allait devoir se lever tôt
pour rendre visite à quelqu'un à Boston et être en cours
avant midi. À huit heures et demie, il était dans la cuisine,
clés en poche. Avant de partir, il s'arrêta devant le garde-
manger, sans être sûr de ce qu'il cherchait. Enfant, il avait
accompagné sa mère qui rendait visite dans les quartiers de
Boston à des gens malades ou isolés, qu'elle connaissait de
l'hôpital. Elle apportait toujours à manger. Mais depuis qu'il
était grand, Levi n'avait plus l'occasion de faire ce genre de
choses. Il jeta un regard vide dans le garde-manger. Il entendit une porte s'ouvrir à l'étage. Il attrapa trois paquets de
soupe chinoise aux nouilles et un de riz pilaf, les fourra
dans son sac à dos, et quitta la maison.

L'uniformité des rues s'affirmait avec le froid de janvier.
Tandis que d'autres grelottaient, Levi était bien au chaud
dans ses survêtements superposés et ses capuchons multiples, emmitouflé là-dedans avec sa musique. Il se tint près
de l'abribus, récitant inconsciemment le texte d'un morceau
qu'il écoutait et qui demandait la présence d'une fille face à
lui, qui bougerait quand il bougeait, bondirait et nicherait
ses rondeurs dans les anfractuosités sculptées de Levi. Mais
la seule présence féminine était la Vierge en pierre derrière
lui sur le parvis de l'église St Peter. Comme d'habitude, ses
pouces manquaient à l'appel. Ses mains étaient pleines de
neige. Levi observa son joli visage affligé, qu'il connaissait

bien à force d'attendre le bus à cet arrêt. Il aimait examiner ce qu'elle avait entre les mains. À la fin du printemps, elle tenait les pétales de fleurs que les arbres au-dessus de sa tête laissaient pleuvoir sur elle. Lorsque la météo devenait moins instable, les passants mettaient toutes sortes de choses étranges dans ses mains mutilées — chocolats, photos, crucifix ; une fois, Levi y avait vu un nounours ; parfois ils lui attachaient un ruban en soie autour du poignet. Levi n'avait jamais rien mis dans ses mains. Il considérait qu'il n'avait pas le droit, n'étant pas catholique. N'étant rien.

Le bus approchait. Levi ne le remarqua pas. Il leva la main au tout dernier moment. Les pneus crissèrent alors que le bus freinait brutalement à un mètre de lui. Il avança jusqu'au véhicule en clopinant exagérément, comme à son habitude.

« Hé, garçon, la prochêêêne fois, tu penseras à me fêêêre signe à *l'ââvaaance*, hein ? » dit le conducteur de bus. Il avait un accent bostonien typique, avec des voyelles élargies. C'était en effet un de ces gros mecs de Boston avec des taches sur leurs chemises, qui travaillaient pour la ville et aimaient parler familièrement aux Noirs.

Levi glissa ses quatre pièces de vingt-cinq *cents* dans la boîte.

« Je disais, et si tu me donnais un peu plus de temps, jeune homme, pour que je puisse m'arrêter sans danger ? »

Levi ôta lentement un écouteur de son oreille. « Vous me parlez à moi ?

— J'te parle, ouais.

— Hé, mon ami, vous voulez fermer la portière et avancer un peu ? l'apostropha quelqu'un assis au fond du bus.

— Bon, d'accord, *d'ââacooord* ! » tonna le conducteur.

Levi remit ses écouteurs, grimaça et avança jusqu'au fond du bus.

« Espèce de petit... », commença le conducteur, mais Levi n'entendit pas la suite. Il s'assit et appuya sa tête contre la vitre froide. En silence il encouragea une fille qui descendait la colline enneigée à grandes enjambées pour arriver à temps au prochain arrêt, son écharpe flottant derrière elle.

En arrivant à Wellington Square, le pantographe s'éleva pour se mettre au contact des caténaires et le bus emprunta un tunnel souterrain, pour finir tout près de la station de métro qui vous emmène dans Boston. Dans le métro, Levi acheta un beignet et un chocolat chaud. Il monta dans la rame et éteignit son iPod. Il ouvrit un livre sur ses genoux et aplatit les pages avec ses coudes, ce qui lui permit de se réchauffer les mains en tenant le gobelet chaud. Ce trajet d'une demi-heure correspondait au temps de lecture de Levi. Il avait beaucoup plus lu dans le métro qu'il ne l'avait jamais fait en classe. Il avait entamé le livre qu'il lisait aujourd'hui bien avant Noël. Levi ne lisait pas vite. Il devait lire trois livres par an, et seulement lors de circonstances exceptionnelles. En l'occurrence, il s'agissait d'un livre sur Haïti. Il lui restait cinquante et une pages à lire. Si on lui avait demandé d'écrire une fiche de lecture, il eût été obligé de dire que l'impression qu'il avait glanée en le lisant était celle d'un petit pays *tout proche de l'Amérique, dont vous n'entendez jamais parler*, où des milliers de Noirs ont été réduits en esclavage, se sont battus et sont morts dans les rues pour leur liberté, se sont fait crever les yeux et brûler les testicules, se sont fait trucider à la machette, lynchés, violés et torturés, opprimés et supprimés et tout et le reste... pour qu'un type puisse vivre dans la seule maison à peu près potable de tout le pays, une grande maison blanche au sommet d'une colline. Il n'aurait su dire si c'était là le *vrai* message du livre — mais c'est ainsi qu'il voyait la chose. Ces Noirs-là étaient *obsédés* par cette maison blanche. Papa Doc, Baby Doc. Parce qu'ils avaient vu des Blancs dans cette maison blanche si longtemps, il leur semblait raisonnable à présent de tuer tout le monde pour qu'eux aussi puissent y vivre, se disait Levi. C'était sans nul doute le livre le plus déprimant que Levi ait jamais eu entre les mains. Encore

436

plus déprimant que le dernier livre qu'il avait lu jusqu'au bout, une enquête sur l'assassinat de Tupac. La lecture de ces deux livres avait meurtri Levi. On lui avait appris à être doux et à avoir l'esprit ouvert, et il témoignait d'une empathie toute libérale pour la douleur de l'autre. Même si tous les Belsey partageaient à des degrés variés ce trait de caractère, il était particulièrement prononcé chez Levi, qui ignorait tout de l'histoire, de l'économie, de la philosophie ou de l'anthropologie, et qu'aucune carapace idéologique ne protégeait. Il était abasourdi par le mal que les hommes se faisaient entre eux. Que les Blancs faisaient aux Noirs. Comment c'était possible, tout ça ! Chaque fois qu'il se replongeait dans le livre sur Haïti, il se sentait passionnément concerné ; il voulait interpeller les Haïtiens dans les rues de Wellington et améliorer leurs vies d'une façon ou d'une autre. Et inversement, il voulait bloquer la circulation des Américains, arrêter les voitures américaines, et exiger que quelqu'un fasse *quelque chose* pour cette misérable petite île ensanglantée située à une heure en bateau de la Floride. Mais Levi était néanmoins inconstant à l'égard des livres de ce genre. Il suffisait qu'il laisse le livre sur Haïti pendant une semaine dans un sac à dos oublié dans son placard, pour que l'île tout entière et son histoire lui redeviennent obscures. Alors, il semblait n'en savoir guère plus qu'il n'en eut jamais su. Les malades haïtiens du sida à Guantanamo, les barons de la drogue, la torture institutionnalisée, les assassinats commandités par l'État, l'esclavage, l'ingérence de la CIA, occupation et corruption américaines. Tout cela se perdait dans les brumes de l'histoire. Il n'en retenait que la conscience brûlante et malvenue qu'un peuple quelque part non loin de lui endurait de terribles souffrances.

Vingt minutes plus tard, et après avoir parcouru cinq pages de statistiques impénétrables, Levi descendit à sa station et ralluma sa musique. À la sortie du métro, il regarda autour de lui. Le quartier était animé. Comme c'était étrange de voir des rues où tout le monde était noir ! Un retour au pays, sauf que ce pays lui était parfaitement inconnu. Et pourtant tout le monde le dépassait rapidement comme s'il était du coin — personne ne le regardait à deux fois. Il demanda son chemin à un vieux bonhomme près de la sortie. L'homme portait un chapeau à l'ancienne et un nœud papillon. Dès que ce dernier ouvrit la bouche Levi comprit qu'il ne lui serait pas d'un grand secours. Très lentement, le vieillard lui conseilla de prendre à droite juste là, de parcourir trois pâtés de maisons, de passer devant Mr Johnson, que Dieu le bénisse — fais gaffe aux serpents ! —, puis de prendre à gauche dans le square parce que, s'il ne se trompait pas, la rue qu'il cherchait était dans ce coin-là. Levi, sans avoir compris un mot de ce que le type venait de lui dire, le remercia et prit à droite. La pluie commença à tomber. S'il y avait une chose que Levi n'était pas, c'était étanche. Si tout son attirail se mouillait, cela serait comme porter sur son dos un autre garçon de sa corpulence. Trois pâtés de maisons plus loin, sous la banne d'un mont-de-piété, Levi aborda un jeune Noir qui lui indiqua avec précision son chemin, avec des mots que Levi comprit. Il traversa le square en diagonale et trouva bientôt la rue et l'immeuble. Il s'agissait d'un grand bâtiment carré avec douze fenêtres donnant sur la rue. On aurait dit qu'il avait été coupé en deux. La partie coupée était en briques rouge vif. Arbustes et déchets s'amoncelaient contre le mur, près de la carcasse retournée d'une voiture brûlée. Levi avança jusqu'à l'entrée du bâtiment. Trois locaux commerciaux à l'abandon lui faisaient face. Un serrurier, un boucher et un avocat s'étaient tous cassé le nez ici. Il y avait plusieurs sonnettes sur chaque porte d'entrée correspondant aux appartements du dessus. Levi vérifia son bout de papier. 1295, appartement 6B.

« Hé, Tchou ? »

Silence. Levi savait qu'il y avait quelqu'un puisque l'interphone s'était déclenché.

« Tchou ? T'es là ? C'est Levi.

— Levi ? » À sa voix, Tchou semblait à peine éveillé, son accent ensommeillé aux inflexions françaises était suave, comme celui du Putois de Tex Avery. « Qu'est-ce que tu fous ici, mec ? »

Levi toussa. La pluie tombait dru maintenant. Les gouttes en tombant sur le trottoir produisaient un son dur et métallique. Levi approcha sa bouche de l'interphone. « Frangin, je faisais que passer, j'habite pas très loin d'ici et... il pleut des cordes dehors, yo, donc... eh bien, tu m'as filé ton adresse la fois là où on a discuté, et donc, puisque je passais...

— Tu veux monter chez moi ?

— Ouais, mec... j'étais juste... Écoute, Tchou, il fait carrément froid. Tu me fais monter ou quoi ? »

Silence.

« Ne bouge pas, s'il te plaît. »

Levi ôta son doigt du bouton de l'interphone et essaya de maintenir ses deux pieds sur l'étroit pas de porte, ce qui lui permettait de s'abriter d'une dizaine de centimètres sous la saillie du toit. Lorsque Tchou lui ouvrit, Levi faillit lui tomber dessus. Ils pénétrèrent ensemble dans une cage d'escalier en béton qui sentait mauvais. Tchou cogna son poing contre celui de Levi. Levi remarqua que son ami avait les yeux rouges. D'un geste brusque de la tête vers les étages, Tchou signifia à Levi de le suivre. Ils grimpèrent les marches.

« Pourquoi tu es venu ici ? » demanda Tchou. Sa voix était terne et calme, et il ne se tourna pas vers Levi en lui parlant.

« Tu sais quoi, je venais juste te voir », dit Levi maladroitement. C'était la vérité.

« Y a rien à voir.

— Non, je veux dire, dit Levi alors qu'ils arrivaient à l'étage devant une porte abîmée, rafistolée avec un panneau de bois, venir te voir, quoi. Passer voir comment tu allais. »

Tchou ouvrit sa porte. « Tu voulais voir comment j'allais ? »

Cela aussi était vrai, mais Levi reconnut maintenant que ça pouvait sembler bizarre. Comment l'expliquer ? Il n'en était pas sûr lui-même. Très simplement : Tchou occupait son esprit. Parce que... parce que Tchou n'était pas comme les autres gars de l'équipe. Il ne se déplaçait pas avec la meute, il ne déconnait pas, il n'allait pas danser et, contrairement aux autres, il avait l'air isolé et solitaire. En fait, Levi trouvait que Tchou était tout bonnement plus intelligent que tous ceux qui l'entouraient, et Levi, qui vivait parmi des êtres qui partageaient cette malédiction, se considérait, de par sa propre expérience dans ce domaine (en tant qu'être aimant s'occuper de gens intelligents), comme particulièrement qualifié pour aider Tchou. Puis la lecture du livre sur Haïti s'était conjuguée dans son esprit au peu qu'il subodorait de la vie personnelle de Tchou. Les vêtements usés que celui-ci portait, le fait qu'il n'achetait jamais de sandwich ni de Coca comme les autres. Ses cheveux négligés. Sa froideur. La cicatrice qui courait le long de son bras.

« Ouais... en fait... je pensais, eh bien, on est *potes*, non ? Je veux dire, je sais que tu ne parles pas beaucoup quand on travaille, mais... tu sais, je te considère comme mon ami. C'est vrai. Et les renois prennent soin les uns des autres. En Amérique. »

Pendant ce qui lui sembla un moment affreusement long, Levi pensa que Tchou était sur le point de lui botter le cul. Puis il gloussa et posa une main lourde sur l'épaule de Levi. « T'as rien de mieux à faire. Faut que tu trouves des occupations. »

Ils entrèrent dans une pièce d'une taille respectable, mais Levi remarqua que les éléments de la cuisine, le lit et la table étaient tous comprimés dans cet espace unique. Il faisait froid et la pièce empestait la marijuana.

Levi enleva son sac à dos. « Je t'ai apporté des trucs, mec.

— Des trucs ? » Tchou saisit un gros joint dans le cendrier

et le ralluma. Il offrit la seule chaise à Levi et s'assit sur le coin du lit.

« Genre, à bouffer.

— NON, fit Tchou, indigné, en fendant l'air de la main. Je ne meurs pas de faim. Laisse tomber la charité. J'ai travaillé cette semaine, je n'ai pas besoin d'aide.

— Non, non, c'est pas ça... je voulais juste... genre, quand tu vas chez quelqu'un, t'arrives jamais les mains vides. En Amérique, c'est comme ça qu'on fait. Genre, un muffin. Ma mère apporte toujours des muffins ou une tarte. »

Tchou se leva lentement, se pencha et prit les paquets que lui tendait Levi. Il n'avait pas l'air de savoir ce que c'était, mais il le remercia et, tout en les regardant avec curiosité, traversa la pièce et les posa sur le plan de travail de la cuisine.

« Je n'avais pas de muffins et je pensais juste que... soupe chinoise. Très bon quand il fait froid, dit Levi en mimant la froidure. Alors. Comment tu vas ? Je t'ai pas vu mardi soir. »

Tchou haussa les épaules. « J'ai plusieurs boulots. J'avais un autre truc mardi. »

De l'extérieur leur parvint la voix bruyante d'un fou qui lâchait un flot de jurons. Levi tressaillit, mais Tchou ne sembla même pas remarquer.

« Cool, dit Levi. Tu as plein de projets, comme moi. C'est bien. Tu fais tourner la baraque. Tu te démerdes. »

Levi s'assit sur ses mains pour les réchauffer. Il commençait à regretter d'être venu. Il se trouvait dans une pièce où rien ne faisait diversion au silence. D'habitude, quand il était chez un copain, la télé restait toujours allumée en fond sonore. L'absence de télévision et l'évident dénuement de la pièce bouleversèrent Levi. Il trouvait cela poignant et insoutenable.

« Tu veux boire de l'eau ? demanda Tchou, ou du rhum ? J'ai du *très bon* rhum. »

Levi sourit avec hésitation. Il était dix heures du matin. « De l'eau, ça va. »

Alors que le robinet coulait, Tchou ouvrit et referma les placards à la recherche d'un verre propre. Levi regarda autour de lui. Près de la chaise sur une table basse, une longue feuille de papier jaune, l'un de ces « bulletins » haïtiens que l'on distribuait partout. Une photographie sautait aux yeux, celle d'un petit homme noir assis sur une chaise dorée avec, à ses côtés, une femme métisse assise aussi sur une autre chaise dorée. *Oui, je suis Jean-Bertrand Aristide,* lut Levi dans la légende, *et naturellement je me soucie des illettrés, ces pauvres ordures d'Haïtiens ! Voilà pourquoi j'ai épousé ma merveilleuse femme (vous ai-je dit qu'elle a le teint très clair ???), une bourgeoise de souche, pas comme moi, qui viens du caniveau (et on voit bien que je ne l'ai pas oublié !). Je n'ai pas acheté ces chaises qui sont d'un prix raisonnable avec l'argent de la drogue, pas du tout ! J'avoue que je suis un dictateur totalitaire d'une rare espèce mais je peux jouir de ma propriété dont le prix s'élève à plusieurs millions de dollars tout en protégeant les pauvres crève-la-faim haïtiens !*

Tchou posa un verre d'eau sur la photo et se rassit sur le lit. L'auréole d'humidité s'élargit sur le papier. Il fuma son joint sans rien dire. Levi eut l'impression que Tchou n'avait pas l'habitude de recevoir.

« Tu as de la musique ? » demanda Levi. Tchou n'en avait pas.

« Je peux... ? » dit Levi, et il sortit de son sac à dos une petite paire d'enceintes blanches qu'il brancha près du mur à ses pieds, et qu'il connecta ensuite à son iPod. La chanson qu'il écoutait à l'instant dans la rue résonna dans la pièce. Tchou avança à quatre pattes pour admirer la chose.

« Putain ! C'est tout petit, mais ça crache ! »

Levi se baissa lui aussi jusqu'au sol et lui montra comment sélectionner chansons ou albums. Tchou proposa à son invité de tirer sur son joint.

« Non, mec, je fume pas. J'suis asthmatique et tout. »

Ils s'assirent tous deux par terre et écoutèrent *Fear of a Black Planet* d'un bout à l'autre. Même s'il était très déchiré,

Tchou connaissait bien cet album. Il dit les paroles en l'écoutant, et tenta de décrire à Levi l'effet que cela lui avait fait quand il avait entendu pour la première fois un enregistrement pirate de ce disque. « C'est alors qu'on a *su*, dit-il avec enthousiasme, fléchissant ses doigts fins sur le sol. C'est alors qu'on a su, qu'on a compris ! *Nous n'étions pas le seul ghetto.* Je n'avais que treize ans, mais soudain je comprenais : l'Amérique a des ghettos ! Et Haïti est le ghetto de l'Amérique !

— Ouais, c'est profond ce que tu dis, mon frère », dit Levi en hochant amplement la tête. Il se sentait déchiré rien qu'en respirant l'air de la pièce.

« Oh, mec, OUI ! » s'exclama Tchou lorsque commença la chanson suivante. Il le faisait à chaque nouvelle chanson. Il ne hochait pas la tête comme Levi ; il agitait bizarrement le torse — comme s'il était suspendu à l'un de ces gros élastiques vibrants censés vous faire perdre du poids. Chaque fois qu'il le faisait, Levi éclatait de rire.

« Comme j'aimerais pouvoir te faire écouter notre musique, la musique haïtienne », dit Tchou tristement une fois l'album terminé, tandis que Levi déroulait du pouce la liste des titres. « Ça te plairait. Ça te toucherait. C'est de la musique politique, comme le reggae ; tu comprends ? Je pourrais te dire des choses sur mon pays. Elles te feraient pleurer. La musique te ferait pleurer.

— Cool, » dit Levi. Il voulait lui parler du livre qu'il lisait, mais ne se sentait pas suffisamment en confiance. Levi approcha la petite machine à musique tout près de son visage, à la recherche d'une chanson dont il avait mal épelé le titre, et qu'il ne parvenait plus, par conséquent, à retrouver dans l'ordre alphabétique.

« Et je sais que tu n'habites pas dans le coin, Levi, ajouta Tchou. Tu m'écoutes ? Je ne suis pas idiot. » Après être resté accroupi, il s'allongea de tout son long sur le dos à même le sol. Son tee-shirt remonta sur sa poitrine ferme. Il n'y avait pas une once de gras sur son corps. Il souffla un grand rond

de fumée puis un autre qui se logea dans celui-ci. Levi continua de parcourir ses mille chansons.

« Tu penses qu'on est tous des paysans », dit Tchou, mais
sans aucun signe de rancœur comme si cette idée l'intéressait objectivement. « Mais on ne vit pas tous dans des taudis
comme celui-ci. Felix habite Wellington, tu ne le savais pas,
hein ? Une grande maison. Son frère est gérant des taxis là-
bas. Il t'a vu. »

Levi s'agenouilla, tournant toujours le dos à Tchou. Il n'arrivait jamais à mentir aux gens en les regardant dans les
yeux. « Ouais, mais c'est parce que mon *oncle*, tu vois, *lui*, il
habite là-bas... et, genre, je fais des petits boulots pour lui,
des trucs dans le jardin et...

— C'est là que j'étais mardi, dit Tchou en l'ignorant. À
l'université. » Il prononça le mot comme s'il avait de l'encre
dans la bouche. « En train de faire le service comme un
singe, putain... l'enseignant devient le domestique. C'est
douloureux ! Je peux te le dire, parce que j'en sais quelque
chose. » Il tapa du poing sur sa poitrine. « Ça fait mal là !
C'est une putain de douleur ! » Il se redressa soudain. « J'enseigne, je suis enseignant, moi, tu sais, à Haïti. C'est ça que
je fais. J'enseigne dans un lycée. La littérature et la langue
françaises. »

Levi siffla. « Mec, je *déteste* le français. On est obligés de
faire ce genre de truc. Je déteste ça.

— Et maintenant, continua Tchou, mon cousin me dit...
viens faire ça, tu les serviras pendant une soirée, trente dollars de la main à la main, ravale ta fierté ! Enfile un costume
de pingouin et fais des singeries et sers-leur leurs crevettes
et leur vin, aux grands professeurs blancs. On n'a même pas
touché trente dollars : on a dû payer le pressing de nos uniformes ! Ce qui m'a fait vingt-deux dollars ! »

Tchou passa le joint à Levi, qui le refusa de nouveau.

« Combien tu crois qu'ils gagnent, leurs professeurs ?
Combien ? »

Levi répondit qu'il ne savait pas, et c'était la vérité, il ne le savait pas. Tout ce qu'il savait, c'était à quel point il lui était difficile d'obtenir ne serait-ce que vingt dollars de son père.

« Et ils nous donnent quelques centimes pour les servir. Le même esclavage. Rien ne change. Je les emmerde, moi », dit Tchou, mais avec son accent cela sonnait inoffensif et comique. « Arrête un peu avec ta musique américaine. Mets-moi du Marley ! Je veux entendre Marley ! »

Levi obtempéra avec le seul Marley à sa disposition — un best of appartenant à sa mère, dont il avait fait une copie.

« Et je l'ai vu », dit Tchou à genoux, le regard perdu derrière Levi ; ses yeux rougis semblaient très affûtés et fixés sur un démon sévissant au-delà des murs de cette chambre. « Assis à table comme un seigneur. Sir Montague Kipps... » Tchou cracha sur son propre sol. Levi, pour qui la propreté du corps avait depuis longtemps supplanté celle de l'âme, fut dégoûté. Il dut changer de position, afin de ne plus voir la mucosité.

« Je le connais ce mec, moi », dit Levi alors qu'il traversait la moquette. Tchou rit. « Non, c'est vrai... je veux dire, je le connais pas personnellement, mais c'est un mec que... eh bien, mon père le déteste, il est genre, tu n'as qu'à prononcer son nom pour qu'il... »

Tchou pointa un index effilé sous les yeux de Levi. « Si tu le connais, sache que cet homme est un menteur et un voleur. On le connaît tous, dans notre communauté, on suit son parcours ; écrivant ses mensonges, et proclamant sa gloire. Tu dépouilles les paysans de leur art et ça fait de toi un homme riche ! Un homme riche ! Ces artistes sont morts pauvres et affamés. Ils ont vendu ce qu'ils avaient pour quelques dollars parce qu'ils étaient désespérés ! Ils ne savaient pas ! Pauvres et *affamés* ! Je lui ai servi son vin... » Tchou leva la main et prétendit verser à boire dans un verre avec une grossière expression servile. « Ne vends jamais ton âme, mon frère. Ça ne vaut pas vingt-deux dollars. Je pleurais à l'intérieur de moi. Ne la vends jamais pour quelques dollars. *Tout le monde* essaie d'acheter le premier homme

445

noir venu. Tout le monde, dit-il en tapant du poing sur la moquette, essaie d'acheter l'homme noir. Mais il n'est pas à vendre. Son jour viendra.

— Je vois ce que tu veux dire », confirma Levi et, ne voulant pas passer pour un invité ingrat, il accepta le joint que Tchou venait, une fois de plus, de lui tendre.

☆

Ce même matin là, à Wellington, Kiki aussi fit une visite surprise.

« Vous êtes Clotilde, n'est-ce pas ? »

La fille frissonnait en tenant la porte entrouverte. Elle adressa à Kiki un regard vide. Elle était si mince que Kiki distinguait ses hanches à travers son jean.

« Je suis Kiki, Kiki Belsey. On s'est déjà rencontrées. »

Clotilde ouvrit un peu plus la porte et, reconnaissant Kiki, parut bouleversée. Elle attrapa la poignée, et détourna le haut de son corps plat comme une planche. Elle ne connaissait pas les mots anglais pour annoncer ce qu'elle avait à dire. Elle s'adressa donc à Kiki en français : « *Oh...,
madame, oh, mon Dieu, Missize Kipps... vous ne le savez
pas ? Madame Kipps n'est plus ici... Vous comprenez ?*

— Désolée, je...

— *Missize Kipps, elle a été très malade, et tout d'un coup
elle est morte !* » continua-t-elle toujours en français, puis elle ajouta en anglais : « Morte !

— Oh, non, non, je sais..., dit Kiki agitant ses mains de bas en haut comme pour circonscrire l'angoisse dévorante de Clotilde. Oh, mon Dieu, j'aurais dû appeler avant de venir..., oui, Clotilde, oui, je comprends... j'étais à l'enterrement..., non, ça va..., ma douce, je me demandais si Mr Kipps était là, le professeur. Il est là, non ?

— Clotilde ! » la voix de Kipps leur parvint de quelque part au fond de la maison. « Ferme la porte », dit-il, puis il répéta l'injonction. « Est-ce qu'on est obligés de geler ? *Il fait*

446

froid, très froid », fit-il en français. Puis lâcha pour finir :
« Oh, pour l'amour du ciel... »

Kiki vit ses doigts apparaître au bord de la porte ; celle-ci
s'ouvrit en grand ; il se tenait devant elle. L'air étonné, il
n'était pas aussi fringant que de coutume, même s'il portait
quand même son costume trois-pièces. Kiki chercha l'anomalie et la trouva dans ses sourcils, qui étaient extrêmement
broussailleux.

« Mrs Belsey ?

— Oui ! Je... je... »

Sa tête énorme, avec son crâne luisant et chauve, et ses
yeux protubérants et brutaux eurent raison de Kiki : elle
perdit ses moyens. Elle leva donc son poignet gauche,
auquel était suspendu un épais sac en papier de la boulange-
rie la plus fréquentée de Wellington.

« Pour moi ? demanda Monty.

— Eh bien, vous avez été si... si aimable à notre égard à
Londres, et je... enfin, je voulais juste voir comment vous
alliez et vous apporter...

— Un gâteau ?

— Une *tarte*. Parfois, je trouve que lorsqu'on subit un... »

Monty, qui avait eu le temps de surmonter son étonnement, prit les choses en main. « Attendez... entrez donc... on
se croirait en Russie, ça ne sert à rien de rester dehors...
entrez... Clotilde, laisse-nous passer, prends donc le manteau de madame... »

Kiki pénétra dans le couloir.

« Oh, merci, oui, parce que je crois que lorsqu'on subit
une perte, eh bien, les gens sont tentés de rester à l'écart...,
je sais que, quand ma propre mère est décédée, *tout le
monde* s'est tenu à l'écart, et j'en ai beaucoup voulu aux
gens, donc au fond, je me suis sentie, vous savez, *abandonnée*, et je pensais juste passer pour voir comment vous alliez,
vous et les enfants, vous apporter une tarte et... je veux dire,
je sais que nous avons eu nos différends, d'une famille à

l'autre, mais quand une chose de ce genre se produit, je trouve vraiment que... »

Kiki comprit qu'elle parlait trop. Monty venait de jeter un rapide coup d'œil à sa montre à gousset.

« Oh ! Mais si je vous dérange...

— Non, non, pas du tout, non... je suis sur le point de partir à la fac, mais... » Il regarda par-dessus son épaule puis posa une main sur le dos de Kiki, pour la faire avancer. « Mais j'ai juste une chose à finir... si vous voulez bien... puis-je vous laisser ici deux minutes, le temps de... Clotilde, fais-nous du thé et... oui, installez-vous là », dit-il tandis qu'ils marchaient sur le tapis en peau de vache de la bibliothèque. « Clotilde ! »

Kiki s'assit au même endroit que lors de sa dernière visite, sur le tabouret du piano, et, se souriant à elle-même, vérifia l'étagère la plus proche. Tous les N étaient parfaitement rangés.

« Je reviens dans un instant », murmura Monty qui se tourna pour partir, mais à ce moment-là un grand fracas retentit dans la maison, et les pas précipités de quelqu'un résonnèrent dans le couloir. La personne en question s'immobilisa dans l'embrasure de la porte entrouverte de la bibliothèque. Une jeune fille noire. Elle avait pleuré. Son visage exprimait une grande colère, mais elle eut un geste d'étonnement en voyant Kiki, et sa rage se mua en surprise.

« Chantelle, je te présente...

— Je peux partir ? Je m'en vais, dit-elle en s'éloignant.

— Si tu le souhaites », dit Monty avec phlegme, et il la suivit quelques pas. « Nous reprendrons notre discussion à l'heure du déjeuner. Treize heures dans mon bureau. »

Kiki entendit claquer la porte d'entrée. Monty resta cloué sur place pendant un moment, puis se tourna à nouveau vers son invitée. « Je suis désolé.

— C'est moi qui suis désolée, dit Kiki en baissant les yeux sur le tapis sous ses pieds. Je ne savais pas que vous aviez déjà du monde.

— Une étudiante... eh bien, c'est justement ça, la question », dit Monty en traversant la pièce. Il s'assit dans le fauteuil blanc près de la fenêtre. Kiki se rendit compte qu'elle ne l'avait jamais vraiment vu dans une telle posture, assis normalement dans un environnement familial.

« Oui, je crois que je l'ai déjà rencontrée... elle connaît ma fille. »

Monty soupira. « Des espoirs illusoires, dit-il en regardant d'abord le plafond puis Kiki. Pourquoi donnons-nous à ces jeunes des espoirs illusoires ? À quoi bon ?

— Désolée, je ne... ? dit Kiki.

— Voici une jeune femme afro-américaine, expliqua Monty en posant sur le dossier de son fauteuil sa main droite à laquelle brillait une chevalière, qui n'a *pas* fait d'études universitaires et qui n'a *aucune* expérience en la matière, *qui n'a pas son bac*, et qui est néanmoins convaincue que la communauté universitaire de Wellington lui *doit* une place au sein de ses glorieux murs, et pourquoi ? Pour réparer ses propres malheurs et ceux de sa famille. À vrai dire, le problème est bien plus vaste. On encourage ces enfants à demander réparation à *l'Histoire elle-même*. On les manipule comme des pions politiques, on les gave de mensonges. Ça me déprime terriblement. »

Il était étrange de s'entendre dire ces choses, comme si Monty lui avait accordé une audience. Kiki ne savait quoi répondre.

« Je ne crois pas que je... que voulait-elle au juste ?

— En termes très simples : elle veut continuer de suivre un cours à Wellington pour lequel elle ne paie pas et n'est absolument pas qualifiée. Et elle pense qu'elle y a droit parce qu'elle est noire et pauvre. Quelle philosophie démoralisante ! Quel message donne-t-on à nos enfants quand on leur dit qu'ils n'ont pas leur place parmi la méritocratie de leurs homologues blancs ? »

Durant le silence qui suivit cette question posée purement pour la forme, Monty soupira derechef.

449

« Et donc cette fille vient me voir... chez moi, ce matin, sans prévenir... pour me demander de recommander au comité consultatif de lui permettre de continuer à suivre un cours en toute illégalité. Parce qu'elle fréquente la même église que moi, et parce qu'elle a aidé à nos œuvres de charité, elle croit que je vais faire une entorse au règlement pour elle. Parce que je suis, selon le jargon ici, son "frère" ? Je lui ai dit que je refusais. Et voyez le résultat : une crise !

— Ah..., dit Kiki, et elle croisa les bras. Oui, je vois de quoi vous parlez. Sauf erreur de ma part, ma fille se bat dans le camp opposé. »

Monty sourit. « C'est vrai. Elle a fait un discours *extrêmement* impressionnant. Je crains qu'elle ne me complique un peu la tâche.

— Oh, ça, dit Kiki en secouant la tête comme on le fait à l'église, je n'en doute pas. »

Monty hocha la tête de bonne grâce.

« Et votre tarte ? dit-il en affichant une tristesse extrême. Je suppose que ça signifie que les maisons Kipps et Belsey sont à nouveau en guerre.

— Non... je ne vois pas pourquoi ce devrait être ainsi. En amour comme à la... fac, tous les coups sont permis. »

Monty sourit encore. Il vérifia sa montre et passa une main sur son ventre. « Mais malheureusement c'est le *temps*, et non l'idéologie, qui me sépare de votre tarte. Je dois aller à la fac. J'aimerais tant pouvoir passer la matinée à la manger. C'était vraiment très attentionné de votre part.

— Oh, une autre fois. Mais vous marchez jusqu'en ville ?

— Oui, je marche toujours. Vous allez dans ce sens-là ? » Kiki acquiesça. « Eh bien, dans ce cas, nous pourrons nous promener ensemble », dit-il en roulant magnifiquement la lettre r. Il posa les mains sur ses genoux, se leva, et c'est alors que Kiki remarqua le mur vide derrière lui.

« Oh ! »

Monty jeta à Kiki un regard inquisiteur.

450

« Non, c'est juste... le tableau... il n'y avait pas un tableau, là ? D'une femme ? »

Monty se tourna vers l'espace vide. « Eh bien si... comment le saviez-vous ?

— Oh, c'est... j'ai passé du temps avec Carlene dans cette pièce, et elle m'a parlé de ce tableau. Elle m'a dit à quel point elle l'aimait. La femme était une espèce de déesse, non ? Comme un symbole. Elle était tellement belle.

— Eh bien, dit Monty en se retournant à nouveau vers Kiki, je peux vous assurer qu'elle l'est toujours ; mais elle a tout simplement changé d'emplacement. J'ai décidé de l'accrocher dans le département des Black Studies, dans mon bureau. C'est..., eh bien, elle me tient agréablement compagnie », dit-il tristement. L'espace d'un instant, il posa sa main sur son front. Puis il traversa la pièce et ouvrit la porte pour laisser sortir Kiki.

« Elle doit *tant* vous manquer, votre femme », dit Kiki avec zèle. Elle eût été choquée si on l'avait accusée de vampirisme émotionnel car, en disant cela, elle n'avait eu d'autre but que celui de montrer à cet homme endeuillé qu'elle avait de l'empathie pour lui, mais quoi qu'il en fût, Monty ne lui fit pas le plaisir de réagir comme elle s'y attendait. Il resta silencieux et tendit à Kiki son manteau.

Ils quittèrent la maison. Ensemble ils arpentèrent l'étroit chemin sur le trottoir que les pelles à neige du quartier avaient dégagé.

« Vous savez... ça m'intéressait, ce que vous disiez tout à l'heure, par rapport à la "philosophie démoralisante", dit Kiki tout en scrutant avec attention le sol devant elle à la recherche de verglas noirci. Je veux dire, on ne m'a certainement pas fait de cadeaux, dans ma vie, ni à ma mère d'ailleurs, ni à la *sienne*... ni à mes enfants..., je leur ai toujours inculqué le contraire, vous voyez ce que je veux dire ? Comme ma maman me le disait : Tu dois travailler *cinq fois plus* que la fille blanche assise à côté de toi. Et c'était sacrément vrai. Mais je me sens partagée... parce que j'ai *toujours* milité pour la discrimination positive, même si je me suis parfois sentie mal à l'aise avec... je veux dire, bien évidemment, mon mari s'y est énormément investi. Mais j'étais intéressée par votre façon de l'exprimer. Ça oblige à y réfléchir de nouveau.

— L'opportunité, annonça Monty, est un droit, mais ce n'est pas un cadeau. Les droits se méritent. Et l'opportunité doit passer par les voies légitimes. Sinon, le système est complètement dévalorisé. »

Devant eux, les branches d'un arbre frissonnèrent et un bloc de neige atterrit dans la rue. Monty avança un bras protecteur pour empêcher Kiki de passer. Il désigna du doigt un ruisseau entre deux talus glacés, ils le longèrent jusqu'à la chaussée. Puis ils regagnèrent le trottoir au niveau de la caserne des pompiers.

« Mais, protesta Kiki, est-ce que l'élément le plus important, ce n'est pas qu'ici, en Amérique... je veux dire, je suis d'accord que la situation est différente en Europe... mais ici, dans *ce* pays, nos opportunités ont été si sévèrement freinées, *repoussées* ou je ne sais quel mot employer, par un héritage de droits usurpés ; et pour remédier à *ça*, quelques exceptions, des concessions et du soutien sont nécessaires, non ? Il s'agit de rétablir l'équilibre, parce qu'on sait tous que ce déséquilibre existe depuis un sacré bout de temps. Dans le quartier de ma maman en 1973 il y avait encore des bus où les Noirs n'avaient pas le droit de s'asseoir devant. C'est vrai. C'est proche de nous, tout ça. C'est récent.

— Aussi longtemps que nous continuerons à soutenir une culture de victimes, dit Monty avec l'onctuosité rythmique de celui qui se cite lui-même, nous continuerons à créer des victimes. Ainsi le cycle de l'échec perdure.

— Eh bien, dit Kiki en s'agrippant au poteau d'une clôture afin de pouvoir sauter lourdement par-dessus une grosse flaque, je ne sais pas..., je trouve que ça pue la détestation de soi en quelque sorte, de voir des Noirs s'opposer à des opportunités qu'on offre à des Noirs. Je veux dire, au point où on en est, on n'a pas besoin de se disputer entre nous. Il y a une guerre en ce moment ! On a des gamins noirs qui meurent au front à l'autre bout du monde, et ils sont dans cette armée parce qu'ils pensent que l'université n'a rien à leur offrir. Je veux dire, c'est ça, la réalité. »

Monty secoua la tête et sourit. « Mrs Belsey, êtes-vous en train de m'informer que je dois admettre dans mes cours des étudiants qui ne sont pas qualifiés pour les empêcher de s'engager dans l'armée américaine ?

— Appelez-moi Kiki..., bon, O.K., ce n'est peut-être pas exactement ce que je veux dire. Mais cette *haine de soi*. Quand je vois Condoleezza, et Colin..., mon *Dieu* ! Ils me donnent la *nausée*... je vois en eux ce besoin enragé de se séparer de nous autres... genre : "On a saisi notre occasion et maintenant les quotas sont pleins et merci beaucoup, *adios*." C'est cette détestation de soi qu'on trouve chez les Noirs de droite... je suis désolée si je vous offense en disant ça, mais quand même... ça n'y est pas pour quelque chose ? Je ne parle même pas de politique maintenant, je parle d'une sorte de, de, de *psychologie*. »

Ils avaient atteint le sommet de la colline de Wellington et entendaient les cloches des églises alentour sonner midi. À leurs pieds, bordée dans son lit de neige, s'étendait l'une des villes les plus paisibles, cossues, cultivées et jolies d'Amérique.

« Kiki, s'il y a une chose que je sais de vous autres libéraux, c'est à quel point vous aimez entendre des contes de fées. Vous vous plaignez des mythes créationnistes, mais vous en avez des douzaines de votre cru. Les libéraux ne croient jamais les conservateurs motivés par des convictions morales aussi *profondément inscrites* que les leurs. Vous choisissez de croire que les conservateurs sont motivés par une profonde détestation de soi, par une sorte de... faiblesse psychologique. Mais, ma chère, c'est le conte de fées le plus rassurant de tous ! »

453

9

Ce n'était pas pour la poésie que Zora Belsey était douée, mais pour la persistance. Elle était capable d'expédier trois lettres en un après-midi, toutes au même destinataire. C'était une virtuose de la touche « bis ». Elle n'avait pas sa pareille pour recueillir des signatures pour une pétition, et adresser des ultimatums. Quand la ville de Welllington donna à Zora (ce qu'elle considérait être) un PV immérité, ce ne fut pas Zora mais la ville — cinq mois et trente coups de téléphone plus tard — qui baissa les bras.

C'est dans le cyberespace que ses pouvoirs de persévérance s'exprimaient sans doute le mieux. Deux semaines s'étaient écoulées depuis la réunion de faculté, et depuis ce temps Claire Malcolm avait reçu trente-trois — non, trentequatre — e-mails de la part de Zora Belsey. Claire connaissait le chiffre parce qu'elle venait de demander à Liddy Cantalino de les lui imprimer tous. Elle les organisa sur son bureau en un tas ordonné et attendit. À deux heures précises, on frappa à sa porte.

« Entre ! »

Le long parapluie d'Erskine pénétra dans la pièce, tapa deux fois sur le sol. Erskine suivit, vêtu d'une chemise bleue assortie à une veste verte, et ce mariage de couleurs fit un drôle d'effet à Claire.

« Salut, Ersk..., merci beaucoup d'être venu. Je sais que ce n'est pas *du tout* ton problème. Mais j'apprécie beaucoup ton aide.

— À ton service », dit Erskine en s'inclinant.

Claire entrelaça ses doigts. « En fait, j'ai juste besoin d'un appui... Zora Belsey fait pression sur moi pour que j'aide un gamin à rester dans mon cours, et je veux bien le soutenir, mais en fin de compte je n'ai aucun pouvoir en la matière... et elle refuse tout simplement de me croire sur parole.

— C'est ça ? » demanda Erskine en tendant la main vers

les pages imprimées sur le bureau ; puis il s'assit. « La correspondance complète de Zora Belsey.

— Elle me rend *dingue*. Elle est complètement obsédée par ce problème... et je veux dire, je suis de *tout cœur* avec elle. Imagine ce que ça serait si j'étais *contre* elle.

— Imagine », dit Erskine. Il sortit ses lunettes de lecture de la poche de poitrine de sa veste.

« Elle fait circuler une énorme pétition que les étudiants signent en masse..., elle veut que je change en un tournemain les règlements de l'université... mais je ne peux pas créer une place pour ce gamin à Wellington ! J'aime beaucoup l'avoir dans ma classe, mais si Kipps convainc le comité de statuer contre les étudiants discrétionnaires, qu'est-ce que je peux faire ? J'ai les mains liées. Et j'ai l'impression de travailler sans arrêt en ce moment... j'ai des devoirs à noter qui me sortent par les yeux, je dois trois livres à mes éditeurs... et mon mariage est une succession de messages e-mail, je ne...

— Chut, chut », dit Erskine qui posa sa main sur celle de Claire. La peau de sa main dodue et chaude était très sèche. « Claire..., laisse-moi m'en occuper, tu veux bien ? Je connais très bien Zora Belsey... je la connais depuis qu'elle est toute petite. Elle aime faire des tas d'histoires, mais elle n'est que très rarement attachée à ce qu'elle défend. Je m'en occupe.

— Vraiment ? Je *t'adore* ! Je suis *fourbue*.

— Je dois dire, j'aime plutôt bien les titres de ses messages, dit Erskine malicieusement. Très dramatique. Sujet : *40 arpents et un mulet*. Sujet : *Battons-nous pour le droit de participer*. Sujet : *Nos universités peuvent-elles acheter le talent ?* Eh bien, est-il très doué, le jeune homme ? »

Claire plissa son petit nez moucheté de taches de rousseur. « Eh bien, oui. Je veux dire... il n'a aucune instruction, mais... non, oui, il l'est. Il est très charismatique, très beau. *Très* beau. Carl est rappeur en fait... un très bon rappeur... et il est doué..., il a de l'enthousiasme. C'est super de l'avoir en cours. Erskine, s'il te plaît... tu peux faire quelque chose ? Tu peux lui trouver un truc à faire sur le campus ?

— J'ai trouvé. On n'a qu'à le titulariser ! »

Ils rirent tous deux, mais le rire de Claire se transforma en gémissement. Elle s'accouda au bureau et appuya son visage dans sa main.

« Je ne veux pas devoir le mettre dehors. Je ne veux vraiment pas. On sait tous les deux qu'il y a de fortes chances que le comité vote contre les étudiants discrétionnaires le mois prochain, et alors il se retrouvera le bec dans l'eau. Mais s'il avait quelque chose d'autre à faire qui... je sais que je n'aurais sans doute jamais dû l'admettre dans le cours, mais maintenant que je l'ai fait j'ai l'impression d'avoir eu en quelque sorte les yeux plus gros que le ventre... » Le téléphone de Claire se mit à sonner. Elle leva l'index devant son visage et prit l'appel.

« Je peux... ? » articula Erskine debout, brandissant les e-mails imprimés. Claire hocha la tête. Erskine lui fit un signe d'adieu de son parapluie.

Le grand talent d'Erskine — hormis sa connaissance encyclopédique de la littérature africaine — était sa capacité à faire croire aux gens qu'ils étaient plus importants qu'ils ne l'étaient en réalité. Il avait de nombreuses techniques. Vous pouviez par exemple recevoir un message urgent de la secrétaire d'Erskine sur votre répondeur en même temps qu'un e-mail et un mot manuscrit déposé dans votre casier. Il pouvait vous prendre à part lors d'une soirée pour partager avec vous une histoire intime de son enfance ; et vous, en tant que diplômée fraîchement émoulue en provenance de l'université de Californie à Los Angeles, n'aviez aucun moyen de savoir qu'il avait partagé de façon intime la même histoire avec chaque étudiante du département. Il maniait avec habileté les arts complexes de la fausse flatterie, la déférence vide et l'apparence d'une attention respectueuse. Et il semblait, lorsque Erskine se répandait en éloges à votre égard ou vous rendait un service professionnel, que c'était vous qui en tiriez bénéfice. Et c'était peut-être le cas. Mais presque toujours, Erskine en tirait davantage. Vous mettre en avant pour que vous puissiez avoir l'honneur de prononcer une allocution à la conférence de Baltimore permettait simplement à Erskine d'éviter la conférence de Baltimore. Mettre en avant votre nom pour éditer une anthologie signifiait qu'Erskine se libérait d'une promesse de plus faite à son éditeur, qu'il ne pourrait honorer, vu qu'il avait d'autres engagements. Mais où était le mal ? Vous êtes heureux et Erskine aussi ! Ainsi Erskine menait-il sa vie universitaire à Wellington. De temps à autre, néanmoins, il croisait des êtres difficiles qu'il ne *pouvait* rendre heureux. De simples éloges n'apaisaient point leur mauvaise humeur, n'amoindrissaient pas l'antipathie et le manque de confiance qu'il leur inspirait. Pour ces cas-là, Erskine avait un atout dans sa manche. Lorsqu'on était déterminé à détruire sa quiétude et son bien-être, ou que l'on refusait de l'apprécier ou de lui permettre de mener la vie tranquille à laquelle il aspirait, lorsque, comme dans le cas de Carl Thomas, on embêtait quelqu'un qui ensuite embêtait *Erskine*, dans de telles situations, en tant que directeur adjoint du département des Black Studies, Erskine leur donnait tout simplement un emploi. Il créait un emploi là où précédemment il n'y avait eu que de l'espace vide. Bibliothécaire en chef de la bibliothèque musicale afro-américaine était un poste inventé du genre. Archiviste hip-hop en serait un développement naturel.

☆

Carl n'avait jamais eu un tel emploi de sa vie. Il touchait un salaire minimum dans l'administration (il avait touché la même paie ou à peu près pour classer des dossiers dans un cabinet d'avocats, et pour répondre aux appels au standard d'une radio de musique noire). Mais ce n'était pas ce qui comptait. On l'engageait parce qu'il connaissait *ce* sujet, *cette* chose qu'on appelle le hip-hop ; il en savait bien plus là-dessus que le premier venu — et peut-être plus que quiconque dans cette université. Il avait une aptitude, et cette aptitude en particulier était requise pour cet emploi. Il était *archiviste*. Et son salaire, qu'on lui envoyait chez sa mère à Roxbury, arrivait dans des enveloppes portant l'emblème de Wellington. La mère de Carl les laissait traîner dans des endroits visibles de leur cuisine pour s'assurer que les invités les remarquent. De *plus*, il n'était pas obligé de porter un costume. En fait, plus il s'habillait de façon informelle, plus les membres du département des Black Studies semblaient apprécier. Son espace de travail était un corridor condamné tout au fond du département des Black Studies, qui donnait sur trois petites pièces. Dans l'une d'elles se trouvait une table ronde, qu'il partageait avec Miss Elisha Park, la bibliothécaire en chef de la section de musique. C'était une petite Noire grassouillette, étudiante en troisième cycle en provenance d'une université de troisième zone du fin fond du sud des États-Unis, qu'Erskine avait rencontrée lors d'une tournée promotionnelle pour l'un de ses livres. Tout comme Carl, elle ressentait un mélange d'émerveillement et de ressentiment devant la grandeur de Wellington, et à eux deux ils formaient un gang, toujours blindés face au mépris des étudiants et du corps professoral, mais reconnaissants aussi lorsqu'« ils » étaient aimables avec « nous ». Ils travaillaient bien ensemble, chacun silencieusement concentré devant son écran d'ordinateur, mais alors qu'Elisha travaillait d'arrache-pied à ses fiches de recension — vignettes sérieuses sur l'histoire de la musique noire qui étaient classées avec les vinyles et les CD eux-mêmes —, Carl ne se servait de son ordinateur que pour googler. Googler *utile* — une partie de son travail consistait à faire des recherches sur les nouvelles sorties et les acheter s'il pensait que les archives se devaient de les posséder. Il avait une certaine somme à dépenser chaque mois. *Acheter des disques qu'il aimait faisait maintenant partie de son travail.* À peine une semaine après avoir été embauché, il avait déjà dépensé la plus grande part de son budget mensuel. Néanmoins, Elisha ne l'engueula pas. C'était une boss calme et patiente et, comme la plupart des femmes que Carl avait croisées au cours de sa vie, elle voulait toujours l'aider, et le protégeait volontiers lorsqu'il faisait une bêtise. Gentiment, elle manipula quelque peu les chiffres et lui enjoignit de faire plus attention le mois suivant. C'était invraisemblable. L'autre tâche dont Carl devait s'occuper consistait à photocopier et ranger en ordre alphabétique les couvertures de la partie la plus ancienne des archives, les 45 tours. Il y avait des classiques dans cette collection. Cinq mecs en minishorts roses avec d'immenses afros, les bras croisés autour de la poitrine, posaient près d'une Cadillac, au volant de laquelle était assis un singe avec des lunettes de soleil. Des classiques. Lorsque les copains de Carl eurent vent de son nouveau boulot, ils n'en revinrent pas. De l'argent pour acheter des disques. Être payé pour écouter de la musique ! Quel renard tu fais pour leur piquer leur thune sous leur nez ! Putain, elle est pas belle, la vie ? Carl se surprit lui-même en se sentant un peu vexé par ce type de félicitations. Tout le monde lui disait que son job était fabuleux, et qu'il était payé à ne rien faire. Mais ce n'était pas rien. Le professeur Erskine Jegede lui-même avait adressé une lettre à Carl lui souhaitant la bienvenue, dans laquelle il lui disait qu'il participait aux efforts pour « constituer des archives de notre culture orale que les générations futures pourront consulter ». Alors : c'est rien, ça ?

Il était prévu qu'il travaille trois jours par semaine. Du moins, c'est ce qu'on attendait de lui, mais à vrai dire il venait tous les jours. Parfois Elisha lui adressait un regard inquiet — il n'y avait tout simplement pas assez de travail pour cinq jours entiers. Enfin, il pourrait passer les six prochains mois à photocopier leur collection de pochettes d'albums, mais très vite cette tâche avait paru inutile, comme si on lui confiait ce genre d'occupation parce qu'on le croyait incapable de faire plus. En fait, il avait toutes sortes d'idées pour améliorer les archives, les rendre plus accessibles aux étudiants. Il voulait les organiser comme les grands magasins de disques, où on pouvait entrer, mettre un casque et avoir accès à des centaines de chansons différentes — sauf que, dans le rêve de Carl, le casque serait relié à un ordinateur qui afficherait automatiquement les textes qu'Elisha écrivait et collationnait sur la musique contenue dans les archives.

« Ça risque de revenir cher, dit Elisha lorsqu'il lui parla de son projet.

— Ouais, sans doute, mais quel est l'intérêt d'une bibliothèque si on ne peut pas accéder à ses trésors ? Personne ne va les emprunter, ces vieux disques : la plupart des gamins ne savent même plus ce que c'est qu'un tourne-disque.

— Mais ça me semble quand même cher. »

Carl essaya d'obtenir un rendez-vous avec Erskine pour parler de ses idées, mais ce dernier n'était jamais disponible, et quand Carl le croisa par hasard dans un couloir, Erskine ne semblait même pas savoir à qui il avait affaire, et lui suggéra de s'adresser à la bibliothécaire — comment s'appelait-elle ? Oh, oui, Elisha Park. Lorsque Carl rapporta cette histoire à Elisha, elle enleva ses lunettes et lui dit une chose qui résonna profondément en lui, une chose qu'il saisit et garda près de son cœur comme une parole de chanson.

« C'est le genre de boulot, dit Elisha, où c'est à *toi* de créer ton poste. C'est une chose de franchir le portail, de s'asseoir à la cantine et de faire semblant d'être wellingtonien, tu vois... » Si sa peau avait pu rougir, Carl aurait rougi. Elisha l'avait cerné. C'est *vrai* qu'il ressentait un frisson de joie lorsqu'il franchissait ce portail. C'est *vrai* qu'il aimait traverser la cour enneigée avec son sac à dos sur les épaules, ou s'asseoir dans la cafétéria grouillant de monde, ayant l'air aux yeux de tous d'être l'étudiant en fac que sa mère avait toujours rêvé qu'il fût. « Mais les gens comme toi et moi, poursuivit Elisha avec sévérité, nous ne faisons pas vraiment partie de cette communauté, n'est-ce pas ? Je veux dire, personne ne va nous aider à nous sentir chez nous. Donc si tu veux que ce boulot soit exceptionnel, *tu* devras en être l'artisan. Personne ne le fera pour toi, voilà la vérité. »

Ainsi, au cours de sa troisième semaine de travail, Carl commença à s'intéresser au côté recherche des choses. D'un point de vue économique et temporel, cela n'avait aucun sens de s'atteler à cette tâche — personne ne le paierait pour le travail supplémentaire. Mais pour la première fois de sa vie, il s'intéressait au travail qu'il faisait — il *voulait* le faire. Et quel était l'intérêt, après tout, de répondre aux questions d'Elisha (dont la spécialité était le blues) qui l'interrogeait sur tel et tel détail au sujet des artistes et de l'histoire du rap, quand il avait un cerveau et un clavier à disposition ? Tout d'abord, il s'assit pour écrire une fiche de recension sur Tupac Shakur. Tout ce qu'il avait pensé faire, c'était écrire une bio en mille mots, comme Elisha le lui avait demandé, puis la lui donner pour qu'elle puisse l'intégrer dans l'une de ses minidiscographies et autres bibliographies, qui serviraient à guider les étudiants vers d'autres disques et des lectures liées à ce sujet. Il s'assit devant l'ordinateur à dix heures du matin. À l'heure du déjeuner, il avait écrit cinq mille mots. Et cela sans même arriver au moment où, adolescent, Tupac quitte la côte Est pour la côte Ouest. Elisha suggéra qu'au lieu de s'intéresser aux individus, il se concentre sur un aspect de la musique rap en général et qu'il relève chaque incidence de cet aspect, afin de permettre aux gens de naviguer d'un renvoi à l'autre. Cela ne lui fut pas d'un grand secours. Cinq jours plus tôt, Carl avait choisi de s'occuper du thème du *carrefour*. Chaque occurrence du mot carrefour, les images de carrefours sur les pochettes d'album, et les raps ayant pour thème l'idée d'un carrefour dans le cheminement de la vie. Il avait déjà écrit quinze mille mots et était loin d'avoir terminé. Il avait l'impression d'avoir attrapé la maladie du clavier. Elle était où, cette maladie quand il allait à l'école ?

« Salut, je peux entrer ? demanda Zora bêtement puisqu'elle avait déjà frappé et passé sa tête par l'embrasure de la porte. Occupé ? Je passais par là, alors... »

Carl releva sa casquette et leva les yeux de l'écran, contrarié par cette interruption. Certes, il essayait d'être toujours aimable envers Zora Belsey, puisqu'elle l'avait toujours été envers lui. Mais elle ne lui rendait pas la tâche facile. C'était le genre de personne qui ne vous laissait jamais assez de temps pour avoir le sentiment de vous manquer. Elle « passait par là » en moyenne deux fois par jour, habituellement pour partager avec lui les dernières informations concernant la campagne qu'elle menait pour qu'il puisse continuer à suivre le cours de poésie de Claire Malcolm. Il n'avait pas encore pu lui dire qu'il s'en moquait désormais de pouvoir rester — ou non — dans ce cours.

« À fond dans le boulot, comme toujours », dit-elle en pénétrant dans la pièce.

Il fut décontenancé par l'étendue du décolletée qu'elle affichait ; ses seins étaient remontés et serrés l'un contre l'autre dans un étroit haut blanc qui peinait à contenir le matériel qu'on lui avait confié. Elle portait aussi, en guise de manteau, une espèce de châle idiot autour des épaules, qu'elle était constamment obligée de réajuster, car le côté gauche ne cessait de glisser le long de son dos.

« Bonjour, *professeur* Thomas. J'ai pensé vous rendre visite.

— Salut », dit Carl ; instinctivement il éloigna un peu sa chaise de la porte. Il enleva son casque. « T'as l'air différente. Tu vas quelque part ? T'as l'air très... t'as pas *froid* ?

— Non, pas vraiment... où est Elisha ? Elle déjeune ? » Carl acquiesça et regarda l'écran de son ordinateur. Il était au beau milieu d'une phrase. S'asseyant dans la chaise d'Elisha, Zora contourna le bureau pour se mettre à côté de Carl.

« Tu veux manger quelque chose ? demanda-t-elle. On pourrait sortir. Je n'ai pas cours avant trois heures.

— Tu sais... c'est genre, *j'aimerais* vraiment, sauf que j'ai tout ce truc à finir... je crois que je vais rester ici et le faire... comme ça ce sera fait.

— Oh, dit Zora. Oh, O.K.

— Non, je veux dire, c'est partie remise... mais j'ai du mal à me concentrer... y a toujours plein d'bruit dehors. Des gens crient depuis une heure. Tu sais ce qui se passe ? »

Zora se leva, marcha jusqu'à la fenêtre et ouvrit le store. « C'est une manif d'Haïtiens ou un truc comme ça, dit-elle en ouvrant la fenêtre à guillotine. Oh, tu peux pas les voir d'ici. Ils distribuent des tracts dans le square. C'est un gros truc, il y a beaucoup de monde. J'imagine que le cortège défilera après.

— Je ne les *vois* pas, mais je les entends, j'te jure, ils sont bruyants, sans déc'. C'est quoi, leur revendication, au fait ?

— Un salaire minimum, et arrêter de se faire traiter comme de la merde par tout le monde tout le temps... plein de trucs, j'imagine. » Zora ferma la fenêtre et se rassit. Elle se pencha tout contre Carl pour regarder l'écran de son ordinateur. Il le cacha avec ses mains.

« Allez, fais pas ça... j'ai même pas eu le temps de met' le vérificateur d'orthographe. »

Zora écarta ses doigts de l'écran. « *Carrefour*... Le disque de Tracy Chapman ?

— Non, dit Carl, le thème.

— Oh, je vois, dit Zora d'une voix moqueuse. Pardon. Le *thème*.

— Tu crois que je peux pas connaître un mot passque tu le connais, c'est ça ? » l'apostropha-t-il, et il le regretta immédiatement. Il ne fallait jamais se mettre en colère contre des bourgeois de ce genre : très vite, ils le prenaient mal.

« Non... je... enfin, non, Carl, ce n'est pas ce que je voulais dire.

— Oh là, je sais bien... on se calme. » Il lui caressa doucement la main. Il ne pouvait pas savoir qu'un courant élec-

463

trique la traversait chaque fois qu'il le faisait. Maintenant, elle le regarda bizarrement.

« Pourquoi tu me regardes comme ça ?

— Non, c'est juste que... je suis tellement *fière* de toi. »

Carl rit.

« Sérieusement. T'es une personne incroyable. Regarde un peu ce que tu as accompli, ce que tu accomplis chaque jour. C'est de ça que je parle. Tu *mérites* une place dans cette université. Tu es environ quinze fois plus brillant et travailleur que la plupart de ces connards hyperprivilégiés.

— Tais-toi.

— Mais c'est vrai.

— Ce qui est *vrai*, c'est que je ne serais pas en train de faire tout ça si je ne t'avais pas rencontrée. Donc voilà, si tu tiens vraiment à faire ton Oprah Winfrey.

— Maintenant toi, tais-toi, dit Zora rayonnante.

— Bon et si on la fermait *tous les deux* ? » suggéra Carl, qui effleura son clavier. Son écran qui dormait depuis quelques secondes, se réveilla. Il essaya de retrouver le fil de sa dernière phrase laissée en suspens.

« J'ai cinquante signatures de plus pour la pétition... elles sont dans mon sac. Tu veux les voir ? »

Carl ne saisit pas immédiatement de quoi elle parlait. « Oh, ouais... c'est cool... non, t'embête pas à les sortir... mais c'est cool. Merci, Zora. C'est vraiment sympa, ce que tu fais pour moi. »

Zora silencieuse mit en œuvre de façon audacieuse une stratégie qu'elle ourdissait depuis peu avant Noël : lui caresser la main en retour. Elle toucha le dos de la main de Carl deux fois, rapidement. Il ne cria pas. Il ne quitta pas la pièce en courant.

« Sérieusement, ça m'intéresse », dit-elle en désignant d'un signe de tête l'ordinateur. Elle rapprocha un peu plus sa chaise de Carl. Ce dernier bascula sur la sienne et lui parla avec désinvolture du symbole du carrefour et des nombreuses références que les rappeurs faisaient à ce thème. Le carrefour qui représente des choix et des décisions personnelles, qui représente le « droit chemin », qui représente l'histoire du hip-hop, la faille qui sépare les textes « engagés » de la mentalité « gangsta ». Plus il parlait, plus il s'animait et plus il semblait absorbé par son sujet.

« Tu vois, je m'en servais tout le temps moi... sans jamais me demander pourquoi. Puis Elisha me dit : "Tu te souviens de cette peinture murale à Roxbury, celle avec la chaise suspendue à une voûte ?" Et je me disais, ben ouais, bien sûr, puisque j'habite à côté... tu vois de quoi je parle ?

— Vaguement », dit Zora, mais elle n'avait été à Roxbury qu'une fois pendant le Mois de la mémoire noire, à l'occasion d'une sortie avec sa classe quand elle était au lycée

« Donc, tu as un carrefour peint à cet endroit, d'accord ? Et les serpents et ce mec : qui bien sûr, je le sais maintenant, s'appelle Robert Johnson... j'ai vécu toute ma vie à deux pas de ce truc sans jamais savoir qui était ce mec... en tout cas, c'est Johnson dans cette peinture qui est assis au carrefour attendant de vendre son âme au diable. Et voilà pourquoi (putain ce que c'est bruyant dehors). Voilà pourquoi il y a une vraie chaise suspendue à la voûte dans cette ruelle. Je m'étais toujours demandé pourquoi quelqu'un avait suspendu une chaise dans cette ruelle. C'est censé être la chaise de Johnson, tu vois ? Assis au carrefour. Et ça s'est totalement infiltré dans le hip-hop... et genre, ça m'a révélé l'essence du rap. TU DOIS PAYER LE PRIX D'ENTRÉE. C'est ce qui est écrit tout en haut sur le mur au-dessus de la peinture, tu vois ? Près de la chaise ? Et c'est le principe fondateur du rap. Tu dois payer le prix d'entrée. Donc, c'est genre... je suis en train de retracer le chemin de cette idée à travers... putain ce qu'ils sont bruyants, c'est pas vrai ! Je m'entends même pas réfléchir !

— Le haut de la fenêtre est ouvert.

— Je sais, je sais pas comment la fermer..., ces fenêtres ne se ferment pas comme il faut.

— Mais si, c'est juste que tu ne sais pas le faire... il faut savoir s'y prendre.

— Qu'est-ce que je ferais sans mon petit bouchon, hein ? » demanda Carl tandis que Zora se levait. Il lui donna une gentille petite tape sur son gros derrière. « Tu t'occupes toujours bien de moi. Tu sais tout sur *tout*. »

Zora approcha sa chaise de la fenêtre et lui montra comment s'y prendre.

« Ça, c'est mieux, dit Carl. J'ai besoin d'un peu de tranquillité pour travailler. »

☆

On ne sait jamais à quoi ressemblent les hôtels de la ville qu'on habite, puisqu'on n'est jamais amené à y séjourner. Depuis dix ans, Howard avait recommandé aux professeurs associés l'Hôtel Barrington, situé au bord de la rivière, mais hormis le hall qu'il connaissait un peu, il ne savait rien de l'endroit. Il était sur le point de le découvrir. Assis sur un des sofas façon style géorgien, il attendait. De la fenêtre il pouvait voir la rivière et la glace sur la rivière et le ciel blanc qui se reflétait dans la glace. Il ne ressentait strictement rien. Même pas de la culpabilité, même pas de désir. Il avait été attiré ici par une série d'e-mails qu'elle lui envoyait depuis une semaine, généreusement illustrés du genre de pornographie faite maison dans laquelle toute adolescente d'aujourd'hui équipée d'un appareil photo numérique semble experte. Il comprenait mal ses motivations. Le lendemain du dîner, elle lui avait envoyé un e-mail furieux, auquel il avait répondu par de faibles excuses, sans s'attendre à avoir d'autres nouvelles. Mais finalement ce n'était pas comme dans le mariage : Victoria lui pardonna tout de suite. Sa disparition du dîner semblait n'avoir fait qu'intensifier sa détermination à répéter ce qui s'était produit à Londres. Howard se sentait trop faible pour résister à quiconque résolu à le posséder. Il avait ouvert toutes ses pièces jointes et passé une ardente semaine à bander intensément à son bureau — visions lascives dans lesquelles il lui permettait de faire ce qu'elle voulait. Me glisser sous ton bureau. Ouvrir ma bouche. Te sucer. Te sucer. Te sucer. Comme les mots étaient sexy ! Howard, qui n'avait pratiquement aucune expérience personnelle en matière de pornographie (il avait collaboré à un livre qui la dénonçait, édité par Steinem), était fasciné par cette sexualité moderne, dure et rutilante et aseptisée et violente. Elle convenait à son humeur. Vingt ans auparavant, il eût peut-être été rebuté. Plus maintenant. Victoria lui envoyait des photographies d'orifices en tout genre qui *l'attendaient* tout simplement — sans conversation, ni débat, ni conflits de personnalités, ni aucune notion de problèmes futurs. Howard avait cinquante-sept ans. Il était marié depuis trente ans à une femme difficile. En ce moment, dans la sphère des relations personnelles, pénétrer des orifices offerts était à peu près tout ce dont il se sentait capable. Il n'y avait plus rien à défendre ni à sauver. Bientôt, sans doute, il serait obligé de se chercher un appartement, de vivre comme vivaient tant d'hommes de sa connaissance, seul et aigri et toujours légèrement éméché. Et c'était donc blanc bonnet et bonnet blanc. Ce qui allait arriver était inévitable. Et donc, *elle* arriva. Lorsque la porte à tambour l'expulsa dans le hall, elle était, comme on pouvait s'y attendre, ravissante, avec un manteau d'un jaune vif à col montant et gros boutons carrés en os. Ils parlèrent à peine. Howard se dirigea vers la réception pour prendre la clé.

« La chambre donne sur la rue, monsieur, lui fit le réceptionniste, parce que Howard avait prétendu qu'il y passerait la nuit. Et ça risque d'être un peu bruyant aujourd'hui. Un cortège de manifestants va traverser la ville. Si c'est intolérable, appelez-nous et on essaiera de vous trouver quelque chose de l'autre côté du bâtiment. Bonne journée. »

Ils prirent seuls l'ascenseur et elle lui colla la main à la braguette. Chambre 614. Devant la porte, elle le plaqua contre le mur et commença à l'embrasser.

« Tu ne vas pas encore t'échapper, j'espère ? chuchota-t-elle.

— Non... attends qu'on entre dans la chambre », dit-il en glissant la carte magnétique dans la fente. La lumière verte s'alluma, un déclic se déclencha et la porte s'ouvrit. Ils se retrouvèrent dans une chambre aux rideaux tirés, qui sentait encore le renfermé. Il y avait une petite brise mordante, et Howard entendit au loin des slogans scandés. Il s'avança pour localiser la fenêtre ouverte.

« Laisse les rideaux fermés, je ne veux pas que tout le monde profite du spectacle. »

Elle laissa tomber son manteau jaune au sol. Elle se tenait là dans toute la gloire de sa jeunesse, éclairée par la lumière mouchetée de grains de poussière. Guêpière, bas, string, *porte-jarretelles* — tous les détails tristement prévisibles y étaient.

« Oh ! Pardon ! Excusez-moi s'il vous plaît ! »

Une femme d'une cinquantaine d'années, une Noire en tee-shirt et pantalon de survêtement, venait de sortir de la salle de bains, un seau à la main. Victoria poussa un cri et plongea jusqu'au sol pour récupérer son manteau.

« Désolée, s'il vous plaît, dit la femme. Je nettoie... je reviendrai... plus tard...

— Vous nous avez donc pas *entendus* ? » dit Victoria d'un ton vif en se redressant brusquement.

La femme regarda Howard dans l'espoir qu'il serait indulgent à son égard.

« Je vous *pose une question* », dit Victoria, qui s'enveloppa de son manteau comme d'une cape. Elle se posta devant sa proie.

« Mon anglais, désolée... vous pouvez... répéter s'il vous plaît ? »

Dans la rue une tempête de sifflets se déchaîna.

« Nom de Dieu... on était ici de toute évidence... vous auriez dû signaler votre présence.

468

— Désolée, désolée, pardon, dit la femme qui commença à quitter la pièce à reculons.

— Non, dit Victoria. Ne partez pas... je vous pose une question. Allô ? Vous parlez anglais ?

— Victoria, s'il te plaît, fit Howard.

— Désolée, pardon », répéta la femme de chambre ; elle ouvrit la porte et, s'inclinant et hochant la tête, s'échappa enfin. La porte se referma doucement, faisant entendre son déclic. Ils se retrouvèrent à nouveau seuls dans la chambre.

« Mon Dieu, ce que ça me met en colère, dit Victoria. En tout cas. Quelle connerie. Désolée. » Elle rit doucement et fit un pas vers Howard, qui recula.

« Je crois que ça a plutôt gâché la... », dit-il tandis que Victoria continuait de s'approcher, disant *chuuuuut* en se découvrant une épaule. Elle s'appuya tout contre lui et sa cuisse frôla doucement ses couilles. Howard prononça une phrase usée jusqu'à la corde, parfaitement assortie au manteau, à la guêpière, au porte-jarretelles et aux mules à fanfreluches qu'elle avait apportées dans son sac de cours.

« Désolé, je ne peux pas faire ça ! »

10

« C'est très simple. J'ai sauvegardé toutes les images dans ton disque dur... et tout ce que t'as à faire, c'est les mettre dans l'ordre dans lequel tu vas les utiliser à la conférence, et tu mets toutes les citations et les diagrammes dans le même ordre... comme dans n'importe quel dossier de traitement de texte. Et ensuite on a tout mis dans le bon format. Tu vois ? » Smith J. Miller se pencha par-dessus l'épaule d'Howard et frôla le clavier de son ordinateur. Il avait l'haleine d'un bébé : chaude, inodore, fraîche comme de la vapeur. « Tu cliques et tu déroules. Tu cliques et tu déroules. Et tu peux prendre des trucs sur le web aussi. J'ai sauvegardé un bon site sur Rembrandt pour toi. Tu vois ? Maintenant on a des images en haute définition de tous les tableaux dont tu auras besoin. D'accord ? »

Howard hocha la tête en silence.

« Maintenant je pars déjeuner, mais je reviendrai cet après-midi pour te reprendre ça et t'installer Peur Point. D'accord ? C'est le futur. »

Howard posa un regard abattu sur le matériel informatique devant lui.

« Howard, dit Smith en posant une main sur son épaule, ça va être une très bonne conférence. L'atmosphère est sympathique, c'est une petite galerie agréable, et tout le monde est avec toi. Un peu de vin, un peu de fromage, une petite conférence, et tout le monde à la maison. Ça va rouler tout seul, ce sera très pro. Aucune raison de s'inquiéter. Tu l'as déjà fait des millions de fois. Sauf que, ce coup-ci, Mr Bill Gates te donne un petit coup de pouce. Bon, je repasserai vers trois heures pour récupérer tout ça. »

Smith pressa une dernière fois l'épaule gauche d'Howard et saisit sa serviette toute mince.

« Attends... dit Howard. Est-ce qu'on a envoyé toutes les invitations ?

— Ouais, en novembre.

— Burchfield, Fontaine, French...

— Howard, tous ceux qui peuvent changer la donne pour toi ont été invités. C'est fait. Aucune raison de s'inquiéter. Il faut juste installer Peur Point, et on sera fin prêts.

— Tu as invité ma femme ? »

Smith passa sa serviette d'une main à l'autre et adressa à son chef un regard perplexe.

« Kiki ? Désolé, Howard..., je veux dire, je n'ai envoyé que des invitations professionnelles, comme d'habitude..., mais s'il y a une liste d'amis et de proches que tu voudrais que je... »

Howard chassa cette idée d'un geste de la main.

« Bon, d'accord. » Smith salua Howard. « Bon, d'accord, j'ai fini. Rendez-vous à trois heures. »

Smith partit. Howard naviga sur le site web que Smith avait laissé ouvert pour lui. Il trouva la liste des tableaux dont Smith lui avait parlé et sélectionna *Le syndic de la Guilde des drapiers*. Dans ce tableau, six Hollandais vêtus de noir, à peu près de l'âge d'Howard, sont assis autour d'une table. Le travail de la guilde consistait à contrôler la production d'étoffe dans l'Amsterdam du dix-septième siècle. Ils étaient nommés tous les ans, et choisis pour leur capacité à juger si la teinture et la texture de l'étoffe qu'on leur présentait étaient de qualité. Un tapis turc recouvre la table autour de laquelle ils sont assis. Aux endroits éclairés, Rembrandt nous révèle la profonde couleur grenat et la complexité de la broderie dorée du tapis. Les regards des hommes, tous dans une position différente, se tournent vers l'extérieur du tableau. Quatre cents années d'hypothèses ont échafaudé une histoire complexe autour de cette toile. Elle est censée représenter une réunion d'actionnaires ; les hommes sont assis sur une estrade, comme ils le seraient pour un débat public aujourd'hui ; des spectateurs invisibles, dont l'un d'entre eux vient de poser aux membres de la Guilde une question délicate, sont assis en contrebas. Sans être à côté, Rembrandt se tient non loin de celui qui vient de prendre la parole, et il saisit l'instant. La façon avec laquelle l'artiste peint chaque visage nous propose un nouvel éclairage du problème en question. C'est le moment de réflexion qui transparaît sur six visages différents. C'est à cela que ressemble le jugement : mûrement réfléchi, rationnel, bienveillant. Tout cela selon la version traditionnelle de l'histoire de l'art.

Howard l'iconoclaste rejette toutes ces sottes suppositions. Comment peut-on savoir ce qui se passe au-delà du cadre du tableau lui-même ? De quels spectateurs parle-t-on ? De quelle question ? De quel jugement ? Foutaises et tradition sentimentale ! Prétendre que ce tableau raconte un moment particulier est, selon Howard, une supposition anachronique et photographique fallacieuse. Ce sont des histoires pseudo-historiques aux relents de religiosité désagréables. Nous voulons croire que les membres de cette Guilde sont des sages qui jugent avec justesse ce public imaginaire, et qui, implicitement, nous jugent. Mais en vérité, rien de tout cela ne figure à proprement parler *dans* le tableau. Tout ce que nous voyons, ce sont six hommes riches assis et posant pour leur portrait, et attendant — *exigeant* — d'être représentés ensemble comme des personnes prospères, intègres, et qui réussissent. Rembrandt — qui fut bien payé pour ses services — n'a fait que s'exécuter. Les membres de la Guilde ne regardent personne ; il n'y a personne à regarder. Le tableau est un exercice de représentation du pouvoir économique — et selon Howard, une représentation particulièrement pernicieuse et opprimante. En tout cas, ainsi va sa théorie. Il l'a répétée et écrite tant de fois au cours des dernières années qu'il ne se souvient plus à présent des éléments sur lesquels il s'était appuyé pour l'élaborer. Pour sa conférence, il devra en remettre quelques-uns à jour. Cette pensée le fatigue déjà. Il s'affaisse sur son siège.

Le chauffage d'appoint dans le bureau dégage une chaleur si grande qu'Howard a le sentiment d'être prisonnier de l'air épais et chaud. Il clique sur sa souris, agrandit l'image du tableau jusqu'à ce qu'elle devienne aussi grande que l'écran. Il regarde les hommes. Derrière Howard, les petits morceaux de glace qui décorent la fenêtre de son bureau depuis deux mois fondent et ruissellent. Dans la cour la neige bat en retraite, et de petites oasis de pelouse y apparaissent, même s'il vaut mieux de ne pas nourrir à leur égard le moindre espoir : il neigera sans doute à nouveau. Howard regarde les hommes. Dehors l'heure sonne aux clochers. On entend le son métallique des câbles du tramway quand il passe, et l'inepte babillage des étudiants. Howard regarde les hommes. L'histoire a retenu certains de leurs noms. Howard regarde Volckert Jansz, un mennonite et collectionneur de curiosités. Il regarde Jacob van Loon, un tisserand catholique qui habitait au coin de Dam et de Kalverstraat. Il regarde le visage de Jochem van Neve : une sympathique tête d'épagneul aux yeux pleins de bonté qui inspire à Howard de l'affection. Combien de fois Howard a-t-il regardé ces hommes ? La première fois, il avait quatorze ans, quand en cours de dessin on lui avait montré une reproduction du tableau. Il avait été à la fois alarmé et abasourdi par le fait que les membres de la Guilde semblaient tous regarder droit vers lui, leurs yeux (comme l'avait souligné son professeur) « suivant vos allées et venues dans la pièce », et pourtant, lorsque Howard avait essayé de leur rendre leur regard, il avait été incapable de regarder aucun des hommes dans les yeux. Howard regarda les hommes. Les hommes regardèrent Howard. Ce jour-là, quarante-trois ans plus tôt, c'était un écolier inculte d'une intelligence féroce, aux genoux sales, un garçon enragé, beau, inspiré et violent qui venait de nulle part et de rien et qui néanmoins était déterminé à changer coûte que coûte — voilà l'Howard Belsey que les membres de la Guilde avaient vu et jugé ce jour-là. Mais quel était leur jugement aujourd'hui ? Howard regarda les hommes. Les hommes regardèrent Howard. Howard regarda les hommes. Les hommes regardèrent Howard.

Howard cliqua sur l'option zoom de son écran. Zoom, zoom, zoom, jusqu'à se plonger entièrement dans les pixels grenats du tapis turc.

« Hé, papa, qu'est-ce qui se passe ? Tu rêves ?

— Putain ! Tu ne frappes donc jamais ? »

Levi ferma la porte derrière lui. « Pas pour la famille, non... j'dois dire que je frappe pas dans ces cas-là, non. » Il s'assit à l'extrémité du bureau d'Howard, et tendit la main vers le visage de son père. « Ça va ? Tu transpires, mec. Ton front est tout mouillé. Tu te sens bien ? »

Howard chassa d'une tape la main de Levi. « Qu'est-ce que tu veux ? » demanda-t-il.

Levi secoua la tête avec désapprobation, mais rit. « Oh,

mec..., plutôt froid comme accueil. Sous prétexte que je viens te voir, tu crois que je veux quelque chose !

— Visite de courtoisie, c'est ça ?

— Ben, ouais. J'aime te voir au travail, savoir comment ça se passe, tu sais, voir ce que c'est d'être un intellectuel au pays de la fac. T'es genre, mon modèle et tout.

— D'accord. Donc, c'est combien ? »

Levi éclata de rire. « Oh, mec, t'es pas sympa ! J'en reviens pas ! »

Howard regarda la petite horloge dans un coin de son écran. « Et l'école ? Tu ne devrais pas être à l'école ?

— Eh bien..., dit Levi en se caressant la joue. Techniquement, ouais. Mais tu vois, il y a un règlement... enfin, la ville a un règlement qui dit que tu ne peux pas être dans une salle de classe si la température ambiante est inférieure à genre, je ne sais pas combien, mais Eric Klear la connaît..., il apporte son thermomètre, tu vois ? Et si ça baisse au-delà de la température réglementaire, eh bien, on a tous le droit de rentrer chez nous. Ils ne peuvent strictement rien faire.

— Très entreprenant », dit Howard. Puis il rit et regarda son fils avec un tendre émerveillement. Quelle traversée, l'adolescence ! Ses enfants étaient assez grands pour le faire rire. C'étaient de vraies personnes, qui recevaient des amis, se disputaient, existaient pleinement, indépendamment de lui, même s'il était celui qui avait mis tout cela en branle. Ils avaient des pensées et des croyances différentes des siennes. Ils n'étaient même pas de la même couleur que lui. Ils incarnaient une espèce de miracle.

« Ce n'est vraiment pas un comportement filial habituel, tu sais, dit Howard jovial, portant déjà la main à sa poche arrière. C'est ce qu'on appelle se faire détrousser dans son propre bureau. »

Levi se leva et alla regarder par la fenêtre. « La neige fond. Ça va pas durer longtemps. Mec, dit-il en se retournant, dès que j'ai mes thunes et ma vie à moi, je pars vivre quelque part où il fait *chaud*. Je partirai genre en *Afrique*. Je m'en fous si c'est pauvre. Tant que j'suis au chaud, ça me va.

— Vingt... *six, sept, huit...* c'est tout ce que j'ai, dit Howard en brandissant le contenu de son portefeuille.

— C'est sympa, mec. Je suis complètement à sec en ce moment.

— Et ton satané *boulot* alors ? »

Levi trépigna un peu avant de se livrer. Howard écouta, la tête posée sur son bureau.

« Levi, c'était un *bon* boulot.

— J'en ai trouvé un autre ! Mais c'est plus... irrégulier, on va dire. Et je ne travaille pas en ce moment, parce que j'ai d'autres trucs sur le feu, mais j'vais y retourner bientôt, parce que c'est genre...

— Ne me dis rien, insista Howard en fermant les yeux. Surtout, ne me dis rien. Je ne veux pas le savoir. »

Levi mit les dollars dans sa poche arrière. « En tout cas, donc, entre-temps j'ai quand même de quoi *voir venir*. Je te rembourserai, de toute façon.

— Avec de l'argent que je t'aurai donné.

— J'ai un boulot, je te dis ! Calmos, d'accord ? Hein ? Tu vas te calmer. Tu vas te faire un infarctus si tu continues. *Calmos*. »

Il soupira, embrassa le front transpirant de son père et ferma doucement la porte en sortant de son bureau.

☆

Levi traversa le département en clopinant exagérément comme il en avait l'habitude, puis gagna le hall principal du bâtiment de Lettres. Il s'arrêta, le temps de sélectionner une chanson qui serait en harmonie avec le froid glacial du dehors. Quelqu'un l'appela par son nom. Il ne distingua pas tout d'abord de qui il s'agissait.

« Yo..., Levi. Par ici ! Salut mec ! Ça fait un *bail* que je t'ai pas vu. Tope là.

— *Carl* ?

— Ouais, c'est moi. Alors, tu me reconnais pas ? »

Leurs poings se rencontrèrent, mais Levi ne se départit pas de sa grimace.

« Qu'ess tu fous là, mec ?

— La vache ! T'es pas au courant ? dit Carl souriant de toutes ses dents et relevant son col. J'suis un *universitaire* maintenant ! »

Levi rit. « Non, sérieusement, mon frère..., qu'est-ce que tu fous là ? »

Carl cessa de sourire. Il donna un coup sur le sac à dos qu'il portait sur les épaules. « Ta sœur t'a pas dit ? Je suis un universitaire maintenant. Je travaille ici.

— *Ici* ?

— Département des Black Studies. Je viens de commencer. Je suis archiviste.

— T'es *quoi* ? » Levi transféra son poids d'un pied à l'autre. « Mec, tu te fous de moi ou quoi ?

— Non.

— Tu *travailles* ici. J'comprends pas ; tu fais le ménage ? »

Levi n'avait pas eu l'intention de sous-entendre quoi que ce soit, mais c'était sorti comme ça. Tout simplement parce qu'il avait rencontré beaucoup de gens qui faisaient le ménage à Wellington, pendant la manif de la veille, et c'était la première chose qui lui était venue à l'esprit. Carl se vexa.

« Non, mec, je m'occupe des *archives*..., je fais pas le ménage, putain. C'est une bibliothèque musicale. Je suis en charge du hip-hop, et un peu du R&B. C'est un outil incroyable. Tu devrais venir faire un tour. »

Levi secoua la tête, incrédule. « Carl, frérot, j'hallucine... tu vas devoir me le répéter une fois de plus. Tu travailles *ici* ? »

Carl dépassa du regard la tête de Levi pour lire l'heure à l'horloge accrochée au mur. Il avait un rendez-vous — il devait rencontrer quelqu'un du département des langues qui allait lui traduire des textes de rap français.

« Ouais, mec..., c'est pas si compliqué comme concept. Je travaille ici.

— Mais... Tu te *plais* ici ?

— Ouais. Bon... c'est un peu coinços des fois, mais c'est cool au département des Black Studies. C'est idéal comme endroit pour travailler..., hé, je vois ton père *tout* le temps. Il bosse juste à côté. »

Levi, concentré sur les nombreux faits étranges dont on venait de lui faire part, ignora ce dernier commentaire. « Donc, attends : tu fais plus de zik alors ? »

Carl réajusta son sac à dos sur ses épaules. « Oh... j'en fais un peu mais... je sais pas, mec, le milieu du rap... c'est plus que des *gangstas* et les *playas*... c'est pas mon truc. Pour moi, le rap, comme je le vois, c'est une question de *proportion*. Tu vas à l'Arrêt de Bus maintenant, et y a plus que des bandes de mecs en colère qui... *déblatèrent*... et c'est pas comme ça que je le sens, donc, bon... ben... tu sais comment c'est... »

Levi défit l'emballage d'un chewing-gum et le mit dans sa bouche sans en offrir à Carl. « Peut-être qu'ils ont de bonnes raisons d'être en colère, dit Levi sur un ton glacial.

— Ouais... bon... écoute, mec..., je dois filer en fait, j'ai un... truc..., hé, dis-moi tu devrais passer un de ces jours à la bibliothèque... on va faire des après-midi portes ouvertes où tu pourras choisir le disque que tu veux et l'écouter en entier... on a des trucs carrément rares, donc tu devrais passer. Viens demain après-midi. Pourquoi pas ?

— C'est la deuxième manif demain. On manifeste toute la semaine.

— Manif ? »

À ce moment la porte d'entrée principale s'ouvrit et les garçons furent, pendant un instant, en présence d'une des femmes les plus incroyablement belles qu'ils aient jamais vue l'un et l'autre. Marchant à vive allure, elle les dépassa et continua vers les départements de Lettres. Elle portait un jean serré avec des bottes beiges à hauts talons et un col roulé rose. Un long tissage soyeux courait le long de son dos. Levi ne fit pas le lien entre elle et celle qu'il avait vue un mois auparavant, en larmes, cheveux courts, toute de noir vêtue, marchant de façon plus posée et recueillie derrière un cercueil.

« Frangine..., ouah ! » murmura Carl, suffisamment fort pour qu'elle l'entende, mais Victoria, qui avait l'habitude d'ignorer de telles exclamations, poursuivit simplement son chemin. Levi ne quitta pas des yeux son arrière-train incendiaire.

« Oh, mon *Dieu*..., dit Carl et il posa une main sur sa poitrine. T'as vu ce cul ? Oh, mec, ça me fait mal. »

Levi l'avait assurément vu, ce cul, mais d'un seul coup Carl n'était plus la personne avec laquelle il aurait voulu en parler. Il n'avait jamais très bien connu Carl mais, comme lors d'un béguin d'adolescent, il l'avait beaucoup admiré. Voilà donc ce qui arrive quand on mûrit. Levi avait de toute évidence énormément grandi depuis l'été dernier : il l'avait pressenti d'instinct, et à présent il se rendait compte que c'était vrai. Des mecs ineptes comme Carl ne l'impressionnaient plus du tout. Levi Belsey était passé au niveau supérieur. C'était étrange pour lui de penser à sa personnalité antérieure. Et c'était *tellement* étrange de se trouver près de cet ex-Carl, cet imbécile désuet, cette coquille vide, ce renoi chez qui tout ce qui était beau et passionnant et vrai s'était tout simplement évaporé.

☆

Howard était sur le point de faire un saut à la cafétéria pour s'acheter un bagel. Il allait se lever de sa chaise — mais il avait de la visite. Elle ouvrit la porte de son bureau avec fracas et la ferma avec fracas. Elle entra à peine et s'appuya contre la porte.

« Tu veux bien t'asseoir, s'il te plaît ? » dit-elle sans le regarder ; elle fixait des yeux le plafond comme si elle adressait une prière aux cieux. « Tu peux juste t'asseoir et écouter et te taire ? J'ai une chose à dire, puis je partirai, et c'est tout. »

Howard plia son manteau en deux, s'assit et le posa sur ses genoux.

« Tu n'as pas le *droit* de traiter les gens comme ça, tu m'entends ? dit-elle en continuant de parler au plafond. Tu peux pas me le faire deux fois. Tu m'as fait passer pour une imbécile à ce dîner, et puis... tu plantes pas quelqu'un comme ça à l'hôtel..., tu peux pas agir comme un putain de *gosse*... et donner à l'autre le sentiment d'être un moins que rien. Tu peux *pas* faire ça. »

Elle baissa enfin les yeux. Elle branlait frénétiquement la tête. Howard regarda ses pieds.

« Je sais que tu crois... », les hoquets de larmes entre chaque mot la rendaient difficile à comprendre, « me *connaître*. Mais c'est *pas* vrai. Ça, dit-elle en se touchant le visage, les seins et les hanches, c'est ce que tu connais. Mais tu ne me connais pas, *moi*. Et c'est toi qui voulais *ça*... comme tous les autres... » Elle se toucha aux mêmes endroits. « Et, c'est pour ça que j'ai... »

Elle essuya ses yeux avec son col roulé. Howard leva les yeux.

« En tout cas, dit-elle, je veux que tu détruises les e-mails que je t'ai envoyés. Et j'abandonne ton cours, donc t'as pas à t'inquiéter de *ça*.

— Tu n'as pas besoin...

— Tu n'as aucune idée de ce dont j'ai besoin ! Tu ne sais même pas ce dont, *toi*, tu as besoin. Bref. Peu importe. »

Elle posa une main sur la poignée de porte. C'était égoïste de sa part, il le savait, mais, avant qu'elle parte, Howard souhaitait désespérément obtenir d'elle la promesse que ce désastre resterait à jamais entre eux. Il se leva, plaça ses mains sur son bureau mais ne dit rien.

« Oh, et je sais, dit-elle en crispant ses yeux fermés, que rien de ce que je dis ne t'intéresse, parce que je ne suis

479

qu'une putain de cruche ou un truc dans le genre, mais bon... en tant que personne relativement objective... eh bien, je trouve que tu as vraiment besoin d'assimiler le fait que tu n'es pas la seule personne sur cette planète. À mon avis. J'ai mes propres problèmes à gérer. Mais toi, c'est ça que tu dois gérer. »

Elle ouvrit les yeux, fit volte-face, et partit. Encore une sortie bruyante. Howard resta là où il était, à triturer le col de son manteau. À aucun moment au cours de la débâcle du mois dernier il n'avait nourri un sincère sentiment romantique à l'égard de Victoria, et il n'en éprouvait pas à présent, mais il comprit, un peu tardivement, qu'il avait de l'affection pour elle. Elle avait quelque chose de courageux, elle avait du cran et elle était fière. Howard eut l'impression qu'elle venait de lui parler sincèrement pour la première fois, ou du moins c'est ce qu'il avait ressenti. À présent Howard tremblait en enfilant son manteau. Il se dirigea vers la porte, puis attendit une minute, ne voulant pas courir le risque de la croiser à l'extérieur. Il se sentait tout chose : paniqué, honteux, soulagé. *Soulagé !* Était-ce si affreux d'avoir le sentiment d'avoir échappé à quelque chose ? Et ne ressentait-elle pas la même chose ? Au-delà des secousses physiques et des chocs psychologiques qu'implique de prendre part à une telle scène (et comme il était étrange de s'entendre dire ces choses par une personne que vous connaissez en vérité à peine), n'existait-il pas, après l'explosion, une forme de satisfaction à y avoir survécu ? Comme dans une altercation dans la rue, lorsque l'on vous menace physiquement, que vous osez faire face et que l'on vous laisse tranquille. Vous vous éloignez tremblant de peur et de joie après ce sursis, soulagé que les choses ne se soient pas envenimées. Habité par une telle allégresse ambiguë, Howard quitta le département. Il passa tranquillement devant le bureau de Liddy à l'accueil, parcourut le couloir, dépassant les distributeurs de boissons et le coin Internet, et la double porte de la Bibliothèque Kel...

Howard recula d'un pas et pressa sa joue contre le verre de l'une des portes. Deux détails significatifs — non, en fait, trois. Le premier : Monty Kipps sur un podium, en train de parler. Le deuxième : la bibliothèque Keller archibondée, avec bien plus de gens qu'Howard n'en avait jamais rassemblés à Wellington. Le troisième — et c'était le détail qui avait initialement retenu l'attention d'Howard : à un mètre environ de la porte, droite sur sa chaise, un calepin à la main, apparemment concentrée et captivée, était assise Kiki Belsey.

Howard oublia son rendez-vous avec Smith. Il rentra directement chez lui pour attendre sa femme. De rage, il resta assis sur le canapé, serrant Murdoch sur ses genoux, à échafauder les différentes façons dont il pourrait initier la conversation à venir. Il aligna une sélection satisfaisante de possibilités mesurées et émotionnellement détachées — mais lorsqu'il entendit la porte d'entrée s'ouvrir, tout sarcasme se volatilisa. Il dut se retenir de toutes ses forces pour ne pas bondir de son siège et faire face à sa femme de la façon la plus vulgaire qui soit. Il écouta ses pas. Elle passa devant la porte du salon (« Hé. Ça va ? ») et poursuivit son chemin. Howard se consumait intérieurement.

« T'étais au boulot ? »

Kiki revint sur ses pas et s'immobilisa dans l'embrasure de la porte. Elle fut immédiatement — comme toute personne mariée de longue date — alertée par l'intonation de sa voix.

« Non... j'avais mon après-midi.

— Passé un bon moment ? »

Kiki pénétra dans la pièce. « Howard, qu'est-ce que tu as ?

— Je crois, dit Howard en relâchant Murdoch qui n'en pouvait plus de se faire presque étrangler, que j'aurais été légèrement — *légèrement* — moins surpris de te voir dans une réunion du... »

Ils se mirent à parler en même temps.

« Howard, qu'est-ce que tu me fais, là ? Oh, mon Dieu...

— ... putain du *Ku Klux Klan*... non, ça aurait eu plus de... »

— La conférence de Kipps..., oh, Seigneur, c'est pire que le téléphone arabe par ici... Écoute, je n'ai pas besoin...

— Je ne sais pas à quels autres événements néo-conservateurs tu as l'intention de te rendre, non, chérie, ce n'est *pas* le téléphone arabe ; je t'ai *vue* en train de prendre des notes : je n'avais pas la moindre *idée* que tu étais si éprise de l'œuvre du grand homme, dommage, j'aurais pu t'offrir ses discours complets ou...

— Oh, ta *gueule*, oui... fous-moi la paix. »

Kiki se tourna pour partir. Howard se jeta à l'autre extrémité du canapé, se redressa sur ses genoux et lui saisit le bras. « Où vas-tu ?

— Je me casse.

— On parle, là... tu voulais qu'on parle... on parle.

— Ce n'est pas ce que j'appelle parler. C'est toi qui déblatères. *Arrête*... lâche-moi. Nom de *Dieu* ! »

Howard réussit à lui tordre le bras, et donc à détourner son corps, pour lui faire contourner le canapé. Elle s'assit à contrecœur.

« Écoute, je n'ai pas à te donner d'explications, dit Kiki, mais c'est néanmoins ce qu'elle entreprit de faire. Tu veux savoir ce que c'est ? Parfois j'ai l'impression qu'il n'y a qu'un seul point de vue dans cette maison. Et j'essaie juste de me faire une idée des autres points de vue. Je ne vois pas où est le crime, d'essayer juste *d'élargir* son...

— Par souci d'équilibre, dit Howard en adoptant la voix nasillarde d'un commentateur de télévision américaine.

— Tu sais, Howard, tout ce que tu sais faire, c'est attaquer les autres. Tu ne crois en *rien*, et c'est pour ça que t'as peur des gens qui ont des croyances, et qui se consacrent à quelque chose, à une *idée*.

— Tu as raison : j'ai peur des *fous furieux fascisants*..., je... j'arrive pas à y croire. Kiki, cet homme veut faire interdire l'avortement. Et ce n'est qu'un début. Cet homme... »

Kiki se leva et commença à crier. « Ce n'est pas de ça qu'il s'agit... j'en ai rien à foutre de Monty Kipps. Je parle de *toi* :

482

tous ceux qui croient en quoi que ce soit te terrifient. Regarde comme tu traites *Jerome*, tu peux même pas le *regarder*, parce que tu sais qu'il est chrétien maintenant, on le sait *tous deux*, on n'en parle jamais. *Pourquoi* ? Tu ne sais que plaisanter là-dessus, mais c'est pas marrant... c'est pas marrant pour *lui*. Et j'ai quand même l'impression que tu as eu à un moment dans ta vie une idée de ce que tu... je ne sais pas... de ce que tu *croyais* et de ce que tu *aimais* et maintenant tu n'es qu'un...

— Arrête de crier.

— Je ne crie pas.

— Tu es en train de crier. Arrête. » Une pause. « Et je ne vois *vraiment* pas ce que Jerome vient faire dans cette histoire... »

De frustration, Kiki frappa ses jambes de part et d'autre avec ses poings fermés. « Tout ça, c'est la même chose, j'y ai beaucoup pensé... ça fait partie de la même..., eh bien, de la malédiction qui est tombée sur cette maison... on ne peut parler de rien sérieusement, tout est ironique, rien n'est sérieux, tout le monde a *peur de parler*, au cas où tu trouverais que c'est un cliché ou que c'est ennuyeux. Tu es comme un gendarme de la pensée. Et rien ne compte pour toi, même pas *nous*... Tu sais, j'étais là, assise en train d'écouter Kipps... d'accord, il est fou la moitié du temps, mais il se tient là devant les gens et parle de ce en quoi il *croit*...

— Comme tu n'arrêtes pas de me le dire. Apparemment, peu importe *ce* qu'il croit, du moment que c'est quelque chose. Non mais, tu t'entends ? Il croit en la haine... de quoi tu parles ? Il est misérable, et menteur... »

Kiki pointa un doigt sous le nez d'Howard. « Je crois que t'as rien à dire en matière de mensonges, O.K. ? Je ne vois pas comment tu peux oser rester assis là à me parler de mensonge. Si on peut dire quelque chose sur lui, c'est que c'est un homme d'honneur, beaucoup plus que tu ne le seras *jamais*...

— Tu perds la tête complètement, marmonna Howard.

— Ne fais pas ça ! hurla Kiki. Ne me méprise pas comme ça. Mon Dieu…, c'est comme si… tu ne peux même pas… j'ai l'impression de ne même plus te *connaître*… c'est comme après le 11 Septembre quand tu as envoyé cet e-mail ridicule à tout le monde à propos de Baudry, Bodra…

— Baudrillard. C'est un philosophe. Il s'appelle Baudrillard.

— Sur les guerres simulées ou je ne sais quelle putain de connerie… Et à ce moment-là, je me suis dit : *quel est son problème, à cet homme ?* J'avais *honte* de toi. Je n'ai rien dit, mais c'est ce que je ressentais. Howard, dit-elle en tendant le bras vers lui mais pas assez loin pour le toucher, ça, c'est la *réalité*. Cette vie. Nous sommes vraiment là… c'est vraiment en train de se passer. La souffrance est *réelle*. Quand tu blesses quelqu'un, c'est pour de *vrai*. Quand tu baises une de nos meilleures amies, c'est bien *réel* et ça me *blesse*. »

Kiki s'effondra sur le canapé et commença à pleurer.

« Comparer un carnage à mon infidélité me semble légèrement… », dit Howard doucement, mais l'orage était passé, cela ne servait à rien. Kiki pleura dans un coussin.

« Pourquoi est-ce que tu m'aimes ? » demanda-t-il.

Kiki continua à pleurer et ne répondit pas. Quelques minutes plus tard, il lui posa la question derechef.

« Est-ce que c'est une question piège ?

— C'est une question sincère. Bien réelle. »

Kiki ne dit rien.

« Je vais t'aider, poursuivit Howard. Je vais mettre cette phrase au passé. Pourquoi m'as-tu aimé ? »

Kiki renifla bruyamment. « Je ne veux pas jouer à ce jeu… c'est stupide et agressif. Je suis fatiguée.

— Keeks, tu me tiens à distance depuis tellement longtemps, je ne sais même plus si tu as de l'amitié pour moi, sans même parler d'amour, si tu m'aimes bien, c'est tout.

— Je t'ai *toujours* aimé, dit Kiki, mais avec une telle fureur que les mots et les sentiments semblaient être sans rapport. *Toujours*. Je n'ai pas changé. Rappelle-toi lequel de nous deux a changé.

— Honnêtement, *honnêtement*, je ne cherche pas la dispute, dit Howard avec lassitude et il pressa ses doigts contre ses yeux. Je te demande pourquoi tu m'as aimé. »

Assis, ils restèrent silencieux, et durant ce silence quelque chose entre eux se ranima. Leur respiration ralentit.

« Je ne sais pas comment répondre à ça. Je veux dire, on sait bien tous les deux ce qu'il y a de bon, et ça n'aide à rien, dit Kiki.

— Tu dis que tu veux parler, dit Howard. Mais tu ne parles pas. Tu m'évites.

— *Tout* ce que je sais, c'est que j'ai passé ma vie à t'aimer. Et je suis terrifiée par ce qui nous est arrivé. Ce n'était pas censé nous arriver. On n'est pas comme les autres. Tu es mon meilleur ami...

— Meilleur ami, oui, dit Howard misérablement. Ça a toujours été le cas.

— Et nous sommes coparents.

— Et nous sommes *coparents*, répéta Howard, irrité par cet américanisme qu'il abhorrait.

— Tu n'as pas besoin d'être sarcastique, Howard, ça fait partie de ce que nous sommes maintenant.

— Je n'étais pas... » Howard soupira. « Et on s'aimait », dit-il.

Kiki laissa aller sa tête sur le dossier du canapé.

« Howie, c'est toi qui viens de parler au passé, pas moi. »

Ils gardèrent à nouveau le silence.

« *Et*, dit Howard, naturellement, nous avons toujours été très doués pour l'Hawaïen. »

Ce fut au tour de Kiki de soupirer. Hawaïen, pour de vieilles raisons personnelles, était chez les Belsey l'euphémisme employé pour désigner le sexe.

« À vrai dire, nous excellions en Hawaïen », ajouta Howard. Il s'était aventuré très loin, et il le savait. Il posa

485

une main sur les cheveux noués de sa femme. « On ne peut pas le nier.

— Ce n'est pas ce que je fais. C'est ce que tu as fait. Quand tu as fait ce que tu as fait. »

Le comique de cette phrase — et sa surabondance de « fait » — était problématique. Howard lutta pour se retenir de sourire. Kiki sourit la première.

« Je t'emmerde », dit-elle.

Howard plaça ses mains sous la poitrine cataclysmique de son épouse.

« Je t'emmerde », répéta-t-elle.

Il glissa ses doigts jusqu'au sommet de ses seins, et massa à pleines mains tout ce qu'il pouvait. Ses lèvres effleurèrent son cou et il l'embrassa. Puis ses oreilles, qui étaient baignées de larmes. Elle se tourna vers lui. Ils s'embrassèrent. C'était un baiser solide et consistant, avec moult mouvements de langue. Un baiser du passé. Howard tint dans ses mains le beau visage de sa femme. S'ensuivit le périple qu'ils avaient effectué tant de nuits durant tant d'années : le baiser se poursuivit le long des plis grassouillets du cou de Kiki, jusqu'à sa poitrine. Howard ouvrit les boutons de son chemisier, tandis qu'elle s'occupait du robuste fermoir de son soutien-gorge. Ses mamelons, gros comme un dollar d'argent, où quelques poils poussaient de temps à autre, étaient d'un marron profond et familier, avec juste une touche de rose. Il n'en avait jamais vu d'aussi protubérants. Ils logeaient tous deux parfaitement dans sa bouche.

Ils glissèrent sur le sol. Chacun pensa aux enfants et à la possibilité que l'un d'entre eux rentrât éventuellement à la maison, mais ni l'un ni l'autre n'osa aller jusqu'à la porte pour la fermer. Tout mouvement qui les entraînerait loin de cet endroit scellerait la fin. Howard s'allongea sur sa femme. Il la regarda. Elle le regarda. Il avait le sentiment qu'elle le reconnaissait. Murdoch, dégoûté, quitta la pièce. Kiki releva la tête pour embrasser son mari. Howard enleva la longue jupe de sa femme et son substantiel slip réaliste. Il glissa ses mains sous son énorme cul ravissant et palpa. Elle laissa échapper un petit gémissement de satisfaction. Elle s'assit et commença à dérouler sa longue natte. Howard leva les mains pour l'aider. Des boucles de longs cheveux afro se libérèrent et s'étalèrent tout autour de son visage, l'entourant du halo de sa jeunesse. Elle défit la braguette et le prit dans ses mains. Doucement, progressivement, sensuellement, habilement, elle le mania. Elle commença à murmurer à son l'oreille. Son accent s'épaissit, toujours plus du Sud, toujours plus lascif. Pour de vieilles raisons personnelles, elle incarnait à présent une femme de pêcheur hawaïenne nommée Wakiki. Ce qui était fatal chez Wakiki, c'était son sens de l'humour — elle vous menait au bord de l'abandon puis disait une chose si drôle que tout s'écroulait. Rien de drôle pour quelqu'un de l'extérieur. Drôle pour Howard. Drôle pour Kiki. Riant de bon cœur Howard s'allongea sur le dos et attira Kiki sur lui. Elle avait une façon bien à elle de le frôler sans jamais s'appuyer de tout son poids. Kiki avait toujours eu des jambes incroyablement puissantes. Elle l'embrassa à nouveau, se redressa et s'accroupit sur lui. Elle lui prit les mains qu'il tendait vers ses seins comme en enfant, et les posa sur sa poitrine. D'une de ses mains, elle souleva son ventre puis poussa son mari en elle. À la maison ! Mais cela survint plus tôt qu'Howard ne s'y attendait, ce qui le chagrina quelque peu, car il savait comme elle savait qu'il manquait d'entraînement, et était donc condamné. Il aurait pu s'en sortir s'il avait été sur le dessus, ou derrière, ou derrière sur le côté, ou dans n'importe quelle autre position connue des couples mariés. Il avait de l'endurance dans ces positions. C'était un champion. Il leur était arrivé de passer des heures lovés l'un contre l'autre, bougeant doucement d'avant en arrière en parlant de la journée, des choses drôles qui s'étaient produites, d'une des manies de Murdoch, même des enfants. Mais si elle s'accroupissait sur lui, avec ses seins énormes qui rebondissaient en se recouvrant d'un voile de sueur, son beau visage attentif et concentré sur ce qu'elle désirait, la mystérieuse ingéniosité de ses muscles qui se resserraient sur lui et se desserraient — eh bien, dans ce cas-là, il tenait trois minutes et demie, maximum. Pendant près de dix ans, cela avait été la cause d'une frustration sexuelle énorme dans leur couple. C'était la position favorite de Kiki ; et lui était incapable de résister au plaisir qu'elle lui procurait. Mais la vie est longue, et le mariage aussi. Et une année, ils connurent une véritable percée lorsque Kiki découvrit qu'elle était capable d'œuvrer avec l'excitation de son mari jusqu'à stimuler sans savoir comment de nouveaux muscles, ce qui lui permit d'accélérer son propre processus pour être en phase avec lui. Elle avait essayé une fois de lui expliquer comment elle s'y prenait, mais la différence anatomique entre nos deux sexes est trop grande. Les métaphores ne fonctionnent pas. Et on s'en moque de toute façon, car on se moque bien de toute façon de la technique lorsque cette explosion de plaisir et d'amour et de beauté vous envahit. Les Belsey étaient devenus tellement experts en la matière qu'ils en devinrent presque blasés, plus fiers qu'excités. Ils voulaient faire une démonstration de leur technique aux voisins. Mais à présent Howard était loin de se sentir blasé. Il souleva sa tête et ses épaules du sol, se débattit avec le postérieur de sa femme, et attira Kiki un peu plus fermement sur lui ; il s'excusa tout en se libérant prématurément en elle, mais en fait elle le rejoignit quelques secondes plus tard, et les dernières secousses de la chose les traversèrent tous deux L'arrière de la tête d'Howard se posa sur la moquette, et il resta allongé là à respirer frénétiquement, sans rien dire. Kiki se dégagea de lui lentement et s'assit en tailleur comme un gros bouddha à ses côtés. Il tendit la main, paume ouverte, en attendant la sienne, comme ils faisaient avant. Mais elle ne la prit pas.

« Oh, mon *Dieu* », dit-elle alors. Elle attrapa un coussin dans lequel elle enfonça son visage.

Howard n'hésita pas. Il dit : « Non, Keeks..., c'est une

bonne chose. Ç'a été l'enfer... » Kiki cacha encore plus son visage dans le coussin. « C'est vrai, je sais. Mais je ne veux pas être sans... *nous*. Tu es la personne que je..., tu es ma vie, Keeks. Tu l'as été et tu le seras et tu l'es. Je ne sais pas comment tu veux que je te le dise. Tu es pour moi... tu *es* moi. On l'a toujours su... et on ne peut pas arrêter maintenant de toute façon. Je t'aime. Tu es pour moi », répéta Howard.

Kiki n'avait pas sorti son visage du coussin ; elle se mit à parler dedans. « Je ne suis pas sûre que tu sois encore la personne pour moi.

— Je ne t'entends pas. Quoi ? »

Kiki leva les yeux. « Howard, je t'aime. Mais ça ne *m'intéresse pas* d'être le témoin de ta seconde *adolescence*. J'ai eu mon adolescence. Je ne peux pas me retaper la tienne.

— Mais...

— J'ai pas mes règles depuis trois *mois*. Est-ce que tu t'en es même rendu compte ? Ça me rend dingue et émotive tout le temps. Mon corps est en train de me dire que le spectacle est terminé. Ça, c'est réel. Et je ne vais devenir ni plus *mince* ni plus *jeune*, mon cul finira par traîner par terre, si ça n'est pas déjà le cas, et je veux vivre avec quelqu'un capable de me reconnaître dans cette carcasse. Je suis toujours là-dedans. Et je ne veux pas qu'on m'en veuille ou qu'on me déteste parce que j'ai changé... j'aime autant être seule. Je ne veux pas être avec quelqu'un qui *méprise* ce que je suis devenue. Je t'ai vu changer, toi aussi. Et j'ai le sentiment d'avoir fait de mon mieux pour faire honneur au passé, à celui que tu étais et à celui que tu es maintenant, mais tu veux plus que ça, toi, tu veux du neuf. Je ne peux pas être nouvelle. Chéri, on a eu de belles années. » Sanglotant, elle souleva la main d'Howard et embrassa la paume. « Trente années, dont la plupart ont été *très heureuses*. C'est toute une vie, c'est incroyable. La plupart des gens ne connaissent jamais ça. Mais peut-être que c'est terminé, maintenant, tu vois ? Peut-être que c'est terminé... »

Howard, qui lui aussi était en larmes à présent, se leva et s'assit derrière sa femme. Il entoura de ses bras sa solide nudité. Dans un murmure, il se mit à la supplier de lui accorder — et, alors que le soleil se couchait, il obtint — ce que les gens réclament toujours : encore un peu de temps.

11

Les vacances de printemps arrivèrent, les pommiers se couvrirent de bourgeons rose et violet, et le ciel humide était balayé d'orange. Il faisait toujours aussi froid, mais les Wellingtoniens s'autorisaient désormais un peu d'espoir. Jerome rentra à la maison. Pas pour lui, Cancun, la Floride ou l'Europe. Il souhaitait voir sa famille. Kiki, que ce geste touchait énormément, prit la main de son fils dans les siennes et le conduisit dans le froid du jardin pour lui montrer les changements qui s'y étaient produits. Mais elle avait bien autre chose en tête que l'horticulture.

« Je veux que tu saches, dit-elle en se penchant pour arracher une mauvaise herbe dans le parterre de roses, que nous te soutiendrons dans tous tes choix, quels qu'ils soient.

— Eh bien, dit Jerome d'un ton railleur, voilà un euphémisme magnifiquement tourné. »

Kiki se leva et regarda désespérément son fils et sa croix en or. Que pouvait-elle dire d'autre ? Comment le suivre sur son chemin ?

« Je rigole, dit Jerome pour la rassurer. C'est gentil, vraiment. Et d'ailleurs, moi aussi je vous soutiens », dit-il en la regardant comme elle venait de le faire.

Ils s'assirent sur le banc sous le pommier. La neige avait effrité la peinture et gauchi le bois, ce qui le rendait instable. Ils répartirent leur poids afin de l'équilibrer. Kiki proposa à Jerome un coin de son immense châle, mais il refusa.

« Il y a une chose dont je voulais te parler, dit Kiki avec précaution.

— Maman..., je *sais* ce qui se passe quand un homme met son machin dans le truc d'une femme... »

Kiki lui pinça le flanc. Lui donna un coup de pied à la cheville.

« C'est *Levi*. Tu sais bien que, quand tu n'es pas là, il n'a personne... Zora refuse de passer du temps avec lui et Howard le traite comme s'il était, je ne sais pas, moi, un morceau de *météorite*. Il m'inquiète. En tout cas, il fréquente un groupe de *gens*..., ça va, je les ai vus en ville..., c'est un grand groupe de garçons haïtiens et africains, ils vendent des trucs dans la rue... j'imagine qu'ils sont marchands.

— C'est légal ? »

Kiki pinça les lèvres. Elle avait toujours eu un faible pour Levi, et rien de ce qu'il faisait ne pouvait être totalement condamnable.

« Oh, la vache, dit Jerome.

— Je ne sais pas si c'est particulièrement *illégal*, ce qu'ils font.

— Maman, ça l'est ou ça l'est pas...

— Non, mais ce n'est pas... c'est plutôt qu'il a l'air tellement *impliqué* avec eux. Tout d'un coup, il n'a plus d'autres amis. Je veux dire, c'est très intéressant sous pas mal d'aspects : il a bien plus de conscience politique, par exemple. Il passe presque tous les week-ends dans le square à distribuer des tracts pour la campagne de soutien aux Haïtiens... il y est en ce moment même, d'ailleurs.

— La campagne ?

— Hausse des revenus, arrestations arbitraires..., plein de problèmes. Howard est très fier, bien sûr, fier sans vraiment penser à la portée éventuelle de tout ça. »

Jerome étira ses jambes dans l'herbe et croisa un pied sur l'autre. « Je suis d'accord avec papa, admit-il. Je ne vois vraiment pas où est le problème.

— Bon d'accord, ce n'est pas un *problème*, mais... »

« — Mais quoi ?

— Tu ne trouves pas étrange qu'il s'intéresse tant à la question haïtienne ? Je veux dire, on n'est pas haïtiens, nous, il n'a jamais été en Haïti..., il y a six mois, il aurait été incapable de situer l'île sur une carte. Je trouve juste que c'est un peu... *aléatoire*.

— Levi *est* aléatoire, maman, dit Jerome qui se leva et fit quelques pas pour se réchauffer. Allez, rentrons, il fait froid. »

Ils traversèrent rapidement la pelouse, pataugeant dans des tas de fleurs que les fortes averses de la nuit précédente avaient chassées des branches.

« Tu peux passer un peu de temps avec lui quand même ? Tu promets ? Parce qu'il a tendance à se donner entièrement à une chose... tu sais comment il est. J'ai peur que toute la merde dans cette maison l'ait... déséquilibré en quelque sorte. Et c'est une année scolaire importante.

— Et comment... va toute la merde, d'ailleurs ? » demanda Jerome.

Kiki enlaça la taille de son fils. « Sincèrement ? C'est carrément dur comme travail. C'est le travail le plus dur que j'aie jamais fait. Mais Howard essaie vraiment. Il faut lui accorder ça. Il essaie. » Kiki remarqua l'expression dubitative de son fils. « Oh, je sais à quel point il peut être insupportable, mais... je l'aime *bien* moi, Howie, tu sais. Ça ne se voit pas toujours, mais...

— Je le sais bien, maman.

— Mais tu veux bien me le promettre, pour Levi ? Passe du temps avec lui. Essaie de savoir ce qu'il a dans la tête. »

Jerome fit à sa mère cette promesse sans trop y prêter attention, en imaginant qu'il pourrait s'en acquitter sans effort, mais, tandis qu'ils pénétraient dans la maison, elle abattit ses cartes. « Oui, il est en ce moment dans le square, dit-elle comme si Jerome venait de lui poser la question. Et Murdoch, le pauvre, il a besoin de sortir... »

Jerome laissa ses sacs encore fermés dans le couloir et

obéit à sa mère. Il mit sa laisse à Murdoch, et ensemble ils firent une jolie promenade dans le vieux quartier. Jerome fut surpris de constater à quel point il était heureux d'être de retour. Trois ans plus tôt il avait cru détester Wellington : protectorat irréel ; salaires élevés, moralité complaisante ; plein d'hypocrites spirituellement amorphes. Mais à présent son zèle d'adolescent s'estompait. Wellington était devenu un paysage onirique et réconfortant, et Jerome se sentit reconnaissant et chanceux d'y habiter. Il n'y avait aucun doute : c'était un lieu irréel, où rien ne changeait jamais. Mais Jerome — à la veille de sa dernière année de fac, et ne sachant pas ce qui l'attendait après — commençait à apprécier précisément cette qualité. Aussi longtemps que Wellington resterait Wellington, il pourrait se risquer, lui, à tous les changements possibles et imaginables.

Il pénétra dans le square animé en cette fin d'après-midi. Un saxophoniste qui jouait avec un accompagnement métallique enregistré inquiéta Murdoch. Jerome prit le chien dans ses bras. Un petit marché installé à droite dans le square tentait de tenir son rang dans le brouhaha habituel de la station de taxis, des étudiants autour d'une table protestant contre la guerre, d'autres protestant contre les expériences en laboratoire faites sur les animaux, et des types vendant des sacs à main. Près de la station de métro, Jerome vit la table décrite par sa mère. Elle était recouverte d'un tissu jaune sur lequel étaient brodés les mots GROUPE DE SOUTIEN AUX HAÏTIENS. Mais pas de Levi. Jerome s'arrêta chez un marchand de journaux à côté de la bouche de métro, et acheta le *Wellington Herald*. Zora lui avait envoyé trois e-mails l'enjoignant de le faire. Il demeura dans la chaleur relative du kiosque à journaux et parcourut rapidement le journal à la recherche d'un Z révélateur. Il trouva le nom de sa sœur page 14, au début de la chronique hebdomadaire du campus, le « Coin des orateurs ». Rien que le nom de cette chronique irritait Jerome au plus haut point : cela trahissait cette lassante vénération wellingtonienne pour toute chose britannique. La saveur britannique se répandait dans tout le contenu de la chronique qui, quel que soit l'étudiant qui s'exprimait, était toujours empreinte d'un ton de supériorité tout victorien. Mots et locutions que l'étudiant n'avait jamais eu l'occasion d'utiliser (« indubitablement », « je ne puis comprendre comment ») coulaient de leurs plumes. Zora, qui avait écrit quatre fois dans le « Coin des orateurs » (un record pour une étudiante en deuxième année), ne dérogeait pas au style de la maison. Les arguments des chroniques étaient toujours présentés comme s'il s'agissait de motions déposées devant l'Oxford Union. Le titre du jour était « Cette intervenante estime que Wellington devrait joindre l'acte à la parole universitaire », de Zora Belsey. Sous le titre, une grande photo de Claire Malcolm *in medias res*, animée, assise à une table ronde d'étudiants, avec au premier plan un beau visage que Jerome reconnaissait vaguement. Jerome donna un dollar vingt au marchand de journaux et s'en retourna au square. *Où va la vraie discrimination positive ?* lut Jerome. *Voilà la question que j'ai envie de poser en ce jour à chaque Wellingtonien épris de justice. Sommes-nous, oui ou non, véritablement déterminés à promouvoir l'égalité des chances ? Avons-nous la prétention de parler de progrès alors qu'au sein même de ces murs notre propre politique demeure si honteusement timorée ? Sommes-nous satisfaits de constater que les jeunes membres de la communauté afro-américaine de cette belle ville...*

Jerome abandonna et glissa le journal sous son bras. Il se remit à chercher Levi, et le repéra enfin devant l'entrée de la Wellington Savings Bank en train de manger un burger. Comme Kiki l'avait prédit, il était entouré d'amis. De grands Noirs élancés à casquettes de base-ball, qui de toute évidence n'étaient pas américains, concentrés eux aussi sur leurs burgers. À dix mètres d'eux, Jerome apostropha Levi en levant la main dans l'espoir que son frère lui éviterait des présentations maladroites. Mais Levi d'un geste l'incita à les rejoindre.

« Jay ! Tiens, je te présente mon *frère*, mec. Mon frère, frère. »

Sept mecs baragouinèrent leurs noms à Jerome tout en semblant peu enclins à connaître le sien.

« C'est mon équipe... et voilà Tchou. C'est mon meilleur pote, il est cool. Il me protège. Voici Jay. Lui, il est..., dit Levi en tapotant les tempes de Jerome, c'est un penseur profond, toujours en train d'analyser des trucs, comme toi. »

Jerome, qui se sentait gêné parmi les amis de son frère, serra la main de Tchou. Levi présumait toujours que tout le monde était aussi à l'aise que lui en toutes circonstances, et cela énervait Jerome au plus haut point. Ce dernier et Tchou se retrouvèrent face à face, s'adressant un regard vide tandis que Levi s'accroupissait pour prendre Murdoch dans ses bras.

« Et *voici* mon petit fantassin. C'est mon lieutenant. Murdoch me couvre à *tous les instants*. » Levi laissa le chien lui lécher le visage. « Alors, comment tu vas, mec ?

— Bien, dit Jerome. Je vais bien. Je suis content d'être rentré.

— Tu as vu tout le monde ?

— Juste maman.

— Cool, cool. »

Les deux garçons hochaient beaucoup la tête. Une vague de tristesse envahit Jerome. Ils n'avaient rien à se dire. Cinq ans de différence d'âge entre frères, c'est comme un jardin dont il faut constamment prendre soin. Trois mois de séparation suffisent pour que les mauvaises herbes envahissent tout entre vous.

« Donc, dit Jerome en essayant faiblement de suivre les instructions de sa mère, qu'est-ce que tu deviens ? Maman m'a dit que t'avais plein de projets.

— Oh, juste..., tu sais..., je traîne avec mes potes... on fait des trucs. »

Comme d'habitude, Jerome tenta de faire le tri dans le

langage elliptique de Levi, à la recherche de la moindre trace de vérité qu'il pouvait receler.

« Vous vous occupez tous du... ? » dit Jerome en désignant du bras la petite table un peu plus loin, où deux jeunes Noirs à lunettes distribuaient tracts et journaux. Derrière eux, une bannière était érigée : SALAIRES ÉQUITABLES POUR LES TRAVAILLEURS HAÏTIENS DE WELLINGTON.

« Moi et Tchou, ouais... on essaie de se faire entendre. On est les représentants, quoi. »

Jerome, de plus en plus irrité par cette conversation, contourna son frère pour ne plus être à portée de voix des silencieux mangeurs de burgers.

« Qu'est-ce que tu as mis dans son café ? dit Jerome à Tchou en plaisantant maladroitement. Je n'ai jamais réussi à le faire voter aux élections de son école quand il était petit. »

Tchou pressa les épaules de son ami, qui lui rendit le geste. « Ton frère, dit-il affectueusement, pense à tous ses frères. Voilà pourquoi on l'aime. C'est notre petite mascotte américaine. Il se bat avec nous coude à coude, pour la justice.

— Je vois.

— Prends-en un, dit Levi en sortant de son énorme poche arrière une feuille de papier imprimée recto-verso, comme un journal.

— Et toi, prends ça alors, dit Jerome en lui tendant l'*Herald* en échange. C'est Zora. Page 14. J'en achèterai un autre. »

Levi prit le journal et le fourra dans sa poche. Il enfourna son dernier morceau de burger. « Cool... je le lirai plus tard... » Ce qui signifiait, Jerome le savait, qu'il serait dans quelques jours déchiré et en bouchon dans la pagaille de sa chambre. Levi passa le chien à son frère.

« Jay, en fait... j'ai un truc à faire maintenant. Mais on se voit tout à l'heure. Tu viens à l'Arrêt de Bus ce soir ?

— L'Arrêt de Bus ? Non, non, euh, il paraît que Zora m'emmène à une fête de fraternité, à...

— L'Arrêt de Bus ce soir », dit Tchou en l'interrompant. Il

496

siffla. « Ça va être incroyable ! Tu vois tous ces mecs ? » Il désigna du doigt leurs compagnons silencieux. « Quand ils montent sur scène, ils déchirent *tout* !

— C'est profond, confia Levi. Politique. Des paroles sérieuses. Sur la lutte et tout. Sur...

— Qu'on nous rende ce qui nous appartient, dit Tchou avec impatience. Qu'on reprenne ce qui a été volé à notre peuple. »

Jerome grimaça en entendant ce « nous » collectif.

« C'est profondier, expliqua Levi. Des paroles profondes. Tu adorerais, je suis sûr. »

Jerome, qui en doutait, sourit poliment.

« En tout cas, dit Levi, j'y vais. »

Il donna un petit coup de poing dans le poing de Tchou et dans celui de chaque homme qui se tenait devant l'entrée. Puis vint le tour de Jerome, qui n'eut droit ni à un coup de poing ni à l'accolade que Levi lui donnait quand il était plus jeune, mais à une petite caresse ironique sur le menton.

☆

Levi traversa le square. Il franchit le portail principal de Wellington, traversa la cour, pour pénétrer de l'autre côté dans le bâtiment des Lettres, longea les couloirs jusqu'au département d'Anglais, ressortit de l'autre côté, emprunta un autre couloir et arriva enfin devant la porte du département des Black Studies. Il n'avait jamais songé auparavant à la facilité avec laquelle on pouvait arpenter ces couloirs consacrés. Pas de cadenas, pas de codes, pas de pièces d'identité. En fait, si vous aviez ne serait-ce que vaguement l'air d'un étudiant, personne ne vous disait quoi que ce soit. D'un coup d'épaule Levi ouvrit la porte et sourit à la mignonne Latino de l'accueil. Il traversa le département, prononçant en passant les noms inscrits sur chaque porte. Le département dégageait une atmosphère de dernier-vendredi-avant-les-vacances — chacun se dépêchant de finir les dernières bricoles qui lui restaient à faire. Tous ces Noirs travailleurs — comme une mini-université au sein d'une université ! C'était dingue. Levi se demanda si Tchou était au courant de cette petite enclave noire à Wellington. Peut-être qu'il parlerait mieux de la fac s'il en connaissait l'existence. Un nom qu'il reconnut arrêta Levi dans son élan. Prof. M. Kipps. La porte était fermée, mais à gauche, on pouvait voir l'intérieur du bureau par un panneau vitré. Monty n'était pas là. Levi s'attarda néanmoins, repérant les détails luxueux afin de les rapporter plus tard à Tchou. Une belle chaise. Une belle table. Un beau tableau. Une moquette épaisse. Une main se posa sur son épaule. Levi sursauta.

« Levi ! C'est sympa d'être venu. »

Levi eut l'air perplexe.

« La bibliothèque... elle est par là.

— Ah ouais..., dit Levi en cognant son poing contre celui que Carl venait de lui tendre. Ouais, c'est ça. Tu... tu m'as dit de passer, donc m'voilà.

— Tu as failli me rater, mec, j'allais terminer ma journée. Allez, entre, mec, entre. »

Carl le mena dans la bibliothèque de musique et le fit s'asseoir.

« Tu voulais entendre quelque chose ? Dis-moi quoi. » Il frappa dans ses mains. « J'ai carrément *tout*.

— Euh... ouais... écouter quelque chose... O.K., ben en fait, y a un groupe dont j'entends toujours parler... ils sont haïtiens... le nom du groupe est difficile à prononcer. Je vais te l'écrire comme je l'entends. »

Carl eut l'air déçu. Il se pencha par-dessus Levi tandis que ce dernier épela phonétiquement le nom du groupe sur un post-it. Puis Carl saisit le petit bout de papier et grimaça en le regardant.

« Oh..., eh bien, c'est pas mon domaine, mec.... Je parie qu'Elisha saurait te dire, elle s'occupe des Musiques du Monde. *Elisha !* Attends, je vais la chercher, je lui demanderai. C'est ça, le nom ?

— Quelque chose comme ça », répondit Levi.

Carl quitta la pièce. Depuis quelques minutes Levi n'était pas à l'aise dans son fauteuil — maintenant il comprit pourquoi. Il se leva et sortit le journal de sa poche. Il était encore agité. Il n'avait pas son iPod avec lui aujourd'hui, et il n'avait aucune ressource personnelle pour faire face seul à l'absence de musique. Il ne pensa pas une seule seconde que le journal qu'il avait sous les yeux pût le distraire.

« C'est toi, Levi ? » dit Elisha. Elle tendit le bras, et Levi se leva pour lui serrer la main. « Je n'en reviens pas, tu es l'un des premiers à venir consulter ce magnifique outil, dit-elle sur un ton de réprimande, et tu nous demandes un truc *rare*. Tu pouvais pas juste nous demander un Louis Armstrong. Non monsieur.

— Cherche pas, si c'est trop d'tracas ou si c'est un problème », dit Levi, qui maintenant était gêné de se trouver là.

Elisha rit franchement. « Ça ne pose aucun problème. On est contents que tu sois passé. Ça risque de prendre du temps de consulter nos fichiers, c'est tout. On n'est pas complètement informatisés... pas *encore*. Tu peux partir et revenir si tu veux. Ça risque de me prendre dix minutes, un quart d'heure.

— Reste, mec, insista Carl. J'ai failli devenir dingue aujourd'hui. »

Levi ne voulait pas particulièrement rester, mais cela lui eût coûté encore plus d'être impoli. Elisha partit parcourir les archives. Levi se rassit dans le siège d'Elisha.

« Ouais alors, comment ça va ? » demanda Carl. Mais à ce moment même un bip bruyant émana de son ordinateur. À ce son une expression avide illumina son visage.

« Oh, Levi, désolé, mec, une seconde, j'ai un mail. »

Levi s'enfonça dans son siège avec ennui, tandis que Carl tapait frénétiquement sur son clavier avec deux doigts. L'accablement que les universités inspiraient à Levi depuis longtemps s'abattit sur lui. Il avait grandi dans une succession d'établissements, et connu très tôt leurs rayonnages de

499

livres, leurs placards de rangement et leurs cours et leurs clochers et leurs bâtiments de sciences et leurs courts de tennis et leurs plaques commémoratives et leurs statues. Il s'apitoyait sur le sort de ceux qui se trouvaient emprisonnés dans un environnement aussi aride. Dès l'enfance, il savait sans l'ombre d'un doute qu'il ne s'inscrirait jamais dans la moindre fac. À l'université, les gens oubliaient de vivre. Même au beau milieu d'une bibliothèque de musique, ils avaient oublié ce qu'était la musique.

Carl appuya sur la touche Entrée avec un grand geste de pianiste. Il soupira, bienheureux. Il dit : « Oh, *mec*. » Apparemment il avait surestimé la curiosité de Levi pour la vie d'autrui.

« Tu sais qui c'était, ça ? » souffla-t-il enfin.

Levi haussa les épaules.

« Tu te souviens de cette fille ? J'étais avec toi quand je l'ai vue pour la première fois. Celle qui a un cul carrément... » Carl lança un baiser dans le vide. Levi fit de son mieux pour ne pas avoir l'air impressionné. S'il y avait une chose qu'il ne *supportait* pas, c'était quand les mecs se vantaient de leurs conquêtes féminines. « C'était *elle*, mec. J'ai demandé à quelqu'un comment elle s'appelait et j'ai trouvé ses coordonnées dans l'annuaire de la fac. Aussi simple que ça. Victoria. *Vee*. Elle me rend fou, mec. Elle m'envoie des e-mails qui... » Carl baissa la voix et continua en chuchotant. « Quelle salope, je te jure. Des photos et tout. Elle a un corps de... j'ai même pas de mots pour te dire comment elle est roulée. Elle m'envoie des... bon, tu veux voir un truc ? Ça prend une minute pour télécharger. » Carl cliqua avec sa souris plusieurs fois puis commença à tourner son écran. Levi avait vu un quart de sein lorsqu'ils entendirent tous deux Elisha avancer dans le couloir. Carl ramena brusquement l'écran vers lui, éteignit l'ordinateur et ramassa le journal.

« Hé, Levi, dit Elisha. T'as de la chance. J'ai trouvé ce que tu cherchais. Tu viens avec moi ? »

Levi se leva et, sans saluer Carl, suivit Elisha hors de la pièce.

☆

« Mon chéri, tu ne peux pas me mentir. Je le vois sur ton visage. »

Kiki saisit le menton de Levi, pencha sa tête en arrière et examina les poches qu'il avait sous ses yeux injectés de sang, et ses lèvres sèches.

« Je suis fatigué, c'est tout.

— Mon *cul*, oui.

— Lâche mon menton.

— Je *sais* que tu as pleuré », insista Kiki, mais elle ne savait pas ce qu'il avait éprouvé : elle ne pouvait savoir, et ne connaîtrait jamais la ravissante tristesse de cette musique haïtienne, et l'effet que cela faisait d'être assis seul à l'écouter dans une petite cabine obscure — le rythme irrégulier et retentissant, comme un battement de cœur ; pour Levi l'harmonie des nombreuses voix évoquait une nation tout entière qui pleurait de concert.

« Je sais que ça ne va pas très bien à la maison, dit Kiki en regardant les yeux rougis de son fils. Mais ça va s'améliorer, je te le promets. Ton père et moi sommes déterminés à améliorer la situation, d'accord ? »

Cela ne servirait à rien de se lancer dans une explication. Levi hocha la tête et remonta la fermeture éclair de son manteau.

« L'Arrêt de Bus, dit Kiki en se retenant de donner à Levi la permission d'une certaine heure, sachant qu'il n'en tiendrait pas compte. Amuse-toi bien.

— Tu veux que je te dépose ? demanda Jerome qui passait par la cuisine avec Zora. Je ne bois pas ce soir. »

Juste avant de monter en voiture, Zora enleva son manteau et présenta son dos à Levi. « Sérieusement, est-ce que tu crois que je devrais porter cette robe ? Je veux dire, ça va ? »

La robe ne couvrait pas son dos, elle était trop courte, la couleur ne lui allait pas et l'étoffe ne convenait pas à son corps balourd. En temps normal, Levi aurait dit tout cela sans ambages à sa sœur, Zoor aurait été vexée et en colère, mais au moins elle aurait fait demi-tour pour se changer, et par conséquent serait arrivée à la fête avec un air bien moins catastrophique. Mais ce soir Levi pensait à autre chose. « Magnifique », dit-il.

Un quart d'heure plus tard, ils déposèrent Levi à Kennedy Square et continuèrent leur chemin jusqu'à la fête. En arrivant, il n'y avait pas de place pour se garer. Ils durent laisser la voiture à plusieurs rues de là. Zora avait justement choisi les chaussures qu'elle avait aux pieds parce qu'elle n'avait pas prévu de marcher. Elle dut pour avancer s'agripper à la taille de son frère, en faisant des petits pas de pigeon et en s'appuyant autant que possible sur ses talons. Pendant un long moment, Jerome se retint de faire tout commentaire, mais au quatrième arrêt il ne put garder le silence plus longtemps. « Je ne te comprends pas. T'es pas censée être féministe ? Pourquoi est-ce que tu t'estropies comme ça ?

— J'aime ces chaussures, O.K. ? En fait, je me sens puissante avec. »

Finalement, ils arrivèrent à la maison où avait lieu la fête. Zora n'avait jamais été aussi heureuse de voir les quelques marches qui menaient à un porche. C'était facile, les marches, et elle posa avec joie sa plante de pied sur chacune des larges lattes en bois. Une fille qu'ils ne connaissaient pas leur ouvrit. Ils se rendirent compte immédiatement que cette fête était bien mieux fréquentée qu'ils n'auraient cru. Il y avait certains des troisième cycle parmi les plus jeunes, et même quelques membres de la faculté. Les gens étaient déjà bruyamment soûls. Presque tous ceux que Zora considérait comme vitaux pour son succès social de l'année à venir étaient présents. Elle s'en serait mieux sortie à cette fête

502

sans Jerome qui lui collait aux fesses avec son tee-shirt bien rentré dans son pantalon, se dit-elle avec culpabilité.

« Victoria est là », dit-il tandis qu'ils déposaient leurs manteaux sur la pile.

Zora regarda dans le couloir et la repéra, à la fois trop habillée et à moitié nue.

« Ouais, et alors ? » dit Zora, puis une pensée surgit dans son esprit. « Mais, Jay..., si, je veux dire, si tu veux partir... je comprends, je pourrai rentrer en taxi.

— Non, ça va. Bien sûr que ça va. » Jerome se dirigea vers le saladier de punch et leur servit un verre chacun. « À l'amour perdu, dit-il tristement en prenant une gorgée. Un verre. Tu as vu Jamie Anderson ? Il *danse*.

— J'aime *bien* Jamie Anderson. »

C'était étrange de se retrouver dans une fête entre frère et sœur, debout dans un coin de la pièce, chacun tenant son gobelet à deux mains. Il n'y a pas de sujet de conversation superficiel entre frères et sœurs. Ils remuaient bêtement la tête en rythme en se tenant légèrement à l'écart l'un de l'autre, essayant à la fois de ne pas avoir l'air seul sans avoir l'air d'être ensemble.

« Voilà la Meredith de papa, dit Jerome tandis qu'elle passait près d'eux vêtue d'une robe garçonne fort peu flatteuse avec bandeau assorti. Et voilà ton pote rappeur, pas vrai ? Je l'ai vu dans le journal.

— Carl ! » lança Zora d'une voix trop forte. Il était en train de trifouiller la chaîne hi-fi, mais il se tourna et s'approcha. Zora pensa à croiser les mains derrière le dos et à baisser les épaules. Sa poitrine avait meilleure allure comme ça. Mais il ne regarda pas dans cette direction. Il lui tapota amicalement le bras, comme d'habitude, et serra fermement la main de Jerome.

« Ça fait plaisir de te revoir, mec ! » dit-il en affichant son sourire de star. Jerome se souvint alors du jeune homme qu'il avait rencontré ce soir-là au parc, et nota avec plaisir la transformation : ce comportement ouvert et amical, cette confiance quasi *wellingtonienne*. En réponse à la question polie de Jerome concernant ses activités récentes, Carl parla longuement de la bibliothèque, sans être particulièrement sur la défensive, et sans non plus se vanter, mais en faisant preuve d'un égoïsme tout naturel qui l'empêchait de penser une seule seconde à renvoyer la question à son interlocuteur. Il parla des archives de hip-hop et de la nécessité d'avoir plus de gospel, de la section africaine en pleine expansion, et de la difficulté d'obtenir de l'argent d'Erskine. Zora attendit qu'il parlât de leur campagne commune pour le maintien en cours des étudiants discrétionnaires. Mais il n'y fit pas allusion.

« Alors, dit-elle en essayant de garder une voix détendue et joviale, t'as vu ma chronique, ou... ? »

Carl, en plein milieu d'une anecdote, s'interrompit, l'air perdu. Jerome, à la fois conciliateur et flairant le danger, intervint.

« J'ai oublié de te dire que je l'ai vu dans l'*Herald*, le "Coin des orateurs", c'était carrément bien. Vraiment, ça faisait très *Mr Smith au Sénat*. C'était génial, Zoor. Tu as de la chance d'avoir cette fille pour se battre avec toi, dit Jerome en choquant son gobelet contre celui de Carl. Quand elle tient quelque chose, elle ne lâche pas. Crois-moi, je suis bien placé pour le savoir. »

Carl fit un grand sourire. « Oh, *tout à fait*. C'est mon Martin Luther King à moi ! Sans déconner, elle est..., désolé. » Il détourna les yeux vers le balcon. « Désolé, je viens de voir quelqu'un à qui je dois parler... Écoute, on se voit tout à l'heure, Zora..., content de te revoir, mec. Allez, je vous retrouve plus tard.

— Il est très charmant, dit Jerome magnanime tandis qu'ils le regardaient s'éloigner. À vrai dire, il est presque onctueux.

— Tout se passe vraiment bien pour lui en ce moment, dit Zora perplexe. Une fois qu'il se sera habitué, il sera plus concentré, je crois. Il aura plus de temps pour s'occuper de choses importantes. Il est juste un peu débordé en ce moment. Crois-moi, dit-elle avec plus de conviction, il sera un vrai atout pour Wellington. On a besoin de plus de gens comme lui. »

Jerome émit un son ambivalent. Zora passa à l'attaque. « Tu sais, il existe d'autres façons de réussir sa carrière universitaire que celle que tu as choisie. Les diplômes traditionnels ne sont pas tout. Et ce n'est pas parce que... »

Jerome mima le geste de cadenasser ses lèvres et de jeter la clé. « Je suis à cent dix pour cent avec toi, Zoor, comme toujours, dit-il en souriant. Tu veux boire autre chose ? »

C'était le genre de fête où toutes les heures deux personnes partaient et trente arrivaient. Le frère et la sœur Belsey se retrouvèrent et se perdirent de vue plusieurs fois au cours de la soirée, tout comme ils perdirent de vue de nouvelles personnes qu'ils avaient retrouvées. Vous vous détourniez pour prendre quelques cacahuètes dans un bol et la personne avec qui vous parliez disparaissait jusqu'à ce que vous la retrouviez quarante minutes plus tard dans la file d'attente des toilettes. Vers dix heures, Zora se retrouva sur le balcon en train de fumer un joint au sein d'un cercle cool au point d'en être absurde avec Jamie Anderson, Meredith, Christian et trois étudiants de troisième cycle qu'elle ne connaissait pas. En temps normal, cette situation l'eût rendu euphorique ; cependant, même lorsque Jamie Anderson prenait au sérieux sa théorie sur la ponctuation féminine, le cerveau actif de Zora était concentré sur autre chose, se demandant où Carl se trouvait, s'il était déjà parti, et s'il avait aimé sa robe. Nerveuse, elle continua de boire, remplissant son gobelet avec une bouteille de vin blanc abandonnée à ses pieds.

Puis, peu après onze heures, Jerome gagna le balcon, et interrompit la conférence impromptue de Jamie Anderson en s'asseyant lourdement sur les genoux de sa sœur. Il était sérieusement ivre.

« Désolé ! dit-il en touchant les genoux d'Anderson. Continuez, désolé, ne faites pas attention à moi. Zoor, *devine* ce que j'ai vu. Je devrais dire *qui*. »

Anderson vexé déménagea, embarquant ses acolytes avec lui.

Zora fit dégager Jerome de ses genoux, se leva et s'appuya contre le balcon, où son regard se perdit dans la rue tranquille, bordée d'arbres.

« *Génial*, et comment on va rentrer ? Moi, j'ai largement dépassé la limite. Il n'y a plus de taxis. C'était toi qui étais censé conduire, nom de Dieu !

— Tu blasphèmes, dit Jerome, fort peu ironique.

— Écoute, je te traiterai comme un chrétien quand tu te comporteras comme un chrétien. Tu sais bien que tu ne supportes pas plus d'un verre de vin.

— Mais moi, murmura Jerome en enlaçant sa sœur, j'ai des nouvelles. Ma chère ex-je-ne-sais-quoi est dans la chambre aux manteaux, en train de se taper ton pote rappeur.

— Quoi ? » Zora se dégagea du bras de son frère. « De quoi tu parles ?

— Miss Kipps. Vee. Et le rappeur. C'est ça qui est génial à Wellington. Tout le monde connaît *tout le monde*. » Il soupira. « Bon, enfin. Non, mais ça va... je m'en moque, vraiment. Enfin, je ne m'en moque pas, naturellement ! Mais à quoi bon ? C'est juste un manque de tact. Elle savait que j'étais là, on s'est dit bonjour il y a une heure. C'est un manque de tact. Mais on aurait pu penser qu'au moins elle *essaierait*... »

Jerome continua de parler, mais Zora ne l'écoutait plus. Une force inconnue prenait possession d'elle, cela commençait dans son ventre et se propulsait comme une roquette d'adrénaline à travers le reste de son corps. Peut-être que *c'était* de l'adrénaline. En tout cas, elle était envahie d'une colère physique — jamais de sa vie elle n'avait ressenti dans son corps une émotion comme celle-ci. Toute raison ou volonté semblait l'avoir quittée ; elle n'était que muscles déterminés. Par la suite, elle fut incapable d'expliquer comment elle était allée du balcon jusqu'à la chambre où se trouvaient les manteaux. On eût dit que la fureur elle-même l'y avait transportée d'un coup. Ensuite, elle se trouva dans la pièce, et elle vit ce que Jerome avait décrit. Il était sur elle. Ses mains à elle lui caressaient la tête. Ils avaient l'air parfait ensemble. Tellement parfait ! Le moment d'après, Zora se trouvait elle-même sous le porche avec Carl, tenant le capuchon de ce dernier à la main, car elle l'avait — comme on le lui expliqua ensuite — traîné le long du couloir hors de la fête. Puis elle le relâcha, le repoussant sur le bois mouillé. Il toussait en massant sa gorge, qu'elle avait serrée. Elle ne soupçonnait pas combien elle était forte. Tout le monde lui avait toujours dit qu'elle était une « grande fille » — était-ce pour cela qu'elle était grande ? Pour pouvoir traîner des hommes par leurs capuchons et les jeter à terre ?

La brève euphorie physique de Zora céda bientôt la place à la panique. Dehors, il faisait froid et humide. Les genoux du jean du Carl étaient trempés. Qu'avait-elle fait ? *Qu'avait-elle fait ?* Carl à genoux devant elle, respirant bruyamment, leva sur elle un regard enragé. Le cœur de Zora se brisa à juste titre. Elle comprit qu'elle n'avait plus rien à perdre.

« Oh, la la... j'en crois pas mes... », murmurait-il. Puis il se leva et lui cria dessus : « PUTAIN DE MERDE ! Quesse tu crois...

— Est-ce que tu l'as seulement *lu*, mon texte ? hurla Zora qui tremblait de tous ses membres. J'ai passé si longtemps dessus que j'ai pas pu rendre ma dissert' à temps, je travaille *constamment* pour *toi* et... »

Mais bien sûr, sans la partie manquante de son récit qu'elle gardait sous silence — celle qui reliait « écrire des articles pour Carl » et « Carl en train d'embrasser Victoria Kipps » —, ce qu'elle venait de dire n'avait aucun sens.

507

« Putain, mais qu'est-ce que tu racontes ? Qu'est-ce que tu viens de faire, là ? »

Zora venait de l'humilier devant sa copine, devant toute une fête. Ce n'était plus le charmant Carl Thomas de la bibliothèque de musique noire de Wellington. C'était le Carl qui avait passé les chaudes journées d'été assis sur les marches des halls d'immeuble à Roxbury. C'était le Carl qui pouvait se défendre dans un concours d'insultes contre n'importe qui. Jamais de sa vie personne n'avait parlé à Zora comme il venait de le faire.

« Je... je... je.

— Tu te prends pour ma *meuf* maintenant ? »

Zora commença à chialer misérablement.

« Et qu'est-ce que ton putain d'article vient foutre là-dedans... ? Je suis censé être reconnaissant, c'est ça ?

— Tout ce que j'essayais de faire, c'était t'aider. C'est tout ce que je voulais faire. Je voulais juste *t'aider*.

— Bon, dit Carl en mettant ses mains sur ses hanches, ce qui rappela de façon absurde à Zora sa mère. Apparemment, tu voulais un peu plus que m'aider. Apparemment tu attendais quelque chose en retour. Apparemment il fallait aussi que je me tape ton cul.

— Va te faire foutre !

— C'est bien de ça qu'il s'agissait depuis le début », dit Carl. Il siffla ironiquement, mais la douleur était visible sur son visage, et cette douleur décupla alors qu'il démêlait les prises de conscience qui l'une après l'autre lui frappaient l'esprit. « Enfin, mais *enfin*. C'est pour *ça* que tu m'as aidé ? Je sais pas du tout écrire en fait, hein ? Tu t'es juste foutu de ma gueule dans ce cours. Des sonnets ! Tu m'as pris pour un imbécile depuis le début. C'est ça ? Tu me cueilles dans la rue et si j'fais pas ce que tu veux, tu me jettes ? Putain, je croyais qu'on était amis, moi !

— Moi aussi ! cria Zora.

— *Arrête* de pleurer. C'est pas en pleurant que tu vas t'en sortir », s'emporta Carl, et malgré l'avertissement Zora

508

décela de l'inquiétude dans sa voix. Elle osa espérer que tout cela se terminerait bien. Elle tendit une main vers lui, mais il recula d'un pas.

« Réponds-moi, ordonna-t-il. Qu'est-ce que ça veut dire ? T'as un problème avec ma meuf ? » À ces mots, un paquet de morve et de larmes mêlées s'échappa spectaculairement du nez de Zora.

« Ta meuf ?

— T'as un problème avec elle ? »

Zora essuya son visage dans le col de sa robe. « Non, cracha-t-elle indignée. J'ai aucun problème avec elle. Elle n'en vaut pas la peine. »

Carl écarquilla les yeux, choqué de cette réponse. Il pressa sa main sur son front, essayant de comprendre ce que Zora venait de dire. « Quoi ? Qu'est-ce que ça veut dire, ça ?

— Rien. Mon Dieu ! Vous vous valez bien. Vous êtes que des merdes. »

Les yeux de Carl se glacèrent. Il approcha son visage de celui de Zora, en un geste qu'elle espérait depuis six mois, mais affreusement transposé. « Tu sais quoi ? » dit-il, et Zora se prépara à l'entendre juger ce qu'il avait sous les yeux. « T'es qu'une pauv' *connasse*. »

Zora lui tourna le dos et entama la difficile descente des marches du porche, sans son manteau ni son sac, sans fierté et avec beaucoup de mal. Ces marches n'étaient praticables avec ses chaussures que dans un seul sens. Enfin, elle atteignit la rue. Elle voulait désespérément rentrer chez elle ; l'humiliation commençait à l'emporter sur la colère. Elle commençait à avoir une petite idée de la honte qui, elle le pressentait, ne la quitterait pas de sitôt. Elle avait besoin de rentrer chez elle et de se cacher sous quelque chose de lourd. C'est alors que Jerome apparut sous le porche.

« Zoor ? Ça va ?

— Jay, rentre... tout va bien... *s'il te plaît*, rentre. »

Alors qu'elle prononçait ces mots, Carl dévala les marches et l'affronta de nouveau. Il n'avait pas envie de lui laisser cette dernière image peu reluisante ; bizarrement, il attachait encore de l'importance à ce qu'elle pouvait penser de lui.

« J'essaie juste de comprendre pourquoi t'as fait un truc aussi dingue », dit-il avec franchise, se rapprochant d'elle en scrutant son visage à la recherche d'une réponse ; Zora faillit tomber dans ses bras. Cependant, de là où Jerome se trouvait, Zora avait l'air de trembler de peur. Il dévala les marches à son tour pour s'interposer entre sa sœur et Carl.

« Hé, mec, dit-il de façon peu convaincante, dégage, t'entends ? »

La porte d'entrée s'ouvrit une fois de plus. C'était Victoria Kipps.

« Génial ! cria Zora la tête renversée, en remarquant sur le balcon le petit rassemblement qui observait les événements. On n'a plus qu'à vendre des billets ! »

Victoria ferma la porte derrière elle et descendit les escaliers d'un bond avec l'élégance d'une femme habituée à marcher avec des talons impossibles. « Qu'est-ce qui t'a pris ? » demanda-t-elle à Zora en arrivant sur le trottoir, et elle semblait plus curieuse que fâchée.

Zora leva les yeux au ciel. Victoria se tourna donc vers Jerome.

« Jay ? Qu'est-ce qui se passe ? »

Jerome baissa les yeux et secoua la tête. Victoria s'approcha de Zora derechef.

« Tu as quelque chose à me dire ? »

D'habitude, Zora craignait toute confrontation avec ses pairs, mais le rayonnement serein de Victoria Kipps comparé à son triste état morveux la poussa hors de ses gonds. « Je n'ai RIEN à te dire ! Rien ! » cria-t-elle et elle s'élança dans la rue. Elle trébucha immédiatement sur ses talons et Jerome la remit d'aplomb en l'attrapant par le coude.

« Elle est jalouse, c'est ça son problème, persifla Carl. Juste jalouse parce que t'es plus belle qu'elle. Et elle peut pas le supporter. »

Zora fit volte-face. « En fait, je recherche autre chose chez mes partenaires qu'un beau cul. Je ne sais pas pourquoi, mais je pensais que toi aussi. Je me suis trompée.

— Pardon ? » dit Victoria.

Zora tituba un peu plus avant dans la rue, accompagnée par son frère, mais Carl suivait.

« Tu ne sais *rien* d'elle. Tu te la pètes avec tout le monde. »

Zora s'immobilisa derechef. « Oh que si, j'en sais des choses sur elle. Je sais que c'est une imbécile. Je sais que c'est une *salope*. »

Victoria tendit la main vers Zora, mais Carl la retint. Jerome saisit la main de Zora qui pointait un doigt sur Victoria.

« Zoor ! dit-il en haussant le ton. Arrête ! Ça suffit ! »

Zoor arracha son poignet des mains de son frère. Carl les regarda tous deux avec dégoût. Il prit Victoria par la main et commença à la mener vers la maison.

« Ramène ta sœur chez elle, dit-il à Jerome sans se retourner. Elle est complètement bourrée.

— Ouais, et je connais aussi les mecs comme *toi*, cria Zora après lui, impuissante. Tu peux pas garder ta bite dans ton fut'. C'est tout ce qui compte pour toi. Tu ne peux *penser* qu'à ça. Et tu n'as même pas le *bon goût* de la foutre dans un endroit un peu plus classe que Victoria *Kipps*. T'es juste une de ces espèces de trous-du-cul.

— Ta gueule ! cria Victoria qui commença à pleurer.

— Comme ton vieux, hein ? cria Carl. Un trou-du-cul comme ça ? Laisse-moi te dire un truc... »

Mais Victoria se mit à parler frénétiquement en même temps que lui, et couvrit le son de sa voix. « Non ! S'il te plaît, Carl, s'il te plaît, laisse tomber. Ça ne sert à rien, s'il te plaît, non ! »

Hystérique, elle posait ses mains partout sur le visage du jeune homme, apparemment pour l'empêcher de parler. Zora la regarda avec une grimace d'incompréhension.

« Pourquoi pas ? » demanda Carl en enlevant une main de

sa bouche, tenant Victoria par les épaules alors qu'elle pleurait bruyamment. « Elle se croit tellement supérieure tout le temps, il serait temps qu'elle entende deux ou trois vérités, elle pense que son papa est tellement...

— NON ! » hurla Victoria.

Zora posa les mains sur les hanches, étonnée et presque divertie par la nouvelle scène qui se déroulait sous ses yeux. Quelqu'un était en train de se ridiculiser, et pour la première fois ce soir, ce n'était pas elle. Une fenêtre s'ouvrit vivement quelque part dans la rue.

« Hé ! Baissez d'un ton, bordel ! Vous savez l'heure qu'il est ? »

Les maisons à bardeaux, avec leurs volets fermés, pudiques, semblaient militer silencieusement pour le départ de ces bruyants visiteurs nocturnes.

« Vee, bébé, rentre. J'arrive dans une minute », dit Carl qui tendrement essuya de la main quelques larmes sur le visage de Victoria. La curiosité de Zora s'évanouit. Elle sentit la fureur redoubler en elle. Elle ne s'attarda pas sur la possible signification de ce qui venait de se produire, et ne suivit donc pas Jerome dans les méandres de la pensée qui le menaient inexorablement le long d'un chemin jusque-là caché, vers une sombre destination : la vérité. Jerome s'appuya contre le tronc détrempé d'un arbre, réussissant ainsi à se maintenir en équilibre. Victoria appuya sur la sonnette pour rentrer dans la maison. L'espace d'un instant Jerome croisa son regard, et tenta de lui montrer tout ce qu'il ressentait : la déception, car il l'avait aimée ; la douleur parce qu'elle l'avait trahi.

« Hé, vous pouvez pas faire un peu moins de bruit, là ? demanda le gamin qui fit entrer une Victoria défaite et brisée.

— Je trouve que ça suffit maintenant, dit Jerome fermement à Carl. Je vais ramener Zoor à la maison. Tu lui as fait suffisamment de mal comme ça. »

De toutes les choses dont on l'avait accusé jusqu'alors, ce reproche prononcé d'une voix modérée lui sembla de loin le plus injuste. « C'est pas *moi*, mec, dit Carl sûr de son fait en secouant la tête. J'ai pas fait ça. Merde ! » Il balança un coup de pied dans une marche. « Vous autres, vous vous comportez pas comme des êtres humains, j'te jure, j'ai même jamais vu qui que ce soit se comporter comme vous. Vous dites pas la *vérité*, vous *trompez* les autres. Vous vous sentez tellement supérieurs, mais vous dites pas la vérité ! Tu connais même pas ton propre père, mec. Mon père aussi est une merde en dessous de tout, mais au moins je *sais* que c'est une merde en dessous de tout. J'ai pitié de vous, vous savez ? J'ai carrément pitié de vous. »

Zora s'essuya le nez et, impérieuse, mitrailla Carl du regard. « Carl, s'il te plaît, ne parle pas de notre père. On *sait* pour notre père. Toi, tu passes quelques mois à Wellington, tu entends des potins et tu crois que tu sais ce qui se passe ? Tu crois que tu es *wellingtonien* parce qu'ils te laissent ranger quelques disques ? Tu sais pas ce qu'il faut pour faire partie d'ici. Et tu n'as pas la *moindre idée* de notre famille, *ou* de notre vie, O.K. ? Ne l'oublie pas.

— Zoor, s'il te plaît, ne... », avertit Jerome, mais Zora fit un pas en avant et sentit l'eau d'une flaque envahir ses chaussures qui découvraient ses orteils. Elle se pencha en avant et enleva ses talons.

« Je parle même pas de ça », chuchota Carl.

Partout dans l'obscurité avoisinante les arbres dégoulinaient. L'éclaboussement et le chuintement des pneus qui traversaient des flaques à toute allure dans la rue principale très loin de celle-ci se faisaient entendre.

« Eh bien alors, tu parles de *quoi* ? dit Zora en gesticulant avec ses chaussures. Tu es pitoyable. Fous-moi la paix.

— Tout ce que je dis, dit Carl en s'assombrissant, c'est que tu penses que tous ceux que tu connais sont purs et parfaits, alors que tu ne sais *rien* de ces gens. Tu ne sais pas ce qu'ils font.

— Ça suffit, insista Jerome. Tu vois bien l'état dans lequel elle est, mec. Aie pitié. Elle n'a pas besoin de ça. S'il te plaît, Zoor, allons chercher la voiture. »

Mais Zora n'avait pas terminé. « Je sais que les hommes que je connais sont des *adultes*. Ce sont des *intellectuels*, pas des gamins. Ils ont pas la langue qui traîne par terre comme des ados dès qu'une minette avec un beau cul leur fait du rentre-dedans.

— Zora », dit Jerome et sa voix se brisa, car il commençait à être anéanti par la vision de son père avec Victoria. Il n'était pas du tout exclu qu'il vomisse en pleine rue. « S'il te plaît ! Allons à la voiture ! Je n'en peux plus ! Je dois *rentrer*.

— Tu sais quoi ? J'ai essayé d'être patient avec toi, dit Carl en baissant la voix. T'as besoin d'entendre une vérité. Vous tous, vous autres intellectuels... O.K., et si on prenait Monty Kipps ? Le père de Victoria. Tu le connais ? O.K. Il se *tape* Chantelle Williams. Elle vit dans ma rue, elle m'en a parlé. Ses enfants n'en savent rien. La fille que tu viens de faire pleurer ? Elle n'en sait rien. Et tout le monde croit que c'est un saint. Et maintenant il veut empêcher Chantelle de suivre le cours, et pourquoi ? Pour se protéger. Et c'est *moi* qui dois savoir tout ça. Je veux *rien* savoir de tout ce bordel. J'essaie juste de m'élever d'un cran dans la vie. » Carl rit avec amertume. « Mais c'est une *blague* ici. Les gens comme moi sont des jouets pour des gens comme vous. Je suis juste une expérience qui vous amuse. Vous aut', vous êtes même plus des Noirs. J'sais pas ce que vous êtes. Vous vous croyez meilleurs que les vôtres. Vous avez des diplômes universitaires, mais vous savez même pas vivre comme il faut. Vous êtes tous les mêmes, dit Carl en baissant les yeux, adressant ces derniers mots à ses chaussures. J'ai besoin de passer du temps avec les *miens*, j'te jure. J'en peux plus, moi.

— Ouais, dit Zora qui avait cessé depuis un bon moment d'écouter le discours de Carl, en fait ça m'étonne pas du tout de quelqu'un comme Kipps. Tel père, telle fille. Donc c'est *ça*, ton niveau ? C'est ça, ton modèle ? Je te souhaite bonne route, Carl. »

Il commençait finalement à pleuvoir vraiment, mais au moins Zora avait gagné la bataille, puisque Carl abandonnait à présent. Tête baissée il remonta lentement les marches. Tout d'abord Zora n'était pas sûre d'avoir bien entendu, mais lorsqu'il reprit la parole, elle eut le plaisir de se rendre compte qu'elle avait raison : Carl pleurait.

« Vous êtes *si* sûrs de vous, *si* supérieurs, l'entendit-elle bafouiller tandis qu'il sonnait à la porte. Vous tous. Je sais même pas pourquoi je me suis embarqué dans cette histoire avec vous, ça mène jamais nulle part. »

Zora, pieds nus dans les flaques, entendit le bruit sourd de la porte que Carl venait de claquer derrière lui.

« *Idiot* », marmonna-t-elle, et elle enlaça son frère tandis qu'ils s'éloignaient.

Et ce n'est que lorsque Jerome appuya sa tête contre son épaule que Zora s'aperçut qu'il pleurait, lui aussi.

12

Le printemps s'annonça le lendemain. Il y avait déjà eu des fleurs, et la neige avait disparu, mais c'est ce matin-là précisément qu'un ciel bleu s'étendit au-dessus de la tête de chaque âme de la côte Est, tandis que s'élevait un soleil aussi chaud que lumineux. Zora en prit tout d'abord connaissance par petites lamelles — sa mère ouvrait les stores vénitiens.

« Ma chérie, faut te lever. Désolée, mon ange. Mon ange ? »

Zora ouvrit son autre œil et trouva sa mère assise sur son lit.

« La fac vient d'appeler. Il s'est passé quelque chose. Ils veulent te voir. Dans le bureau de Jack French. Ça avait l'air plutôt chaud. Zora ?

— Mais on est *samedi*...

— Ils n'ont rien voulu me raconter. Ils ont dit que c'était urgent. T'as des problèmes ? »

Zora s'assit dans son lit. Sa gueule de bois avait disparu. « Où est Howard ? » demanda-t-elle. Elle ne se souvenait pas d'avoir jamais été aussi concentrée que ce matin. Le premier jour où elle avait porté des lunettes lui avait fait un peu le même effet : des lignes plus nettes, des couleurs plus intenses. Le monde entier comme un vieux tableau restauré. Enfin, elle avait compris.

« Howard ? Il est à la bibliothèque Greenman. Il y est allé à pied parce qu'il fait beau. Zoor, tu veux que je vienne avec toi ? »

Zora refusa cette offre. Pour la première fois depuis des mois, elle s'habilla sans autre souci que la nécessité pratique de couvrir son corps. Elle ne se coiffa pas. Pas de maquillage. Pas de lentilles de contact. Pas de talons. Comme elle gagna du temps ! Comme elle allait accomplir plus de choses dans cette nouvelle vie ! Elle monta dans la voiture familiale des Belsey et se rendit en ville en roulant à une vitesse agressive, faisant des queues de poisson aux autres automobilistes et injuriant d'innocents feux tricolores. Elle se gara en toute illégalité sur une place réservée aux enseignants. Puisque c'était le week-end, les portes d'entrée du département étaient fermées à clé. Liddy Cantalino la fit entrer grâce à l'interphone.

« Jack French ? dit Zora avec autorité.

— Bonjour à vous, jeune demoiselle, rétorqua Liddy sèchement. Ils sont tous dans son bureau.

— Tous ? Qui ?

— Zora, ma chère, et si vous alliez voir par vous-même ? »

Pour la première fois dans un bâtiment de la faculté, Zora entra sans frapper. Elle se retrouva face à un rassemblement étrange : Jack French, Monty Kipps, Claire Malcolm et Erskine Jegede. Chacun avait pris une pose qui traduisait l'anxiété. Personne n'était assis, même pas Jack.

« Ah, Zora, entre donc », dit ce dernier. Zora se joignit à l'assemblée verticale. Elle n'avait aucune idée de ce dont il s'agissait, mais elle n'était absolument pas nerveuse. Elle était encore électrisée par la fureur, capable de tout.

« Que se passe-t-il ?

— Je suis navré de t'avoir fait venir ici ce matin, dit Jack, mais c'est une urgence, et il ne m'a pas semblé opportun d'attendre la fin des vacances de printemps... » Monty s'esclaffa avec dérision. « Ni même jusqu'à lundi.

— Que se passe-t-il ? répéta Zora.

— Eh bien, dit Jack, il semblerait que la nuit dernière, après le départ de tout le monde, vers vingt-deux heures environ, même si l'on explore la possibilité que l'un de nos propres employés du service d'entretien était encore là jusqu'à une heure plus tardive et qu'il, d'une façon quelconque, ait pu aider la personne qui...

— Mais bon sang, Jack ! s'écria Claire Malcolm. Pardonnez-moi, mais *bon sang*, on ne va pas y passer la journée, non ? Pour ma part, je ne serais pas fâchée de reprendre mes vacances. Zora, est-ce que tu sais où se trouve Carl Thomas ?

— Carl ? Non, pourquoi ? Qu'est-ce qui s'est passé ? »

Erskine, qui n'en pouvait plus de faire semblant d'être plus paniqué qu'il ne l'était, s'assit. « Un tableau, expliqua-t-il, a été volé dans le département des Black Studies la nuit dernière. Un tableau très précieux qui appartient au professeur Kipps.

— Je n'apprends que *maintenant*, dit Monty d'une voix deux fois plus forte que celle des autres, que l'un des *enfants de la rue* que collectionne le professeur Malcolm travaille à trois portes de mon bureau, depuis un mois, un jeune homme qui manifestement...

— Jack, je ne vais *pas*, dit Claire alors qu'Erskine mettait sa main devant ses yeux, rester là sans broncher à me faire insulter par cet homme. Je ne vais tout simplement pas le faire.

— Un *jeune homme*, tonna Monty, qui travaille ici sans

référence, sans diplôme, sans que personne ne sache *quoi que ce soit à son sujet*. JAMAIS au cours de mon long parcours universitaire je n'ai eu affaire à autant d'incompétence, de négligence et...

— Comment savez-vous que c'est ce jeune homme le responsable ? Quelles preuves avez-vous ? aboya Claire, mais elle semblait terrifiée d'entendre la réponse.

— Allons, s'il vous plaît, s'il vous plaît, dit Jack faisant un geste vers Zora. Nous avons une étudiante parmi nous. S'il vous plaît. Il nous incombe sans doute de... » Mais Jack décida sagement d'éviter la digression qu'il allait entamer, et retourna à son thème principal. « Zora, le professeur Malcolm et le professeur Jegede nous ont expliqué que vous êtes proche de ce jeune homme. Avez-vous eu l'occasion de le voir hier soir ?

— Oui. Il était à une fête où j'étais aussi.

— Ah, *bien*. Avez-vous eu l'occasion de remarquer à quelle heure il était parti ?

— Nous avons..., nous nous sommes disputés et... nous sommes partis très tôt. Séparément. On est partis séparément.

— À quelle heure ? demanda Monty avec la voix de Dieu le Père. À quelle heure ce garçon est-il parti ?

— Tôt. Je ne suis pas sûre. » Zora cligna des yeux à deux reprises. « Peut-être neuf heures et demie ?

— Et cette fête avait lieu loin d'ici ? demanda Erskine.

— Non, à dix minutes. »

Jack s'assit. « Merci, Zora. Et vous n'avez pas une petite idée de l'endroit où il se trouve actuellement ?

— Non, monsieur, je ne sais pas.

— Merci. Liddy vous fera sortir. »

Monty tapa du poing sur le bureau de Jack French. « Une seconde, s'il vous plaît, rugit-il. C'est tout ce que vous avez l'intention de lui demander ? Miss Belsey, s'il vous plaît, avant de vous éclipser, pourriez-vous me dire quel genre de jeune homme selon vous est ce Carl Thomas ? Est-ce qu'il vous a donné l'impression, par exemple, d'être un voleur ?

— Oh, mon *Dieu* ! se plaignit Claire. C'est vraiment répugnant. Je ne veux pas participer à tout ça. »

Monty lui adressa un regard noir. « Un tribunal risquerait de vous considérer partie prenante dans cette affaire, que cela vous plaise ou non, professeur Malcolm.

— Vous me *menacez* ? »

Monty tourna le dos à Claire. « Zora, pourriez-vous s'il vous plaît répondre à ma question ? Serait-il injuste de dire que ce jeune homme est issu des "mauvais quartiers" ? Y a-t-il de fortes probabilités pour qu'il ait un casier judiciaire ? »

Zora ignora les efforts que faisait Claire Malcolm pour attirer son regard.

« Si vous entendez par là que c'est un gamin des rues, eh bien, de toute évidence, c'est vrai ; il serait le premier à vous le dire, d'ailleurs. Il m'a déjà dit qu'il avait été... genre, qu'il avait eu des ennuis avant, bien sûr. Mais je ne connais pas vraiment les détails.

— Nous ne manquerons pas de découvrir les détails très bientôt, je n'en doute pas, dit Monty.

— Vous savez, dit Zora d'un ton égal, si vous voulez vraiment le trouver, vous feriez sans doute mieux de demander à votre fille. Il paraît qu'ils passent pas mal de bon temps ensemble. Puis-je y aller maintenant ? demanda-t-elle à Jack, alors que Monty s'appuyait d'une main sur le bureau.

— Liddy vous fera sortir », répéta Jack d'une voix faible.

☆

Une maison (presque) vide. Une lumineuse journée de printemps. Chants d'oiseaux. Écureuils. Tous les rideaux et stores ouverts, sauf dans la chambre de Jerome, où une créature avec la gueule de bois se trouve toujours sous la couette. Du nouveau, du nouveau, du nouveau ! Kiki ne commença pas consciemment à faire le nettoyage de printemps. Elle pensa simplement : Jerome est là, et dans la cave sous notre belle maison, des cartons et des cartons remplis de choses qui lui appartiennent attendent de savoir si elles vont être gardées ou détruites. Ainsi pensait-elle parcourir toutes ces choses, les lettres, les bulletins de notes de l'enfance, les albums photos, les journaux intimes, les cartes d'anniversaire faites à la main, et elle lui dirait : *Jerome, voici ton passé. Ce n'est pas à moi, ta mère, de détruire ton passé. Tu es le seul à pouvoir décider de ce qui doit partir et ce qui doit rester. Mais s'il te plaît, pour l'amour du ciel, jette quelque chose pour que je puisse libérer de l'espace dans la cave et ranger le bordel de Levi.*

Elle mit son plus vieux survêtement et attacha ses cheveux avec un bandana. Elle descendit dans la cave avec pour seule compagnie une radio. En bas, c'était un chaos de souvenirs des Belsey. Rien que pour passer la porte Kiki dut escalader quatre énormes bassines en plastique qui, elle le savait, ne contenaient que des photographies. Il serait facile de paniquer face à une telle accumulation de passé, mais Kiki était une professionnelle. De nombreuses années auparavant, elle avait plus ou moins divisé cet espace en trois sections qui correspondaient chacune à l'un de ses enfants. La section de Zora, au fond, était la plus imposante, simplement parce que Zora avait écrit plus que quiconque, et qu'elle avait également fait partie d'un plus grand nombre d'équipes et d'associations, amassé le plus de diplômes et gagné le plus de prix. Mais l'espace de Jerome était non négligeable. Toutes les choses que Jerome avait collectionnées et aimées au cours des années s'y trouvaient, des fossiles aux exemplaires du magazine *Time*, en passant par des carnets d'autographes, une série de bouddhas, des œufs chinois décorés. Kiki s'assit les jambes croisées au milieu de tout cela, et se mit au travail. Elle sépara les objets du papier, les choses de l'enfance de celles de l'université. La plupart du temps elle gardait la tête baissée, mais dans les rares moments où elle la relevait, elle avait droit à une vue panoramique des plus intimes : les possessions éparpillées des trois personnes qu'elle avait créées. Elle pleura à la vue de plusieurs objets : un minuscule chausson en laine, un appareil dentaire cassé, une boucle de foulard de Louve-teaux. Elle n'était pas devenue la secrétaire personnelle de Malcolm X. Elle n'avait jamais réalisé de film, ne s'était pas présentée au Sénat. Elle ne savait pas piloter un avion. Mais il y avait tout ça.

Deux heures plus tard, Kiki souleva un carton de papiers de Jerome, soigneusement classés, et le transporta dans le couloir. Tous ces journaux intimes, toutes ces notes, toutes ces nouvelles qu'il avait écrits avant l'âge de seize ans ! Elle admira le poids du paquet qu'elle portait dans ses bras. Dans sa tête, elle faisait un nouveau discours à l'association des mères noires : *Eh bien, il faut les encourager et leur montrer les bons modèles, et il faut leur inculquer le sens de la légitimité. Mes deux fils se sentent légitimés, voilà pourquoi ils réussissent.* Kiki accepta les applaudissements de l'assemblée et retourna dans le fatras pour récupérer deux sacs de vêtements qui dataient d'avant la poussée de croissance de Jerome. Elle porta ce passé sur son dos, un sac par-dessus chaque épaule. L'année passée, elle avait cru qu'elle ne serait plus dans cette maison, dans ce couple, le printemps venu. Mais elle était là, elle était là. Une déchirure dans l'un des sacs-poubelle libéra trois pantalons et un pull. Kiki s'accroupit pour les ramasser ; ce faisant, le second sac se déchira aussi. Elle les avait trop remplis. Le plus grand mensonge qu'on ait jamais dit sur l'amour, c'est qu'il vous libère.

L'heure du déjeuner arriva. Kiki était trop impliquée dans son activité pour s'arrêter. Et tandis que les commentateurs radio poussaient le pays vers l'extrémisme et que les voix de ménagères l'encourageaient à profiter des soldes de printemps, Kiki rassembla tous les négatifs de photos qu'elle put trouver. Il y en avait partout. Pour commencer, elle les examina un par un dans la lumière et essaya de reconnaître les ombres brunes inversées d'anciennes vacances au bord de la mer, et de paysages européens. Mais il y en avait trop. La vérité, c'était que personne ne ferait jamais de retirages, personne ne les regarderait à nouveau. Mais cela ne signifiait pas qu'il fallait les jeter. Voilà pourquoi on libérait de l'espace — pour faire place à l'oubli.

« Hé, maman, dit Jerome d'une voix endormie en passant sa tête par l'embrasure de la porte. Qu'est-ce qui se passe ?

— Toi. Tu bouges d'ici, mon pote. Ce sont tes affaires dans le couloir, j'essaie de faire un peu de place pour le bordel de Levi. »

Jerome se frotta les yeux. « Je vois, dit-il. On jette tout et on recommence. »

Kiki rit. « Un truc comme ça. Comment vas-tu ?

— Mal aux cheveux. »

Kiki fit des bruits désapprobateurs. « Tu n'aurais pas dû prendre la voiture, tu sais.

— Ouais, je sais... »

Kiki plongea son bras dans un grand carton et en sortit un demi-masque décoré, comme on en porte au bal masqué. Elle sourit avec tendresse en le voyant et le retourna. Quelques-unes des paillettes autour des yeux tombèrent dans ses mains. « Venise », dit-elle.

Jerome hocha rapidement la tête. « La fois où on y est allés ?

— Hum ? Oh, non, bien avant. Avant qu'aucun d'entre vous ne soit né.

— Une escapade romantique », dit Jerome. Il empoigna plus fort le bord de la porte.

« La *plus* romantique de tous les temps. » Kiki sourit et secoua la tête comme pour se libérer d'une pensée secrète. Elle mit soigneusement le petit masque en porcelaine de côté. Jerome s'avança dans la cave.

« Maman... »

Kiki sourit à nouveau et leva le visage pour écouter son fils. Jerome détourna le regard.

« Tu... tu veux que je t'aide, maman ? »

Kiki l'embrassa, reconnaissante.

« *Merci*, chéri. Ce serait formidable. Viens avec moi pour

m'aider à prendre des trucs chez Levi. C'est un cauchemar dans sa chambre. Je ne m'en sortirai pas toute seule. »

Jerome tendit les mains vers Kiki et l'aida à se lever. Ensemble ils traversèrent le couloir et ouvrirent la porte de la chambre de Levi en poussant de toutes leurs forces contre les tas de vêtements qui bloquaient le passage de l'autre côté. À l'intérieur de la chambre régnait une forte odeur de garçon, de chaussettes et de sperme.

« Sympa, la tapisserie », dit Jerome. Les murs de la chambre venaient récemment d'être recouverts d'affiches de filles noires, pour la plupart de grandes filles noires, avec pour la plupart de gros derrières de grandes filles noires. Ça et là se glissaient quelques portraits crâneurs de rappeurs, morts pour la plupart, et une gigantesque photo d'Al Pacino dans *Scarface*. Mais le thème dominant était néanmoins les grandes filles noires en bikini.

« Au moins elles ne meurent pas de faim, dit Kiki en se mettant à genoux pour regarder sous le lit. Au moins elles ont de la chair sur les os. O.K., il y a *tout un bordel* là-dessous. Prends ce coin-là et soulève. »

Jerome leva le coin du lit de son côté.

« Plus haut », demanda Kiki et Jerome obtempéra. Soudain le genou droit de Kiki glissa et elle posa sa main par terre. « Oh, mon Dieu, chuchota-t-elle.

— Quoi ?

— Mon *Dieu*.

— *Quoi ?* C'est du porno ? Mon bras fatigue. » Jerome baissa légèrement le lit.

« NE BOUGE PAS ! » hurla Kiki.

Terrifié, Jerome leva le lit un peu plus haut. Sa mère haletait, comme si elle avait une espèce de crise.

« Maman, quoi ? Tu me fais peur. Qu'est-ce que c'est ?

— Je ne comprends pas ça. JE NE COMPRENDS PAS ÇA.

— Maman, j'arrive plus à le tenir.

— TIENS-LE. »

Jerome vit sa mère se saisir des bords de quelque chose. Lentement, elle se mit à sortir cette chose de dessous le lit.

« Qu'est-ce que... », dit Jerome.

Kiki traîna le tableau sur le sol jusqu'au milieu de la chambre et s'assit à côté, pour reprendre son souffle. Jerome s'approcha d'elle par-derrière, voulut la toucher pour la calmer, mais d'une tape sur sa main elle le repoussa.

« Maman, je ne comprends pas ce qui se passe. C'est *quoi*, ça ? »

Puis le déclic de la porte d'entrée se fit entendre. Kiki se leva d'un bond et quitta la pièce ; Jerome resta là à regarder fixement la femme nue à peau marron entourée de ses fleurs et de ses fruits en Technicolor. Il entendit crier et vociférer à l'étage.

« AH, VRAIMENT, AH, VRAIMENT, IL SE PASSE RIEN !

— LÂCHE-MOI ! »

Ils descendaient les escaliers, Kiki et Levi. Jerome alla jusqu'à la porte et vit Kiki frapper la tête de Levi plus fort qu'il ne l'avait jamais vue faire.

« Rentre là-dedans ! Et plus vite que ça ! »

Levi fut propulsé contre Jerome, et les deux garçons manquèrent de tomber sur le tableau. Jerome se remit d'aplomb et poussa Levi.

Levi se tenait là, stupéfait. Même ses pouvoirs de rhétorique ne pouvaient dissimuler le fait qu'une peinture à l'huile d'un mètre cinquante était caché sous son propre lit.

« Oh *merde*, dit-il simplement.

— ÇA SORT D'OÙ, ÇA ?

— Maman, tenta Jerome doucement, il faut que tu te calmes.

— Levi », dit Kiki, et les deux garçons entendirent la Floride profonde monter dans sa voix, ce qui signifiait en termes Kiki qu'un méga-pétage de plombs était imminent. « ... tu as intérêt à me trouver une explication maintenant où je vais *t'anéantir sur place*, Dieu m'en est témoin, je vais te foutre une raclée comme tu n'en as jamais eue.

— Oh ! *merde* ! »

Ils entendirent la porte d'entrée s'ouvrir, puis claquer à nouveau. Plein d'espoir, Levi regarda dans cette direction, comme si quelque intervention de l'étage pourrait lui sauver la mise, mais Kiki ignora cette éventualité et tira violemment sur son sweat-shirt pour qu'il la regarde en face. « Parce que je *sais* qu'aucun de mes fils ne vole QUOI QUE CE SOIT. Aucun des enfants que j'ai élevés n'a jamais eu l'idée de voler QUOI QUE CE SOIT À QUI QUE CE SOIT. Levi, tu ferais mieux de commencer à t'expliquer !

— On l'a pas volé ! parvint à dire Levi. Je veux dire, on l'a pris, mais c'est pas voler, ça.

— On ?

— Ce mec et moi, ce... mec.

— Levi, dis-moi son nom avant que je te brise la nuque, je ne *rigole pas* aujourd'hui, mon garçon. C'est pas de la blague. »

Levi se tortilla. Des cris leur parvinrent de l'étage.

« Qu'est-ce..., dit-il, mais ça n'allait jamais marcher.

— *Peu importe* ce qui se passe là-haut. Tu ferais mieux de t'inquiéter de ce qui se passe *ici*. Levi, dis-moi le nom de cet homme maintenant.

— Mais... c'est genre... je peux pas le faire. C'est un mec... il est haïtien et... » Levi prit sa respiration et se mit à parler à toute allure. « Crois-moi, tu ne pourrais pas comprendre, c'est genre... O.K., bon, ce tableau a déjà été volé de toute façon. Il appartient même pas à ce mec, Kipps, pas vraiment, c'était genre y a vingt ans, il est allé à Haïti et il a obtenu ces tableaux en racontant des mensonges aux pauvres et du coup il les a eus pour quelques dollars et maintenant ils valent tout cet argent et ce n'est pas *son* argent et on essaie juste de... »

Kiki poussa violemment la poitrine de Levi. « Tu as *volé* ce tableau dans le bureau de Mr Kipps parce qu'un *mec* t'a raconté un tas de *conneries* ? Parce qu'un Black t'a embobiné avec toutes ces conneries de complot ? T'es *débile* ?

— Non ! J'suis pas débile, et c'est pas des conneries ! Tu sais rien de tout ça !

— Mais bien *sûr* que c'est des conneries. Je le connais, ce tableau, Levi. Il appartenait à *Mrs* Kipps. Et c'est *elle* qui l'a acheté, avant de se marier. »

Levi ne sut quoi répondre.

« Oh, Levi, dit Jerome.

— Et ce n'est même pas le problème, le problème c'est que tu as *volé*. Tu as *cru* tout ce que ces gens t'ont raconté. Et tu vas les croire jusqu'en prison. Tu veux te la jouer cool, faire le fier-à-bras devant une bande de négros bons à rien qui ne...

— C'EST PAS ÇA !

— Mais si, c'est exactement ça. Ce sont ces mecs avec qui tu passes tout ton temps. Tu ne peux pas me mentir. Je suis tellement en colère contre toi. Je suis HORS DE MOI ! Levi, j'essaie de comprendre ce que tu crois avoir accompli en volant le bien d'autrui. Qu'est-ce qui t'a poussé à faire une chose pareille ?

— Tu ne comprends rien, dit Levi très doucement.

— Qu'est-ce que tu viens de me dire ? *Pardon ?* QU'EST-CE QUE TU VIENS DE ME DIRE ?

— Les gens d'Haïti, ils ont RIEN, PAS VRAI ? On vit sur leur dos ! On... on... on vit sur leur dos ! On leur suce le sang, on est comme des vampires ! Ça va pour toi, t'es mariée avec ton Blanc dans ce pays d'abondance, ça va pour toi. *Toi*, tu t'en sors bien. Tu vis sur le dos de ces gens ! »

Kiki pointa un doigt tremblant sous le nez de Levi. « Tu as passé les limites, Levi. Je ne sais pas de quoi tu parles, je ne crois pas que tu le saches non plus. Et je ne vois *vraiment* pas quel est le rapport entre tout ça et le fait de devenir un *voleur*.

— Eh bien, pourquoi t'écoutes *pas* ce que je te dis ? Ce tableau ne lui appartient pas ! Ni à sa femme ! Ces gens dont je parle, ils se *rappellent* comment ça s'est passé, et regarde combien ça vaut aujourd'hui. Mais cet argent appartient au peuple haïtien, pas à un... à un marchand d'art blanc, dit Levi en se rappelant avec assurance la phrase de Tchou. Cet argent, il faut le redi... le partager. »

Kiki était si abasourdie que l'espace d'un instant elle ne put parler.

« Euh, c'est pas comme ça que ça marche, dit Jerome. Je fais des études d'économie et je peux te dire que c'est pas comme ça que le monde fonctionne.

— C'est *exactement* comme ça que le monde fonctionne ! Je sais bien que vous me prenez tous pour un con, mais je suis pas con. Je lis des trucs, et je regarde les infos, c'est pour de *vrai*, tout ça. Avec l'argent de ce tableau, on pourrait construire un hôpital à Haïti !

— Oh, c'est *ça* que tu pensais faire de cet argent ? demanda Jerome. Construire un hôpital ? »

Levi fit une moue à la fois penaude et provocatrice. « Non, pas exactement. On allait *redistribuer*, réussit cette fois à dire Levi. Les fonds.

— Je vois. Et comment vous pensiez le vendre exacte-ment ? Sur e-Bay ?

— Tchou a des potes sur le coup. »

Kiki retrouva sa voix. « Tchou ? *Tchou ?* QUI C'EST, TCHOU ? »

Levi cacha son visage dans ses mains. « Oh, *merde.*

— Levi..., j'essaie de comprendre ce que tu es en train de me dire, dit Kiki lentement en faisant un effort pour se cal-mer. Et je... je comprends que tu t'inquiètes pour ces gens, mais, mon chéri, Jerome a raison, ce n'est pas comme ça qu'on résout les problèmes de notre société, ce n'est pas comme ça qu'on...

— Et *comment* tu fais alors ? exigea Levi. En payant les gens quatre dollars de l'heure pour qu'ils fassent le ménage chez toi ? C'est ce que tu donnes à Monique ! Quatre dollars ! Si elle était américaine, tu ne lui donnerais pas quatre dollars de l'heure. Hein ? Hein ? »

Kiki était assommée.

« Tu sais quoi, Levi ? » dit-elle, la voix brisée. Elle se pencha en avant pour saisir le tableau par un côté. « Je ne veux plus te parler.

— Parce que tu sais pas quoi répondre à ça !

— *Parce que* tout ce que tu sais dire, c'est des *conneries*. Et tu peux garder ça pour les flics quand ils viendront te chercher pour te foutre en prison. »

Levi aspira entre ses dents. « Tu sais pas quoi répondre, répéta-t-il.

— Jerome, dit Kiki, prends l'autre côté de ce truc. Essayons de le monter. Je vais appeler Monty pour voir si on peut résoudre ça à l'amiable. »

Jerome contourna le tableau et le posa sur son genou. « Je crois qu'il vaut mieux le porter dans la longueur. Levi, dégage », dit-il et ensemble ils firent demi-tour. Tandis qu'ils manœuvraient, Jerome se mit à tirer sur quelque chose au niveau du châssis.

Kiki lâcha un petit cri. « Non ! *Non !* Ne tire pas ! Qu'est-ce que tu *fais* ? Tu l'as abîmé ? Oh, *nom de Dieu*, je rêve.

— Non, maman, non..., dit Jerome d'une voix incertaine. C'est juste qu'il y a un truc coincé là... ça va... on peut juste... » Jerome redressa le tableau et l'appuya contre sa mère. Il tira derechef sur un morceau de papier bristol blanc coincé dans le cadre.

« Jerome ! Qu'est-ce que tu fais ? Arrête !

— Je veux juste voir ce que...

— Ne le déchire pas ! hurla Kiki, incapable de voir ce qui se passait. T'es en train de le déchirer ? Laisse-le !

— Oh nom de Dieu..., murmura Jerome, oubliant sa règle de conduite lui interdisant de blasphémer. Maman ? Oh, nom de *Dieu* !

— Qu'est-ce que tu fais ? Jerome ! Pourquoi tu continues de le déchirer ?

— Oh, merde, maman ! Y a ton nom écrit !

— *Quoi ?*

— Oh, putain, c'est trop zarbi ce truc...

— Jerome ! Qu'est-ce que tu *fais* ?

— Maman..., regarde. » Jerome libéra le papier. « Tu vois, c'est marqué : *Pour Kiki, j'espère que vous profiterez bien de ce tableau. Il a besoin d'être aimé par quelqu'un comme vous. Votre amie, Carlene.*

— *Quoi ?*

— Je suis en train de lire ce qui est écrit ! C'est marqué là-dessus ! Et puis en dessous, il y a : *On trouve refuge l'une dans l'autre.* C'est trop zarbi ! »

Les jambes de Kiki ne la soutinrent pas plus longtemps, et seule l'intervention de Levi, qui la prit par la taille, l'empêcha de tomber par terre avec le tableau.

☆

Dix minutes plus tôt, Zora et Howard étaient rentrés ensemble. Après avoir passé une grande partie de l'après-midi à conduire dans Wellington et à penser à la situation, Zora avait repéré Howard qui rentrait à pied de la bibliothèque Greenman. Elle le prit en voiture. D'humeur guillerette après un bon après-midi de travail sur sa conférence, il parla tant et sans discontinuer qu'il ne remarqua pas que sa fille ne répondait pas. Ce ne fut qu'une fois la porte d'entrée franchie qu'Howard prit conscience de la froideur de Zora à son égard. Ils pénétrèrent silencieusement dans la cuisine, où Zora lança les clés de la voiture sur la table avec tant de force qu'elles glissèrent sur toute la longueur et atterrirent sur le carrelage.

« On dirait que Levi a des problèmes, dit Howard joyeusement en désignant de la tête l'origine des cris qui leur parvenaient du sous-sol. Ça lui pendait au nez depuis un moment. Je dois dire que ça ne me surprend pas. Il cultive des bactéries avec ses vieux sandwichs dans sa chambre.

— Ha, dit Zora. Et ha.

— Comment ?

— J'admirais ton ironie, papa. »

Howard soupira et s'assit dans le rocking-chair. « Zoor, est-ce que j'ai fait quelque chose pour que tu sois fâchée contre moi ? Écoute, si c'est au sujet de ta dernière note, parlons-en. Je trouve qu'elle était juste, ma chérie, c'est pour ça que je te l'ai donnée. Ta dissertation était mal construite. Les idées étaient bonnes, mais... il y avait un manque de... de concentration, j'ai envie de dire.

— C'est vrai, dit Zora. J'avais l'esprit ailleurs. Mais là, je suis de nouveau très concentrée.

— Bien ! »

Zora posa les fesses au bord de la table. « Et j'ai de la bombe pour la prochaine réunion de faculté. »

Howard affecta une expression intéressée — mais c'était le printemps, et il voulait aller dans le jardin et humer les fleurs, et peut-être nager pour la première fois de l'année et monter à l'étage se sécher, et s'allonger nu sur le lit conjugal dont il venait de recouvrer l'accès, et attirer sa femme sur ce lit et lui faire l'amour.

« Les étudiants discrétionnaires ? » dit Zora. Elle baissa les yeux pour éviter la lumière réfléchie du soleil qui inondait la maison, mouchetant les murs et donnant l'impression que l'endroit tout entier était sous l'eau. « Je crois que ce ne sera plus un problème.

— Ah bon ? Comment ça ?

— Eh bien, il *s'avère* que Monty *baise* avec Chantelle, une étudiante, dit Zora en prononçant ce gros mot avec une vulgarité appuyée. C'est justement une des étudiantes discrétionnaires dont il voulait se débarrasser.

— *Non*.

— Si. T'imagines ? Une étudiante. Il la baisait sans doute avant même la mort de sa femme. »

Howard frappa avec jubilation les bords de sa chaise. « Mon *Dieu*. Quel vieux roublard. Ultra-conservateur, mon *cul*. Eh bien, tu le tiens. Mon Dieu ! Tu devrais y aller et te le faire aux petits oignons. Le détruire ! »

Zora enfonça ses faux ongles, qu'elle avait mis pour la fête, sous la table. « C'est ça, ton conseil ?

— Oh, absolument. Comment résister ? Sa tête sur un plateau ! Prête à servir ! »

Zora regarda au plafond, et lorsqu'elle baissa les yeux une larme coulait sur son visage.

« C'est pas vrai, hein, papa ? »

L'expression d'Howard ne changea pas. Cela prit une minute. L'incident avec Victoria était si merveilleusement clos dans son esprit qu'il lui fallut un effort mental considérable pour se rappeler que cela ne signifiait pas que l'incident en question, bien réel, ne serait jamais découvert.

« J'ai vu Victoria Kipps hier soir. *Papa ?* »

Howard demeura imperturbable.

« Et Jerome pense..., dit Zora avec difficulté, quelqu'un a dit quelque chose et Jerome pense... » Zora cacha son visage plein de larmes derrière son coude. « C'est pas vrai, n'est-ce pas ? »

Howard mit sa main devant sa bouche. Il venait de voir ce qui viendrait après cela, et ce qui viendrait après cela, tout le chemin qui menait jusqu'à la terrible fin.

« Je..., oh, mon Dieu, Zora..., oh, mon Dieu... je ne sais pas quoi te dire. »

Zora hurla alors à pleins poumons un vieux juron bien anglais.

Howard se leva et s'avança d'un pas vers sa fille. Elle tendit le bras en avant pour le stopper.

« ... défendu, dit Zora, les yeux écarquillés et incrédules, larmes coulant avec abondance. Défendu, défendu, je t'ai *défendu*.

— S'il te plaît, Zoor...

— Contre maman ! J'avais pris *ta défense* ! »

Howard s'avança encore d'un pas. « Je me tiens devant toi, et te demande de me pardonner. J'implore ta pitié. Je sais que tu ne veux pas entendre mes excuses, murmura Howard. Je sais que ce n'est pas ce que tu veux.

— Depuis *quand*, énonça Zora très clairement en reculant à nouveau d'un pas, tu t'intéresses *un tant soit peu* aux désirs *d'autrui* ?

— Ce n'est pas juste. J'aime ma famille, Zoor.

— *Ah bon.* Tu aimes Jerome ? Comment tu as pu lui *faire* une chose pareille ? »

Howard secoua la tête en silence.

« Elle a *mon âge*. Non, elle est *plus jeune que moi*. Tu as cinquante-sept ans, papa », dit Zora et elle rit misérablement.

Howard cacha son visage dans ses mains.

« C'EST TELLEMENT NUL, PAPA. PUTAIN, C'EST TELLEMENT *PRÉVISIBLE*. »

Zora gagna le haut des escaliers qui menaient au sous-sol. Howard la supplia de lui donner encore un peu de temps. Il n'y avait plus de temps. Mère et fille s'appelaient déjà, l'une gravissant frénétiquement les escaliers, l'autre les dévalant non moins frénétiquement, chacune portant des nouvelles étranges qui valaient leur pesant d'or.

13

« Quoi ? Qu'est-ce que je suis censé lire ? »

Jerome attira l'attention de son père sur le passage pertinent de la lettre de la banque qu'il venait de placer devant lui. Howard posa ses coudes de part et d'autre du document et essaya de se concentrer. La climatisation ne marchait pas comme elle aurait dû le faire en plein été dans la maison des Belsey, les portes coulissantes et toutes les fenêtres étaient ouvertes, mais seul l'air chaud circulait. Le simple geste de lire vous faisait transpirer.

« Tu dois signer là et là, dit Jerome. Tu dois te débrouiller tout seul. Je suis en retard. » Une forte odeur persistait au-dessus de la table : un saladier de poires gâtées qui avaient trop mûri pendant la nuit. Deux semaines plus tôt, Howard avait renvoyé Monique, la femme de ménage, en disant que c'était une dépense qu'ils ne pouvaient plus se permettre. Puis la chaleur s'installa et tout commença à pourrir et à étouffer et à puer. Zora prit place loin des poires au lieu de déplacer le saladier. Elle finit les céréales et poussa la boîte vide vers son père.

« Je ne vois toujours pas pourquoi on doit séparer les comptes en banque, maugréa Howard, son stylo suspendu au-dessus du document. Ça ne fait que rendre les choses deux fois plus compliquées.

— Vous êtes séparés, dit Zora avec réalisme. Voilà pourquoi.

— Temporairement », dit Howard, mais il écrit son nom sur la ligne en pointillés. « Où vas-tu ? demanda-t-il à Jerome. Tu veux que je t'emmène ?

— À l'église, eh non », répondit Jerome.

Howard s'abstint de tout commentaire. Il se leva et traversa la cuisine jusqu'à la porte-fenêtre, sortit sur la terrasse, dont les dalles étaient trop chaudes pour ses pieds nus. Il regagna le carrelage de la cuisine. Dehors, on sentait l'odeur de la sève et des pommes blettes et marron, dont une centaine au moins étaient éparpillées sur la pelouse. Il en allait ainsi depuis dix ans, mais Howard n'avait compris que cette année qu'il y avait quelque chose à faire pour améliorer la situation. Tartes Tatin, crumble, pommes d'amour, pommes au chocolat, salades de fruits... Howard se surprit lui-même. Cuisiner les pommes n'avait plus de secret pour lui. Il avait un plat à base de pommes pour chaque jour de la semaine. Mais malgré tout, leur nombre ne diminuait pas. Les pommes continuaient de tomber. Les vers passaient leurs journées à les traverser de long en large. Lorsqu'elles noircissaient et devenaient difformes, les fourmis débarquaient.

C'était aussi l'heure où l'écureuil avait l'habitude de faire sa première apparition de la journée. Howard s'appuya au chambranle de la porte et attendit. Effectivement, l'écureuil apparut, se précipitant le long de la clôture avec des intentions destructrices. Il s'immobilisa à mi-chemin et d'un bond acrobatique atteignit la mangeoire à oiseaux qu'Howard avait passé l'après-midi de la veille à renforcer avec du grillage, dans le but précis de la protéger de ce prédateur. Il observa avec intérêt l'écureuil qui se mit méthodiquement à démolir tous les moyens de protection qu'il avait installés. Howard serait d'autant mieux préparé le lendemain. Son congé sabbatique forcé lui avait permis d'apprendre un tas de choses nouvelles sur les rythmes de vie de sa maison. Il remarquait maintenant quelles fleurs se fermaient au coucher du soleil ; il savait quel coin du jardin attirait les coccinelles et combien de fois par jour Murdoch avait besoin de se soulager ; il avait repéré avec précision l'arbre où vivait ce connard d'écureuil, arbre qu'il avait d'ailleurs songé à abattre. Il savait quel bruit émanait de la piscine quand le filtre avait besoin d'être changé, ou quand il fallait donner un coup dans le climatiseur pour qu'il fasse moins de bruit. Il savait, sans regarder, lequel de ses enfants traversait une pièce — au son de leurs bruits intimes et de leurs pas. Il tendit le bras vers Levi qui, comme il l'avait deviné, était juste derrière lui.

« Toi. T'as besoin de ton argent de poche, n'est-ce pas ? »

Levi, qui portait des lunettes de soleil, ne laissa rien paraître. Il emmenait une fille pour un brunch, puis au cinéma, mais Howard n'avait pas besoin de le savoir. « Si tu m'en donnes, dit-il précautionneusement.

— Est-ce que ta mère t'en a déjà donné ?

— Donne-lui l'argent, papa », intervint Jerome.

Howard regagna la cuisine.

« Jerome, j'essaie simplement de *comprendre* comment ta mère fait pour payer son mystérieux appartement de célibataire *et* sortir avec ses copines tous les soirs *et* payer les frais d'un procès *et* donner vingt dollars à Levi tous les deux jours. Est-ce qu'elle paie tout ça avec l'argent qu'elle me

534

pompe ? Je voudrais juste comprendre comment ça fonctionne.

— Donne-lui l'argent, papa », répéta Jerome.

Indigné, Howard resserra la ceinture de sa robe de chambre. « Mais naturellement, *Linda*, c'est elle la lesbienne, non ? demanda Howard, qui connaissait la réponse. Oui, la lesbienne, elle *continue* de soutirer la moitié de son argent à Mark, cinq ans plus tard, ce qui semble exagéré, vraiment, puisque leurs enfants sont déjà adultes, et que Linda est lesbienne... le mariage n'ayant été chez elle qu'un petit raté dans sa carrière de lesbienne.

— Est-ce que tu as la *moindre* idée de combien de fois par jour tu prononces le mot "lesbienne" ? » demanda Zora en allumant la télévision.

Ce commentaire fit rire Jerome doucement. Howard, heureux de dérider sa famille, même en passant, sourit.

« Donc, dit Howard en tapant dans ses mains, l'argent. Si elle veut me saigner jusqu'à l'os, qu'elle le fasse.

— Écoute, mec, je veux pas de ta thune, dit Levi résigné. Garde-la. Tant que t'arrêtes de m'en parler. »

Levi souleva son pied chaussé, priant ainsi son père de faire son fameux triple nœud aux lacets de ses baskets. Howard cala le pied de Levi contre sa cuisse et s'exécuta.

« Bientôt, Howard, dit Zora avec désinvolture, elle n'aura plus besoin de ton argent. Une fois qu'elle aura gagné le procès, elle pourra vendre le tableau et s'acheter une putain d'île.

— Non, non, non, dit Jerome sûr de lui, elle ne vendra pas ce tableau. Tu ne comprends rien si c'est ce que tu crois. Il faut savoir comment fonctionne le *cerveau* de maman. Elle aurait pu le foutre dehors, l'autre — Howard fut alarmé par cette désignation impersonnelle de sa propre personne — mais elle est genre, "non, *tu* élèveras les enfants, et *tu* t'occuperas de cette famille". Maman est perverse comme ça. Elle ne va jamais dans le sens où on l'attend. Elle a une volonté de fer. »

Ils avaient cette conversation, à quelques variantes près, plusieurs fois par semaine.

« Sûrement pas, dit Howard pour participer, avec la même inflexion morose que son père. Elle est capable de vendre cette maison sous notre nez.

— Je l'espère vraiment, Howard, dit Zora. Elle le mérite totalement.

— Zora, tu ne dois pas aller travailler ? demanda Howard.

— Vous vous trompez tous, dit Levi, qui changea de pied en sautillant. Elle va vendre le tableau, mais elle gardera pas l'argent. Je suis passé la voir hier, on en a parlé. L'argent va aller au Groupe de soutien des Haïtiens. Tout ce qu'elle veut, c'est que Kipps ne l'ait pas.

— T'étais du côté de... Kennedy Square ? demanda Howard.

— Bien tenté », dit Levi, car les enfants avaient reçu comme consigne de ne donner à Howard aucun détail sur l'endroit où leur mère habitait. Levi posa les deux pieds par terre et tira sur les jambes de son jean pour les égaliser. « De quoi j'ai l'air ? » demanda-t-il.

Murdoch, qui rentrait juste d'une petite course sur ses courtes pattes dans l'herbe haute, entra dans la cuisine en traînant ses griffes sur le carrelage. Il fut submergé de sollicitude de toutes parts. Zora courut à lui pour le ramasser ; Levi joua avec ses oreilles ; Howard lui proposa une gamelle de nourriture. Kiki avait voulu à tout prix l'emmener avec elle, mais le propriétaire de son appartement interdisait les animaux. Et maintenant, si les Belsey restants étaient si attentionnés envers Murdoch, c'était en quelque sorte *pour* Kiki ; ils partageaient l'espoir non dit et irrationnel que, même si elle ne se trouvait pas avec eux dans cette pièce, elle pourrait d'une quelconque façon sentir à quel point l'on gâtait son petit chien chéri, et que ces bonnes ondes feraient..., c'était ridicule. C'était une façon de montrer qu'elle leur manquait.

« Levi, je peux t'emmener en ville si tu veux, si tu peux attendre une minute, dit Howard. Zoor, t'es pas en retard ? »

Zora ne broncha pas.

« *Moi*, je suis habillée, Howard », dit-elle en pointant un doigt sur son uniforme de serveuse, un boulot qu'elle avait pour l'été : jupe noire, chemisier blanc. « C'est toi qui as un truc important aujourd'hui. Et c'est toi qui n'as pas encore de pantalon. »

Cela était vrai. Howard ramassa Murdoch — bien que le chien eût à peine le temps de goûter la viande que l'on venait de placer devant lui — et l'emmena dans la chambre à l'étage. Howard resta devant son placard à se demander comment il pourrait s'habiller avec élégance par une chaleur aussi lourde. Dans le placard où tous les vrais vêtements — toutes les soies, cachemire et satin colorés — avaient disparu, un costume solitaire se balançait au-dessus d'un fatras de jeans, de chemises et de shorts. Il se saisit du costume. Le remit en place. Puisqu'ils l'avaient choisi, lui, ils n'avaient qu'à le prendre comme il était. Il sortit un jean noir, une chemise bleu marine à manches courtes, des sandales. Aujourd'hui, il devrait y avoir paraît-il dans le public des gens de Pomona College, et de l'université Columbia et de l'Institut Courtauld. Smith était tout excité à cette idée, et Howard à présent faisait de son mieux pour l'être aussi. *C'est le grand jour*, avait écrit Smith dans l'e-mail de ce matin. *Howard, l'heure de ta titularisation a sonné. Si Wellington ne peut pas te donner ça, tu vas voir ailleurs. Voilà comment ça doit se passer. Rendez-vous à dix heures et demie !* Smith avait raison. Dix ans dans la même fac, sans titularisation, c'était long. Ses enfants avaient grandi. Bientôt ils partiraient. Et alors la maison, si les choses devaient en rester là, sans Kiki, deviendrait invivable. C'était dans une université qu'il devait à présent mettre tout ce qui lui restait d'espoir. Les universités avaient été pour lui, depuis trente ans, des foyers. Il lui en fallait encore une : l'ultime et généreux établissement qui l'accueillerait sur ses vieux jours et le protégerait.

Howard se coiffa d'une casquette de base-ball et se dépêcha de descendre, Murdoch peinant à le suivre. Dans la cuisine, ses enfants mettaient sur leurs épaules leurs divers sacs et sacs à dos.

« Attends..., dit Howard en passant sa main sur le buffet vide. Où sont mes clés de voiture ?

— Aucune idée, Howard, dit Zora avec dureté.

— Jerome ! Les clés de la voiture !

— On se *calme*.

— Je ne vais pas me calmer. Personne ne part jusqu'à ce que je les trouve. »

Ainsi, Howard mit tout le monde en retard. Il est étrange de voir comme des enfants, même quand ils ont grandi, sont prêts à se soumettre à l'injonction d'un parent. Docilement, ils passèrent la cuisine au peigne fin à la recherche de ce dont Howard avait besoin. Ils regardèrent dans tous les endroits vraisemblables, puis dans tous les endroits idiots et invraisemblables, car Howard piquait une crise si l'un d'eux, ne serait-ce qu'un instant, cessait de chercher. Les clés étaient introuvables.

« Ah, j'en ai marre, j'arrête, il fait trop chaud, je me tire », lança Levi, et il quitta la maison. Une minute plus tard il réapparut, ayant trouvé les clés d'Howard sur la portière de sa voiture.

« Génial ! cria Howard. O.K., on y va, on y va, tout le monde dehors ; on met l'alarme, tout le monde a ses clés, *allez* on y va tout le monde. »

Dehors, dans l'air torride, Howard enveloppa sa main avec le coin de sa chemise pour ouvrir la portière de sa voiture qui cuisait au soleil. L'intérieur en cuir était brûlant au point de l'obliger à s'asseoir sur son sac.

« Je ne viens pas, annonça Zora en protégeant ses yeux du soleil avec sa main. Au cas où tu aurais cru le contraire. Je ne voulais pas changer mes horaires. »

Howard sourit charitablement à sa fille. Une fois montée sur ses grands chevaux, elle y restait aussi longtemps que possible, c'était dans sa nature. À l'heure actuelle elle avait fière allure, car elle s'était attribué le rôle de l'ange de la miséricorde. Après tout, elle avait eu entre les mains le pouvoir de décider ou non du renvoi de Monty et d'Howard. Elle avait suggéré avec insistance à ce dernier qu'il prenne un congé sabbatique, sursis qu'il avait accepté avec gratitude. Zora avait encore deux ans à faire à Wellington, et comme elle voyait les choses, il n'y avait plus assez de place à l'université pour eux deux. Monty avait gardé son poste mais pas ses principes. Il ne contesta plus les étudiants discrétionnaires, et les étudiants discrétionnaires furent autorisés à rester, même si Zora pour sa part avait abandonné le cours de poésie. Ces actes épiques d'altruisme avaient conféré à Zora une authentique et inattaquable supériorité morale, et elle en jouissait pleinement. Carl était la seule ombre au tableau de sa conscience. Elle avait quitté le cours afin qu'il pût y rester, mais en fait il n'y remit jamais les pieds. Il disparut complètement de Wellington. Le temps que Zora trouve assez de courage pour appeler son portable, il était hors service. Elle avait fait appel à Claire pour l'aider à le trouver ; elles obtinrent son adresse auprès de la comptabilité, mais les lettres que Zora envoya restèrent sans réponse. Lorsqu'elle osa se rendre à l'adresse en question, la mère de Carl lui dit simplement qu'il avait déménagé ; elle ne lui révéla rien d'autre. Elle ne la laissa pas entrer, et lui parla en restant sur ses gardes, apparemment convaincue que cette femme au teint clair qui parlait comme il faut était sûrement une assistante sociale ou un officier de police, quelqu'un qui causerait des ennuis à la famille Thomas. Cinq mois plus tard, Zora voyait encore beaucoup de sosies de Carl dans la rue, jour après jour — la capuche, le jean *baggy*, les baskets flambant neuves, le gros casque noir —, et chaque fois qu'elle apercevait l'un de ses jumeaux elle sentait le nom de Carl s'élancer de sa poitrine vers sa gorge. Parfois son nom lui échappait. Mais le garçon poursuivait toujours son chemin.

« Je peux emmener quelqu'un en ville ? demanda Howard.

539

Je serais heureux de déposer ceux qui le veulent où ils ont besoin. »

Deux minutes plus tard, Howard baissa la vitre côté passager et klaxonna à l'intention de ses trois enfants qui, à demi nus, descendaient à pied la colline. Ils lui firent tous un doigt d'honneur.

Howard traversa et quitta Wellington. Il regarda l'extrême chaleur du jour onduler à travers son pare-brise ; il entendit les grillons dont le chant ressemblait aux cordes d'un orchestre. Il écouta à fond sur l'auto-radio de sa voiture, comme un adolescent la vitre baissée, le *Lacrimosa*. *Souiche da-da, souiche da-da*. La musique ralentit en même temps qu'Howard, comme il arrivait à Boston et qu'il s'engageait dans le Big Dig, réseau souterrain de la ville. Il demeura là dans un dédale de voitures immobiles, pendant quarante minutes. Lorsque Howard émergea enfin d'un tunnel aussi long que la vie elle-même, son téléphone sonna.

« Howard ? C'est Smith. Dis donc, c'est chouette que tu aies enfin un portable. Comment ça va, mon vieux ? »

Smith avait sa voix calme, artificielle. Par le passé, Howard y avait cru, mais depuis quelque temps il était devenu plus apte à évaluer la réalité de la situation dans laquelle il se trouvait.

« Je suis en retard, Smith. Je suis très en retard maintenant.

— Oh, c'est pas si grave que ça. Prends ton temps. Peur Point est prêt, y a plus qu'à l'utiliser. T'es où exactement ? »

Howard lui donna sa position. S'ensuivit un silence suspect.

« Tu sais ce que je vais faire ? dit Smith. Je vais juste faire une annonce. Et si tu pouvais arriver d'ici vingt minutes ou moins, ce serait parfait. »

Trente minutes après cet appel, le Big Dig recracha dans la ville un Howard au bord de l'apoplexie. D'énormes fleurs de sueur s'épanouissaient sur sa chemise bleu marine, au niveau de ses aisselles. Paniqué, Howard décida d'éviter les sens unique en se garant à cinq pâtés de maisons de là où il avait besoin d'aller. Il claqua la portière de la voiture et se mit à courir, la verrouillant automatiquement par-dessus son épaule. Il sentait la sueur qui dégoulinaient entre ses fesses et inondaient ses sandales, préparant le terrain pour les deux ampoules qui ne manqueraient pas d'apparaître sur son cou-de-pied le temps qu'il arrive à la galerie. Il avait arrêté de fumer peu après le départ de Kiki, mais il maudissait à présent cette décision — ses poumons n'étaient en aucun cas plus aptes aujourd'hui à supporter cet effort qu'ils ne l'avaient été cinq mois auparavant. En plus, il avait pris dix kilos.

« La solitude du coureur de fond ! l'apostropha Smith en le voyant apparaître chancelant à l'angle de la rue. Tu y es, tu y es, ça va. Prends ton temps, tu peux prendre ton temps. »

Howard s'appuya contre Smith, incapable de parler.

« Ça va, dit Smith avec conviction. Tout va très bien.

— Je vais vomir.

— Non, non, Howard. C'est la *dernière* chose que tu vas faire. Allez, on y va, rentrons. »

Ils pénétrèrent dans un bâtiment où l'air climatisé congelait sur place la transpiration. Smith prit Howard par le coude et le mena le long d'un couloir, puis d'un autre. Il posta l'être sous sa responsabilité près d'une porte légèrement entrouverte. Par l'entrebâillement, Howard pouvait voir une tranche d'estrade, de table, et de carafe d'eau dans laquelle flottaient deux tranches de citron.

« Donc, pour faire marcher Peur Point, tu cliques sur le bouton rouge, ça sera à côté de ta main sur l'estrade. Chaque fois que tu appuies sur ce bouton, un nouveau tableau apparaîtra, suivant l'ordre dans lequel tu en parleras pendant ta conférence.

— Ils sont tous là ? demanda Howard.

— Tous ceux qui comptent », répondit Smith, et il ouvrit la porte en grand.

Howard entra. Des applaudissements polis mais las l'accueillirent. Il se tint derrière l'estrade et s'excusa de son retard. Il repéra immédiatement une demi-douzaine de personnes du département d'histoire de l'art, ainsi que Claire, Erskine, Christian et Meredith, et plusieurs de ses anciens et actuels étudiants. Jack French était venu avec sa femme et ses enfants. Howard fut touché par tant de soutien. Ils n'avaient pas besoin de venir ici. En termes wellingtoniens, il était déjà un homme mort, sans aucun livre à l'horizon, se dirigeant droit vers un divorce difficile, et un congé sabbatique qui ressemblait à s'y méprendre au premier pas vers la retraite. Mais ils étaient venus. Il s'excusa encore d'être en retard et évoqua avec ironie son manque d'expérience et son inaptitude à utiliser la technologie dont il allait se servir.

Howard était au milieu de son discours préliminaire lorsqu'il visualisa avec une parfaite netteté la chemise jaune qui était restée là où il l'avait laissée, sur la banquette arrière de sa voiture, à cinq pâtés de maisons de là. Il cessa tout à coup de parler et demeura silencieux pendant une minute. Il pouvait entendre les gens gigoter sur leurs sièges. Il pouvait sentir un fort relent de sa propre odeur. De quoi avait-il l'air devant ces gens ? Il appuya sur le bouton rouge. L'intensité lumineuse diminua très lentement grâce au variateur de lumière, comme si Howard tentait de séduire son public. Il parcourut du regard l'assemblée à la recherche de l'homme qui orchestrait cet effet spécial, et tomba sur Kiki assise à l'extrême droite du sixième rang, qui regardait avec intérêt l'image projetée derrière lui se dessiner petit à petit dans l'obscurité naissante. Elle avait tressé dans sa natte un ruban écarlate, et ses épaules nues scintillaient.

Howard appuya à nouveau sur le bouton rouge. Une image remplaça la précédente. Il attendit une minute et appuya derechef. Une autre image. Il continua d'appuyer.

Des personnages apparurent : anges, membres de la Guilde et marchands et chirurgiens et étudiants et écrivains et paysans et rois et l'artiste lui-même. Et l'artiste lui-même. Et l'artiste lui-même. L'homme de Pomona College se mit à hocher la tête avec approbation. Howard appuya sur le bouton rouge. Il pouvait entendre Jack French dire à son fils aîné, dans son fameux chuchotement sonore : *Tu vois, Ralph, l'ordre est porteur de sens*. Howard appuya sur le bouton rouge. Rien ne se produisit. Il était arrivé à la fin de la série. Il regarda le public et vit Kiki, tête baissée, qui souriait. Le reste de son public grimaçait vaguement en fixant le mur du fond. Howard tourna la tête et regarda le tableau derrière lui.

« *Jeune femme se baignant dans la rivière*, 1654 », croassa Howard sans en dire plus.

Sur le mur était projetée une jolie Hollandaise débraillée qui portait une simple et ample chemise blanche, barbotant dans une eau qui lui montait aux chevilles. Le public d'Howard la regarda, puis regarda Howard, puis la femme à nouveau, comme s'il attendait des éclaircissements. La femme, quant à elle, regardait l'eau timidement. Elle semblait se demander si elle devait aller plus profond. La surface de l'eau sombre était pleine de reflets — un baigneur prudent ne pourrait savoir avec certitude ce que cachaient ses profondeurs. Howard regarda Kiki. Dans ce visage, toute sa vie. Kiki leva soudain les yeux vers lui — sans animosité, pensa-t-il. Howard ne dit rien. Une nouvelle minute de silence. Le public perplexe se mit à marmonner. Howard agrandit l'image comme Smith lui avait appris à le faire. Les rondeurs de la femme se répandirent sur le mur. Howard regarda de nouveau le public, et ne vit que Kiki. Il lui sourit. Elle sourit. Elle détourna les yeux, mais elle sourit. Howard se retourna vers la femme projetée, le grand amour de Rembrandt, Hendrickje. Même si ses mains n'étaient que des taches floues aux contours imprécis, couche de peinture sur couche de peinture mélangées au pinceau, chaque détail du reste de sa peau était parfaitement rendu : blancs de craie et roses chatoyants, bleu sous-jacent des veines et ce soupçon de jaune humain toujours présent, signe annonciateur de ce qui nous attend.

Note de l'auteur

Merci à Zomba Music Publishing Ltd, Sony / ATV Music Publishing (UK) Ltd et Universal / MCA Music Ltd pour la permission de citer *I Get Around* de Tupac Shakur. Merci à Faber and Faber pour la permission de citer les poèmes « Imperial » et « The Last Saturday in Ulster » et de reproduire intégralement le poème « De la Beauté ». Tous trois sont extraits du recueil *To a Fault*, de Nick Laird. Merci à Nick lui-même d'avoir accepté que son poème soit attribué à Claire. Merci à mon frère Doc Brown pour une partie des paroles raps de Carl Thomas.

Plusieurs tableaux de Rembrandt sont décrits dans ce roman, dont la plupart sont accessibles au public. (Claire a raison en ce qui concerne *Un constructeur de navires et sa femme*, 1633. Si vous voulez le voir, il faudra que vous demandiez à la reine.) Les deux portraits qui sont à l'origine des problèmes entre Monty et Howard sont l'*Autoportrait à la chevelure bouclée et au col blanc*, 1629, Mauritshuis, La Haye, et l'*Autoportrait*, 1629, Alte Pinakothek, Munich. Ils ne sont pas aussi semblables que le suggère l'auteur. Le tableau dont se sert Howard pour son premier cours du semestre est *La leçon d'anatomie du docteur Tulp*, 1632, Mauritshuis, La Haye. Le tableau que contemple Katie Armstrong est *La lutte de Jacob avec l'ange*, 1658, Gemäldegalerie, Berlin ; la gravure, *Femme nue assise sur une butte*, 1631, Museum het Rembrandthuis, Amsterdam. Howard est dévisagé par *Le syndic de la Guilde des drapiers*, 1662, Rijksmuseum, Amsterdam. Le récit détaillé qu'a fait Simon Schama de l'histoire herméneutique de la Guilde a inspiré mon propre récit bien plus sommaire. Howard n'a absolument rien à dire sur *Jeune femme se baignant dans la rivière*, 1654, National Gallery, Londres.

Le tableau d'Hector Hyppolite que possède Carlene existe également. On peut le voir au Centre d'Art, Haïti. Le tableau dans lequel

545

Kiki se voit marcher est celui d'Edward Hopper, *Route dans le Maine*, 1914, Whitney Museum of American Art, New York. Howard trouve que Carl ressemble aux *Têtes de Nègres*, de Rubens, vers 1617, Musées royaux des Beaux-Arts, Bruxelles. Je ne suis pas de cet avis.

NOTE DU TRADUCTEUR

La citation de *La Tempête* de Shakespeare (page 131) est empruntée à la traduction de Pierre Leyris et Elizabeth Holland (Gallimard, Bibliothèque de la Pléiade).